Koud spoor

Matthew Hall

Koud spoor

A.W. Bruna Uitgevers B.V., Utrecht

Oorspronkelijke titel
The Coroner
© Matthew Hall 2009
Vertaling
Gerard Grasman
Omslagbeeld
Arcangel Images/Imagestore
Omslagontwerp
Mariska Cock
© 2009 A.W. Bruna Uitgevers B.V., Utrecht

ISBN 978 90 229 9420 7
NUR 305

Tweede druk, maart 2009

Voor P., T., en W.

PROLOOG

Het eerste lijk dat Jenny ooit had gezien, was dat van haar grootvader. Ze had toegekeken hoe haar grootmoeder, snikkend in een opgevouwen zakdoek, de oogleden over zijn levenloze ogen schoof en, toen haar moeder haar armen uitstak om haar te troosten, fel de aangeboden arm had weggeduwd. Het was een reactie die ze nooit had kunnen vergeten: verwijtend, boos en volstrekt instinctief. Hoewel ze pas elf jaar oud was, had ze op dat moment – mede door de blik die de beide vrouwen wisselden – een bittere, beschamende geschiedenis bespeurd die haar sporen had nagelaten in het gezicht van de oudere vrouw totdat ook zij zich zeven jaar later in datzelfde bed losmaakte van haar lichaam, zij het niet bereidwillig.

Toen ze bij het graf achter haar vader stond toen de kist onbeholpen in het graf werd neergelaten, was ze zich in het stilzwijgen van de volwassenen om haar heen bewust geweest van iets afschuwelijks dat de sfeer vergiftigde, en wel zo tastbaar dat het haar keel dichtsnoerde en haar tranen blokkeerde.

Pas vele jaren later, toen ze al een opgeschoten puber was, begonnen de indrukken van deze beide gebeurtenissen zich uit te kristalliseren tot het inzicht dat mensen in de nabijheid van de dood het kwetsbaarst zijn voor de waarheid; en dat zij in de nabijheid van de waarheid het kwetsbaarst zijn voor de dood.

Het was dit inzicht – waarvan ze zich bewust was geworden toen haar ex-man haar met de echtscheidingspapieren in de hand had begroet – dat haar ervan had weerhouden over de rand van een klif te rijden of zich onder een trein te gooien. Misschien, heel misschien, was ze er net op tijd in geslaagd zichzelf ervan te overtuigen dat de morbide gedachten die haar achtervolgden slechts richtingwijzers waren op een gevaarlijke, steil dalende weg die ze misschien toch kon volgen om zichzelf in veiligheid te brengen.

Zes maanden later was ze nog steeds vele kilometers van haar doel verwijderd, maar er toch veel dichterbij dan die nacht toen slechts een flits van een herinnering – het gewicht ervan verzwaard door veel te veel wijn – haar voor de afgrond had behoed. Wie haar nu zag zou niet eens op het idee komen dat er ooit iets met haar mis was geweest. Op deze heldere juniochtend, de eerste van haar nieuwe loopbaan, leek ze in de bloei van haar leven te verkeren.

1

Bristol Evening Post

CRIMINELE TIENER DOOD AANGETROFFEN IN CEL

De veertienjarige Danny Wills is vanochtend dood aangetroffen in zijn cel van het gesloten heropvoedings- en detentiecentrum Portshead Farm, hangend aan een reep beddenlaken die aan de tralies van zijn celraam was geknoopt. De ontdekking werd gedaan door de heer Jan Smirski, een onderhoudsmonteur die in deze door een particuliere firma beheerde strafinrichting naar een verstopt toilet kwam kijken.

Wills, een jongen van gemengde afkomst, verbleef pas negen dagen in de inrichting vanwege een veroordeling tot vier maanden opsluiting annex behandeling, hem opgelegd door de kinderrechter van het Severn Vale Youth Court. De politie werd erbij gehaald om een en ander te onderzoeken, maar inspecteur Alan Tate gaf de pers te kennen dat hij geen enkele reden zag boze opzet te vermoeden.

Danny, zoon van de negenentwintigjarige Simone Wills, was de oudste van zes broers en zussen van wie er volgens de buren geen twee dezelfde vader hadden.

Zijn strafblad vermeldt drugsgebruik, geweldpleging en verstoring van de openbare orde. Zijn detentie volgde op een veroordeling wegens de gewelddadige diefstal van een fles wodka uit Ali's Slijterij in Broadlands Estate in Southmead. Bij die beroving had Wills de eigenaar, de heer Ali Khan, met een jachtmes bedreigd, met de woorden dat hij zijn 'Pakihart uit zijn borst zou snijden'. Met dit misdrijf overtrad hij een straatverbod dat hem slechts twee weken eerder was opgelegd wegens het in bezit hebben van crack-cocaïne.

Stephen Shah van de buurtbewakingsvereniging Southmead Residents Action verklaarde vandaag dat Wills 'een beruchte tienercrimineel was, wiens dood een les moet zijn voor alle jonge hooligans'.

Aan Danny Wills' kortstondige leven was een eind gekomen in de vroege ochtend van wat een schitterende lentedag beloofde te worden, op zaterdag 14 april. Hij was op dat moment – misschien had het lot aldus beschikt – precies veertien jaar en veertien dagen oud, wat hem de twijfelachtige eer opleverde de jongste gevangene te zijn die de laatste jaren in zijn cel de dood had gevonden.

Buiten zijn moeder en de oudste van zijn drie zussen plengde niemand een traan om zijn overlijden.

Danny's lichaam, dat amper tweeënveertig kilo woog, werd in wit plastic gewikkeld en voor de duur van het weekend neergevleid op een brancard in een gang van het mortuarium van Severn Vale's streekziekenhuis.

Die maandagochtend om acht uur wierp patholoog-anatoom dr. Nick Peterson, een slanke, vijfenveertigjarige marathonloper, een korte blik op de blauwe kneuzingen die vanaf zijn keel omhoogliepen, en kwam tot de conclusie dat het zelfmoord was, al moest er volgens de voorschriften ook nog sectie worden verricht.

Laat in de middag belandde het uiterst beknopte sectierapport van de patholoog-anatoom op het bureau van Harry Marshall, rechter van instructie voor het district Severn Vale. Hij las:

I
Aandoening of ziekte
rechtstreeks leidend
tot de dood   ***a) Traumatische asfyxie t.g.v.***
                                                       verwurging

Antecedente oorzaken   ***b) Geen***

II
Overige significante
omstandigheden die
hebben bijgedragen
aan het overlijden,
maar die GEEN *verband*
houden met de ziekte
of aandoening die als
oorzaak is aangemerkt   ***Geen***

Aanwezige morbide
omstandigheden die
naar de mening van de
patholoog-anatoom
hebben bijgedragen
aan het overlijden   ***Geen***

Is nader laboratorium-
onderzoek vereist
waarvan de uitslag
van invloed kan zijn
op de hier vermelde
doodsoorzaak?   **Neen**

Commentaar
**Deze veertienjarige jongeman werd in zijn afgesloten cel van een
gesloten heropvoedings- en detentiecentrum gevonden, hangend aan
een provisorische strop, gemaakt van een laken. De verticale kneuzingen langs zijn nek, de afwezigheid van een fractuur van het os
hyoideum en de vastgestelde lokale necrose in de hersenen duiden op
suïcide.**

Harry, een vermoeid ogende man van achtenvijftig die met zijn
lichaamsgewicht tobde, een lichte hartaandoening had en de financiële
last van vier tienerdochters droeg, initieerde op dinsdag 17 april plicht-
matig een vooronderzoek dat hij meteen weer opschortte, hangende
nadere navorsingen. Twee weken later, op de 30e april, zat hij opnieuw
een hoorzitting voor om nadere informatie te verkrijgen via de getuigenissen van enkele stafleden van het heropvoedings- en detentiecentrum.
Nadat hij hun verklaringen, die elkaar wederzijds ondersteunden, had
aangehoord, deed hij aan de uit acht leden bestaande jury de aanbeveling het oordeel 'zelfmoord' te bevestigen.
   Op de tweede dag van de hoorzitting gaf de jury unaniem gehoor aan
zijn aanbeveling.
   Op woensdag 2 mei besloot Harry geen hoorzitting te houden inzake
de dood van een vijftienjarige drugsverslaafde, Katy Taylor, en tekende
hij een overlijdensverklaring die bevestigde dat zij was overleden aan
een intraveneus toegediende overdosis heroïne. Het was zijn laatste
belangrijke daad als vertegenwoordigend rechter van instructie van hare
majesteit. Zesendertig uur later ontwaakte zijn vrouw uit een uitermate
verkwikkende slaap en ontdekte dat hij steenkoud naast haar lag. De
huisarts, al jaren bevriend met het echtpaar, was zonder meer bereid om
zijn dood toe te schrijven aan een natuurlijke oorzaak – een hartstilstand, waarmee hij hem de vernedering van sectie bespaarde.
   Harry werd een week later gecremeerd, op dezelfde dag en in hetzelfde crematorium als Danny Wills. De medewerker die tot taak had de as
en botfragmenten uit de aslade van de oven in de cremulator te doen
om alles fijn te vermalen, was als gewoonlijk allesbehalve gewetensvol:

de urnen die hij de respectievelijke nabestaanden meegaf, bevatten de vermengde resten van diverse overledenen. Harry's as werd uitgestrooid over een hoek van het weiland in Gloucestershire waar hij en zijn vrouw elkaar nader hadden leren kennen. Er vond een ontroerende korte ceremonie plaats, waarbij zijn vier dochters elk een gedicht voorlazen van respectievelijk Wordsworth, Tennyson, Gray en Keats.

Danny's resten werden verstrooid in de Garden of Remembrance van het crematorium zelf. Op de marmeren plaquette die tussen de rozenstruiken werd geplant stond te lezen: BEAUTY FOR ASHES – Schoonheid in ruil voor as – maar uit respect voor alle religies, behalve die waaruit deze woorden van troost en inspiratie afkomstig waren, was de verwijzing naar het desbetreffende Bijbelvers weggelaten.

Harry zou erom hebben geglimlacht en zich hoofdschuddend hebben afgevraagd welke bekrompen geesten hadden bepaald welk deel van de waarheid door anderen mocht worden gekend.

2

Jenny Cooper, een aantrekkelijke maar niet echt mooie vrouw van even in de veertig zat tegenover dr. James Allen, met iets van vastbesloten verzet op haar gezicht. De gemeentelijke psychiater moest op zijn minst een jaar of tien jonger zijn dan zijzelf, giste Jenny, en hij deed zijn best zich niet door haar te laten intimideren. Hoeveel vrouwelijke vrije beroepsbeoefenaren kon hij hier, in dit kleine moderne ziekenhuis van Chepstow, tegen het lijf lopen? Chepstow was tenslotte een wijk van Bristol die naar ieders maatstaf weinig meer was dan een dorp.

'U hebt de afgelopen maand geen paniekaanvallen meer gehad?' vroeg de jonge arts, terwijl hij in Jenny's dikke statusmap zat te bladeren.

'Nee.'

Hij noteerde haar antwoord. 'Er dreigde er ook geen?'

'Hoe bedoelt u?'

Met een geduldig glimlachje keek hij op. Afgaande op zijn keurige scheiding en met zorg geknoopte stropdas vroeg Jenny zich af wat hij van zichzelf probeerde te verdringen.

'Hebt u geen enkele situatie meegemaakt die symptomen van paniek bij u uitlokte?'

Ze overdacht de afgelopen paar weken en maanden: de spanning van sollicitatiegesprekken, de blijdschap dat ze tot rechter van instructie was benoemd, het impulsieve besluit om een huis in de provincie te kopen, de vermoeienissen van een verhuizing zonder hulp, het overweldigende schuldgevoel dat ze had overgehouden aan het feit dat ze zo gedecideerd in haar eigen belang had gehandeld.

'Ik denk...' begon ze aarzelend, 'dat ik me het meest gespannen voel als ik mijn zoon bel.'

'Omdat...?'

'Vanwege de kans dat zijn vader zal opnemen.'

Dr. Allen knikte, alsof dit volgens zijn beperkte ervaring de gewoonste zaak van de wereld was.

'Kunt u daar wat meer over vertellen? Kunt u me precies zeggen waarvoor u eigenlijk bang bent?'

Jenny keek door het raam op de begane grond naar de tuin buiten: de steriele, groene strakheid ervan deed kunstmatig aan.

'Hij veroordeelt mij... Hoewel ons huwelijk met al zijn avontuurtjes door hemzelf naar de knoppen is geholpen, blijft hij mij verwijten dat ik mijn carrière combineer met het moederschap en besloot hij de voogdij op te eisen. Ja, hij veroordeelt me.'

'Wat zegt hij dan?'

'Dat ik een egoïstische mislukkeling ben.'

'Dat heeft hij met zoveel woorden tegen u gezegd?'

'Dat hoeft hij niet eens.'

'Het is dus eigenlijk een oordeel dat u over uzelf velt?'

'Ik dacht dat dit psychiatrie was – geen psychoanalyse.'

'Het verlies van de voogdij over uw zoon zal ongetwijfeld tal van moeilijke emoties hebben uitgelokt.'

'Ik heb hem niet verloren; ik heb ermee ingestemd dat hij bij zijn vader woont.'

'Maar dat was wat hij zelf wilde, toch? Uw ziekte heeft zijn vertrouwen in u ondermijnd.'

Ze wierp hem een blik toe die moest beduiden dat hij hiermee ver genoeg was gegaan. Ze had er geen trek in dat een zielenknijper van net dertig haar wilde vertellen waaróm haar zenuwgestel een opdonder had gehad; ze was hier alleen om haar Temazepam-recept te verlengen.

Dr. Allen nam haar peinzend op, alsof hij in haar een harde noot zag – ze kon het hem aanzien – die moest worden gekraakt.

'U gelooft niet dat u door deze positie als rechter van instructie aan te nemen gevaar loopt te veel van uzelf te vergen?'

Jenny slikte de woorden die ze hem in het gezicht had willen slingeren in en perste er een toegeeflijk lachje uit.

'Ik heb deze functie aangenomen omdat het werk voorspelbaar en veilig is en goed betaald wordt. Ik heb bovendien niemand boven me en hoef aan niemand verantwoording af te leggen.'

'Behalve aan de doden... en hun nabestaanden.'

'Na vijftien jaar zwoegen in het kinderrecht zullen de doden een welkome verademing voor me zijn.'

Hij leek haar antwoord belangrijk te vinden. Hij boog zich met een ernstig gezicht naar voren, klaar om verder te boren. Jenny sneed hem de pas af. 'Luister, de symptomen nemen gestaag af. Ik kan werken, ik kan functioneren en deze milde medicatie helpt me orde op zaken te stellen. Ik waardeer uw bezorgdheid, maar ik denk dat u het wel met me eens kunt zijn als ik zeg dat ik alles doe om mijn leven weer op het juiste spoor te krijgen.' Ze keek op haar horloge. 'En nu moet ik echt aan de slag.'

Dr. Allen richtte zich op, teleurgesteld door haar reactie. 'Als u het een kans geeft, zullen we naar mijn overtuiging wel enige vooruitgang kunnen boeken en misschien het gevaar van een nieuwe zenuwinzinking bezweren.'

'Het was geen zenuwinzinking.'

'Een tijdelijke inzinking dan. Het was u allemaal te veel geworden.'

Jenny beantwoordde zijn blik, wetende dat hij, hoe jong en onbeholpen hij ook mocht zijn, genoot van de macht die hij over haar had.

'Natuurlijk wil ik geen herhaling,' zei ze. 'Ik zou dit gesprek graag een andere keer willen voortzetten. U hebt me geweldig geholpen, maar ik moet nu toch werkelijk weg. Dit is mijn eerste dag in mijn nieuwe baan.'

Verzekerd van een nieuwe afspraak greep hij naar zijn agenda. 'Ik heb hier vrijdag over veertien dagen spreekuur – wat zou u zeggen van halfzes, zodat we de tijd kunnen nemen die we nodig hebben?'

Jenny streek glimlachend het donkerbruine haar uit haar gezicht. 'Klinkt goed.'

Terwijl hij de afspraak noteerde, zei hij: 'Vindt u het erg als ik u nog een paar vragen stel, alleen voor de volledigheid?'

'Zegt u het maar.'

'Hebt u de laatste tijd opzettelijk overgegeven of een laxeermiddel gebruikt?'

'U hebt de status grondig bekeken.'

Hij overhandigde haar een afspraakkaartje, in afwachting van haar antwoord.

'Af en toe,' zei ze.

'Om een specifieke reden?'

Schouderophalend zei ze: 'Omdat ik me niet graag dik voel.'

Onwillekeurig gluurde hij even naar haar benen en kreeg meteen een kleur, omdat hij merkte dat ze het had opgemerkt. 'U bent anders slank genoeg.'

'Dank u. Kennelijk werkt het.'

Hij staarde omlaag naar zijn agenda om zijn verlegenheid te verbergen. 'Hebt u nog medicamenten gebruikt die zonder recept verkrijgbaar zijn?'

'Nee.' Ze pakte haar nieuwe aktetas van glanzend leer. 'Zijn we nu klaar? Ik beloof u dat ik u geen proces zal aandoen.'

'Nog één ding. In de notities van uw gesprekken met dokter Travis heb ik gezien dat u een leemte van twaalf maanden hebt in wat u zich van uw jeugd herinnert – tussen uw vierde en vijfde jaar.'

'Ik neem aan dat zijn notities ook melding maken van het feit dat ik mij tussen mijn vijfde en vijfendertigste levensjaar toch redelijk gelukkig heb gevoeld.'

Geduldig legde dr. Allen zijn handen in zijn schoot. 'Het verheugt me u als mijn cliënte te verwelkomen, mrs. Cooper, maar u dient te weten dat de verdedigingsmuur die u om u heen hebt opgetrokken vroeg of laat moet worden afgebroken. Het is beter dat u zelf het tijdstip daarvoor kiest, dan dat er voor u wordt gekozen.'

Jenny knikte bijna onmerkbaar. Ze voelde hoe haar hart begon te bonzen terwijl ze zich bewust werd van een drukkend gevoel op haar slapen terwijl de periferie van haar blikveld wat vervaagde. Vlug stond ze op en wist genoeg woede over haar zwakheid op te roepen om het opkomende gevoel van paniek te verdringen. Ze liet haar stem zo nonchalant en zakelijk mogelijk klinken toen ze zei: 'Ik weet zeker dat we het goed met elkaar zullen kunnen vinden. Mag ik dan nu mijn recept?'

De psychiater keek naar haar op, tastend naar zijn pen. Ze voelde dat hij haar symptomen herkende maar te beleefd was om er iets over te zeggen.

Nadat Jenny de pilletjes bij de apotheek had opgehaald, slikte ze er zodra ze weer in haar auto zat twee door met een slok Sprite Light. Ze maakte zichzelf wijs dat het alleen maar kwam van de spanning van deze eerste dag. Ze wachtte even totdat het medicament begon te werken en controleerde intussen haar make-up in het zonneklepspiegeltje. Voor deze keer putte ze wat moed uit wat ze zag. Niet slecht, althans, aan de buitenkant; ze zag er jonger uit dan haar moeder op deze leeftijd...

Na een paar tellen voelde ze hoe de pillen hun magische effect begonnen te krijgen en haar spieren en bloedvaten zich ontspanden. In haar binnenste breidde zich een gevoel van warmte uit, als een glas chardonnay op een lege maag. Ze draaide de contactsleutel om en stuurde haar bejaarde Golf de parkeerplaats af.

Terwijl Tina Turner pogingen deed haar speakers op te blazen, kroop ze in de file over de rondweg, bereikte de oprit naar de M4 en trapte het gaspedaal helemaal in. Ze reed tegen de zon in en leek met 130 kilometer per uur de vijfenhalve kilometer van de oude Severn Bridge vliegend af te leggen. De beide torens waaraan de brug – weinig vertrouwenwekkend – was opgehangen met niets meer dan stalen kabels van vijf tot zes centimeter dik, leken haar de schitterende symbolen van onoverwinnelijke kracht en een fantastische toekomst. Ze keek uit over het heldere blauwe water dat zich uitstrekte tot aan een mistige horizon en probeerde de dingen van de zonnige kant te bezien. In amper een jaar tijd had ze een emotionele breakdown doorgemaakt die haar had gedwongen haar baan op te zeggen, plus een verbitterde echtscheidingsprocedure en het verlies van de voogdij over haar tienerzoon. Desondanks had ze kans gezien een nieuw begin te maken, met een nieuwe baan en een nieuw huis. Ze had klappen gekregen, maar was verder ongebroken. Meer dan ooit had ze zich voorgenomen dat datgene wat ze had doorgemaakt haar alleen maar sterker zou maken.

Terwijl ze zich een weg zocht door het drukke verkeer naar het centrum van Bristol voelde ze zich onoverwinnelijk. Wat wist zo'n psychiatertje nou helemaal? Wat had híj ooit doorgemaakt?

Hij kon doodvallen. Als ze ooit weer pillen nodig had, zou ze ze wel van internet plukken.

Haar nieuwe kantoor was gehuisvest in een herenhuis in Jamaica Street: vergane glorie uit de 18^e eeuw. Jamaica Street was een zijstraat aan het zuidelijke eind van Whiteladies Road. Nadat ze met moeite een parkeerplek had gevonden, liep ze erheen – voor het eerst. Groots kon je het niet noemen. Het huis stond vlak bij de kruising met Whiteladies Road, ingeklemd tussen een tamelijk onaanzienlijke Aziatische winkel-van-sinkel en een haveloze krantenkiosk op de hoek. Ze bereikte de voordeur en bekeek de twee naamplaten van koper. De tweede en derde etage boden onderdak aan een architectenbureau, Planter & Co; de begane grond was van haar: HER MAJESTY'S CORONER, SEVERN VALE DISTRICT.

Het klonk zo formeel, zo gezwollen. Ze was een vrouw van tweeënveertig die kampte met driftaanvallen, die in bed goedkope tijdschriften las en die vaak naar reggae luisterde en sigaretten rookte als ze te veel had gedronken. Toch was ze nu hier – een vrouw die verantwoordelijk was voor het onderzoeken van alle onnatuurlijke sterfgevallen in een forse taartpunt van Bristol-Noord en het graafschap Gloucestershire. Zij was de rechter van instructie die meestal 'onderzoeksrechter' werd genoemd: een ambt dat, voor zover ze uit haar beperkte navorsingen had begrepen, uit het jaar 1194 stamde. Ze voelde de Temazepam-gloed wegebben terwijl ze de sleutelbos die haar per post was toegestuurd uit de aktetas viste en de voordeur opende.

De entree was smoezelig, geschilderd in een walgelijke, lichte tint groen. Een donkere eiken trap slingerde zich omhoog naar de tweede etage en nog hoger, maar de grandeur ervan werd verpest door de goedkope grijze vloerbedekking waarmee de oneffen treden waren bekleed. De troosteloze atmosfeer werd versterkt door tegen de muren geschroefde plastic bordjes die bezoekers de weg naar boven wezen, met links van de deur naar de gang een deels matglazen bordje met de tekst CORONER'S OFFICE.

Het inwendige van haar nieuwe domein was nóg somberder. Ze sloot de deur achter zich, knipte de tl-buizen aan en begon de grote, smoezelige receptieruimte te inspecteren. Ze nam zich voor het interieur zo spoedig mogelijk te laten opknappen. Op een bureau dat er ouder uitzag dan ze zelf was, stonden een oude computer en een telefoon. Erachter zag ze een rij grijze archiefkasten uit hetzelfde verre verleden, en een zieltogende gatenplant. Aan de overkant van de ruimte stonden twee verzakte zitbanken haaks ten opzichte van elkaar bij een lage, goedkope salontafel met een stapel stukgelezen afleveringen van *Reader's Digest*. Het hoogtepunt was een hoog schuifraam dat uitzicht bood op een ruime lichtkoker waarin, zo vermoedde ze, de architecten van boven twee laurierstruiken in potten hadden neergezet, aan weerszijden van een moderne designbank.

Er waren drie binnendeuren: een ervan gaf toegang tot een functioneel en recent gemoderniseerd keukentje, de tweede tot een garderobe, en de derde, die er solide uitzag, tot haar kantoor.

De ruimte, hooguit vierenhalf bij vijf meter, kon alleen maar zijn gebruikt door een al wat oudere man. In het midden stond een zwaar victoriaans bureau, bezaaid met dossiers en documenten. Nog meer dossiers en documenten stonden opgestapeld op de vloer. Een stoffige jaloezie hing voor wat ooit een vorstelijk venster met luiken moest zijn geweest, met uitzicht op de straat.

Twee muren gingen volledig schuil achter boekenkasten, volgestouwd met rechtskundige verslagen als *All England* en *Weekly Law Reports*. De resterende muurruimte hing vol met traditionele prenten van landelijke tafereeltjes en golfscènes, plus een foto van een groep eerstejaars van Jesus College in Oxford, uit 1967. Jenny bestudeerde de gezichten van de langharige studenten in hun toga met witte bef, en vond Harry Marshall: een slanke, speelse tiener die als een soort van jonge Mick Jagger een gezicht trok naar de fotograaf.

Ze ontdekte een half leeggedronken koffiekop op de schoorsteenmantel, boven een ouderwetse gashaard. Met een macabere impuls nam ze de kop op en bestudeerde de dunne film van schimmel, drijvend op het oppervlak. In gedachten zag ze Harry voor zich, dik en amechtig ademend door zijn mond, die enkele uren voor zijn dood deze koffie had zitten lurken. Heel even vroeg ze zich af hoe haar eigen loopbaan eindigen zou.

Een pulserend lichtje trok haar aandacht. De telefoonbeantwoorder op het bureau, die eruitzag als een relikwie uit de jaren tachtig, bevatte twee boodschappen. Ze zette de koffiekop neer en drukte de afspeelknop in. Ze hoorde de vervormde stem van een wanhopige jonge vrouw die tegen haar tranen vocht, zeggen: 'Simone Wills hier. Al die dingen die ze in de kranten over me zeggen, zijn niet waar. Er is niks van waar!... En ik heb écht dat detentiecentrum gebeld om ze te zeggen hoe Danny was. Die vrouw liegt dat het zwart ziet, als ze beweert van niet...' Ze bedwong een snik en vervolgde treurig: 'Waarom hebt u mij niet laten getuigen? U had me toch beloofd dat ik mijn zegje kon doen! U had het belóófd...' Het apparaat gaf een *bliep* en legde haar het zwijgen op.

De volgende boodschap kwam van dezelfde stem, maar die klonk dit keer vermoeid en eentonig. Simone Wills zei: 'U hebt het mis, dat wéét u best. Als u niet het lef hebt om uit te zoeken wat er is gebeurd, zal ik het zelf wel doen. Ik zal zorgen dat Danny zijn recht krijgt. En u bent een lafbek. U bent al even erg als de hele rest.' *Klik.* Deze keer was ze het apparaat te snel af.

Danny Wills. Jenny herinnerde zich iets te hebben gelezen over de jonge gevangene die in de cel de dood had gevonden. Iets had haar het idee gegeven dat zijn moeder een verslaafde was, een lid van de zwakke laagste klasse waarmee ze in haar vorige werkkring zo vertrouwd was geraakt. De boze stem in haar oren had een onwelkom déjà vu in haar losgemaakt. Als advocate die dagelijks te maken had gehad met de noodzaak verwaarloosde kinderen te ontworstelen aan de handen van hun incapabele en soms tot mishandelen geneigde ouders, had ze meer dan genoeg gekregen van hysterische emoties. Als onderzoeksrechter, zo had ze gehoopt, zou ze zulke ontredderde, door verdriet overmande mensen op afstand kunnen houden.

'Hallo...?' riep een vrouwenstem in de receptie. 'Bent u dat, mrs. Cooper?'

Jenny draaide zich om en zag tegenover zich een vrouw van begin vijftig, met een keurig gekapte, blond geverfde haardos in de deuropening staan. Ze was klein van stuk en stevig gebouwd, zonder corpulent te zijn. Ze droeg een beige regenmantel en een chic, marineblauw broekpak. Haar bruinverbrande huid stak af tegen haar witte blouse.

'Alison Trent, van het bureau rechter van instructie.' Met een behoedzaam lachje stak de vrouw haar hand uit.

Jenny lachte terug en drukte haar de hand. 'Jenny Cooper. Ik begon me al af te vragen of u hier nog werkte.'

'Na de dood van mr. Marshall ben ik hier maar een paar keer geweest. Ik wilde niks verstoren.'

'Ah...' Jenny wachtte op nadere uitleg, maar kreeg die niet. Ze bespeurde wat verlegenheid bij Alison, of zelfs vijandigheid. 'Nou, als u niet hier was, wie heeft dan de afgelopen vier weken de zaken waargenomen?'

'Dat heb ik,' zei Alison, verbaasd en zelfs een beetje verontwaardigd. 'Ik werk niet hier. Ik heb mijn kantoor in het politiebureau. Hebben ze u dat niet verteld?'

'Het politiebureau? Nee, ik had aangenomen dat...'

'Ik heb bij de politie gewerkt. Bij wijze van gunst hebben ze mij een kantoor gegeven. Heel wat aardiger dan dit, vrees ik.'

Jenny monsterde Alison met een half lachje, en realiseerde zich dat ze een medewerkster tegenover zich had die dacht dat de zaken op de oude voet zouden doorgaan. Op grond van wat ze al had gezien, wist ze dat ze dat niet mocht laten gebeuren.

'Ik neem aan dat ik u maar even moet laten wennen voordat ik u een lading dossiers kom brengen,' zei Alison. 'Niet dat er momenteel veel zaken lopen – alleen de gebruikelijke overlijdensmeldingen van het ziekenhuis, een paar maar.'

'U bent toch niet bevoegd om overlijdensverklaringen te tekenen?'

'Niet persoonlijk. Ik heb uiteraard gebeld met mr. Hamer, de assistent-onderzoeksrechter van Bristol Centrum. Hij vond goed dat ik ze namens hem ondertekende.'

'Ik begrijp het,' zei Jenny, die zich een voorstelling maakte van deze knusse regeling. Een assistent-rechter van instructie in een ander deel van de stad die niet eens de moeite nam zelf dossiers in te zien, maar eenvoudigweg afging op het woord van een voormalige politievrouw als die zei dat nader onderzoek niet nodig was. 'Ik weet niet wat u is verteld, mrs. Trent, maar het ministerie van Justitie heeft me duidelijk gemaakt dat ik dit kantoor moet reorganiseren tot een waardig onderdeel van een moderne gerechtelijke dienst. De eerste stap zal eruit bestaan alles onder één dak te brengen.'

Alison keek haar vol ongeloof aan: 'U wilt dat ik híér kom werken?'

'Lijkt me logisch. Ik zou graag zien dat u zo spoedig mogelijk alles wat u nog op het politiebureau hebt overbrengt naar hier. Vergeet het dossier van Danny Wills niet. En morgenochtend zou ik graag de lopende zaken willen inzien – neem desnoods maar een taxi.'

'Niemand heeft daar met mij over gesproken,' protesteerde Alison. 'Ik kan daar niet zomaar weg – ik heb er vijf jaar gezeten!'

Jenny sloeg haar meest formele toon aan. 'Ik hoop dat u deze gang van zaken niet te belastend vindt, mrs. Trent, maar het moet gebeuren. En vlug ook.'

'U zegt het maar, mrs. Cooper.' Met een ruk draaide Alison zich om en marcheerde naar de deur, terug naar de receptie.

Jenny leunde achterover tegen het bureau en maakte de balans op. Ook dit was iets waarop ze niet had gerekend: een onwillige ondergeschikte, ongetwijfeld om honderd verschillende redenen jaloers en geërgerd. Ze nam zich voor vanaf het eerste begin haar gezag te laten gelden. Het minste wat ze nodig had om haar werk goed te doen, was onvoorwaardelijk respect van haar medewerkers.

Hoog tijd om prioriteiten te stellen. Dit kantoor moest nodig worden uitgemest, maar dat zou moeten wachten. Haar meest urgente taak was het doorspitten van Marshalls paperassen om te zien waaraan aandacht moest worden besteed.

Eerst had ze behoefte aan koffie. Sterke koffie.

Ze vond een Braziliaans café om de hoek aan Whiteladies Road, Carioca's, waar meeneemristretto's – een sterke espresso – en kleine custardtaartjes werden verkocht. Ze nam er van allebei een en was binnen tien minuten terug op haar kantoor.

Naast het bureau, op de grond, vond ze een stapel van wel twintig bruine dossiermappen, stuk voor stuk met een in de laatste paar dagen van Harry Marshalls leven getekende overlijdensverklaring. Zo op het oog allemaal routinezaken, voornamelijk sterfgevallen in een ziekenhuis; de dossiers leken te wachten op opname in het Joost mocht weten wat voor archiveringssysteem dat Alison erop nahield.

Op het bureaublad zelf lagen twee slordige stapels dossiers. De eerste stapel bevatte paperassen en ontvangstbewijzen die betrekking hadden op de boekhouding van het bureau. Een brief van de Plaatselijke Autoriteit – van de instantie die het salaris van de rechter van instructie en de kosten van zijn of haar bureau betaalde – herinnerde Marshall eraan dat zijn jaarcijfers ruim over tijd waren.

De tweede stapel bestond uit een lukrake selectie van zaken, waarvan sommige al jaren oud waren. Boven op de stapel lag een doorzichtige plastic map met vergeelde krantenknipsels die teruggingen tot begin jaren negentig. Ze gingen allemaal over door Marshall onderzochte sterfgevallen. Op de meeste ervan had hij bepaalde passages onderstreept. Sommige waren met zorg uitgeknipt, andere waren eenvoudigweg uitgescheurd, maar ze waren allemaal voorzien van een datum.

Tussen dit alles groef Jenny een collectie persoonlijke correspondentie op, onder een met een korst overdekte inktpot die als presse-papier diende: creditcard- en bankafschriften, en een herinnering van zijn tandarts. Ze ziftte de rommel eruit, verzamelde de rest en ging op zoek naar een envelop die groot genoeg was om alles te kunnen bevatten. Ze doorzocht slordige bureauladen vol gebroken potloden, paperclips en een heleboel vodjes papier, maar vond geen enveloppen. Ze had alle laden doorzocht en stond al op het punt het op te geven toen ze onder het bureaublad zelf nog een andere lade ontdekte die veel breder, maar ook ondieper was. Ze trok aan de handgreep. Afgesloten. Ze ging op zoek naar een sleutel en ontdekte de plastic bureaupot die een collectie stukgekauwde ballpoints bevatte. Ze keerde hem om en vond tussen het stof en wat muntgeld wat ze zocht.

Ze trok de lade open. Er zaten inderdaad enveloppen in, in alle soorten en maten zelfs, maar er lag ook een van de bekende bruine dossiers in. Vlug propte ze de correspondentie in een gewatteerde envelop, schreef *Mrs. Marshall* op de voorkant en opende de dossiermap.

Het bovenste document was een kopie van een overlijdensverklaring, gedateerd op de derde mei, iets meer dan vier weken geleden. Het was een *Form B* – een kennisgeving van de rechter van instructie ten behoeve van het bevolkingsregister waarin stond dat er na sectie geen aanleiding was gevonden om een hoorzitting te houden. De overledene stond geregistreerd als Katherine Linda Taylor, oud vijftien jaar en drie maanden, woonachtig op Harvey Road 6, Southmead. Plaats van overlijden: Bridge Valley in Clifton, de spectaculaire kloof die werd overspannen door de Clifton-hangbrug. Jenny's eerste gedachte ging uit naar de mensen die hier van de brug waren gesprongen, maar als doodsoorzaak stond 'een intraveneus toegediende overdosis diamorfine' vermeld. Het voor het crematiecertificaat bestemde gedeelte was opengelaten, afgezien van het woord 'begraven'.

Geïntrigeerd bladerde Jenny verder en vond een met de hand geschreven proces-verbaal vol spelfouten, geformuleerd in gezwollen ambtelijke taal door ene rechercheur Campbell. Een toevallige voorbijganger had Katy's deels ontbonden lichaam gevonden in struikgewas, ongeveer dertig meter van de weg. Ze was aangetroffen in voorovergebogen zithouding, met een lege injectiespuit naast zich. Het overleden meisje was een week eerder door haar ouders als vermist opgegeven en was een notoire spijbelaarster geweest, die voortdurend van huis was en veel kruimeldiefstallen had gepleegd.

Jenny was niet voorbereid op wat erna kwam: een afdruk van een politiefoto met Katy's lichaam zoals het was aangetroffen. Een klein, slank meisje in een spijkerbroek die werd opgehouden door een brede witte ceintuur, met bijpassende sandalen en een kort, roze T-shirt. Haar slanke handen, half weggerot, omklemden haar knokige knieën. Een weelderige bos ongekamd blond haar hing voor haar gezicht. Haar kin rustte op haar borst.

Jenny staarde langdurig naar de foto, vervuld van afgrijzen, maar ze nam elk detail in zich op. Ze werd vooral gefascineerd door de kleur van de huid van het tienermeisje – de manier waarop het stralende wit van haar sandalen afstak tegen het rottende, beschimmelde vlees. In gedachten maakte ze zich een voorstelling van wat er te zien zou zijn geweest als het lichaam pas weken later was gevonden: zou er dan nog weefsel over zijn geweest, of niet meer dan een skelet, gehuld in kleding?

Ze zette dat beeld uit haar hoofd en legde het A4'tje om, in de verwachting een kopie van het sectierapport tegen te komen, maar die ontbrak. Vreemd. Het patroon dat ze in elk ander dossier had gezien, was steeds hetzelfde geweest: processen-verbaal, sectierapport, overlijdensverklaring. En waarom was dit dossier weggesloten in een bureaulade?

Hoewel ze het grootste deel van de afgelopen drie weken had gebruikt om haar kennis van de wet op lijkschouwing op te frissen, voelde Jenny zich op glad ijs. Ze opende haar aktetas en diepte er haar al tamelijk beduimelde exemplaar van *Jervis* uit op, het standaardnaslagwerk en de bijbel voor iedere rechter van instructie. Het boek bevestigde haar vermoeden: Sectie 8.1 van de *Coroner's Act* van 1988 schreef vooronderzoek voor in gevallen van een gewelddadige of onnatuurlijke dood. Welke dood was er onnatuurlijker dan een mogelijke zelfmoord of onbedoelde overdosis? Hoe had Marshall desondanks een overlijdensverklaring kunnen afgeven, zonder de wettelijke procedure te volgen?

Ze controleerde de datums: lijk ontdekt op 20 april, proces-verbaal op 1 mei, overlijdensverklaring ondertekend op 3 mei. Ze herinnerde zich dat Harry Marshall vlak daarna, nog in de eerste week van mei, zelf was overleden. Misschien had hij zich al niet goed gevoeld en voor de gemakkelijkste weg gekozen? Of had hij de ouders de beproeving van een hoorzitting willen besparen? Hoe dan ook, een hoorzitting achterwege laten was een flagrante schending van de voorschriften. Precies het soort praktijken waaraan het ministerie van Justitie een eind wilde maken door rechters van instructie streng te instrueren.

Een uur later kwam Alison terug. Jenny voelde hoe de ergernis bezit van haar nam, nog voordat ze nijdig op de gedeeltelijk openstaande deur klopte.

Ze probeerde haar stem vrolijk te laten klinken. 'Kom binnen.'

Alison hees een loodzware nylon reistas naar binnen en liet hem op de grond vallen. 'Dit is alles aan lopende zaken sinds zijn overlijden. De zaken in de blauwe mappen staan nog open. We krijgen hier gemiddeld zo'n vijf overlijdensmeldingen per dag, soms nog meer.'

'Bedankt. Ik zal proberen er doorheen te komen.'

'Ik heb een busje geregeld, maar dat kan pas morgenmiddag komen. Er staan nog zes archiefkasten. Ik heb geen idee waar u die denkt te laten.'

'Ongetwijfeld kan veel ervan naar een opslagruimte,' zei Jenny, weigerend in te gaan op Alisons martelaarshouding. 'Het voornaamste is dat we hier de laatste paar jaar bij de hand hebben. We beginnen trouwens onmiddellijk met het digitaliseren van het hele archief.'

'O?'

'U hebt toch wel met computers gewerkt?'

'Alleen als ik er niet onderuit kon. Ik heb gezien hoe fout dat kan lopen.'

'Er is een standaardsysteem dat alle rechters van instructie moeten gaan gebruiken. In het vervolg zullen huisartsen en artsen in ziekenhuizen ons per e-mail een bericht van overlijden sturen, en niet alleen voor gevallen waarvoor zij geen verklaring kunnen afgeven. U weet dat Harold Shipman kans heeft gezien zo'n tweehonderdvijftig van zijn patiënten te vermoorden, zonder dat ook maar één van die gevallen op het bureau rechter van instructie is beland?'

'Zoiets kan hier niet voorkomen. Wij kennen alle artsen in ons district persoonlijk.'

'Dat maakt deel uit van het probleem.' Jenny besloot door te drukken. 'Ik heb een grotere hekel aan bureaucratie dan wie ook, maar misbruik van vertrouwen was de reden waarom hij zich een plaatsje in de recordboeken heeft kunnen bezorgen.'

Alison fronste haar wenkbrauwen. 'Ik veronderstel dat ik niet had mogen verwachten dat we op de oude voet door zouden gaan. Het is alleen maar menselijk om de dingen te willen veranderen.'

'Ik hoop dat we het goed met elkaar zullen kunnen vinden, mrs. Trent.' Alisons gezicht bleef onbewogen. 'Ik heb prima dingen over u gehoord. De mensen die mij instrueerden zeiden dat mr. Marshall u onvervangbaar achtte. Ik weet zeker dat dit ook voor mij zal gaan gelden.'

De oudere vrouw werd er wat milder door gestemd; haar gezicht stond minder krampachtig. 'Excuseer me als ik een beetje gespannen overkom, mrs. Cooper.' Ze wachtte even. 'Mr. Marshall en ik waren in de loop der jaren goede vrienden geworden. Hij was een aardige man. Altijd bezorgd voor iedereen. Ik ben hier niet meer geweest sinds zijn...' Haar stem stokte even en stierf weg.

'Ik begrijp het,' zei Jenny, deze keer met een spontane glimlach, en Alison glimlachte terug.

De spanning tussen hen ebde weg. De wapenstilstand was gesloten, zonder woorden.

Alison wierp een blik op de lege koffiebeker op Jenny's bureau. 'Nog eentje? Ik ga er een halen voor mezelf; het spijt me, maar in de keuken is weinig te vinden. Ik wip er even uit en leg later wat voorraad aan.'

'Bedankt.' Jenny stak haar hand in haar handtas, op zoek naar haar portemonnee.

'Nee, laat maar. Ik ben zo terug.'

'Nee, ik sta erop.' Jenny gaf haar een briefje van twintig pond en zei: 'Dat zal ook wel genoeg zijn voor de rest, neem ik aan.'

Alison aarzelde even voordat ze het geld aannam, maar toen vouwde ze het biljet dankbaar op en stak het in de zak van haar regenmantel. 'Dank u.' Ze liet haar blik door het vertrek dwalen. 'Ik neem aan dat u deze tent wilt opknappen? Er is al jaren niets aan gedaan.'

'Ik zal er een paar dagen mee leven, dan zie ik vanzelf wat voor inspiratie ik opdoe.'

'Harry zei altijd dat hij de boel zou laten behangen en verven, maar hij kwam er nooit aan toe. Teveel omhanden thuis, denk ik – een vrouw en vier dochters, allemaal op de middelbare school of universiteit.'

Jenny herinnerde zich de foto van Katy Taylor. 'Voordat u gaat, mrs. Trent...'

'Zeg maar gerust Alison.'

'Fijn, maar...'

'Ik blijf gewoon u mrs. Cooper noemen. Daar voel ik me prettiger bij.'

'Ik laat het aan jou over, Alison,' zei Jenny, opgelucht dat ze zich de pijnlijke moeite kon besparen van erop staan dat ze met 'mevrouw' werd aangesproken. Ze had het niet kunnen uitstaan als ze op haar werk met haar voornaam werd aangesproken. Ze deed de dossiermap open en hield haar de overlijdensverklaring voor. 'Ik vond dit dossier in een afgesloten lade.'

'Ik herinner het me. Dat jonge meisje dat een overdosis had genomen.'

'Er zijn twee dingen die me vreemd voorkomen. Er is geen sectierapport; en als het mogelijk om zelfmoord gaat, had er toch een hoorzitting moeten komen?'

Alison reageerde verrast. 'De politie heeft tegen mij met geen woord over zelfmoord gesproken. Het gebeurt om de haverklap dat een verslaafde een overdosis neemt.'

'Het is niettemin een onnatuurlijke dood.'

'Mr. Marshall wilde de nabestaanden liever niet van streek maken als daar niets bij te winnen viel. Wat zou het voor zin hebben gehad?'

Jenny gaf er de voorkeur aan niet aan een uitleg te beginnen. Er zou meer nodig zijn dan een kort college over de *Coroner's Act* om de mentaliteit van haar medewerkster te veranderen.

'Hoe zit het met het sectierapport? Hij kan toch zonder sectierapport geen overlijdensverklaring hebben getekend?'

'Die keus had hij niet. We mogen ons al gelukkig prijzen als we hier een schriftelijk sectierapport binnen drie weken na iemands overlijden binnen hebben. De patholoog belde hem meestal op om zijn bevindingen door te geven – het papierwerk kwam later wel.'

'Drie wéken?'

'We hebben het over de National Health Service.'

Alisons mobieltje ging over. 'Neem me niet kwalijk.' Ze viste het ding uit haar zak en nam aan. 'Bureau rechter van instructie... Ah, goeiemorgen, mr. Kelso... Ik begrijp het. Natuurlijk, ik zal het mrs. Cooper direct doorgeven... Ja, ze is zojuist begonnen.' Ze hing op en wendde zich weer tot Jenny. 'Dat was de dienstdoende arts op Spoedgevallen van het Valeziekenhuis. Een vierenvijftigjarige dakloze man is levenloos binnengebracht. Vermoedelijk de lever. Vanmiddag sectie.'

'En het rapport over een maand?'

'Als u wilt, kan ik u het nummer van het mortuarium geven. Dan kunt u ze bellen en uzelf introduceren.'

Ze pakte een stukje papier en krabbelde er een Bristols telefoonnummer op. 'Hiermee bereikt u het antwoordapparaat van dr. Peterson – de chef-patholoog-anatoom. Meestal belt hij trouw terug.'

Jenny wierp een blik op het dossier en bespeurde een onrustig gevoel in haar maagstreek. Wat de beweegredenen van Marshall ook mochten zijn geweest, de manier waarop hij de zaak had behandeld was in het gunstigste geval onachtzaam, en nu mocht zij de boel achter hem opschonen.

'Het lijkt me beter dat ik persoonlijk even bij hem langsga, om te zien of we de gang van zaken wat kunnen bespoedigen.'

'U kúnt het proberen,' zei Alison. 'Wilt u die koffie nog?'

Jenny stond op van haar stoel en greep haar handtas. 'Laat ik er maar mee wachten tot ik terug ben.'

'Al eens in een mortuarium geweest?'

'Nee.'

'Ik zeg dit alleen om u te waarschuwen – het kan een tamelijk schokkende ervaring zijn. Mr. Marshall was er met geen tien paarden heen te krijgen.'

Alison wachtte totdat ze Jenny's voetstappen voorbij de voordeur van het gebouw hoorde wegsterven, voordat ze een poosje stil achter haar bureau ging zitten en een dik, ingebonden document uit haar aktetas tevoorschijn haalde. Ze begon er doorheen te bladeren, maar haar blik dwaalde telkens onrustig af naar de deur alsof ze bang was dat ze elk moment kon worden betrapt. Zodra ze stemmen op de trap hoorde, sloot ze in allerijl de map en stopte hem terug in haar tas. Ze bleef zitten tot lang nadat de stemmen waren verdwenen en staarde door de receptieruimte naar het interieur van het kantoor waarin Harry Marshall had moeten zitten. Haar ogen brandden, vanwege de tranen die maar niet wilden komen.

3

Jenny dronk de lauwe rest van haar Sprite Light, een hand aan het stuur, terwijl ze te midden van het langzaam rijdende verkeer de ruim zes kilometer naar het ziekenhuis aflegde. Zo nu en dan moest ze met een slakkengangetje langs een wegopbreking rijden, ingesloten tussen een walm uitbrakende vrachtwagen en een ongeduldige Mercedes. Ze voelde hoe haar hart sneller begon te kloppen en kreeg weer dat gevoel van beklemming in haar borst: haar 'vrijstromende angst', zoals dr. Travis, haar vorige psychiater, het had genoemd, bevond zich weer eens dicht onder de oppervlakte.

Hevig gespannen. Gestrest. Nerveus. Noem het maar wat je wilt. Al vanaf die dag, bijna een jaar geleden, dat ze het in een rechtszaal te kwaad had gekregen, halverwege het voorlezen van een banaal medisch rapport aan een half slapende rechter. Zelfs de meest alledaagse situaties konden de panieksymptomen oproepen. In de supermarkt wachten in de rij voor de kassa; in een lift staan; in de stoel bij de kapster zitten; stapvoets rijden in de verkeersstroom – iedere situatie waaruit ze niet onmiddellijk kon ontsnappen maakte haar hart aan het bonzen en deed haar middenrif verkrampen.

Ze deed haar ontspanningsoefening: rustig en diep ademhalen, voelen hoe het gewicht van haar armen aan haar schouders trok en hoe haar dijbenen dieper wegzonken in de bestuurdersstoel. Geleidelijk ebde de angst weg en trok zich terug in haar vaste schuilplaats in de duistere krochten van haar onderbewustzijn, maar de deur bleef altijd op een kier. Al was het maar om haar te laten weten dat ze er nog steeds was, die angst.

Voor het stoplicht liet Jenny het lege Sprite-blikje voor de passagiersstoel vallen en ging in haar handtas op zoek naar de Temazepam. Ze nam één pil en slikte die droog in, nijdig om haar afhankelijkheid. Andere mensen overleefden trauma's zonder naar pillen te hoeven grijpen; waarom zij dan niet? Ze probeerde zich te troosten met het feit dat haar symptomen flink waren afgenomen sinds ze drie maanden geleden besloten had haar baan als kinderadvocate eraan te geven. Geen duistere ongewenste gedachten meer! Geen volslagen paniekaanvallen meer.

Leven bij de dag...

Toen ze het grote, moderne bakstenen ziekenhuisgebouw was genaderd, dat er precies zo uitzag als de anonieme zakenpanden eromheen, deed ze haar best om rationeel te denken en zich erbij neer te leggen dat de stress van een nieuwe baan haar zo nu en dan opnieuw met haar angst zou confronteren. Ze zou de pillen gebruiken zolang ze zich nog aanpaste aan haar nieuwe verantwoordelijkheden, maar over een week of twee zou ze zichzelf dwingen tot ontwenning.

Toen ze haar auto had geparkeerd en over het asfalt naar de ingang van het ziekenhuis liep, bleef het maar woelen in haar brein. Onder de oppervlakte verdrongen zich verontrustende, vormeloze beelden. Stel dat haar psychiaters toch gelijk hadden? Stel dat er zich in haar jeugd inderdaad iets gruwelijks had voorgedaan dat zich schuilhield en dat haar zou blijven achtervolgen als een boze geest, totdat ze op de een of andere manier al haar krachten verzamelde om de confrontatie ermee aan te gaan?

Verdomme, ze had gedacht dat dit nu eindelijk voorbij was.

Ze ving haar spiegelbeeld op in het dikke glas van de draaideur: een goed ogende, zelfvertrouwen uitstralende vrouw in een perfect passend broekpak. Op en top professioneel. Iemand die je niet over het hoofd zag. Gun het nou nog maar wat tijd, hield ze zichzelf voor. Dan vervaagt het wel weer, als een nare droom.

Na een dwaaltocht van tien minuten door overvolle gangen, die vaak dienstdeden als verlengstuk van een ziekenkamer, vol patiënten met grauwe gezichten, met bed en al gestrand op de gang, drong het tot Jenny door dat er geen richtingwijzers naar het mortuarium waren. Ze sloot zich aan bij de rij voor de receptiebalie, te verlegen om van haar positie gebruik te maken om voor te dringen langs de heterogene verzameling mensen die iets wilde vragen. De meesten zagen er oud, verward of straatarm uit; een hoogzwangere jonge vrouw drukte met beide handen tegen haar buik, het gezicht vertrokken van pijn. De receptioniste, een stugge vrouw met een door veel nicotine bruin verkleurd gebit, stond de mensen kortaf te woord; haar hand pulkte aan een pakje sigaretten terwijl ze moeizaam de te volgen route aangaf op een plattegrond in smoezelig plastic die niemand kon volgen.

Het mortuarium was achter het ziekenhuiscomplex zelf ondergebracht in een afzonderlijk gebouw van een verdieping. Toen ze op de voordeurbel van het anoniem uitziende gebouw drukte, kwam er geen reactie. Ze probeerde het opnieuw. Geen teken van leven. Pas bij haar derde poging deed een jonge werkster uit de Filipijnen open, terwijl ze vermoeid haar handen droogwreef aan haar smoezelige, mouwloze overall.

Schuchter vroeg Jenny waar ze dr. Peterson kon vinden. Het meisje haalde haar schouders op en wenkte haar naar binnen met de woorden '*No speak English sorry*', waarna ze verder ging met het dweilen van de plavuizenvloer.

Jenny liep naar binnen, volgde een korte gang en duwde twee klapdeuren open. Ze stond in een open wachtruimte met twee matglazen kantoordeuren en een tweede stel klapdeuren. In een hoek stonden een waterkoeler en een snoepautomaat. Ze keek even in de kantoren, maar daar was niemand. Ze ging af op het geluid van stemmen toen ze de klapdeuren openduwde en in een bredere gang belandde, met langs de muur een stuk of zes brancards, elk bezet door een lijk, afgedekt met witte plasticfolie. Nu pas overviel de geur haar: een krachtig desinfecterend middel, vermengd met een zware, zoetige geur die haar bij de keel leek te grijpen.

Een lange, magere man met zwart haar en donkere ogen, gestoken in een vlekkerig operatiehemd, kwam door een deur aan haar rechterhand de gang in. Hij trok zijn operatiemasker omlaag en keek haar blij verrast aan. 'Kan ik iets voor u doen?'

Jenny vermande zich en wendde moeizaam haar blik af van de rij lijken. 'Goedemorgen, ik ben Jenny Cooper, rechter van instructie voor het district Severn Vale. Ik ben op zoek naar dr. Peterson.'

'Dat ben ik,' zei hij glimlachend, waarbij de dunne lijntjes rond zijn ogen zich verdiepten.

Instinctief stak Jenny hem haar hand toe. 'Aangenaam.'

'Ik zou het u niet aanraden – het is beter dat ik me eerst even schoon ga schrobben.' Weer dat lachje, jongensachtig bijna. 'U bent dus de nieuwe onderzoeksrechter? Ik kan me de laatste keer dat een van jullie hier is geweest niet heugen. Harry Marshall heeft zelfs kans gezien het te vermijden toen hij al dood was. Zullen we in mijn kantoor verder praten?'

'Graag.'

Peterson ging haar voor door de gang. Onder het lopen trok hij zijn operatiehemd uit en gooide het samen met het masker in een wasmand. Eronder bleek hij een nauwsluitend poloshirt te dragen. Voor een man van zijn leeftijd was hij slank, maar ook een ijdeltuit, vermoedde Jenny. Bij de deur die werd geflankeerd door lijken bleef hij staan en hield hem open. 'Na u.' Jenny keek naar de lichamen, slecht op haar gemak. 'De geduldigste patiënten in dit ziekenhuis: ze wachten hier al uren, maar geen woord van protest.'

Ze perste er een glimlach uit en stapte zijn bescheiden kantoor binnen. Het raam bood uitzicht op het parkeerterrein, en verder zag ze overal schappen aan de muren, vol standaardwerken, dozen met dossiers en verscheidene potten met vreemde objecten, drijvend in formaline, een veertig procentsoplossing van formaldehyde in water. Peterson liep meteen naar een roestvrijstalen wastafel en begon zijn handen stevig schoon te borstelen met sterk geurende vloeibare zeep.

'Ga zitten.' Hij knikte naar de enige stoel naast het bureau. 'Zojuist de teugels overgenomen?'

'Mijn eerste dag, ja.' Ze keek om zich heen in de ruimte en haar oog viel op de enige afbeelding aan een van de muren: een ingelijste ansichtkaart met een foto van een dode wezel op een miniatuurbureau, een miniatuurrevolver in zijn klauwtje. 'Als je het tenminste zo kunt noemen,' hernam ze. 'Ik heb de indruk gekregen dat mijn voorganger de boel wat op zijn beloop heeft gelaten.'

Nick Peterson verfrommelde het natte papieren handdoekje tot een bal en gooide die in een afvallemmer, een vaag geamuseerde trek op zijn gezicht. 'Dat klinkt wat beladen.'

'Niet meer dan een constatering. Begin vorige maand hebt u sectie verricht op een meisje van vijftien jaar oud, Katy Taylor. We hebben nu de tweede week van juni, maar mijn bureau heeft nog geen sectierapport van u ontvangen.'

'U zult mijn geheugen wat moeten opfrissen.'

'Klein, blond meisje. Vermoedelijk een overdosis heroïne.'

'Ah, ik weet het weer. Ja, gedeeltelijk ontbonden. Een stinker, zoals wij dat noemen.'

'Werkelijk?'

'Ik heb Marshall telefonisch mijn bevindingen doorgegeven.'

'En hoe luidden die?'

'Ze had sterk spul gebruikt, bijna zuivere heroïne. Ik krijg er iedere maand wel een paar van binnen.'

'Kan het eventueel zelfmoord zijn geweest?'

'Dat valt nooit uit te sluiten.'

'In dat geval was Marshall wettelijk verplicht een hoorzitting te houden. Enig idee waarom hij dat achterwege liet?'

'Ik ben de patholoog maar. Ik zeg de onderzoeksrechter alleen wat de doodsoorzaak is, en daar eindigt mijn verantwoordelijkheid.'

'Volgens mijn medewerkster stuurt u zelden binnen drie weken een sectierapport in.'

Peterson glimlachte geduldig. 'Mrs. Cooper, Jenny, ik deel een secretaresse met vijf andere artsen, en hún patiënten ademen nog. Ik zou dolgraag mijn sectierapporten eerder bij je bezorgen, maar de kans dat een van de doden hier een erectie krijgt is groter.'

Jenny onthaalde hem op de blik die ze altijd voor onwillige getuigen had gereserveerd. 'Waarom tikt u ze dan zelf niet uit?'

'Bezorg me drie arbeidsuren extra per dag en ik doe het met alle plezier.'

'In de toekomst zal ik geen overlijdensverklaringen tekenen zonder dat ik een sectierapport heb gezien, zwart op wit.'

'In dat geval raad ik je aan dit met de directie hier op te nemen. De hemel is mijn getuige – ik heb het vaak genoeg geprobeerd.' Hij raadpleegde zijn horloge. 'Trouwens, nu we het er toch over hebben, ik heb zo dadelijk een bespreking met die schoften. Ik moet u alleen laten.'

'Ik meen het, dr. Peterson. En dat betekent dat lijken niet eerder worden vrijgegeven voor begrafenis.'

'Wát?' Een lachje ontsnapte Peterson. 'Wil je mijn koelcellen even zien? De lijken liggen er nu al driehoog in!'

Jenny stond op. 'Waarom probeert u ze dan niet op te slaan op het parkeerterrein?' Ze onthaalde hem op een ontwapenende lach. 'Ik heb zo'n idee dat u dan binnen de kortste keren een eigen secretaresse hebt. Ik verheug me op het eerstvolgende sectierapport.'

Alison had een briefje achtergelaten: *Ben naar het politiebureau om de rest op te halen.* Ook lagen er vier nieuwe overlijdensmeldingen, stuk voor stuk over patiënten van het Vale. Jenny verorberde een meeneemsalade aan haar bureau en bekeek de nieuwe gevallen. Het eerste was dat van een dakloze die in een opvangruimte op Spoedeisende Hulp was overleden, vermoedelijk leverfalen. Van geneeskunde wist ze nog niet veel, maar genoeg om te weten dat deze man met gruwelijke pijn moest zijn overleden, op een brancard wachtend op een of meer overbelaste aankomende arts-assistenten die dan onderling zouden uitmaken wie van hen aan het kortste eind zou trekken. Het tweede geval betrof een vrouw van in de zeventig die met longemfyseem was opgenomen en in het ziekenhuis prompt een infectie had opgelopen. Het derde geval was dat van een zestigjarige man die dood was gearriveerd, vermoedelijk bezweken aan een hartaanval. En het vierde had betrekking op een ongehuwd negentienjarig meisje van Pakistaanse afkomst dat was doodgebloed terwijl ze in een stadspark bezig was een kind te baren.

Ze zag het viertal opgestapeld in een van dr. Petersons cellen en even kreeg ze het te kwaad: dit was nu haar leven, een onafzienbare reeks doden.

De telefoon op haar bureau jengelde, een welkome storing.

'Jenny Cooper.'

Een jonge, zelfverzekerde vrouwenstem zei: 'Met Tara Collins, *Bristol Evening Post.* U bent de nieuwe onderzoeksrechter voor Severn Vale?'

'Ja?'

'Hallo. Ik heb laatst een artikel geschreven over een jongen die in zijn cel was overleden, Danny Wills. Uw voorganger heeft de hoorzitting geleid.'

'Mmm.' Jenny probeerde het neutraal te laten klinken, op haar hoede voor journalisten, hoewel ze er als advocate in het kinderrecht weinig mee te maken had gehad.

'Marshall overleed drie dagen nadat de jury tot de conclusie was gekomen dat het zelfmoord was.'

'Dat heb ik begrepen, ja.'

Er viel een korte pauze. 'Marshalls huisarts heeft een overlijdensverklaring afgegeven waarin stond dat hartstilstand de doodsoorzaak was, maar voor zover ik het kan bekijken is er geen sectie verricht.'

Jenny voelde dat ze ergens bij betrokken werd. 'Ik ben bang dat ik er niet meer van weet dan u, maar als de huisarts zeker was van de doodsoorzaak...'

'Hoe had hij daar zeker van kunnen zijn? Marshall had slechts een lichte hartaandoening. Hij heeft in februari nog een elektrocardiogram laten maken.'

'Wat wilt u precies, mrs. Collins?'

'Lijkt het u niet vreemd dat de onderzoeksrechter – slechts twee dagen nadat hij een vooronderzoek had ingesteld naar de dood van een veertienjarige gevangene in een door particulieren gerunde strafinrichting – plotseling komt te overlijden en er niet eens sectie is verricht?'

'Dit is mijn eerste dag, hier. Van de zaak-Wills weet ik weinig af. Alleen wat ik in uw krant heb gelezen, en als ik me goed herinner, sprak daaruit weinig sympathie voor deze jongen.'

'Ze hadden mijn kopij ingekort...' Tara Collins' stem stierf weg.

Jenny wachtte tot ze verder zou gaan.

'Vóór de hoorzitting had Marshall het zo druk als een klein baasje. Hij had verklaringen opgenomen van personeel van Portshead Farm, van de gevangenentransportdienst en het reclasseringsteam voor jeugdige delinquenten, maar desondanks heeft hij de hele zaak er in één dag doorgedrukt. Hij riep maar vier getuigen op en brak zijn belofte aan de jongen om zijn moeder te laten getuigen.'

Nu was het Jenny's beurt om even na te denken, zich scherp bewust van het gevaar dat alles wat ze erover zei die avond in de krant zou staan. Ze probeerde van onderwerp te veranderen. 'Hoe weet u dat hij een ECG heeft laten maken?'

'Een zegsman. Ik kan u de naam niet noemen.'

'En zijn gesprekken met de moeder?'

'Ik heb intensief contact gehad met mrs. Wills, sinds Danny's dood. Harry Marshall had haar beloofd dat hij geen steen op de andere zou laten. Hij heeft haar geregeld op de hoogte gehouden, tot drie dagen voor de hoorzitting. Toen zweeg hij opeens. Als het graf.'

'Tja, ik neem aan dat er wel een verklaring voor zal zijn. Ik zal het dossier moeten bestuderen voordat ik mijn mening geef, maar als de familie niet tevreden is over de hoorzitting, wordt er in de regel een advocaat in de arm genomen.'

'Er zijn geen pro-Deoadvocaten om hoorzittingen aan te vechten, zelfs al zou je er eentje gek genoeg kunnen krijgen om de uitslag te betwisten.'

'Het overlijden van de heer Marshall kwam op een wel heel ongelukkig tijdstip,' zei Jenny, die zich inspande om geduldig te blijven. 'Ik heb met zijn familie te doen, en zo mogelijk meer nog met de familie van Danny Wills, maar ik zie het als mijn taak dit bureau van nu af aan op een moderne, efficiënte en open manier te laten functioneren. Ik zal ervoor zorgen dat nabestaanden voortaan volledig akkoord kunnen gaan met de uitslag van een vooronderzoek.'

'Hebt u dat soms van een PR-scenario opgelezen, mrs. Cooper? Want zo klonk het.'

Jenny werd woest. 'Wilt u dat ik uw vragen beantwoord, mrs. Collins, of probeert u alleen een betoog te houden?'

De journaliste zweeg kort. Toen ze verder ging, had Jenny haar gevoelens weer in bedwang. 'Neemt u mij niet kwalijk... Ik heb me echter intensief met Danny's zaak bezig gehouden, en ik krijg de stellige indruk dat de waarheid nooit in de openbaarheid is gekomen. Bij lange na niet. En als daar dan ook nog de dood van Marshall bijkomt...'

'Wat is daarmee?'

'Lijkt het u niet dat dit meer moet zijn dan toeval?'

'Gelet op het feit dat er een natuurlijke doodsoorzaak was niet, nee.'

'Zijn gedrag tijdens de dagen die vooraf zijn gegaan aan de hoorzitting was tamelijk merkwaardig.'

'Ik heb hem zelf nooit ontmoet, zodat ik daar niets op kan zeggen.'

'U gaat u dus niet opnieuw verdiepen in de zaak Danny Wills?'

'Die zaak is behandeld. Ik heb daar geen bevoegdheden voor.'

'Wat dacht u van Sectie 13 van de *Coroner's Act* van 1988? U kunt de Hoge Raad toestemming vragen voor een hernieuwd vooronderzoek.'

Jenny voelde haar keelspieren verkrampen. Ze slikte en verzette zich tegen de sterke impuls om de hoorn op de haak te smijten. 'U hebt kennelijk de wet erop nagekeken. Dan zult u ook wel weten dat zoiets alleen gebeurt op grond van dwingend nieuw bewijsmateriaal.'

'Als u ernaar op zoek gaat, mrs. Cooper, zult u dat ook vinden. Ik wens u een prettige avond.'

Langzaam legde Jenny de hoorn op de haak. De adrenaline stroomde door haar aderen. Ze werkte hier pas een halve dag en nu al probeerde een journaliste haar klem te zetten. Advocaten in het familierecht hadden in de rechtszaal te maken met huilende moeders en gewelddadige vaders, maar de pers had daar geen toegang. Geen enkel geval dat ze ooit had behandeld had tot ook maar een paar centimeter nieuws in de kranten geleid. De media het hoofd bieden was iets wat ze nu al doende zou moeten leren. Tara Collins volgde duidelijk een bepaalde invalshoek, dus zou ze moeten zorgen haar te kunnen pareren met kennis van alle feiten. Ze vond het dossier-Wills en begon te lezen.

In het *Hoorzittingsformulier* stond het oordeel van de jury, zelfmoord, vermeld. In de commentaarsectie had de voorzitter van de jury geschreven: 'Tussen twee en vier uur 's nachts heeft de overledene een strook stof van het laken van zijn bed afgescheurd, het ene uiteinde ervan aan de tralies van zijn celvenster geknoopt en het andere uiteinde om zijn hals, terwijl hij op een stoel stond. Vervolgens heeft hij de stoel weggeschopt en zijn eigen dood door verwurging veroorzaakt.'

Er waren verklaringen van de onderhoudsmonteur die het lichaam had ontdekt, van twee cipiers die in de bewuste nacht dienst hadden gedaan, van een beveiligingsbeambte die melding had gemaakt van een storing in het interne televisiecircuit van de desbetreffende afdeling, van de medische staf die Danny Wills na zijn aankomst in de inrichting had onderzocht, van de directeur van de inrichting, en van het lid van het reclasseringsteam voor jeugddelinquenten dat Danny vóór zijn veroordeling onder zijn hoede had gehad. Een kopie van het dienstrooster voor de week die was voorafgegaan aan Danny's dood was zorgvuldig nagetrokken: er stonden privé-telefoonnummers achter alle namen, die vervolgens waren afgevinkt – nadat Marshall ieder van hen had gesproken, veronderstelde ze.

Bijna onder in de dossiermap vond ze een luchtfoto en een gedetailleerde plattegrond van Portshead Farm, voorzien van Marshalls aantekeningen. Het was een kleine strafinrichting in een open veld aan de Gloucestershire-zuidzijde van het Severn-estuarium, halverwege de Severn Bridge en de kerncentrale van Oldbury, ruim zes kilometer ten oosten van de inrichting.

Portshead Farm bestond uit vijf gebouwen die een gesloten binnenplein omzoomden, en een speelveld. Het hele complex was omgeven door een betonnen muur van drieënhalve meter hoog, met scheermesconcertina's aan de bovenkant en veel bewakingscamera's. Achter de ingang bevonden zich een receptie en een medisch intakecentrum waar nieuwe gevangenen werden onderzocht en zo nodig ondergebracht in een observatiecel, voordat ze als geschikt voor overbrenging naar een van de twee celblokken – een voor jongens en een voor meisjes – waren beoordeeld. Het vierde gebouw bevatte klaslokalen waarin de trainees aan een stevige heropvoeding werden onderworpen. Het vijfde gebouw, het dichtst bij het speelveld, was de eetzaal die tevens dienstdeed als sportlokaal.

Het heropvoedings- en detentiecentrum kon honderd trainees in de categorie van 12 tot 18 jaar huisvesten. Waar de institutie 'voogdij' in sommige delen van Europa nagenoeg had opgehouden te bestaan, nam in het Verenigd Koninkrijk juist de neiging toe om kinderen gevangen te zetten. Er zaten inmiddels meer dan vierduizend kinderen gevangen, bijna vijf keer zoveel als het aantal in Frankrijk, in dit opzicht de naaste rivaal van het Verenigd Koninkrijk.

Om het hoofd te bieden aan deze groeiende aantallen, had de regering een nieuwe instantie in het leven geroepen, de Raad voor Kinderrecht, die tot taak had jeugddelinquenten te plaatsen. Particuliere bedrijven konden inschrijven op een aanbesteding voor het beheer van een nieuw gesloten heropvoedings- en detentiecentrum en de Raad voor Kinderrecht wees de winnaar aan. Portshead Farm zelf was eigendom van, en werd beheerd door UKAM Secure Solutions Ltd., een onderneming die al een heropvoedingsfaciliteit in de Verenigde Staten bezat en nu ook in het Verenigd Koninkrijk actief was. De UKAM was een beveiligingsfirma: beton, tralies, prikkeldraad, camera's en bewakend personeel. Zaken als catering, bewassing, gezondheidszorg en onderwijs werden allemaal uitbesteed. Voor deze zich ontplooiende tak van bedrijvigheid was het groeiende leger jonge gevangenen wat je noemt 'goed nieuws'.

In een voor hem allesbehalve karakteristieke vlaag van gewetensnood had Marshall een notitie geschreven waarin hij de in het oog springende punten uit de recente levensgeschiedenis van Danny Wills had vermeld. Jenny las de notitie helemaal door.

Danny was afkomstig uit een groot en disfunctioneel gezin dat onder de armoedegrens leefde. Zijn moeder leek de enige stabiele factor, maar had zelf ook talloze drugsveroordelingen op haar strafblad. Zijn eigen lange strafblad begon al op zijn tiende – de leeftijd waarop kinderen criminele verantwoordelijkheid droegen – hetgeen sterk deed vermoeden dat hij al eerder wetsovertredingen had gepleegd.

Hij was veroordeeld wegens het bezit van marihuana, amfetaminen en crack, het toebrengen van lichamelijk letsel, het aanrichten van criminele schade en gewelddadigheid. Twee weken voor zijn dood was hij onder elektronisch toezicht geplaatst en moest daarom een zendertje om de enkel dragen om hem te dwingen een avondklok in acht te nemen. Na drie weken had hij de enkelband van het zendertje losgesneden – 'voor de gein', zoals hij het noemde – en had hij voor de kinderrechter moeten verschijnen. Het reclasseringsteam voor jeugddelinquenten had gepleit voor een werkstraf, maar de rechter had hem voor vier maanden naar de strafinrichting gestuurd, in feite voor heropvoeding.

Op 4 april was Danny gearriveerd op Portshead Farm. Degene die het medisch onderzoek deed, verpleegkundige Linda Raven, had gerapporteerd dat hij 'onwillig, weerspannig en agressief' was en tijdens het voorgeschreven naakte onderzoek had gedreigd 'zich verdomme van kant te zullen maken'. Omdat hij als een mogelijk zelfmoordrisico werd beoordeeld, hadden ze hem in een observatiecel geplaatst, met niet meer kleren aan zijn lijf dan een soort dwangbuis waarover Harry Marshall had geschreven dat het eruitzag 'als een dichtgenaaide paardendeken'. Hij had drie dagen in die observatiecel doorgebracht voor hij was overgebracht naar het cellenblok voor jongens.

Eenmaal daar, zo meldde Marshall, had Danny geweigerd lessen bij te wonen en was hij ingedeeld bij de categorie met de minste privileges, Brons. Dat betekende: slechts drie keer schoon ondergoed per week, geen televisie en geen snoepgoed. Zo had hij zes dagen doorgebracht en alleen zijn cel verlaten om in de eetzaal te gaan eten of te gaan douchen. In de zevende nacht van zijn verblijf daar was hij gestorven.

Een laatste notitie, geschreven met een andere pen, maakte melding van het feit dat Danny's moeder het kantoor van de directeur herhaaldelijk had gebeld, direct na de veroordeling van haar zoon, om haar bezorgdheid over zijn geestesgesteldheid te uiten. Marshalls laatste notitie luidde: 'De directeur heeft niet op deze telefoontjes gereageerd.'

Jenny bladerde terug in de map en vond de verklaring van de directeur, Elaine Lewis (master's degree en MBA). Zij schreef in gortdroge, ambtelijke taal dat Danny onderworpen was geweest aan dezelfde rigoureuze, grondige onderzoeken als alle andere nieuwe gevangenen en onder speciaal toezicht had gestaan van het vakbekwame bewakingspersoneel op zijn afdeling. Het speet haar dat ze niet had gereageerd op de 'vermeende' telefoontjes van mrs. Wills, maar benadrukte dat er toch niets was geweest wat zij en haar medewerkers méér voor hem hadden kunnen doen.

Jenny sloot het dossier met hetzelfde gevoel van intrieste berusting als ze zo vaak had ervaren in de jaren waarin ze met gestoorde, zelfdestructieve kinderen te maken had gehad. Ze kon zich een levendige voorstelling van Danny maken: altijd dwars, spuwend, scheldend tegen de staf, schoppen en slaan en verteerd door walging van zichzelf. Ze hadden hem in een veel te kleine cel, van nog geen twee bij twee meter, gestopt, zonder kleren en persoonlijke waardigheid, met drie keer per dag een plastic dienbord dat door het inspectieluikje werd geschoven. Om het halfuur had een ongeïnteresseerd gezicht naar binnen gegluurd naar deze duvel-in-een-doosje – een claustrofobische nachtmerrie.

Wat dit systeem jonge wetsovertreders aandeed, zo wist ze uit langjarige ervaring, was doelbewust veel wreder dan wat de meesten van hen ooit in de buitenwereld hadden gedaan. Een kind op zijn meest kwetsbare leeftijd alle liefde, genegenheid en menselijk contact ontzeggen, was barbarij van een soort dat ze nooit zou kunnen begrijpen. Ze zuchtte gelaten. Ze had heel haar toekomst op het spel gezet door alles wat met kinderen verband hield achter zich te laten, en de ironie van het feit dat ze nu werd geconfronteerd met de dood van een tiener ontging haar niet.

Was ze er iets mee opgeschoten?

Ze hoorde Alison terugkomen in de receptie en een kreet van verbazing slaken. Ze verscheen in de deuropening met een stapeltje paperassen in de hand. 'Had u dit nog niet op de fax gezien, mrs. Cooper? Het sectierapport over Katy Taylor!'

Ze reikte haar de nog warme A4'tjes aan over het bureau.

'Dat werd hoog tijd,' zei Jenny, terwijl ze de conclusie van dr. Peterson bekeek: overdosis heroïne.

'Als ik u was, zou ik er maar niet op rekenen dat hij hier een gewoonte van zal maken. Hij probeert een goeie indruk op u te maken, dacht ik. Wat wilt u dat ik als eerste doe? Het leek me wel goed om die ouwe archiefkasten uit te ruimen.'

'Lijkt mij ook prima. Maar voordat je daarmee begint – ik heb vanmiddag een telefoontje gehad van een zekere Tara Collins van de *Bristol Evening Post*. Gaat er een belletje rinkelen?'

Alison dacht even na en schudde het hoofd.

'Ze heeft verslag gedaan van Danny Wills' hoorzitting. Ze scheen heel wat af te weten van het werk van mr. Marshall.'

'Ik heb hem die naam nooit horen noemen.'

'Wat was jou betrokkenheid bij dat geval?'

'Heel weinig, eigenlijk. De laatste week van april had ik vakantie – mijn man was toen ziek. Ik kwam terug op de dag dat de hoorzitting begon.'

'Wat voor indruk maakte mr. Marshall op je?'

'Gewoon zichzelf. Een beetje stil, zou ik zeggen. Maar lieve help – wat had die journaliste te vertellen?'

Jenny koos haar woorden met zorg. 'Collins had de indruk dat hij de zaak grondig had onderzocht, maar vreemd genoeg de hoorzitting afhandelde als een hamerstuk. Ze schijnt te denken dat er een luchtje aan zit.'

'Hij had er een hekel aan veel werk te maken van hoorzittingen. Altijd al. Het maakte de familieleden maar van streek, zei hij vaak.'

'Jij hebt hem beter gekend dan wie ook – was er misschien iets met dat geval dat hem verontrustte?'

'Zoals?'

'Ik heb nog maar een paar van zijn dossiers doorgenomen, maar hij moet heel hard aan deze zaak hebben gewerkt. En als ik mag afgaan op wat Danny's moeder op het antwoordapparaat heeft ingesproken, lijkt het duidelijk dat ze het gevoel heeft in de steek te zijn gelaten. Het schijnt dat hij zijn belofte aan haar dat ze mocht komen getuigen niet nagekomen is.'

'Hij en iemand iets beloven? Ik kan het me niet voorstellen. Het zat niet in zijn aard. Hij liet de nabestaanden medeleven blijken, da's alles. Hij was buitengewoon bedreven in de omgang met mensen die net een dierbare hadden verloren.'

'Je denkt niet dat hij in deze zaak misschien een uitzondering maakte en besloten had zich er wat meer mee in te laten dan anders?'

'Ik heb geen aanleiding zoiets te denken. U hebt de papieren gezien – daar is toch niets mis mee, of wel?'

Jenny zei schouderophalend: 'Niets wat in het oog springt.'

'Dat zou ik denken.' Alison leek wat nerveus. Het onderwerp had iets in haar losgemaakt – Jenny kon het voelen.

'Die journaliste denkt dat er iets wordt verzwegen, dat is wel duidelijk, en ik heb de indruk dat ze van plan is dieper te graven. Als er iets boven water te halen valt, zou ik dat graag als eerste weten.'

Ze keek Alison recht in de ogen en twijfelde er niet meer aan dat ze haar iets zou kunnen vertellen.

Alison staarde naar de grond. 'Ik wil graag dat u weet dat ik, zolang ik hem heb gekend, mrs. Cooper, alleen maar respect voor hem heb gehad. Bij hem kwamen mensen op de eerste plaats. Soms was hij bijna té vriendelijk. Soms hield de telefoon hier niet meer op met rinkelen – ik neem aan omdat hij zo kalm en geruststellend kon zijn... Hij gedroeg zich altijd op en top als de professional die hij was, maar zo nu en dan kon ik zien dat hij zich er te sterk bij betrokken voelde. Dan begon hij te piekeren en was in zichzelf gekeerd. Dat was deels de reden waarom ik vrij heb genomen toen ik dat deed: gedurende de laatste twee weken van april was er geen land met hem te bezeilen, eerlijk gezegd. Hij viel op een gegeven dag zelfs tegen mij uit, en ik diende hem van repliek, vrees ik.' Ze aarzelde even, vechtend tegen haar tranen, zag Jenny.

'Je was zeer op hem gesteld, is het niet?'

Alison wierp haar een blik toe. 'Niet op die manier, mrs. Cooper.'

'Daar dacht ik niet aan...'

'We waren goeie vrienden, da's alles. En omdat we elkaar die week op de zenuwen werkten, besloot ik vrij te nemen.'

'En hoe was hij toen je terugkwam?'

'Zwijgzaam... maar ik kon wel merken dat het hem speet dat hij zo was uitgevallen. We hebben de draad weer opgenomen en daarmee af.'

'Hij heeft niet met je over deze zaak gesproken?'

'Alleen hoe aangrijpend het was. De moeder was natuurlijk hevig over haar toeren in de rechtszaal – ze bleef maar tegen hem schreeuwen. Ik heb haar op een gegeven moment naar buiten moeten loodsen.'

'Hij heeft niets gezegd over wat hij voelde bij dat jury-oordeel?'

'Alleen dat het was wat hij ervan had verwacht. Ik weet niet of mijn mening ertoe doet, maar ik had de indruk dat de jury weinig anders had kunnen doen.'

Jenny keek in haar sombere kantoor om zich heen en begon iets te begrijpen van hoe Marshall zich zijn laatste dagen moest hebben gevoeld. Hij had hier opgesloten gezeten, enerzijds met de wens om het rouwende gezin te helpen, maar bang om zijn nek uit te steken. Thuis een vrouw en vier dochters, en hier Alison, die duidelijk gevoelens voor hem had die verder gingen dan genegenheid voor een superieur. Veel met elkaar strijdige emoties. Daar waren mannen niet goed in.

Jenny zei: 'Je bent er absoluut zeker van dat er geen enkel verband is tussen de zaak-Wills en het overlijden van mr. Marshall?'

'Wat voor verband?'

'Geen idee.'

'Harry had het aan zijn hart, dat wist iedereen. Je hoeft hier maar een paar maanden te hebben gewerkt voordat het tot je doordringt hoeveel mannen van even in de vijftig er plotseling dood bij neervallen. Hoe het ook zij, alle journalisten zijn tuig, is mijn ervaring. Negeer haar, dat zou ik u aanraden.'

'Ik heb het gevoel dat ik op zijn minst eens met mrs. Wills moet gaan praten. Al was het alleen maar om aan de weet te komen dat er niets over het hoofd is gezien.' Ze zag Alison verstrakken van verontwaardiging. Haastig voegde ze eraan toe: 'Ik wil geen moment suggereren dat –'

'Laat me u verzekeren dat mr. Marshall alles zal hebben gedaan wat hij kon.'

In het besef dat dit gesprek verder niets meer zou opleveren, zei Jenny:

'Je hebt ongetwijfeld gelijk. Ik begrijp best hoe moeilijk de afgelopen paar weken voor je zijn geweest.'

Bij haar verzoenende toon zag ze Alisons ogen rood worden. Beschaamd excuseerde ze zich en zei dat ze thee ging zetten.

Als Jenny na het telefoontje van Tara Collins nog meer bewijs nodig had om haar duidelijk te maken dat er iets mis was met het vooronderzoek naar Danny Wills' overlijden, dan was dat wel de sfeer in het kantoor, op dat moment. Ze hoorde Alison onderdrukt snikken terwijl ze in de keuken druk in de weer was met het vullen van de fluitketel en het klaarzetten van theekoppen. Haar verdriet was tastbaar.

Rechter van instructie. De titel klonk zo indrukwekkend, zo ver verheven boven het gewone. Nu ze echter aan haar bureau zat, in een sfeer van onderdrukte, pijnlijke emoties, had ze zich weer een kind kunnen voelen, weggekropen in haar kamer om te proberen zich af te sluiten voor de eeuwige ruzies tussen haar ouders, beneden.

Waarom manoeuvreerde het leven haar steeds weer midden in de crises van andere mensen?

Jenny had zich altijd verzet tegen ideeën over de 'hand van het lot', maar nu ze haar hand weer uitstak naar het dossier over Danny Wills, voelde ze vanbinnen dat het zo moest zijn en dat de dode jongen doordrong tot de doodsheid in dat geheime deel van haar wezen waar de duisternis begon.

Als ze één ding had geleerd van haar zenuwinzinking, was het wel dat ze nooit haar intuïtie mocht negeren. Ze las verder en de rapporten vertelden haar dat, hoewel hun botten tot stof waren vermalen, noch de jonge gevangene noch Harry Marshall zijn rust al had gevonden.

4

Broadlands was een netwerk van vermoeid ogende straten. De prefabhuizen waren in de meerderheid, na de oorlog met weinig zorg opgetrokken, en met nog minder aandacht voor de toekomstige bewoners. De wijk lag ingeklemd tussen de M5 in het westen en de M4 in het noorden en het verre dreunen van het verkeer was altijd en overal te horen.

Voor een armoedige wijk, dacht Jenny, is het niet eens zó slecht. Waar je de hoge flats van Oost-Londen, Birmingham of Glasgow de zevende hel kon noemen, was Broadlands hooguit de tweede of derde, al rook hier wel alles naar armoede. Geen enkele woning was onderhouden. De geur van vuilnis was alomtegenwoordig en onder de struiken had zich allerlei rommel verzameld. Spijbelende scholieren in grauwe jacks, de capuchon over hun hoofd, hingen in groepjes rokend rond bij de hoeken van de straten. De scholen waar ze nu behoorden te zijn, waren in hun leven vol drugs, seks en kruimeldiefstallen irrelevant geworden.

In haar advocatenpraktijk had Jenny veel van dit soort wijken bezocht en was ze steeds weer geschokt door de beperktheid van de wereld van de bewoners. Het was alsof de straten om hen heen voor hen de grenzen van een verre horizon vormden. Ze was al lang geleden tot de conclusie gekomen dat de uitzichtloze verveling van het leven in dit soort wijken eenvoudigweg al het leven uit de mensen wegzoog. Hier waren geen uitdagingen om aan te gaan, afgezien van de behoefte de wet en zijn handhavers te slim af te zijn.

Ze parkeerde voor het huis van het gezin Wills, controleerde of de portieren van haar auto afgesloten waren en liep het korte voetpad naar de voordeur op. In de kleine voortuin stond een kapotte buggy en het gras lag bezaaid met verbleekt plastic speelgoed.

Er werd opengedaan door een knokige, koffiekleurige man met kralen in zijn haar. Hij droeg een smerig T-shirt en dito korte broek. Hij verspreidde een zware, onwelriekende walm om zich heen.

Over zijn schouder zag Jenny twee kleuters, nog in pyjama, allebei blank. 'Ik ben Jenny Cooper, de nieuwe onderzoeksrechter van Severn Vale. Ik ben op zoek naar Simone Wills.'

De man staarde haar met opgezette, bloeddoorlopen ogen aan. 'Ze is er niet.' Hij maakte aanstalten de deur te sluiten.

Jenny zette haar voet tussen de deur. 'Ik wil alleen even met haar praten. Het is belangrijk.'

'Lazer toch op.'

Hij schopte met zijn blote voet naar de hare, miste en stootte zijn tenen tegen de scherpe kant van de deurpost. 'Klote.'

Jenny bedwong haar neiging om te glimlachen.

'Wie is er, Ali?' riep een vrouwenstem ergens achter in het huis. Jenny zag haar broodmagere gestalte opduiken in de deuropening aan het eind van de gang, een joint tussen de vingers.

Ali wreef met zijn pijnlijke tenen langs zijn blote kuit en zei: 'Deze bitch hier zegt dat ze de onderzoeksrechter is.'

Jenny riep de gang in: 'Ik wil alleen even met u praten, mrs. Wills. Excuus dat ik u thuis kom storen.'

Simone verdween een ogenblik en kwam terug naar de gang, nu zonder de joint die ze had staan roken, en stapte over de kinderen heen. Ze snauwde Ali toe: 'Breng die twee naar boven en kleed ze aan.' Hij droop af, na Jenny te hebben aangekeken met een blik die zei dat hij dit niet zou vergeten.

Simone liep op blote voeten onder haar gerafelde spijkerbroek naar de voordeur en zei: 'U kunt nu niet binnenkomen, het is een chaos.' Ze keek links en rechts de straat in om te zien wie er stond toe te kijken. Ze had donkere kringen onder haar ogen, maar wist er niettemin aantrekkelijk uit te zien. Ze straalde iets kwetsbaars uit. Ze had de tengere lichaamsbouw van een vogel en de wat losse lap huid boven haar ceintuur was het enige wat verried dat ze zes kinderen ter wereld had gebracht. 'Wat wilt u?'

'U hebt gehoord dat mr. Marshall kort na de hoorzitting overleden is?'

'Ja. Ik kan alleen niet zeggen dat het me verdriet doet.'

Jenny zag hoe ze haar nerveuze vingers door haar hennakleurige haar haalde. 'Ik heb de boodschappen beluisterd die u op zijn antwoordapparaat had ingesproken. Hij heeft u niet teruggebeld?'

Simone schudde het hoofd. 'Hij wilde me niet meer kennen, toch? Vóór die hoorzitting een en al beloften, maar daarna niets meer. Hij heeft me niet eens bij de hoorzitting aan het woord laten komen.'

'Wat zou u dan hebben gezegd?'

'Precies wat ik hem vaak genoeg had verteld: ik heb met die inrichting gebeld, op de dag dat Danny doodging. Ik heb hem vijf keer gebeld om te zeggen dat het daar niet best was voor Danny. Hij had nooit eerder gezeten. Ik wist dat hij er niet tegen kon.'

'Dat stond in elk geval in uw getuigenverklaring. Heeft mr. Marshall dat ook gezegd tegen die vrouwelijke directeur, toen zij werd gehoord?'

'Ja. Ze zei dat ze van die telefoontjes niets had geweten; haar secretaresse moest ze hebben aangenomen, zei ze.'

'Is dat ook degene met wie u had gebeld?'

'Ik neem aan van wel.'

'Heeft ze verklaard dat Danny, zelfs als ze uw telefoontjes wél zelf had aangenomen, niet anders zou zijn behandeld?'

'Ja. Het kreng. Een hardvochtig kreng, dat is ze.' Simone nam Jenny's broekpak in ogenschouw. 'Ze kleedt zich net als u. Wat komt u trouwens doen?'

Jenny vroeg: 'Wilt u misschien ergens met me praten waar u wat meer op u gemak kunt zijn? Ik trakteer op koffie. Trek een paar schoenen aan, oké?'

Simone koos voor de vestiging van een grote landelijke koffieketen in het winkelcentrum aan Cribbs Causeway. Jenny volgde haar over de roltrappen en door winkelgalerijen en kreeg de indruk dat Simone zelfs geblinddoekt hier haar weg zou vinden. Ze bekeek onderweg alle etalages om te zien wat de nieuwe seizoenskleding was. Ook bleef ze even staan voor een stel gekleurde plastic bollen in de etalage van een radiowinkel, en merkte op dat dit de iPod-speakers waren die Ali wilde hebben. Hij was niet direct haar partner, zei ze, eerder een vriend die ze beter wilde leren kennen omdat ze er niet zeker van was of hij van kinderen hield.

Rondlopen in het winkelcentrum leek haar te ontspannen. Ze bleef weer staan, nu voor een etalage van een kledingzaak, en zei dat ze zich een ander mens voelde, altijd als ze in haar eentje van huis was.

Jenny bestelde cappuccino's en ronde cakes in Soho Caffee, waarvan het interieur de indruk moest wekken dat ze zich in Manhattan bevonden. Ze gingen aan een tafeltje tegenover elkaar zitten, onder een poster van het Empire State Building. Simone lepelde het schuim van haar cappuccino op voordat ze een teugje nam.

Danny was haar oudste, vertelde ze Jenny. Zijn vader was een man uit Saint Paul's op Trinidad, met wie ze omgang had gehad toen ze vijftien was. Ze was zwanger geworden; dat was de reden dat ze haar ouderlijk huis had verlaten en op zichzelf was gaan wonen in een flatje. Ze had geprobeerd hem goed op te voeden, maar de ene kerel na de andere had haar laten zitten. Niets in haar leven leek normaal te willen verlopen en Danny had niet goed tegen alle veranderingen gekund. Toen ze met de vader van haar vierde kind was getrouwd, was hij wat rustiger geworden, maar Jason, haar vierde ex, was verslaafd geraakt aan crack en pendelde heen en weer tussen de straat en de gevangenis. Zonder man in huis had Danny het gezelschap gezocht van de jongens in de buurt die altijd op het dievenpad waren. Tegen de tijd dat hij negen was, was hij lichamelijk al zo sterk dat ze hem niet had kunnen beletten de straat op te gaan. Zelf zat ze met de jongere kinderen in huis opgesloten – wat moest ze anders?

Meestal als Danny voor de rechter moest verschijnen, was het voor iets stoms dat hij had uitgehaald. Hij had geen slechte inborst, maar wilde alleen indruk maken op de andere jongens. Dat was beter dan door hen afgetuigd worden. Het probleem was dat hij altijd bang werd als hij werd gearresteerd en bereid was van alles en nog wat te bekennen om maar tegen een borgsom te worden vrijgelaten. De politie had er haar voordeel mee gedaan: de helft van zijn strafblad bestond uit dingen die hij nooit had gedaan.

Toen de rechter elektronische surveillance beval, zo herinnerde ze zich, had hij er hevig over ingezeten dat de andere jongens hem voor een mietje uitmaakten omdat hij zo netjes thuisbleef. Op een dag was hij met een blauw oog en twee gebarsten tanden uit school naar huis gekomen en had de hele avond niet uit zijn kamer willen komen. Dat was toen hij de enkelband had stukgesneden. De volgende dag waren ze hem komen arresteren.

Hij deed het in zijn broek bij het vooruitzicht dat hij een weekeinde in het politiebureau zou vastzitten – hoewel hij dat voor geen goud had willen toegeven – maar zodra hij op borgtocht was vrijgelaten, had hij zich weer de bink gevoeld: die paar nachten cel hadden hem respect bezorgd. Simone had gehoopt dat de schrik hem op het goede pad zou brengen. Justin, zijn begeleider van het reclasseringsteam voor jeugdige delinquenten, had het over een taakstraf gehad – zoals op zaterdagen een praktijkcursus bankwerken, eventueel met een meldingsplicht, maar de rechters hadden gezegd dat ze hem maar gevangen moesten zetten. In de instructie stond dat het was om Danny flink bang te maken. Nou, dat was gelukt – toen was hij pas écht veranderd.

'In welk opzicht?'

'Hij werd zwijgzaam, wilde niet meer met Ali of mij praten, en bleef maar vechten met zijn jongere broers. Hij rookte als een ketter en ik kon het hem niet beletten, maar ik had gezien dat hij zichzelf ermee brandde.'

'Met gloeiende peuken?'

'Ja. De binnenkant van zijn armen zaten onder de korsten.'

'Hebt u er met hem over gepraat?'

'Ik héb het geprobeerd. Hij stompte me. Dat had hij nog nooit gedaan. Ali bemoeide zich ermee, maar kreeg er zelf ook van langs – hij brak bijna zijn neus. Dat was aan de vooravond van zijn veroordeling – ik heb hem moeten dreigen met de politie om te voorkomen dat hij het straatverbod opnieuw aan zijn laars lapte. Hij was uitzinnig, maar volgens mij was het pure angst.'

'Waarvoor?'

Simone staarde naar het tafelblad en verschoof wat korrels suiker met haar koffielepeltje. 'Ze hadden geen van allen door dat Danny nog een kind was, meer niet. Hij vloekte en vocht, maar ik weet dat hij maar één ding wilde, een normaal leven... En dat heb ik hem nooit gegeven.' Ze keek op, met haar grote groene ogen. 'Hij wist dat hij er niet tegen zou kunnen van huis te zijn. Alleen al de gedachte joeg hem de stuipen op het lijf.'

'U bent zijn moeder. Wat is er volgens u met hem gebeurd?'

Simone tekende langzaam een cirkel in de suiker. 'Wat denkt u zelf?'

'U was in de rechtszaal toen hij werd veroordeeld?'

'Allicht.' Ze legde de lepel op haar schotel. 'Hij heeft echter geen woord tegen mij gezegd. Ik heb nog geprobeerd hem te spreken te krijgen voordat ze hem in dat politiebusje duwden, maar ze zeiden dat het verboden was.' Ze wachtte even en wreef met de muis van haar hand haar ogen uit. 'Ik wist dat hij zou proberen zichzelf iets aan te doen... ik wíst het gewoon.'

Jenny gaf haar een schoon servet en wachtte terwijl zij haar neus snoot. Intussen zag ze in gedachten voor zich hoe de directeur van Portshead Farm, Elaine Lewis, haar secretaresse instrueerde nooit telefoontjes van moeders aan te nemen. Ze stelde zich een ongehuwde vrouw voor, nog op een van de lagere sporten van de carrièrcladder, voor wie het heropvoedings- en detentiecentrum een soort stage kon zijn: als ze het een paar jaar binnen het budget kon leiden, zou ze hopelijk promotie maken en daarna een baby ter wereld brengen voordat haar hormonen er de brui aan gaven.

Toen Simone haar tranen meester was, vroeg Jenny haar of zij Danny in de week dat hij in Portshead Farm had gezeten nog gezien of gesproken had.

'Dat eerste weekeinde lieten ze me niet binnen, omdat hij werd "geobserveerd", zeiden ze. Dus regelde ik het zo dat ik er de volgende zaterdag heen kon, op de veertiende. Justin zei dat de kinderen daar normaal gesproken naar huis konden bellen, maar dat een telefoonkaart een privilege was dat ze moesten verdienen – en daarom heeft Danny die hele week niet kunnen bellen.'

'U had dus geen enkel contact met hem?'

Simone schudde het hoofd.

'Wist Danny dat u die zaterdag zou komen?'

'Geen idee. Niemand kon me zekerheid geven... Ik geloof nooit dat hij er die vrijdagavond een eind aan zou hebben gemaakt als hij het had geweten.'

'Waarom zegt u dat?'

Ze draaide het servet in elkaar. 'Het is meer een gevoel – ik kan het niet uitleggen. Ik voel dat hij het niet zou hebben gedaan als hij zich niet zo eenzaam had gevoeld.'

'Moederlijke intuïtie?'

'Als u kinderen had, zou u dat weten.'

Jenny zei: 'Ik heb een tienerzoon,' maar ze vertelde er niet bij dat die er de voorkeur aan had gegeven bij zijn vader te blijven wonen.

Ze ging verder en vroeg wanneer mr. Marshall voor het eerst contact met haar had opgenomen. Volgens Simone was dat op zaterdag geweest, tegen het eind van de ochtend, slechts een uur nadat er twee politie-agenten bij haar hadden aangebeld om te zeggen dat Danny dood was. Ze herinnerde zich er niet veel meer van, behalve dan dat hij iets had gezegd over sectie. Ze had zijn lichaam pas maandagochtend in het mortuarium van het ziekenhuis te zien gekregen. Ze hadden niet eens de moeite genomen hem zijn normale kleren aan te trekken: hij lag daar in het smoezelige blauwe trainingspak dat ze hem in Portshead hadden verstrekt.

In de loop van de volgende dinsdag had ze een gesprek gehad met mr. Marshall, in zijn kantoor. Hij had de indruk gewekt dat hij met haar te doen had. Hij had persoonlijk koffie voor haar gezet en haar allerlei vragen over Danny's verleden gesteld om te kunnen begrijpen hoe het zover met hem was gekomen dat ze hem gevangen hadden gezet. Marshall had gezegd dat Portshead Farm bijzondere aandacht had horen te besteden aan zo'n jonge knaap, en hij had eraan toegevoegd dat hij niet zou rusten voordat hij tot in alle details wist wat er met hem was gebeurd, vanaf het moment dat hij was veroordeeld tot aan het moment waarop hij was gestorven.

'Hebt u hem nog eens gesproken, vóór die hoorzitting?'

'Nee, maar hij heeft me verscheidene keren gebeld om te zeggen dat hij vorderingen maakte.'

'Noemde hij bijzonderheden?'

'Het zou allemaal naar voren komen op de hoorzitting, zei hij. Hij heeft me beloofd dat hij voor gerechtigheid voor Danny zou zorgen.'

'Zei hij dat met exact die woorden?'

'Ja. "Ik beloof het u." En hij zei ook dat ik zou mogen getuigen over die telefoontjes naar dat detentiecentrum.'

'Wat gebeurde er toen?'

'Dat mag ú mij vertellen. Geen woord meer van hem.'

'Enig idee waarom niet?'

Simone's blik dwaalde door het café af naar de winkels ertegenover. 'De kranten begonnen over mij te schrijven. Ze zeiden dat ik een slechte moeder was. Om de haverklap belden er journalisten naar mijn huis, met allerlei leugens. Eentje vroeg zelfs of het klopte dat Danny een crackbaby was. Iemand anders beweerde dat ik over mijn leeftijd loog en al van hem in verwachting was geweest op mijn dertiende. Ze fantaseerden er maar op los.'

'Wanneer begonnen die telefoontjes te komen?'

'Halverwege die week.'

'Daar kan mr. Marshall niets van hebben geweten?'

Simone haalde haar schouders op.

Het klonk zo onlogisch. Waarom was iemand zo betrokken geweest bij een zaak en halverwege zo abrupt in zijn schulp gekropen?

Jenny zei: 'Ik kreeg vandaag op kantoor een belletje van een journaliste die Tara Collins heet. Ze lijkt aan uw kant te staan.'

Simone's gezicht verhelderde een beetje. 'Die is oké. Zij is tenminste naar me toe gekomen om met me te praten.'

'Zij denkt dat er op de hoorzitting veel te veel vragen onbeantwoord zijn gebleven.'

'Het was in anderhalve dag bekeken. Er is niets opgehelderd.'

Jenny leunde achterover en monsterde Simone Wills vermoeide gezicht. Onder het schelle licht van de tl-buizen zag het er vlekkerig uit. Een vrouw die van de bijstand leefde, een hasj-rokende moeder van zes kinderen voor wie een bezoek aan een winkelcentrum een uitje was. Toch was er iets aan deze jonge vrouw dat haar raakte. Ze had op zijn minst recht op uitsluitsel, voor haar gemoedsrust. Ze besloot haar te tutoyeren.

'Simone, ik zou je willen vragen hier heel goed over na te denken: heb jij het idee dat de jury het bij het juiste eind had met haar oordeel dat het zelfmoord was?'

Ze keek Jenny verbaasd aan. 'Wat had het anders kunnen zijn?'

'Kijk, het is de taak van de onderzoeksrechter de doodsoorzaak vast te stellen; en als daar eenmaal over is geoordeeld, moeten er verdraaid goede redenen zijn, in de regel nieuw bewijsmateriaal, om een zaak te heropenen. En zelfs dan is daar toestemming van de Hoge Raad voor nodig. Als er iets duidelijk mis is geweest met de manier waarop mr.

Marshall de zaak heeft behandeld of als er belangrijke nieuwe feiten aan het licht zouden komen, zal ik uiteraard doen wat ik kan.'

'U gaat er dus niets aan doen?'

'Je hebt me zelf gezegd dat je denkt dat Danny zelfmoord heeft gepleegd. Wat zou je verder nog willen weten?'

'Waarom ze hem alleen hebben gelaten. Waarom ze botweg weigerden hem met zijn moeder te laten praten. Waarom ze hem drie dagen hebben opgesloten in een cel, zonder kleren. Waarom ze niet naar mij hebben geluisterd, toen ik hun zei wat er zou gaan gebeuren...'

Stuk voor stuk goede vragen die, daar twijfelde Jenny niet aan, ook door Marshall waren gesteld, zoals uit het proces-verbaal van de hoorzitting zou blijken. Ze had nieuwe bewijzen nodig, maar er was geen aanleiding om aan het zoeken ernaar tijd en geld te besteden. Het enige wat ze had, was dat er een raar luchtje aan de zaak zat en dat een plaatselijke journaliste op zoek was naar een verhaal.

Jenny zei: 'Ik zal je zeggen wat ik ga doen. Ik ga Danny's hele dossier doorspitten en een lijst maken van iedere vraag die mr. Marshall had moeten stellen, maar die hij niet heeft gesteld. Dan kunnen we verder zien.'

Simone keek haar sceptisch aan, onverschillig bijna. Ze stond op. 'Ik hoor het wel. Bedankt voor de koffie.'

Jenny liet de portierramen zakken en de warme wind door haar haar waaien toen ze de brug naar Wales overstak. Ze liet het estuarium achter zich en volgde de smalle weg die zich over een afstand van ruim elf kilometer door de beboste kloof van Chepstow naar Tintern slingerde. Nu ze zich omgeven wist door de natuur op haar mooist, stemde haar dat euforisch. Juli en augustus waren bedaagde, onbestemde maanden, maar juni was het summum van leven. Af en toe ving ze door de brandgangen tussen de bomen een glimp op van de beboste helling aan de andere kant van het dal, een golvende zee van ontelbare tinten groen.

Nu ze tegen de avond wegreed van haar verantwoordelijkheid voelde ze zich licht en vrij. Simone Wills en alle overledenen bevonden zich veilig en wel aan de andere kant van ruim vijf kilometer water, in een ander land – in een andere wereld.

Aan het eind van de dag de deur dichttrekken was iets waar ze samen met dr. Travis aan had gewerkt. Hij had haar duidelijk weten te maken dat zij, net als zoveel andere vrouwen, een perfectioniste was die geen rust had voordat alles om haar heen tiptop in orde was. Als het werk een dagelijks terugkerende chaotische wirwar was, vol losse eindjes en onze-

kerheden, was het slechts een kwestie van tijd voordat een persoonlijk-
heid als de hare onder de druk zou bezwijken. Hij had haar methoden
geleerd om zichzelf te verzoenen met eventuele beroepsmatige schuld-
gevoelens. Ze had geleerd te aanvaarden dat ze niet onmisbaar was, en
al evenmin verantwoordelijk voor de uitslag van iedere nieuwe rechtszaak.

En toch, ondanks al haar inspanningen weigerde het diepgewortelde
onbehagen dat uit haar onbewuste omhoog sijpelde te verdwijnen. De
echtscheiding had haar er niet van genezen, noch het feit dat ze zich aan
de stress van het familierecht had ontworsteld. Ze kon dan wel haar
onrust wegnemen met een pilletje of zich terugtrekken in landelijke
rust, maar de wortel van haar probleem – waarvan het grootste deel in
duisternis was gehuld – bood aan alles weerstand.

Ze probeerde zich te concentreren op het heden, zoals dr. Travis haar
had geleerd. Toen ze de bocht nam en Tintern binnenreed, zag ze de
ruïne van de abdij, die zijn majestueuze schaduw over het grasland
ernaast legde. Hoewel alleen de muren nog overeind stonden, werd ze
telkens weer geraakt door de elegantie en duurzaamheid van dit bouw-
werk dat – bijna vijfhonderd jaar nadat Hendrik VIII zijn troepen hierheen had gestuurd om de abdij te verwoesten – zijn veerkracht had
behouden. Zelfs de touringcars en auto's die de abdij in de zomerweek-
einden massaal omzwermden konden geen afbreuk doen aan de verstil-
de schoonheid ervan. Als dit monument zich ondanks alles overeind
wist te houden, kon zij dat ook.

Jenny nam de aanblik in zich op, samen met de rust van het omrin-
gende landschap, met heel zijn historie en vitaliteit. Even ervoer ze weer
het soort lichtheid en vrede dat ze zich uit haar tienerjaren herinnerde.
Dit was een kick die geen pil haar ook maar bij benadering kon geven.

Bij het Royal George Hotel sloeg ze af en volgde het smalle, door hoge
heggen geflankeerde landweggetje van drie kilometer naar Melin Bach –
Welsh voor 'Kleine Molen' – het uit granieten stenen opgetrokken huis
van twee etages dat ze impulsief op een veiling had gekocht en waar ze
veertien dagen geleden haar intrek had genomen. De vorige eigenares
was een ongehuwde vrouw van vijfentachtig jaar, miss Preece, die hier
haar hele leven had gewoond en er na de dood van haar vader, decennia
geleden, vrijwel niets aan had veranderd.

Het huis lag achter een deels overwoekerde tuin vol met stokrozen,
hoog opgeschoten lavendelstruikjes en uitbundig groeiende rozenstruiken die met onkruid en tot aan de knieën reikend gras elkaar de
beschikbare ruimte bevochten. Ze had er nog niets aan kunnen doen.
Het lage, stenen stapelmuurtje dat de tuin scheidde van de laan moest

nodig worden gerepareerd en haar parkeerplek, het begin van een oud karrenspoor naar de achterzijde van het huis, had zulke diepe sporen en was zo overwoekerd met brandnetel dat ze het nauwelijks kon oversteken zonder een enkel te verzwikken of te worden geprikt.

Kortom, het was volmaakt. Ongetemd en vol mogelijkheden.

Achter het huis lag tweehonderd vierkante meter overwoekerd gazon, grenzend aan de resten van een moestuin. Op de oever van de beek erachter stond een dakloze stenen schuur die ooit een zaagmolen was geweest. Tot begin jaren vijftig, zo had een buurvrouw haar verteld, had de vader van miss Preece zijn brood verdiend aan een door het waterrad aangedreven zaagbank waarmee hij eik- en beukstammen tot ruwe planken had verzaagd. De boerentrekpaarden voor de karren waarmee het hout over het karrenspoor werd afgevoerd, hadden dankbaar uit de beek gedronken. De ijzeren ringen waaraan ze waren vastgelegd, waren nog in het afbrokkelende cement van de molenschuur te zien. Als je in de buurt van de schuur een spade in de grond stak, had je grote kans een hoefijzer op te delven, soms met een diameter van wel vijfentwintig centimeter.

Jenny droomde ervan alles terug te brengen in zijn vroegere staat. Ze zou het onkruid wieden, haar eigen groente kweken en misschien zelfs de molen en het waterrad laten restaureren om haar eigen stroom op te wekken. Ze had al een stapeltje boeken naast haar bed, met titels als *Gids voor het genereren van elektriciteit* en *Wek je eigen stroom op*. Ze stelde zich voor hoe ze, als ze de boel eenmaal had opgeknapt, twee afzonderlijke levens zou leiden: een in de stad, te midden van andere mensen en hun beslommeringen, en een hier, waar ze in alle rust nuttig werk kon doen.

Of ze ooit dit leven nog met iemand anders zou delen, iets wat ze niet wilde uitsluiten, was een kwestie voor later. Ze was nog bezig zich te herstellen van een mislukt huwelijk en een gestrande carrière en probeerde van haar medicatie af te kicken. Ze zou het stap voor stap doen, genietend van de vorderingen van elke nieuwe dag, en zich vasthoudend aan het geloof dat de fragmenten van haar leven zich uiteindelijk weer zouden samenvoegen tot één herkenbaar geheel.

Vervuld van deze hoopvolle gedachten draaide ze de zware ijzeren sleutel in de voordeur om en stapte naar binnen. De geur van gedoofde as in de open haard verwelkomde haar en ze voelde de geruststellende soliditeit van uitgesleten plavuizen onder haar voeten.

Vanbinnen oogde het huis niet al te ruim, maar de plafonds waren hoog genoeg voor een lange, rechtopstaande man zonder dat deze voor de houten balken zou moeten bukken, en de vensters waren breed genoeg om te voorkomen dat er een sombere sfeer ontstond. Tegenover de voordeur in de entree leidde een smalle trap omhoog naar twee slaapkamers en een badkamer. De vroegere opkamer, die ze al had ingericht als haar werkkamer, lag achter een deur links van de vestibule. Rechts ervan lag een bescheiden, knusse zitkamer die grensde aan de keuken, nog uitgerust met een betegelde gootsteen, degelijke houten kastjes en een met kolen gestookt fornuis. Een wasmachine nam het laatste stukje ruimte in, naast de achterdeur, en was de enige concessie aan de moderne tijd. Ze had zich voorgenomen om vroeg of laat van de keuken en de zitkamer een geheel te maken en er een serre aan te bouwen, maar iets aan de ouderwetsheid van het geheel schonk haar veel voldoening: haar ex, die ambitieuze en intolerante hartchirurg, zou alles eraan hebben verfoeid. Een oude, weerbarstige en oncomfortabele boerenwoning als dit zou zo ongeveer de optelsom van al zijn angsten belichamen. 'Wat valt er te bewonderen aan het verleden?' zou hij hebben gezegd. 'Het ruikt er muf en het zit er vol ziektekiemen; je mag je gelukkig prijzen als je hier de vijftig haalt.'

David had er altijd op gestaan dat ze in een modern huis in een villawijk zouden wonen, met ieder jaar een nieuwe auto op de oprit. Zijn voorstelling van de hemel bestond uit een eeuwig leven in een stofvrije omgeving. Nu ze thuiskwam, hier in Melin Bach, begreep Jenny zelf ook niet dat ze zestien jaar huwelijk nodig had gehad om zich te realiseren dat het haar voorstelling was van de hel.

Ze deponeerde haar aktetas in de werkkamer, liep naar boven om een spijkerbroek en een oud shirt aan te trekken, en ging vervolgens op zoek naar een glas rioja en wat avondzon.

Even later zat ze teugjes wijn te drinken aan de oude houten tafel die ze naar het midden van het gazon had gesleept, exact op de plek waar je de zon boven Barabadoes Hill onder kon zien gaan. Ze luisterde naar de houtduiven in de kastanjeboom naast de molen en het kabbelen van de beek die over de keien stroomde. Ze kon haar geluk niet op. Nog geen drie weken geleden was een gehuurde flat in een nieuwbouwwijk bij Aztec West, aan de periferie van Bristol, haar thuis geweest.

Binnenkort zou ze Ross vragen te komen logeren, wanneer ze de tweede slaapkamer op orde had. Hij zou het hier heerlijk gaan vinden, als hij eenmaal aan de landelijke rust gewend was. Hij zou binnenkort eindexamen middelbare school doen, zodat ze hem al een paar weken amper had gezien. Nadat ze het huis uit was gegaan, weg van zijn vader, had hij een paar weekeinden bij haar in de flat gelogeerd, maar daar was hij zich algauw gaan vervelen, zodat het uitdraaide op ruzie. Toen had ze besloten tot de zomer te wachten, voordat ze zich op de situatie zou herbezinnen. Zodra ze Melin Bach had gezien, was ze ervan overtuigd geraakt dat hij wel bij haar zou komen wonen zolang hij nog geen eindexamen had gedaan. Ze zou hem onderweg naar de stad kunnen afzetten bij het college en hem dan 's avonds afhalen op weg naar huis. Anders dan zijn vader zou zij er geen bezwaar tegen maken als hij meisjes mee naar huis nam of een koud biertje dronk. Ze konden hier samen in alle rust elkaar eindelijk beter leren kennen.

Bij de gedachte aan Ross trok haar maag weer samen, veroorzaakt door verdriet, vermengd met onbeantwoord verlangen. Ze belde hem normaal gesproken 's maandags nooit – woensdag- en vrijdagavond om acht uur waren haar vaste tijdstippen – maar vandaag kon ze niet zo lang wachten. Ze wilde hem vertellen van haar nieuwe baan en hoezeer ze zich erop verheugde dat hij binnenkort kwam logeren. Ze wilde niet te opdringerig zijn – daar had hij een hekel aan – maar haar goede nieuws zou hij zeker willen horen.

Het derde glas wijn gaf haar de moed de telefoon te gaan halen en zijn mobieltje te bellen. Het ding ging een paar keer over en schakelde over op voicemail. Verdomme. Ze kon de vaste verbinding proberen, maar waarschijnlijk zou David opnemen en haar onthalen op een dosis sarcasme.

Ach, wat maakte het ook uit. Ze zou hem zijn vet geven.

'Hallo?' Een voorzichtige vrouwenstem die ze niet herkende nam op.

In de veronderstelling dat ze een verkeerd nummer had ingetoetst, zei Jenny: 'Mag ik Ross even?'

De stem zei alleen: 'Ik zal even kijken.' Ze klonk jong, maar ouder dan een tiener.

Jenny hoorde hoe ze de hoorn neerlegde en zijn naam riep – niet als een vriendinnetje, maar nogal onzeker. Ze hoorde David, een haastig gesprekje tussen hen dat ze niet kon volgen, voordat zijn stem haar toeblafte: 'Jenny?'

'Ik probeer Ross te bellen – zijn mobieltje staat uit.' Ze deed haar best het rustig te laten klinken.

'Hij zit bij Max. Morgen moeten ze wiskunde doen. Ze overhoren elkaar, dat beweert ie althans.'

'Goed. Ik probeer het later wel.'

'Je weet dat het woensdag ouderavond is? Ze verwachten je.' De toon die hij tegen haar aansloeg, was, zo vermoedde ze, ook de manier waarop hij met ondergeschikten in de operatiezaal omging.

'Ik zal er zijn.' Ze kon er geen weerstand aan bieden. 'Wie was dat zoeven, aan de telefoon?'

Een pauze. 'Deborah. Ik geloof niet dat je haar kent. Dat komt nog wel.'

'Ze klonk heel jong. Verpleegster zeker?'

Wat kon ze anders zijn? David had buiten het Franchay-ziekenhuis al bijna twintig jaar geen ander leven gekend.

Hij zuchtte ongeduldig. 'Ik heb het recht mijn eigen leven te leiden, en jij het jouwe. Ik verwacht je woensdagavond te zien.'

'Ik ben vandaag begonnen als onderzoeksrechter.'

'Geweldig. Ik hoop dat je er een succes van maakt.'

Ze wist dat ze zich niet uit haar tent moest laten lokken, maar zijn neerbuigende toontje wekte in haar het verlangen hem een schop te verkopen, en een harde ook. 'Als ik ook maar bij benadering even goed ben in mijn baan als jij bent in het verleiden van jonge meiden, zal het wel lukken, dacht ik zo.'

'De groeten, Jenny.'

Hij verbrak de verbinding, zoals altijd autoritair.

Met een vloek smeet ze de telefoon neer, haar ogen vol tranen van woede. Ze gooide de rest van haar wijn achterover, woest dat hij nog altijd het bloed onder haar nagels vandaan kon halen. Ze had geen greintje gevoel meer voor hem, afgezien van walging.

'Hallo?'

Ze keek om en zag een onbekende man over het karrenspoor naderen, tot aan de knieën in de brandnetels.

'Mrs. Cooper?'

'Ja.' Ze snoof zacht en bette haar ogen af. Verdomme. Dat was precies wat ze nog nodig had – een bezoeker.

Hij waadde naar haar toe. Ergens achter in de dertig, een rood overhemd losjes over zijn spijkerbroek. Zijn gezicht was verweerd en ongeschoren, een man die in de openlucht werkte.

'Steve Painter – ik woon aan de andere kant van de heuvel, richting Catbrook. Mike van de Apple Tree zei dat u misschien wel op zoek was naar een tuinman.'

'O ja? En wie is Mike?'

Hij was door de brandnetels heen en stond nu op het verwaarloosde gazon om zich heen te kijken.

'Mike is de man die je hebben moet als je wilt weten wat de mensen hier doen. Ze roddelen hier sneller dat een normaal mens kan denken.'

Hij keek haar aan. Eigenlijk zag hij er niet beroerd uit, van zo dichtbij. Platte buik, sterke armen. 'Ik zou zoiets goed kunnen gebruiken,' vervolgde hij. 'En ik ben niet al te duur, voor het geval u het wilt weten. Een paar dagen zal wel genoeg zijn om het ergste op te ruimen.'

Jenny probeerde erachter te komen wat haar aan deze onbekende verraste, en ze realiseerde zich dat het zijn stem moest zijn. Er klonk iets van het plaatselijke accent in door – Welsh zoals het hier in het grensgebied werd gesproken, vermengd met het meer boerse accent uit de streek Forest of Dean – maar hij klonk beschaafd. Dat gold ook voor de manier waarop hij haar aankeek: beleefd, maar op haar niveau.

'Hoeveel is niet al te duur?'

'Negen pond per uur.'

'Négen?'

'Vooruit, zevenenhalf.'

'Prima, afgesproken. Wanneer kunt u beginnen?'

'Morgenochtend? Vroeg?'

'Klinkt goed. Ik ben alleen bang dat ik niet veel gereedschap heb.'

'Ik breng alles mee wat ik nodig heb.'

'Uitstekend.' Jenny monsterde hem, zich afvragend wie deze man was die ze zojuist in tijdelijke dienst had genomen. Hij kon iederéén zijn. Ze had nog geen voet in de Apple Tree gezet. 'U hebt referenties? Iemand die ik zou kunnen bellen die voor u in kan staan?'

Glimlachend wreef hij langs zijn wang. Hij had zandkleurig haar, gebleekt door de zon. 'Iemand die ik nog niet heb beroofd? Eens even zien... waarom belt u Mike niet?'

Ze nam haar telefoon. 'Wat is zijn nummer?'

Schouderophalend zei hij: 'Weet ik veel. Ik heb zo'n ding niet.'

'Geen telefoon?'

'Nee. Ik probeer het te doen met wat mijn grond opbrengt, voornamelijk. Dat gaat goed, totdat je belasting moet betalen of een biertje wilt drinken. Het zal wel hypocriet klinken, vrees ik.'

'Eerder ambitieus. Wat kweekt u zoal?'

'O, van alles en nog wat. Eh, luister – ik wilde u niet storen. U ziet me morgenochtend verschijnen.'

Hij draaide zich om.

'Ik ben om kwart over acht vertrokken.'

'Prima. Ik had ook niet op een ontvangstcomité gerekend.' Hij tilde een bruine, ongewassen hand op voor een nonchalante groet en waadde terug zoals hij was gekomen. Hij verdween om de hoek van het huis. Jenny hoorde een motor tegensputterend tot leven komen. Zo te horen een stokoud geval. Ze ving een glimp ervan op door een gat in de heg, toen hij wegreed door de laan: een Landrover met open laadbak, met daarin een slim kijkende Schotse collie.

Ze schonk zich nog een glas in. Ze probeerde er lang mee te doen terwijl ze de zon zag ondergaan achter de in de wind wuivende essen. Ze dacht na over haar nieuwbakken tuinman van achter de heuvel. Waarom gaf een intelligente vent er de voorkeur aan zich op het platteland te begraven, zonder geld en zelfs zonder telefoon? Wat voor soort vrouw zou het met hem kunnen uithouden, zonder nieuwe kleren of moderne gemakken in huis? Ze woonde pas veertien dagen in de provincie, maar had nu al twee onverwachte dingen geleerd: hoe afgelegen je ook woonde, zoiets als privacy bestond domweg niet, en de mensen waren hier complexer en interessanter dan ze zich had voorgesteld. Zij hadden leefruimte om zich heen en leken op de een of andere manier vrijer en meer zichzelf.

Ze was van plan geweest al om halfelf in bed te liggen, met het licht uit, maar rond een uur of tien was haar hoofd helderder geworden en haar gedachten regen de gebeurtenissen van de afgelopen dag in ijltempo aan elkaar. Omdat ze bij voorbaat wist dat ze zonder de pillen niet zou kunnen slapen en er niets voor voelde 's morgens met barstende koppijn wakker te worden, installeerde ze zich in haar werkkamer, deed een staaf van het elektrische kacheltje aan en nam de dossiers van Danny Wills en Katy Taylor uit haar aktetas.

Terwijl ze de rapporten in Danny's dossier opnieuw doorlas, begon ze te begrijpen hoe Marshall dapper aan een kruistocht was begonnen, maar al doende geleidelijk de moed had opgegeven. Iedereen – van de begeleider van het reclasseringsteam tot de directeur van Portshead Farm – scheen zijn of haar werk te hebben gedaan en de juiste vierkantjes te hebben afgevinkt. Dat een gestoorde jongen van veertien onder de hoede van de staat zichzelf had opgehangen in zijn cel was schokkend, maar je kon er moeilijk iemand persoonlijk verantwoordelijk voor stellen.

Jenny wilde graag geloven dat zij, als zij de hoorzitting had geleid, een paar slechte managementpraktijken aan de kaak zou hebben gesteld, maar ook nu ze de verklaringen opnieuw doornam was het moeilijk exact aan te geven waar de fout lag, afgezien van het feit dat de overheid had toegestaan zo'n jong kind gevangen te zetten.

Simone Wills viel trouwens ook niet vrij te pleiten. Hoe vaak had Danny in zijn veertien levensjaren gemerkt dat ze meer om hém gaf dan om het roken van een joint of het drinken van nog een paar wodka's met haar meest recente vriend? Misschien was dit ook de gedachtegang van Marshall geweest. Hij was aan de slag gegaan om deze of gene aan de kaak te stellen, maar had zich algauw gerealiseerd dat de enige persoon die het verschil had kunnen maken een hopeloos geval was; hij had begrepen dat hij nog eerder iemand uit de dood had kunnen opwekken dan gerechtigheid verkrijgen voor Danny.

Gelukkig bevatte het dossier van Katy Taylor een aantoonbare procedurefout die ze recht kon zetten. Ze zou consideratie hebben met de ouders, maar er zou een volledig vooronderzoek mét hoorzitting moeten komen: moderne rechters van instructie waren verplicht streng op te treden in het openbaar belang, niet in dat van familieleden.

Voor de tweede keer die dag worstelde ze zich door het oorspronkelijke proces-verbaal van de politie, geschreven in een moeizaam handschrift door een agent die nog nooit van interpunctie had gehoord, en van het juiste gebruik van hoofdletters evenmin. Er stond in dat 'lokale jongeren' vermoedden dat Katy geld voor drugs had verdiend door zich te prostitueren. Ook stond er dat zij meerdere gerechtelijke berispingen had gehad wegens het in bezit hebben van marihuana en het plegen van winkeldiefstallen. Daar was niets opzienbarends aan, maar het zag er niet naar uit dat de agent in kwestie had onderzocht hoe ze elf kilometer van huis op zo'n afgelegen plek was beland, met een spuit vol heroïne. De meeste verslaafden zochten met het spul meteen de dichtstbijzijnde donkere steeg op. Bovendien had ze sandalen met naaldhakken aan haar voeten, zodat het ondenkbaar was dat ze te voet ernaartoe was gegaan. Zelfs de stomste politieman had kunnen vermoeden dat iemand haar naar die plek moest hebben gereden.

Dat het proces-verbaal over dat punt zweeg, verbaasde haar niet al te zeer. De in geldnood verkerende politie was uitgekookt genoeg om te weten wanneer ze zich druk moest maken. Bij een dode beroemdheid in de struiken zou het hele forensische team zijn uitgerukt en een strak in het pak zittende inspecteur zou zich om het uur op de hoogte hebben laten stellen van de gemaakte vorderingen. Een anonieme dode wier ouders al blij waren dat hun verdriet niet op het televisiescherm breed werd uitgemeten, moest het stellen met een ongeletterde agent.

Toch volstond dit niet. Jenny sloot de map met het voornemen uit te zoeken wie bij Katy was geweest voordat ze was gestorven. En als dat de politie niet beviel, tja, jammer dan.

Ze sliep slecht. Buiten wedijverde een ransuil met een vossin wier gehuil deed denken aan een krijsende baby. Ze droomde dat ze in haar ouderlijk huis was, verlamd door furieus geschreeuw en slaande deuren; in haar droom drukte ze haar duimen in haar oren en drukte op haar oogleden tot ze sterretjes zag.

In de rusteloze kleine uurtjes volgden de nachtmerries elkaar op: ze vloog overeind toen een moordenaar wiens gezicht ze niet kon zien een mes trok en het in haar buik ramde. Ze liet zich terugvallen in haar kussen, haar hart bonkend tegen haar ribben. Ze keek naar de klok en zag dat het bijna zeven uur was. Langzamerhand werd ze zich ook bewust van een geluid buiten – het schrapen van metaal.

Ze zwaaide haar benen uit bed en trok verontrust met haar middel-
vinger aan de handgreep van het luik. Steve stond met zijn rug naar
haar toe naast het karrenspoor, bezig om met een wetsteen een zeis aan
te scherpen. Hij beproefde de scherpte met zijn duim en begon met
grote, ontspannen zwaaien te maaien. Geen spoor van spanning in zijn
lijf.

5

De hemel zij dank voor Temazepam. Toen ze bij haar kantoor aankwam, was Alison geagiteerd bezig aanwijzingen te geven aan een stel verhuizers die een stuk of zes archiefkasten kwamen afleveren en nu bezig waren de rest van de receptie vol te stouwen met dozen vol dossiers.

Jenny was nauwelijks de deur door toen ze zich verwijtend omdraaide en zei: 'Ik zei toch al dat we het niet allemaal kwijt konden, mrs. Cooper.'

'We huren wat opslagruimte en archiveren wat we niet nodig hebben.'

'Wie gaat dat betalen?'

'We hebben toch ook betaald voor een kantoor in het politiebureau?' Ze griste haar post uit het 'In'-bakje op Alisons bureau. 'Kunnen we even praten?'

Alison gaf de verhuizers haastig nog wat instructies en volgde Jenny naar haar kantoor.

'De hoofdinspecteur keek er heel vreemd van op dat u mij hierheen laat verhuizen, op z'n zachtst gezegd. Het was altijd voor beide partijen een bevredigende regeling. Mijn ex-collega's staken me altijd de helpende hand toe.'

'En wat leverde het hún op?'

'Mr. Marshall en ik hebben in de loop der jaren verscheidene moorden opgelost waar de politie anders nooit uit was gekomen. Zo was er een man die zijn vrouw vergiftigde met insuline, een meisje dat haar baby had verstikt...'

Jenny sorteerde haar post en zei: 'Het verschil tussen de politie en het bureau rechter van instructie is dat de politie op veroordelingen jaagt, terwijl de rechter van instructie probeert de waarheid te achterhalen. Het een volgt niet per se uit het ander.'

'Ik ben zelf twintig jaar rechercheur geweest en ik heb nog nooit een gerechtelijke dwaling meegemaakt.'

'Je vond altijd de waarheid? En als je eenmaal een verdachte had, wilde je die waarheid dan nog steeds vinden?'

'U bent niet vol bewondering voor de politie, mrs. Cooper?'

Jenny opende haar aktetas en nam het dossier van Katy Taylor eruit.

Ze schoof het Alison toe. 'Heb je het proces-verbaal van de agent die deze zaak heeft onderzocht, gelezen voordat mr. Marshall de overlijdensverklaring tekende?'

'Meestal doe ik dat.'

'Ze werd op elf kilometer van haar huis gevonden, op een afgelegen plek en met sandalen met hoge hakken aan. Waarom is de omgeving daar niet minutieus onderzocht? Waarom is er geen sporenonderzoek verricht? Waarom heeft niemand onderzocht hoe ze daar terecht was gekomen, wie haar daarheen had gebracht en waar die heroïne vandaan kwam? Waarom heeft mr. Marshall, als de politie van mening was andere prioriteiten te hebben, deze vragen niet gesteld?'

'Daar zal hij zijn redenen voor hebben gehad.'

'Jij werkte destijds met hem; wat voor redenen kunnen dat zijn geweest, volgens jou?'

Alison ritste een hoek van het dossier met haar duim. 'Ik heb de zaak niet tot in alle details met hem besproken – ik was nog met vakantie toen dit proces-verbaal binnenkwam.'

'Hij moet er beslist iets over hebben gezegd.'

'Alleen dat dr. Peterson er zeker van was dat ze een overdosis had genomen en dat hoofdinspecteur Swainton van de Criminele Recherche het daarmee eens was.'

'Hij heeft dus overleg gepleegd met de politie?'

'Hij zal met de politie hebben gepraat, uiteraard.'

'En als Swainton er genoegen mee nam te denken dat er geen opzet in het spel is geweest, was dat voor hem goed genoeg?'

'Zo was het niet. Hij had een prima relatie met de Criminele Recherche. Ze hadden vertrouwen in elkaar.'

'Ik begrijp het.' Jenny zag het voor zich: Marshall trapte nooit op de tenen van de Criminele Recherche, in ruil voor een ex-politievrouw met een kantoor op het politiebureau die het benenwerk voor hem kon doen. 'Ik vrees dat zijn vertrouwen in dit geval niet gerechtvaardigd was. Ik ga de overlijdensverklaring herroepen en begin opnieuw, deze keer met een vooronderzoek naar behoren.'

'En wat zeg ik tegen de Criminele Recherche?'

'Zij hebben er niets mee van doen.' Ze nam een notitieblok en stopte het in haar aktetas. 'Ik ga een paar bezoekjes afleggen, zoals praten met haar ouders. Jij kunt hier blijven en de zaak een beetje aan kant brengen. O, en reken op een telefoontje van Mike van het ministerie van Justitie.'

'Mike?'

'Hij komt ons computersysteem installeren. Nog voor het weekeinde hebben wij een fonkelnieuw draadloos systeem.'

Jenny duwde de deur open en verdween voordat Alison kon protesteren. Ze zou haar een week de tijd geven, om te zien of ze in staat was zich aan te passen. Zo niet, dan zou ze moeten vertrekken.

De assistent van het mortuarium zei dat dr. Peterson bezig was met een sectie en er voor de lunch nog drie zou moeten doen. Als ze hem moest spreken, zou ze dat moeten doen vanaf de tribune terwijl hij werkte. Jenny zei dat het haar niet uitmaakte, zolang ze de grote man maar kon spreken. De assistent wees haar een deur die uitkwam op een gang. De 'tribune' was niet meer dan een verhoogd deel van de sectiezaal, van het eigenlijke sectiegedeelte gescheiden door een muur van een meter twintig hoog. De stank was overweldigend: ontbinding, vermengd met de geuren van bloed, feces en lysol. Met haar hand voor haar mond zag ze hoe dr. Peterson, op minder dan tweeenhalve meter afstand van de muur, het hart en de longen uit de open borstholte van een veel te corpulente dode van middelbare leeftijd tilde. Ze keek weg, vechtend tegen de impuls om te kokhalzen toen hij de organen op een roestvrijstalen snijtafel liet vallen, recht onder de plaats waar zij stond.

'Twee keer bezoek in twee dagen, mrs. Cooper? Waar heb ik dat genoegen aan te danken?'

Ze ademde door haar mond, zichzelf wijsmakend dat het maar lysol en formaline was dat ze rook, niet de stank van rottend vlees. 'Ik heb uw rapport gisteren ontvangen. Bedankt.'

'Denk maar niet dat dát altijd gaat lukken.' Hij hield een plak longweefsel tegen het licht. 'Ziet u dit? Doorschoten met plekken zwarte troep. De man rookte niet eens. Dit is het gevolg van luchtvervuiling – hij heeft het grootste deel van zijn leven in Londen gewoond. De longen van iedereen in het zuidwesten zien eruit alsof hij of zij dertig Benson & Hedges-sigaretten per dag heeft gerookt.'

In weerwil van zichzelf wierp ze een blik op de dieproze plak sponsachtig weefsel die hij haar voorhield. Inderdaad was het oppervlak bezaaid met teerachtige vlekken.

Hij smeet de plak op de snijtafel en ging verder met zijn werk, snijdend als een volleerde kok. 'Ooit eerder een sectie bijgewoond?'

'Nee.'

'Als u moet overgeven – er staat daar ergens een plastic emmer. En als u zich licht in het hoofd voelt, ga dan alsjeblieft zitten. Vorige maand had ik hier een studente die recht voorover viel, precies in een stapel leverplakken.'

'Bedankt voor de waarschuwing.'

'Geen dank.' Hij keek even naar haar op; zijn ogen boven het masker glimlachten.

Jenny slikte tegen het misselijke gevoel in haar keel. Mentaal kon ze het aan, maar haar lichaam snakte ernaar weg te gaan. Ze moest dit pijlsnel afhandelen of gebruikmaken van de aangeboden emmer. 'Ik ben hier vanwege de zaak-Katy Taylor. Ik heb een gedetailleerd rapport van u nodig.'

Peterson begon aan de tweede long en zei: 'Ik heb al mijn bevindingen doorgegeven in mijn rapport.'

'Het gaat mij niet alleen om uw bevindingen. Ik moet weten wat voor contacten u hierover hebt gehad met Harry Marshall en met de politie. Welke instructies u kreeg, wat er werd gezegd. Alles wat u zich kunt herinneren.'

Zorgvuldig bestudeerde hij een volgende plak longweefsel, wurmde de luchtpijp open met een verwijdtang en gluurde naar binnen. 'Met welk doel, precies?'

'Er is nauwelijks onderzoek gedaan naar haar dood, althans niet op een zinvolle manier. Ik ga uitzoeken waarom niet.'

Peterson legde de verwijdtang in een niervormig bekken en legde zijn handen plat op de snijtafel. 'Als je probeert te laten doorschemeren dat ik betrokken ben bij iets onbehoorlijks, Jenny, hoor ik dat graag rechtstreeks.'

'Zolang ik de zaak nog niet heb onderzocht, heb ik geen idee óf er wel iemand is die iets onbehoorlijks heeft gedaan.' Ze zoog lucht in haar longen en kon de stank bijna proeven. 'Wat ik wél weet, is dat een meisje van vijftien jaar gestorven is onder omstandigheden die heel wat meer aandacht verdienen dan alleen een proces-verbaal van twee velletjes van een agent, plus zes regeltjes tekst van een patholoog, vier weken na haar dood.'

'Als ik jou was, zou ik eerst maar eens een paar weken proefdraaien. Grote kans dat je zal ontdekken dat het systeem beter werkt dan je nu denkt. Als je nu al begint op je strepen te staan, zal je vijanden maken van wie je dat nooit had verwacht.'

'Zo denk jij erover, nietwaar? Laat je niet afleiden en maak het anderen niet lastig.'

Weer die glimlach achter dat masker. 'Weet je wat, Jenny, waarom beginnen we niet opnieuw? Wat dacht je ervan om vanavond of een andere avond samen wat te gaan drinken, zodat ik je kan laten profiteren van mijn ervaring – officieus, uiteraard.'

Jezus, hij had er maar twee dagen voor nodig gehad!

'Ik heb liever dat u die tijd gebruikt om uw rapport te schrijven.'

'En als ik niets te melden heb?'

'Dan zal ik u niet geloven.'

Ze draaide zich om naar de deur.

Peterson vroeg: 'Ooit een aortaklep gezien?'

Ze keek achterom. Hij hield een bloederig hart in zijn hand. 'Een weefsellapje dat nauwelijks dikker is dan je duimnagel. Er hoeft maar een klein bloedstolseltje los te komen en ertussen te raken – dan ben je dood.'

'Wat wilt u daarmee zeggen?'

'Misschien zou je de dingen wat wijsgeriger kunnen bekijken? Breng maar een paar dagen hier door, dan verandert je hele kijk op de wereld.'

'U méént het.'

Andy en Claire Taylor woonden in een voormalig huurhuis van een woningcorporatie, gebouwd in de jaren dertig, met een voordeur in achttiende-eeuwse stijl (imitatie, uiteraard), geflankeerd door hangge-raniums in manden. De straat lag nog geen anderhalve kilometer ver van de wijk die Jenny de vorige dag had bezocht, maar hier zagen de huizen en de straat zelf er verzorgd uit. Geen spijbelende hangjongeren.

Ze trof beide ouders thuis. Andy, uitvoerder bij een bouwbedrijf, had een snipperdag genomen om die ochtend met Claire naar het ziekenhuis te gaan. Ze was ziek thuis sinds Katy's dood. Haar arts zei dat de folterende buikkrampen die haar 's nachts wakker hielden waarschijnlijk het gevolg waren van een depressie, maar voor alle zekerheid moest ze voor onderzoek komen om een tumor uit te sluiten.

Dit alles werd haar zonder vragen direct verteld door Andy, een mage-re, gastvrije man met vriendelijke, gewetensvolle ogen. Claire zat stille-tjes naast hem op de bank, een gebreid vest om haar middel. Andy praatte aan één stuk door, als een man die, na weken te hebben rondge-dobberd op een vlot, eindelijk was gered. Claire zag er met haar bleke, sproetige huid en holle wangen uit alsof ze nog bezig was te verdrinken, nauwelijks nog herkenbaar als de vrouw op de familiefoto's die op de schoorsteenmantel stonden uitgestald.

Toen Andy eindelijk pauzeerde om op adem te komen, zei Jenny waarom ze was gekomen: mr. Marshall had wat al te haastig de overlij-densverklaring getekend. Ze trok nu wat dingen na, alvorens over te gaan tot een officieel vooronderzoek naar Katy's dood.

Claire keek op en zei voor het eerst iets, sinds ze mompelend 'Hallo' had gezegd. 'Hij heeft tegen ons gezegd dat er geen vooronderzoek nodig was.' Ze wendde zich tot Andy. 'Waar of niet? We waren toen samen bij hem op kantoor.'

Andy stak zijn hand uit naar de hand van zijn vrouw. 'Ja.'

Jenny besloot zo tactvol mogelijk op te treden. 'Ik vrees dat hij dat mis heeft gehad. Vanzelfsprekend heeft hij zijn best gedaan om u nog meer onaangenaams te besparen, maar als een sterfgeval mogelijk geen gevolg is van een natuurlijke oorzaak, schrijft de wet een hoorzitting voor, altijd.'

Andy vroeg: 'En dat houdt in?'

Claire trok haar hand uit de zijne en trok de trui dichter om zich heen.

'Ik wil geen moment suggereren dat Katy's dood door iets anders dan een overdosis kan zijn veroorzaakt, maar gelet op de omstandigheden zullen eerst alle andere mogelijkheden moeten worden uitgesloten.'

Claire zei: 'Ze heeft het niet met opzet gedaan. Ik wéét het. Dat heb ik hem ook gezegd.'

'Een deel van mijn taak is vaststellen in welke geestesgesteldheid ze heeft verkeerd. Alles wat u daarover kunt zeggen is belangrijk bewijs-materiaal.'

'Bewijsmateriaal? Waar hebt u het over? Mr. Marshall heeft ons verze-kerd dat het allemaal was onderzocht. Hij belde ons er speciaal over op.'

'Het spijt me, maar -'

'Ik ga hier niet naar zitten luisteren. Het interesseert ons niet.'

'Ik begrijp hoe u zich moet voelen -'

'Nee, dat doet u niet. Hoe zou u dat ooit kunnen? Wilt u nu weggaan, alstublieft?'

Andy legde een hand op Claire's schouder. 'Lieverd -'

'Laat me los.' Ze stond op van de bank. 'Ik heb hier niet om gevraagd. Waarom kunt u ons niet gewoon met rust laten?'

'Mrs. Taylor -'

Claire haastte zich naar de deur, smeet hem op de gang achter zich dicht en stormde de trap op. Andy stond op om achter haar aan te gaan, maar halverwege de kamer gaf hij het op toen een slaapkamerdeur zo hard werd dichtgeknald dat het hele huis ervan schudde.

Beschaamd draaide hij zich om. 'Zo is ze al sinds Katy's dood.'

'Ik kan er inkomen.'

Hij ging weer op de bank zitten, sprakeloos nu, wanhoop op zijn gezicht.

'Het zou me veel helpen als u me iets van de achtergronden kunt zeg-gen, mr. Taylor.'

'Wat wilt u weten?'

'Zo veel mogelijk. In het dossier heb ik gezien dat Katy wat gerechte-lijke berispingen heeft gehad, de afgelopen jaren.'

Hij liet het hoofd zakken. 'Wij zijn hierheen verhuisd toen ze net dertien zou worden – toen is het allemaal begonnen. Al die kinderen waarmee ze omging gebruikten drugs en stalen als ratten. We hebben geprobeerd haar op het rechte pad te houden, maar iedere keer als we ons lieten gelden, liep ze weg van huis. Ik weet niet meer hoe vaak wij de politie hebben moeten vragen naar haar uit te zien.'

'Waar ging ze zoal heen?'

'Weg, met vrienden. Ze zei ons nooit wie.'

'Jongens of meisjes?'

Andy schudde het hoofd en keek naar de vele uitgestalde foto's van zijn overleden dochter. Een slank, blond meisje met een lieve uitstraling, maar met een pientere blik in haar ogen. De laatste foto, een klassenfoto, toonde een mooie jonge vrouw die overal waar ze kwam bewonderende blikken zou hebben geoogst. 'Ik weet dat er een paar jongens bij waren, althans, het laatste jaar – ze was aan de pil. Wie het waren? Ik heb geen idee.'

'Heeft de politie u hierover vragen gesteld? Hebben ze met haar vrienden gepraat en haar mobieltje gecontroleerd?'

'Ze stelden wat vragen, maar toen ze eenmaal zeker wisten dat ze zichzelf had ingespoten, schenen ze er niet meer aan te twijfelen dat het geen opzet was. Het gebeurt om de haverklap, zeiden ze.'

Jenny gunde hem even de tijd, voordat ze zei: 'Wat had ze volgens u daar in haar eentje in Bridge Valley te zoeken?'

'Je hoeft geen genie te zijn om dat te bedenken.'

Jenny herinnerde zich de politiefoto van Katy's lichaam, het topje dat kort boven de navel ophield, de strakke spijkerbroek en de sandalen met hoge hakken. Slank, oogverblindend sexy en toe aan scoren.

'U denkt dat ze haar lichaam verkocht om drugs te kopen?'

De spieren in Andy's kaak spanden zich. 'Wij hadden nooit kunnen denken dat het zover met haar zou komen, maar het schijnt dat vrienden van haar hebben gezien dat ze in vreemde auto's stapte... Ik weet dat het klinkt alsof wij slechte ouders waren, maar u hebt geen idee hoe ongehoorzaam ze was. We hebben zelfs geprobeerd haar in haar kamer op te sluiten, maar ze klom gewoon het raam uit. Ze was niet in bedwang te houden. Het leek wel alsof ze bezeten was.'

'Wie waren die vrienden die haar in auto's zagen stappen?'

Hij keek haar radeloos aan. 'Jongeren die altijd rondhangen, daar in het recreatiepark. De politie kan het u vertellen.'

Aan de verbeten uitdrukking op zijn gezicht kon Jenny zien dat hij op het punt stond in snikken uit te barsten. Ze wilde hem niet nog meer laten lijden dan nodig was, maar ze kon niet weggaan zonder wat meer informatie over het politieonderzoek. 'Mr. Taylor, weet u nog hoe de politiefunctionaris heette die na haar dood contact met u heeft onderhouden?'

'Agente Campbell, geloof ik, Helen Campbell – dezelfde vrouw die haar had gearresteerd voordat ze haar opsloten.'

'Opsloten?'

Verbaasd zei Andy: 'Ja. Ze kreeg drie maanden heropvoeding omdat ze een vrouw een gebroken neus had geslagen. Tasjesroof. Weer eens om aan geld voor drugs te komen.'

'O... Om de een of andere reden is me dat ontgaan.'

'Het was in februari. Dat is het krankzinnige ervan. De mensen van het reclasseringsteam voor jeugdige delinquenten zeiden dat ze haar wilden laten afkicken. Ze zouden haar eraf helpen voordat ze voorgoed verslaafd was, dat beloofden ze. Twee dagen voordat ze voor moest komen, verdween ze opeens en werd ergens in een goot gevonden. Wij zijn de hele nacht in het ziekenhuis gebleven en vroegen ons af of ze ooit nog bij zou komen.' Zijn stem begon te beven. 'Toen ze bij haar positieven kwam, heeft ze het me bezworen – nooit meer. Ze was er echter nog niet goed en wel uit of...'

Jenny liet hem betijen. 'Waar heeft ze vastgezeten?'

'Ginds bij de Severn Bridge. Portshead Farm.'

'Wanneer kwam ze vrij?'

'Op de verjaardag van mijn vrouw: 17 april.'

De archiefkasten stonden twee hoog tegen een muur gestapeld, met de dossierdozen in nette stapels ernaast. Op de vensterbank stond een vaas bloemen en er lagen recente tijdschriften op de koffietafel. Alison deed tenminste een poging, ook al was ze zelf nergens te bekennen.

Tijdens de terugrit had Jenny in gedachten een lijst gemaakt van getuigen die ze wilde laten voorkomen, plus een lijst van de vragen die gesteld moesten worden. Haar hersens werkten op volle toeren. Ze zocht in Alisons bureau papier en een pen en begon het allemaal op te schrijven. De telefoon in haar kantoor jengelde. Ze haastte zich erheen, al schrijvend, griste de hoorn van de haak en klemde die tussen haar oor en haar schouder.

'Jenny Cooper.'

'Tara Collins, *Bristol Evening Post*. We hebben elkaar gisteren aan de telefoon gehad.'

De moed zonk haar in de schoenen. 'En?'

'U bent gisteren met mrs. Wills wezen praten.'

'Ik heb het momenteel erg druk. Wat wilt u precies?'

'Ze heeft de indruk gekregen dat u belang stelt in de zaak van haar zoon.'

Jenny hield op met schrijven en probeerde niet uit haar vel te springen. Het kostte moeite. 'Dan vergist ze zich.'

'U bent dus niet van plan erin te duiken?'

'Miss Collins, ik heb mijn werk te doen, en u het uwe. Over zaken die van openbaar belang zijn wil ik best met u praten, maar ik peins er niet over om dagelijks verslag te gaan doen van mijn doen en laten. Zo, en als u me nu wilt excuseren -'

'Als u op zoek bent naar nieuwe bewijzen, kan ik u zeggen waar u kunt beginnen.'

Jenny zuchtte, een ademtocht verwijderd van geduldverlies.

'Darren Hogg was de bewaker die de bewuste nacht de schermen van het interne televisiecircuit in het oog moest houden – zowel van het jongensblok als het meisjesblok. In zijn verklaring staat dat twee camera's die de gang in het jongensblok bewaakten al een week buiten werking zouden zijn geweest, in afwachting van reparatie. Mr. Marshall heeft er met de firma die daar alle reparaties doet over gesproken. Daar zeiden ze dat het defect pas op de veertiende was gemeld, op de ochtend van Danny's dood.'

Jenny herinnerde zich niet een verklaring van die strekking te hebben gezien. Ze zei: 'Ik heb mrs. Wills gezegd dat ik het dossier tot in alle details zou doornemen. Vanzelfsprekend zal ik alle eventuele tegenstrijdigheden natrekken.'

'Dit vindt u niet in het dossier – Marshall heeft nooit een verklaring van het personeel van die firma opgenomen. En er is nog iets anders: Kevin Stewart, de cipier die zegt dat hij had gerapporteerd dat Danny's toilet de nacht van zijn dood verstopt was – niemand heeft hem gevraagd waarom hij hem niet naar een andere cel heeft verhuisd. Er waren die nacht twee cellen vrij in het mannenblok. Toen ik erover sprak met de onderhoudsmonteur die hem heeft gevonden, Smirski, zei hij dat hij zich niet kon herinneren wanneer Stewart het aan hem had gemeld. Harry Marshall heeft Smirski niet eens naar de hoorzitting laten komen.'

'Als ik de kans heb gekregen de transcripties door te nemen...'

Tara Collins viel haar opnieuw in de rede. 'Waar het hier om gaat, mrs. Cooper, is dat de cipier opdracht heeft regelmatig door het inspectieraampje van iedere cel naar binnen te kijken – om het halfuur. Die zogenaamd kapotte camera had kunnen uitwijzen of die inspecties zijn gedaan en of dat verstopte toilet die ochtend is gerapporteerd. Smirski is er met een smoes heen gelokt om het lijk te vinden.'

Jenny wist waar Tara Collins heen wilde: de vaststelling dat Danny's dood een gevolg was van grove nalatigheid, een ernstige fout van het systeem dat de basale zorg had moeten verlenen die de zelfmoord van Danny zou hebben voorkomen. Dit was het soort bevinding dat het hele ministerie van Justitie in het geweer zou brengen en haar tot de minst populaire rechter van instructie van het hele land zou maken.

En het enige wat zij had gewild, was een rustiger leven.

'Ik zal open kaart met u spelen. De reden dat ik dit verhaal nog niet heb gepubliceerd, is dat ik Danny Wills een paar keer heb ontmoet toen ik aan een artikel over het reclasseringsteam voor jeugdige delinquenten werkte. Hij was een heel intelligente knul. Hij kwam soms met uitspraken waar je van opkeek, zoals zeggen dat hij "een verloren ziel" was. Je kreeg het gevoel dat hij met wat hulp zichzelf wel aan al die narigheid zou kunnen ontworstelen. Hij was echt pienter... Ik weet het, het is niet erg professioneel van me, maar zo gaat dat.'

Jenny merkte dat haar vijandigheid jegens Tara Collins weg begon te ebben. 'Ik heb zelf heel wat van dat soort kinderen meegemaakt. Luister, ik waardeer het dat u dit mij onder de aandacht hebt gebracht. Ik zal me erin verdiepen, werkelijk.'

'Kan ik dat ook tegen mrs. Wills zeggen?'

'Ik zou u dankbaar zijn als u dat aan mij overliet.'

Tara Collins zweeg een ogenblik, voordat ze zei: 'Het lijkt me alleen maar billijk u dit te laten weten, mrs. Cooper. Ik heb informatie gekregen waaruit blijkt dat uw mentale conditie de laatste tijd niet optimaal is geweest.'

Jenny hoorde zichzelf zeggen: 'Pardon?'

'Een van de moeilijkste beoordelingen voor een journalist is, bepalen waar het openbaar belang begint. Nou ja...'

De verbinding werd verbroken.

Ze kon haar oren niet geloven. Zelfs het ministerie wist niet dat ze een psychiater in de arm had genomen. Als dit bekend werd, zou ze niet alleen haar baan verliezen, maar liep ze zelfs het risico te worden vervolgd wegens het verstrekken van valse informatie. *Aandoeningen die van invloed kunnen zijn op uw vermogen om het ambt van rechter van instructie uit te oefenen...* Ze herinnerde zich hoe ze 'Geen' had geschreven, nadat ze zichzelf ervan had overtuigd dat dit leugentje gerechtvaardigd was, omdat een nieuwe baan haar toegangspoort naar herstel zou zijn.

'Is er iets mis, mrs. Cooper? U ziet eruit alsof u van streek bent.' Alison stond in de deuropening bezorgd naar haar te kijken.

Jenny legde de hoorn op de haak en probeerde het feit te verdoezelen dat haar hart als een razende tekeerging. 'Die journaliste weer. Hebben ze Marshall ook zo lastiggevallen?'

'Hij stond ze nooit te woord. "Parasieten", zo noemde hij ze.'

'Ik denk dat ik hem gelijk ga geven.' Jenny had nu hard een Temazepam nodig en wenste dat Alison zou verdwijnen, zodat ze er een kon nemen.

'Ik hoop dat u het niet erg vindt – ik heb waarschijnlijk dat telefoontje van Mike gemist. Ik was op het politiebureau.'

'Juist.' Jenny maskeerde de onrust die greep op haar begon te krijgen met een glimlach. Ze keek op haar horloge. 'Ik ga even lunchen. Zullen we om halftwee samen even praten over hoe het nu verder moet?' Ze stak haar hand uit naar haar handtas.

'O, voordat u gaat – ik heb een praatje gemaakt met een van mijn vroegere collega's van de Criminele Recherche. Het ging over Katy Taylor.'

Verdomme. Er was niets aan te doen. 'Ja?' Jenny stak achteloos haar hand in de tas en nam er een flesje Evian uit, plus haar buisje pillen, en hield zorgvuldig haar hand over het etiket terwijl ze de dop losschroefde. Ze zag hoe Alison haar gadesloeg op de manier van een politievrouw, de ogen gefixeerd op haar gezicht, maar in de periferie van haar blikveld lettend op haar handen.

'Hij was ook niet gelukkig met dat onderzoek. Het had er beslist alle schijn van dat ze kort voor of tijdens haar dood iemand bij zich had, maar er was niets wat op geweld of zo wees, terwijl het feit dat ze al verslaafd was betekende dat het vrijwel onmogelijk zou zijn aan te tonen dat haar dood géén ongeluk was. Als er ook maar de geringste aanwijzing voor een worsteling geweest was, zou dat een heel ander verhaal zijn geworden.'

Jenny slikte de pil met een mondvol water naar binnen, er zeker van dat Alison het trillen van haar handen had opgemerkt. 'Wat had er gedaan moeten worden, volgens deze rechercheur?'

'Om te beginnen hadden ze bewijzen dat ze in het milieu zat, zodat iedere hoerenloper die bij haar was geweest opgepakt had kunnen worden wegens seks met een minderjarige. Bovendien was er geen lepel, aansteker of afbindriempje bij het lichaam aangetroffen – allemaal dingen die op vingerafdrukken konden worden onderzocht. Het enige wat ze vonden, was een spuit met háár afdrukken erop.'

'We kunnen er dus tamelijk zeker van zijn dat ze niet alleen was?'

'Het is mogelijk dat de plaats delict na haar dood door deze of gene is verstoord, voordat het lichaam werd gevonden, maar mijn ex-collega is er vrijwel zeker van dat er een man in het spel is geweest. Het kan, wie weet, zelfs een dealer zijn geweest die haar drugs gaf in ruil voor seks – gelet op het feit dat ze op zo'n afgelegen plek is gevonden.'

Jenny voelde hoe de Temazepam door haar lichaam begon te circuleren en haar hartslag begon te vertragen. Haar rationele verstand kreeg weer de overhand. 'Vermoedelijk dus seks met een minderjarige en mogelijk zelfs doodslag. Wat moet je nog meer hebben om een volledig vooronderzoek te rechtvaardigen?'

'Technisch gesproken is het nog een onafgesloten zaak.'

'Hoezo?'

'Ze zullen de zaak nader onderzoeken als er bewijsmateriaal aan het licht komt, maar er is niemand die ervoor wordt betaald om ernaar te zoeken.'

Jenny zei: 'Ik heb haar ouders vanmorgen gesproken. Ik heb niet het gevoel gekregen dat zij zullen aandringen op een groot onderzoek. Het lijkt me dat ze, gezien de manier waarop Katy zich de laatste paar jaar heeft gedragen, min of meer deze afloop hebben verwacht.'

'Ik heb gehoord dat ze een paar maanden heeft gezeten. In dezelfde inrichting als Danny Wills, toch?'

'Niet zo vreemd, als je bedenkt dat Portshead Farm het enige gesloten heropvoedings- en detentiecentrum aan deze kant van de stad is.'

'Maar toch,' zei Alison, 'begin je je dingen af te vragen.'

Ze wisselden een blik.

'Ik weet het. Maar wat, precies?'

Alison zei schouderophalend: 'Drugs, loverboys, bendes... Al het tuig dat loert op dit soort kinderen. Ze kwamen allebei uit hetzelfde deel van de stad – ik durf te wedden dat er de een of andere connectie zal zijn.'

'Het was hoofdinspecteur Swainton die het besluit nam om de zaak verder te laten rusten?'

Alison knikte.

'Alleen vanwege de kosten en benodigde mankracht?'

'Dat ligt voor de hand.'

Ze insinueerde iets waarvan ze dacht dat Jenny het wel zou begrijpen, maar dat had ze mis. Ook dat was een politietrekje: aannemen dat andere mensen even slinks dachten als jijzelf.

'Kan er nog een andere reden zijn geweest?'

'Ik zou het niet weten. Tenzij hij bang was een ander onderzoek te verstoren... of als ze hem om de een of andere reden onder druk hebben gezet.'

'Waarom zou iemand dat doen?'

Alison verplaatste onbehaaglijk haar gewicht van de ene voet op de andere. 'Bijvoorbeeld als de man met wie ze was een belangrijke informant was, of iemand met een hoge status.'

'Is dat wat ze jou hebben verteld? Je wilt me toch niet zeggen dat ze seks had met een parlementslid of zo?'

'Nee. Niemand heeft zoiets geopperd, afgezien van het gebruikelijke geroddel. Hij had vermoedelijk meer werk liggen dan zijn rechercheurs aankonden.'

Jenny bespeurde het innerlijk conflict bij Alison: de loyale ex-rechercheur versus de fatsoenlijke burgervrouw die zich zorgen maakte over de eenzame dood van Katy Taylor en het gebrek aan inzet van de politie. Waarschijnlijk had Alison zelf kinderen die vermoedelijk al volwassen waren, maar hun tienerjaren konden nog niet al te lang geleden zijn. Een andere gedachte overviel haar: gisteren had Alison de heilige Marshall nog vurig verdedigd, maar nu liet ze doorschemeren dat hij betrokken was geweest bij een schimmige zaak. Er moest meer aan te pas gekomen zijn dan wat loos geroddel om hem van zijn voetstuk te stoten.

'Ik moet dus veronderstellen,' zei Jenny, 'dat mr. Marshall – als de politie om onduidelijke redenen besloten had niet verder te zoeken naar degene die bij Katy was – zich moet hebben laten overhalen hetzelfde te doen?'

Alison bleef een ogenblik stokstijf staan, maar plotseling schoten haar ogen vol tranen. Ze hield zich goed, maar zei: 'Ik hield van Harry Marshall, mrs. Cooper – nee, niet als zijn minnares – maar drie jaar lang is hij de beste vriend geweest die ik ooit heb gehad. Er is die laatste paar weken iets met hem gebeurd... Hij was woest over de zaak-Wills, ik had hem nog nooit zo meegemaakt. Hij zei dat hij geen steen op de andere zou laten. Maar toen ik terugkwam van verlof, zat hij zo diep in de put dat hij nog nauwelijks iets tegen me zei.' Ze laste een pauze in, om zichzelf te vermannen. 'Tot ik die donderdagavond gebeld werd. Ik nam op, maar de beller hing op. Ik bekeek de nummermelder – het was Harry's privénummer. Hij had me nog nooit vanuit zijn huis gebeld. Ik had terug moeten bellen, maar deed dat liever niet – het was al na twaalven... En de volgende ochtend was hij dood.'

Eindelijk gingen de sluizen open. Jenny leidde Alison naar een stoel en gaf haar de ene tissue na de andere nu vier weken van lijden-in-stilte plaatsmaakte voor niet te stelpen verdriet.

6

Tijdens de rit naar huis, aan het eind van wat pas de tweede dag van haar nieuwe loopbaan was, bespeurde Jenny diep in haar innerlijk de eerste gevoelens van nostalgie naar het familierecht. Rechtszaken konden traumatisch zijn, maar ze hadden het voordeel dat ze nooit persoonlijk werden. Nu al begon haar relatie met Alison onbehaaglijk intiem te worden. Terwijl ze haar bode zag huilen om de minnaar die ze nooit had gehad, realiseerde ze zich dat er geen sprake van kon zijn haar te vervangen, tenminste niet op korte termijn. Ze had niet alleen een chaos van dubieuze gevallen geërfd, maar was tevens zelf degene die met de emotionele gevolgen ervan moest afrekenen.

Dat was het verhaal van haar leven: altijd gingen andermans behoeften vóór de hare. Ze was altijd omringd geweest door sterke persoonlijkheden: haar ouders, haar man en in de loop der jaren talloze bazen en rechters, maar de echte Jenny Cooper moest nog altijd opstaan. Tweeënveertig jaar oud en nog altijd geen territorium dat ze het hare kon noemen.

De keten van uit zelfmedelijden geboren gedachten zette zich voort totdat ze haar huis bereikte, en toen ze bij Melin Bach stopte, kampte ze met doffe hoofdpijn en een knagend gevoel van onrust dat ze alleen met een flink glas wijn kon bestrijden. Ze had de voordeur al bijna bereikt toen het tot haar doordrong dat de voortuin een gedaanteverwisseling had ondergaan. Al het onkruid was verdwenen, het gras was gemaaid en de stokrozen en het vingerhoedskruid aan weerszijden van de veranda stonden nu in vers gegraven borders. Uit de jungle waren pioenrozen en lavendelstruikjes tevoorschijn gekomen waarvan ze niet eens had geweten dat ze er waren. Ze legde haar aktetas neer en slenterde over het inmiddels keurig geëgaliseerde karrenspoor naar de achterzijde van het huis waar ze een gemaaid gazon aantrof, een beetje ruig, maar gemaaid in banen die zich vanaf de achterzijde van het huis uitstrekten tot aan de beek. Er was een voetpad van op gelijke afstanden gelegde leistenen aan het licht gebracht dat bij de keukendeur begon en bij de oever van de beek eindigde; en bij de stapelmuur langs het veld die links van het huis omlaag liep, waren struiken rozemarijn, salie en tijm bevrijd uit de chaos van dopheide en brandnetels.

Ze nam ruimschoots de tijd om haar nieuwe tuin in zich op te nemen. Ze herkende die nu als een arbeidsterrein waar generaties vrouwen onder alle weersomstandigheden naar de beek waren gelopen om water te halen en kleren te wassen, of om op een zomeravond als deze met eeltige handen kruiden te plukken. Ze stelde zich een moeder voor die met rugpijn en in dikke lakense rokken gehuld stond te dromen van de vrijheid die ze – ruim dertig kilometer verderop – in de stad had kunnen genieten; zo'n vrouw had nooit kunnen denken dat haar boerenwoning ooit nog eens een wijkplaats zou worden voor een vrouw die vrijheden genoot waarvan zij zich geen voorstelling had kunnen maken.

Op de houten tuintafel lag een briefje, op zijn plaats gehouden door een roestig hoefijzer. Ze las: *Liet me wat te veel meeslepen en heb tot zeven uur doorgewerkt. Hopelijk ziet het er niet al te drastisch uit. Steve.* Te verlegen om over betaling te praten, maar hij liet haar toch op deze manier weten dat ze hem drie extra uren schuldig was. Ze had geld in haar portefeuille, maar hij had geen adres achtergelaten. 'Richting Catbrook,' had hij gezegd, meer niet, en geen telefoon.

Waarom probeerde ze niet hem op te sporen? Het was een mooie avond en ze moest nog haar weg zien te vinden door de wirwar van lanen die zich door de bossen aan de westzijde van het dal slingerden. Het zou een aardig avontuur worden. Ze besloot de wijn uit te stellen tot later en zich te wijden aan het opbouwen van een goede verstandhouding met haar tuinman.

Ze trok boven haar jeans een witte blouse aan, met eronder haar blauwe, linnen sportschoenen, waarna ze in de spiegel op de slaapkamer controleerde of ze er niet al te stads uitzag. Ze veranderde drie keer van gedachten over de sportschoenen, voor ze koos voor de zware werklaarzen die ze al voor de verhuizing had gekocht, toen ze zichzelf in gedachten groente had zien snijden en hout hakken. Ze waren nog maagdelijk, zo uit de doos, maar het zware gewicht aan haar voeten voelde goed aan; wat je tegenwoordig 'geaard' noemt. Bij wijze van finishing touch bundelde ze haar haar met een zwart elastiekje. Ze bekeek zichzelf in de spiegel: landelijk, maar toch zakelijk, niet al te sexy, maar toch vrouwelijk. En niet minder verlegen, nu, dan toen ze zestien was geweest.

Ze begon de heuvel op te rijden, over het smalle laantje langs de stroom met aan weerszijden steile hellingen, dicht begroeid met eiken en beuken. Hier en daar reed ze langs huisjes in kleine open plekken aan de kant van de weg, maar ze zagen er geen van alle sjofel of bohemien genoeg uit om van een vijfendertigjarige bosbewoner te kunnen zijn. Ze passeerde verscheidene landweggetjes die dieper in het bos leken door te dringen, maar de bandensporen waren allemaal veel te diep om haar

Golf eraan te wagen. Toen ze aan het andere eind van het bos was gekomen, draaide ze om over de met gaspeldoorn en rietpluimen bezaaide heide en reed langzaam verder over de rechthoek van laantjes rond de gehuchten Whitelye en Botany Bay. Ze was hemelsbreed pas een kilometer of vijf van huis, maar had al bijna vijfentwintig kilometer gereden.

Ze overwoog ergens aan te kloppen om de weg te vragen en stopte zelfs voor een haveloos ogend boerderijtje met een bord waarop eieren en honing werden aangeboden, maar haar gêne belette haar uit te stappen. Het was dezelfde remming die zich sinds haar 'episode' vaak van haar meester had gemaakt, voordat ze naar een etentje of cocktailparty moest – geen vrees om andere mensen te ontmoeten, maar uitgelokt door alleen al de gedachte eraan. Als ze erdoor werd overvallen en geen pil of drank bij de hand had, kon ze zich er niet zelf uit bevrijden. Zelfs het meest onbetekenende praatje over koetjes en kalfjes werd een beproeving, en als ze iets zei, hoorde ze haar eigen stem in haar hoofd weergalmen alsof ze zichzelf op grote afstand hoorde praten. Dan had ze een brandend gevoel in haar wangen, haar middenrif verkrampte en haar hart bonkte. Met hulp van dr. Travis had ze geleerd deze symptomen onder controle te houden door zich bewust te ontspannen, maar het feit dat zelfs de eenvoudigste ontmoeting zo'n zware beproeving kon worden dreef haar tot razernij. Ze voelde zich dan onnoemelijk dwaas of kinderlijk.

Nijdig op zichzelf begon ze het laantje terug te volgen, naar het noordelijke uiteinde van Tintern. Terwijl haar door zelfkritiek vergiftigde gedachten escaleerden tot een storm van woede ging ze ongemerkt steeds sneller rijden. Vanwege de hoge heggen en de bermen met hoog opgeschoten gras en hondspeterselie was de kans dat ze tegemoetkomend verkeer tijdig zou zien nagenoeg nihil. Het was een oude Ford-tractor met een karrenvracht vers gemaaid kuilvoer die haar in een haarspeldbocht tegemoetkwam. De tractorbestuurder zag haar als eerste, rukte aan zijn stuur en reed de toegang tot een weiland op. Toen Jenny halverwege de bocht was, werd ze geconfronteerd met een vrijwel onmogelijk smalle ruimte tussen de heg en de aanhanger. Haar instincten namen het over. Ze rukte het stuurwiel naar links en knalde met haar zijspiegel tegen de aanhanger terwijl ze met enkele centimeters speling door het gat schoot en slippend tot stilstand kwam, bijna dwars op de weg. Haar linkerwielen waren diep weggezakt in een greppel die door het lange gras in de berm aan het oog werd onttrokken.

Een ogenblik bleef ze zitten, zich bewust van het feit dat haar auto scheef was weggezakt en vastzat. Er werd tegen haar portierraampje getikt. Ze schrok en keek opzij, recht in het verweerde, gerimpelde gezicht van een oude boer die tegen haar lachte, zodat ze kon zien dat hij meerdere tanden miste. Ze liet het portierraampje zakken.

'Had je een beetje haast, dame?'

'Neem me niet kwalijk, ik...'

'Gelukkig zag ik je aankomen.'

'Ik heb zelf geen idee wat er gebeurde. Ik moet mijlenver weg zijn geweest.' Plotseling had ze er behoefte aan om te huilen, maar ze verzette zich er met alle macht tegen. 'Uw aanhanger – hopelijk geen schade?'

'Daar mankeert niks aan.' De oude man monsterde haar auto even. 'Zo te zien ben je er zelf ook niet slecht afgekomen. Ik zal je even lostrekken.'

De boer grijnsde – hij had nog maar vier bruine tanden in zijn hele mond. 'Jij bent zeker die mrs. Cooper, eh? Ik heb gehoord dat je iemand bent om naar uit te kijken. Ik heb echter zo'n idee dat je dit niet nog eens zal doen, eh?'

Een kwartier later, met niet meer schade dan een kapotte buitenspiegel en gekrenkte trots, vervolgde Jenny voorzichtig haar weg verder over het nu door zilverberken geflankeerde weggetje naar Ty Argel, waar ze, zoals de goedmoedige oude boer haar had verzekerd, Steve zou aantreffen – 'nog altijd verscholen in de bossen'. Ze rondde een bocht en stopte voor een kleine boerderij. Op het onverharde erf voor het huis stond Steve's oude Landrover, naast een verzameling gereedschap en bouwmateriaal en omringd door een handvol scharrelkippen. Jenny stapte uit, blij dat ze haar laarzen had aangetrokken, en werd begroet door een uitbundige Schotse collie die verwoed tegen haar blafte. Honden waren een van de weinige dingen waarvoor Jenny geen angst had. Haar grootouders hadden er drie gehad. Ze gaf een klapje op haar dij en zei: 'Kom nou maar. Brave hond.' De collie bespeurde een vriendin, sprong op en plantte twee smerige poten op haar shirt. Jenny duwde de hond omlaag en krabde de dichtbehaarde kop terwijl ze het soort babygeluidjes maakte waarop alle honden dol zijn.

'Het is een reu. Alfie.' Steve dook op uit de lage schuur aan de achterkant van het erf, een bijl in zijn hand. Hij liet zijn sjekkie vallen en wreef de peuk met zijn voet de grond in voordat hij naar haar toe kwam.

'Hij is heel toeschietelijk.' Alfie rolde zich op zijn rug, alle vier zijn poten in de lucht. Een bewijs van onvoorwaardelijk vertrouwen.

'Behalve voor de postbode. Je kunt geen uniform luchten of zien, is het niet, Alfie? Net als zijn baas.' Steve hurkte neer en begon de buik van de hond te krabben, net als Jenny. Alfie was in de zevende hemel.

Steve keek even naar haar laarzen. 'Helemaal gekleed op boerenwerk? Ik heb daar vijf kuub boomstammetjes die ik nog moet kloven.'

Jenny glimlachte. Ze kon hem ruiken: de geuren van zweet en shag – sterk, maar niet afstotend. 'Ik heb begrepen dat ik je drie uur extra werk schuldig ben. De tuin zag er geweldig uit, tussen twee haakjes.'

'Jammer dat je hem niet jaren geleden hebt gezien, toen Joan Preece nog fit was. Heel mooi, maar vooral ook heel natuurlijk.'

'Hopelijk zal hij weer zo worden.'

'Dat is het punt met tuinen – ze vergen veel aandacht. Als je ze weken aan hun lot overlaat, gaan ze mokken.'

Jenny diepte het geld op uit haar broekzak. 'Ik weet zeker dat ik geregeld hulp nodig zal hebben, als het je interesseert.'

'Het klinkt gevaarlijk veel naar een baan.'

'Ik laat het helemaal aan jezelf over.' Ze reikte hem het geld aan.

Hij hield op de hond aan te halen en stond op. 'Weet je het zeker...?'

'Ik ben niet helemaal hierheen gekomen en in een berm gereden, alleen om je hond te krabben, ook al is hij nog zo lief.'

Steve stak grijnzend het geld in zijn heupzak. 'Dankjewel.' Hij bekeek de Golf, waarvan de lak aan de zijkant diepe krassen had opgelopen. 'Zo te zien ben je de heg wezen scheren. Wat is er gebeurd?'

'Ik knalde op het weggetje bijna op een tractor. Gelukkig maakte hij er geen drukte van en trok me zelfs weer los.'

'Een tandeloos oud baasje?'

'Ja. Hij zei dat hij Rhodri heette, of zoiets.'

'Glendower. Dat is 'm. Hou je deuren maar op slot, vannacht – hij heeft een groot zwak voor vrouwen.'

'Ja, ik kon mezelf nauwelijks inhouden.'

'Sinds zijn vrouw is gestorven heeft hij de meeste vrouwen in het dal al gehad. Hij belooft ze de helft van zijn boerderij,' zei Steve lachend. 'Laat me even een biertje voor je halen – dan laat ik je de boel even zien.'

Hij haalde twee flesjes uit de voorraadkast – een koelkast had hij niet, zei hij – en leidde haar rond over zijn bezit. Het bestond uit bijna zes hectare met kreupelhout begroeide grond, waar hij een collectie boomsoorten kweekte die hij in het prille stadium verkocht aan een commerciële kweker. Achter het huis lag een moestuin waar hij groenten kweekte die hij aan winkels in de omgeving verkocht. Hij bood Jenny niet aan haar ook het huis te laten zien, omdat hij er nog aan werkte, zei hij, maar van de glimpen die ze ervan opving door de ramen op de begane grond kon ze zien dat het interieur netjes maar tamelijk Spartaans was: degelijke vloeren en houten meubelen die hij vermoedelijk zelf had gemaakt.

Hij ging haar voor langs de groentebedden en rolde intussen een nieuwe sigaret – een tikje schuldig, merkte ze op, omdat hij probeerde te verbergen wat hij in zijn tabaksdoos had – terwijl hij haar verhalen vertelde over een paar plaatselijke typetjes. Zo had je bijvoorbeeld Dick Howell, een aan de drank geraakte accountant die zijn baan en daarna zijn vrouw had verloren, waarna hij zijn intrek had genomen in zijn stationwagen, waar hij dronk van de rest van het geld dat hij zijn cliënten had ontfutseld. Hij had een tijdje in Steve's schuur gekampeerd, maar was toen ingetrokken bij een vrouw die oud genoeg was om zijn moeder te kunnen zijn. Verder was er timmerman Andy, een jonge kerel die opeens naar Londen was vertrokken om een klus te doen voor een echtpaar dat daarheen was verhuisd, maar hij was niet meer teruggekomen: drie jaar later bleek het drietal nog knus in hetzelfde huis te wonen. Af en toe kwamen ze terug voor een gezellig avondje in de pub.

Al luisterend betrapte ze zich erop dat ze hem probeerde te beoordelen zoals een advocaat een getuige beoordeelt; was al die kalmte echt, of was dat te danken aan wat hij rookte?

Ze vroeg: 'En wat is jouw verhaal?'

Steve bleef bij het gammele houten hek tussen het erf en de moestuin staan en nam traag een slok bier. Hij nam zijn domein in ogenschouw en zei: 'Dit is niet het leven dat me voor ogen stond, daar mag je van uitgaan.'

Jenny leunde tegen het hek en vroeg: 'Wat stond je dán voor ogen?'

'Ik studeerde architectuur in Bristol. In mijn vierde studiejaar heb ik dit boerderijtje gekocht met het geld dat mijn vader me had nagelaten. Ik had er grootste plannen mee. Totdat ik een meisje leerde kennen...' Hij zette zijn bierflesje op de hekpost en begon een derde sigaret te rollen, een gepijnigde trek op zijn gezicht. 'Ze studeerde aan de kunstacademie. Veel talent, maar stapelgek. We werden verliefd, verhuisden naar hier en leefden als kat en hond.' Hij onderbrak zichzelf om een lucifer af te strijken en haalde diep adem. 'Dat ging zo een paar jaar door en ik gaf de studie min of meer op. Ze raakte aan de drugs en sprong een paar keer in de rivier voor ze ervandoor ging met een vent die ze in een afkickcentrum in Cardiff had leren kennen. Het laatste wat ik ervan heb gehoord, is dat ze ergens in Thailand of daar ergens zit.'

'Hoe heette ze?'

'Sarah Jane. Klinkt tamelijk onschuldig, toch?' Hij trok zijn T-shirt aan de linkerschouder omlaag en toonde haar een onregelmatig litteken dat bijna tot zijn hals reikte. 'Ze deed het met het keukenmes. Het had mijn dood kunnen zijn. De volgende dag hadden we de beste seks van ons leven.'

Jenny probeerde haar verlegenheid te verbergen. 'Hoe lang ben je met haar samen geweest?'

'Vijf jaar. Daarna heb ik hier vijf jaar in mijn eentje gezeten. Wat stilletjes, af en toe, maar in elk geval is hier niemand die probeert mij van kant te maken.' Hij zag Alfie op het erf een kip besluipen en riep hem toe het dier met rust te laten. De collie draafde weg. 'Je hebt nu natuurlijk de indruk dat ik met mezelf te doen heb – maar zo is het niet. Het leven is goed.'

'Er zullen heel wat mensen jaloers op je zijn.' Ze dronk de laatste slok van haar bier. 'Bedankt voor het biertje. En als je behoefte hebt aan wat werk, weet je me te vinden.'

Hij tilde het hek op, scheef aan een hengsel, en liet haar door naar het erf. Toen ze terugliep naar haar auto, wat licht in het hoofd door het bier, vroeg ze zich af of ze wel veilig kon rijden. Achter zich hoorde ze hem roepen: 'Ik zie je donderdag wel.'

De volgende ochtend bereikte Jenny haar kantoor met behulp van niet meer dan één Temazepam. Ze was vastbesloten haar relatie met Alison zuiver professioneel te houden. Nu ze er een nachtje over had kunnen slapen, kon ze twee duidelijke verklaringen bedenken voor Marshalls verzuim om een hoorzitting in de zaak-Taylor te houden, en voor zijn gebrek aan geestdrift tijdens de hoorzitting over de dood van Danny Wills. Er was misschien onbetamelijke druk op hem uitgeoefend, maar dat vond ze, evenals iedere andere samenzweringstheorie, niet erg waarschijnlijk; óf er moesten veel humanere persoonlijke redenen voor zijn geweest. Nu ze zelf het vernietigende effect van een kleine zenuwinzinking had ervaren, kon ze zich maar al te levendig indenken wat de gevolgen van een ernstige inzinking konden zijn. Het gedrag van Harry Marshall gedurende de laatste paar weken van zijn leven vertoonde daar alle kenmerken van. Een man die worstelde met een depressie zou humeurig en lusteloos zijn. Het onderzoek naar de dood van Danny Wills had hem misschien tijdelijk uit de put geholpen, maar zodra hij was gaan beseffen hoe zinloos zijn taak was, hadden de donkere wolken zich weer boven zijn hoofd samengepakt. Tegen de tijd dat het dossier-Katy Taylor op zijn bureau was beland, was hij waarschijnlijk al volslagen willoos geweest. Ten prooi aan diepe wanhoop na twintig jaar lang allerlei sterfgevallen te hebben verwerkt, zou hij wellicht hebben gedacht dat het vrijwel nutteloos was om aan het zoveelste vooronderzoek te beginnen waarvan de uitslag – onopzettelijke zelfdoding – al bij voorbaat vaststond.

Terwijl Jenny met klakkende hoge hakken naar de voordeur liep, bezorgde deze rechtlijnige conclusie haar een gevoel van bevrijding. Ze zou een vooronderzoek naar Katy's overlijden instellen en naar behoren onderzoeken of er mogelijk zelfmoord of moord in het spel was, waarbij ze beleefd maar resoluut de desbetreffende politiebeambten zou vragen hun handelwijze te verklaren. Intussen zou ze het bewijsmateriaal in de zaak-Wills onder de loep nemen om na te gaan of een zo drastische stap als een rekest aan de Hoge Raad om een nieuwe hoorzitting te houden voldoende gerechtvaardigd was. Beide vormen van aanpak waren onberispelijk, konden geen controverses oproepen en waren exact wat het ministerie van Justitie van een ijverige nieuwe rechter van instructie verwachtte. Ze zette alle paranoïde ideeën over duistere krachten van zich af en voelde zich een stuk nuchterder toen ze aan de slag ging.

Toen ze de receptie binnenstapte, was Alison al bij haar bureau in de weer. Jenny keek op haar horloge. Het was pas halfnegen.

'Goeiemorgen, Alison. Je bent er vroeg bij.'

Alison maakte een angstige hoofdbeweging naar Jenny's kantoor. 'Mr. Grantham is hier om u te spreken. Ik heb hem gezegd dat hij binnen kon wachten – de boel is hier nog niet op orde.'

'Grantham?' De naam kwam haar vagelijk bekend voor.

'Van de Plaatselijke Autoriteit, hoofd Juridische Zaken.'

'Ah, ik begrijp het.' Ze herinnerde zich de naam vaag uit een van haar interviews en vroeg zich af wat hij wilde. Alle noodzakelijke controles – en daar waren er niet veel van – nam het ministerie van Justitie zelf voor zijn rekening. 'Hadden we een afspraak met hem?'

Voordat haar medewerkster kon antwoorden, kwam een gedrongen gebouwde man van eind middelbare leeftijd Jenny's kantoor uit. Hij droeg een blazer, een pantalon van grijs flanel en, zo vermoedde Jenny, de stropdas van een golfclub. Hij hees zijn zware wangen op voor een gemaakt lachje.

'Mrs. Cooper. Goed u terug te zien.' Hij stak haar een vlezige hand toe en ze voelde zich verplicht die te schudden. 'Dank je, Alison.'

Grantham wendde zich weer tot Jenny. 'Ik zal u niet lang ophouden – ik weet hoe druk u het zult hebben.'

'Inderdaad,' zei Jenny met nauwelijks verholen ergernis.

'Zullen we?' Hij gebaarde naar haar kantoor alsof het zijn eigen kantoor was.

Jenny draaide zich om naar Alison. 'Zou je me even de binnengekomen rapporten willen brengen?'

'Komt eraan, mrs. Cooper.'

Jenny nam alle tijd voordat ze Grantham voorging en hem een van de twee stoelen voor bezoekers wees, terwijl ze achter haar bureau bleef staan om paperassen uit haar aktetas op te diepen. 'Wat kan ik voor u doen, mr. Grantham?'

'Goed werk, mag ik hopen. Ik was lid van de sollicitatiecommissie.'

'Ik weet het.'

'Het heeft maar weinig gescheeld, weet u. Er waren verscheidene goede kandidaten.'

Ze reageerde niet en zette rustig haar aktetas op de grond, voor ze in haar veel grotere stoel ging zitten en met een professioneel lachje naar haar onwelkome gast opkeek.

Grantham trok zijn broekspijpen een paar centimeter op en liet zich op een stoel zakken, terwijl hij om zich heen keek. Zijn blik bleef rusten op de vaas met dahlia's die Alison op de vensterbank had gezet. 'Ik herken hier de hand van een vrouw.' Het idee van een vrouwelijke rechter van instructie leek hem te amuseren. 'En u bent al druk in de weer, hoor ik.'

'Dat is wat ik heb beloofd te doen.'

'Natuurlijk. Alleen, tja, hoe zal ik dit zeggen...? Ik ben er zeker van dat niemand hier er behoefte aan heeft dat dit bureau de reputatie verwerft dat er mensen onnodig van streek worden gemaakt.'

Ze keek hem onderzoekend aan. 'Waar zinspeelt u precies op?'

'Ik weet dat u nog helemaal moet wennen, maar we proberen hier de verschillende openbare instanties in ons district zo harmonisch mogelijk te laten samenwerken.'

'Ik vrees dat ik u niet kan volgen.'

'Er is mij verteld dat u bent wezen praten met dr. Peterson van het Vale.'

'En...?'

'Zoals ik al zei, mrs. Cooper, in Severn Vale moedigen wij onze openbare instanties aan elkaar altijd te ondersteunen. Dat is ons arbeidsethos en het functioneert uitstekend.'

'In geen geval geldt dat voor dit bureau. Mijn voorganger heeft steevast drie tot vier weken moeten wachten op sectierapporten. Aangezien er niet zo lang kon worden gewacht met het tekenen van overlijdensverklaringen, was hij in zekere zin wel genoodzaakt dat ongemotiveerd te doen, een handelwijze die er gemakkelijk toe kan leiden dat een rechter van instructie wordt ontheven uit dat ambt.'

Ze zag hoe Grantham zijn wangen licht naar binnen zoog; het ergerde hem dat ze hem de les las, maar hij had geen antwoord klaar.

'Rechters van instructie staan zwaar onder druk om elk geval van een eventuele onnatuurlijke dood grondig te onderzoeken. Wij kunnen het ons eenvoudigweg niet veroorloven de kortste weg te kiezen.' Ze maakte zich op voor de genadeslag. 'Eerlijk gezegd is het me niet duidelijk waarom mijn besprekingen met de afdeling Pathologie van het Vale u zorgen zouden kunnen baren.'

'Mijn instantie betáált de rechter van instructie. Het zijn zonder meer ook míjn zaken.'

'Ik vrees dat u zult ontdekken dat de wet u tegenspreekt.'

'Ik probeer beleefd te zijn, mrs. Cooper, maar het is een feit dat iedere instantie vertrouwt op loyale samenwerking met de andere. Als u een probleem hebt, zal ik u graag helpen de juiste wegen te bewandelen. Daar ben ik voor aangenomen.'

'Als u ervoor kunt zorgen dat sectierapporten hier op tijd binnenkomen, zou ik u meer dan dankbaar zijn.'

'Ik zal erover praten.'

'Dank u.'

'Er is alleen nog iets anders dat...'

Ze werden gestoord door een klop op de deur. Alison kwam binnen met een stapel 's nachts binnengekomen rapporten, legde ze op het bureau en trok zich terug. Jenny trok de stapel naar zich toe en begon te bladeren, nog maar half met haar aandacht bij Grantham.

'Ik heb van Alison begrepen dat u voornemens bent een hoorzitting te houden over de dood van die jonge verslaafde?'

'Katy Taylor? Inderdaad. Dat had al een maand eerder moeten gebeuren.'

'Ik ben niet gekomen om u te zeggen hoe u uw werk moet doen, maar werkelijk, is dit wel absoluut noodzakelijk? Afgaande op wat ik erover heb gehoord, schijnen de ouders er niet om te vragen. En u weet zelf hoe de media dit soort zaken plegen op te blazen.'

'Het is absoluut noodzakelijk. Dáárom doe ik het.'

Grantham slaakte een zucht en verstrengelde zijn dikke vingers. 'Laat me u wat stof tot nadenken geven. Harry Marshall was een goede vriend van mij, een zeer goede vriend. Hij heeft nooit een hoorzitting gehouden als dat niet nodig was. En in al die jaren dat hij aan het hoofd stond van dit bureau hebben we niet één klacht binnengekregen.'

Hij hees zichzelf overeind, wenste haar goedendag en liet zichzelf uit. Ze hoorde hem vriendelijk gedag zeggen tegen Alison, die reageerde met: 'Tot kijk, Frank.' Jenny wachtte totdat hij de gang in was, voordat ze naar de receptie stapte om haar aan te pakken.

'Je wist van zijn komst?'

'Hij belde me gisteravond om zijn komst aan te kondigen.'

'En je hebt mij niet even gebeld?'

'Het was al over negenen.'

'Hoe kwam die hoorzitting over Katy's dood ter sprake?'

'Hij vroeg er uit zichzelf naar. Hij zal wel roddels op het politiebureau hebben gehoord.'

'En jij vond het niet nodig even ruggespraak met mij te houden voordat je hem inlichtte over míjn zaken?'

'Hij is de baas.'

Jenny haalde diep adem. 'Mis. Wij rapporteren rechtstreeks aan het ministerie van Justitie en niet aan hem. Duidelijk?'

Alison knikte onzeker.

'En nu we het er toch over hebben, misschien kun je mij wat meer vertellen over dit informele netwerk van functionarissen die elkaar het leven zo gemakkelijk mogelijk proberen te maken.'

'Het komt gewoon omdat iedereen hier iedereen kent. Bovendien heeft Frank Grantham uitstekende connecties. Hij zit in allerlei commissies.'

'Vrijmetselarij, Rotary...'

'Dat soort dingen, ja.'

'En nu vreest hij dat ik het zijn vriendjes bij de politie lastig zal maken door een hoorzitting te houden waarbij zij weleens door de mand kunnen vallen?'

'Dat zou ik niet weten.'

'Alison,' zei Jenny, 'toen je tegen mij zei dat hoofdinspecteur Swainton misschien onder druk was gezet, aan wie dacht je toen?'

'Niemand in het bijzonder... gewoon iemand op een hoge post.'

'Jij bent bevriend met Grantham?'

'Nee... Wel ken ik zijn vrouw goed. We golfen soms samen.'

'Waar past dr. Peterson precies in deze sociale puzzel?'

'Hij en Harry Marshall zaten bij dezelfde liefdadigheidsvereniging en probeerden geld in te zamelen voor kankeronderzoek. Ik weet dat Frank ook veel van dat soort dingen doet.'

Het begon haar te dagen. Het district Severn Vale mocht dan misschien een forse taartpunt van Bristol-Noord beslaan, maar de gang van zaken hier verschilde niet van die in een provinciestadje. Artsen, politiefunctionarissen, ambtenaren en zelfs de onderzoeksrechter – ze maakten allemaal deel uit van een en hetzelfde netwerk. Heel nuttig als je gezicht in de smaak viel, maar ook handig als het erop aankwam fouten van vrienden te verdoezelen. Jenny voelde hoe de zekerheid waarmee ze twintig minuten geleden haar kantoor was binnengestapt begon weg te glippen. Plotseling leek alles mogelijk en scheen geen enkel scenario te ongerijmd. Het was allesbehalve onmogelijk je voor te stellen dat een lid van de plaatselijke gevestigde orde Katy Taylor had misbruikt voor seks, of dat er zware druk op Marshall was uitgeoefend om de reputatie van Portshead Farm overeind te houden. Jenny wilde er niets mee te maken hebben. Sterker nog, als er inderdaad zo'n achterbaks stelsel bestond, wilde zij het aan de kaak stellen en er een eind aan maken.

'Juist. Morgen begin ik aan de hoorzitting over Katy Taylor.'

'Morgen al?' vroeg Alison geschrokken.

'Voordat onze getuigen de kans hebben gekregen hun verhalen op elkaar af te stemmen. We sturen vanmorgen nog dagvaardingen naar dr. Peterson, de politiemensen die in deze zaak onderzoek hebben gedaan, en degene van het reclasseringsteam voor jeugdige delinquenten die haar na de voorwaardelijke invrijheidstelling heeft begeleid.'

'En haar ouders dan? Moeten we hún niet meer tijd gunnen?'

'Laat dat maar aan mij over.' Jenny marcheerde haar kantoor in.

'Mrs. Cooper...?'

Ze draaide zich om haar as. 'Ja?'

'Waar wilt u die zitting precies houden?'

Ze aarzelde even. De vraag lag voor de hand, maar was nog niet bij haar opgekomen. Severn Vale was een van de vele districten waar rechters van instructie geen eigen rechtszaal hadden, zodat er in voorkomende gevallen ergens een zaal moest worden gehuurd. Er waren collega's van haar die genoodzaakt waren zitting te houden in de vergaderzaaltjes van ontspanningscentra of een kerkgenootschap, tussen verjaarsfeestjes en bingoavonden in. De enige wettelijke restrictie was een oud verbod op het houden van hoorzittingen in kroegen.

'Waar hield Marshall altijd zitting?'

'Meestal in de oude zaal van het kantongerecht, maar die is zojuist verkocht om plaats te maken voor flats.'

'Wat kun jij aanbevelen?'

'Zo nu en dan gebruikten we de dorpszaal van Ternbury – die is niet duur.'

'Een dorpszaal? Kunnen we niets beters vinden?'

'Op zo korte termijn? Bij de Indiër in mijn straat hebben ze nog een bovenzaaltje vrij.'

Jenny had even nodig om te beseffen dat Alisons opmerking sarcastisch bedoeld was. 'Best. We doen het met de dorpszaal.'

De rest van de ochtend werd gebruikt voor de sterfgevallen van de afgelopen nacht. Een Poolse vrachtwagenchauffeur was tegen een brug op de M4 geknald nadat hij kennelijk achter het stuur in slaap was gevallen. Het kostte een uur om de juiste autoriteiten in Gdańsk te achterhalen en in te lichten; en kort daarna kreeg ze een telefoontje van een hysterische vrouw die vermoedelijk de weduwe was maar geen woord Engels sprak. De vrouw huilde een kwartier lang aan de telefoon terwijl Alison vergeefs probeerde een tolk op te sporen. Het tweede geval was dat van een vierjarig meisje dat thuis aan leukemie in het laatste stadium was bezweken. De huisarts was bereid de overlijdensverklaring te ondertekenen, maar de ouders stónden op sectie, ervan overtuigd dat hun kind vergiftigd was door straling uit de stilgelegde kerncentrale van Berkeley. Jenny willigde hun verzoek in, al was het alleen maar voor hun gemoedsrust.

Haar middag werd grotendeels in beslag genomen door telefoontjes met verbaasde artsen in het Vale, om uit te leggen dat zij in het vervolg geen overlijdensverklaringen voor hun recent overleden patiënten meer zou afgeven voordat zij schriftelijke sectierapporten had ontvangen. Na acht van dat soort botsingen kreeg ze een telefoontje van een woedend directielid, Michael Summers, die zich erover beklaagde dat hun mortuarium toch al barstensvol was. Jenny repliceerde dat het in dienst nemen van een secretaresse voor de afdeling Pathologie veel goedkoper en ook milieuvriendelijker zou zijn dan een vloot koeltrucks.

Om halfzes, net toen ze dacht zich weer te kunnen wijden aan de hoorzitting van morgen, arriveerde Alison met nog eens zes sterfgevallen. Ze hadden allemaal betrekking op oude mensen die de afgelopen dag in verpleeg- en bejaardentehuizen waren gestorven. Alison begreep er niets van. Negenennegentig van de honderd sterfgevallen van dien aard werden toegeschreven aan natuurlijke oorzaken, zodat een huisarts er een verklaring van die strekking voor had afgegeven. Mr. Marshall had zelden zulke overlijdensberichten gekregen. Jenny liet Alison bellen met haar collega's in de vier rechter van instructie-districten die aan het hare grensden en werd al snel in haar vermoeden bevestigd: alleen zij was door dit splinternieuwe fenomeen getroffen. Na wat doorvragen bleek dat er aan de plaatselijke artsencentra van de Severn Vale Primary Care Trust een e-mail was gestuurd met de aanbeveling om alle sterfgevallen te verwijzen naar de rechter van instructie, behalve die waarmee niets aan de hand kon zijn. Ze was nog maar drie dagen op haar post, maar nu al sloegen haar vijanden de handen ineen om haar te begraven in papierwerk.

Granthams bezoek en latere bemoeienis hadden haar woede gewekt, de enige emotie die sterk genoeg was om haar onrust te verdrijven. Ze sloeg terug met een e-mail naar alle plaatselijke artsen dat zij binnenkort verplicht zouden worden de details van elk doorverwezen sterfgeval elektronisch door te geven aan haar bureau, met de toevoeging dat zij de recente instructie van de Trust moesten negeren. Ze peinsde er niet over haar werk te laten dwarsbomen door een opgeblazen bureaucraatje. Jenny bladerde in haar exemplaar van *Jervis*, de naslagbijbel voor iedere rechter van instructie, om haar kennis van de wet over het dwarsbomen van een rechter van instructie op te frissen: als de man nog een keer zoiets probeerde, kon ze hem laten arresteren.

Het was al acht uur 's avonds voordat ze een parkeerplekje vond in de omgeving van Ross' college, en transpirerend arriveerde bij de sportzaal waar de ouderavond werd gehouden. De Temazepam die ze halverwege de middag had genomen begon zijn uitwerking te verliezen en haar hart klopte te snel. Ze zocht zich een weg door de stroom ouders die de andere kant op gingen en bereikte de deuren, juist toen haar ex-man naar buiten kwam. Hij was zesenveertig, nu, maar zijn middel was nog altijd superslank en hij zag er knap uit, op het oneerlijke af, want hij droeg zijn duurste maatpak, zoals altijd vastbesloten om andere ouders te laten merken dat zijn zoon geen openbare scholengemeenschap bezocht wegens geldgebrek.

David keek op haar neer met die meewarige blik die hij al vanaf de beginjaren van hun huwelijk had geperfectioneerd. 'Keurig op tijd, zoals gebruikelijk.'

'Het is net acht uur geweest.'

'Onze afspraak was om halfacht. Ik heb je dat vorige week per e-mail laten weten.'

'O?'

'Nou, je hebt niks gemist. Dat stelletje clowns zou iemands potentieel niet eens herkennen als ze erdoor in hun achterwerk werden gebeten.'

'Wat zeiden ze?'

'Maakt dat wat uit? Je weet hoe ik over deze school denk.'

'Hij staat binnenkort voor zijn tentamens.'

'Volgens zijn leraren mag hij van geluk spreken als hij ook maar één voldoende haalt.'

'Waarom heb je me daar niets van verteld? Je moet hebben geweten dat er een probleem was.'

'Jij had al genoeg problemen van jezelf. Ik wilde het je niet nog lastiger maken.'

'En wat zegt Ross zelf?'

'Heel weinig. Hij gromt meestal maar wat en verdwijnt dan naar boven, naar zijn computer.'

'Jullie wonen onder hetzelfde dak; je zult toch wel enig idee hebben van wat er gaande is?'

'Ik vrees dat ik jouw inzichtelijk vermogen mis.'

Jenny voelde haar keel verkrampen. 'Luister, ik ben hier niet naartoe gekomen om ruzie te maken, David. Het spijt me dat ik aan de late kant ben, maar zo te horen kan ik beter met Ross gaan praten, in plaats van met zijn docenten.'

'Wat dacht je ervan om zaterdag te komen lunchen?'

'Bij jou thuis?'

'En het zijne. Als je het op kunt brengen, hoopte ik dat we één front kunnen maken door bij wijze van uitzondering eens als verantwoordelijke ouders te praten.'

Ze bood weerstand aan de impuls hem een sarcastische lul te noemen en zei: 'Als je denkt dat het zal helpen... Zal zíj er ook zijn?'

'Deborah en ik zijn nu samen. Als je daar soms bezwaar tegen hebt -'

'Maakt mij niet uit. Mits Ross zich op zijn gemak voelt met haar erbij.'

'Ze kunnen het tamelijk goed met elkaar vinden, in feite.'

'Aantrekkelijk, zeker?'

Davids blik zei haar dat hij zich niet zou verwaardigen daar antwoord op te geven. 'Zullen we zeggen, één uur?'

'Best.' Ze voelde zich wat schuldig over haar goedkope steek onderwater. 'Sorry.'

Er ontstond een onbehaaglijke pauze.

David zei: 'Je hebt je met die baan heel wat op de hals gehaald. Hoe heb je dat gefikst?'

'Ik denk graag dat ze mij de beste kandidaat vonden.'

'Laat je er niet door meeslepen, ja? De komende paar jaar zal Ross jou waarschijnlijk hard nodig hebben.'

'Ik ben beslist van plan er voor hem te zijn.'

'Mooi.' Hij knikte abrupt en beende weg. Jenny stond hem na te kijken. Zelfs de manier waarop hij liep was arrogant.

Geen wonder dat ze er haar bekomst van had gekregen.

7

Ternbury was weinig meer dan een grote groep huizen te midden van velden vol koolzaad en gerst, ongeveer twaalf kilometer ten noordoosten van Bristol. De dorpszaal was weinig meer dan een opgepimpte nissenhut aan de rand van de meent. Ze hadden hem versierd met verbleekt vlaggendoek en een groot spandoek dat het komende dorpsfeest aankondigde. Hij leek minder op een zetel voor rechtspraak dan Jenny zich ooit van een gebouw had kunnen voorstellen.

Hoewel ze vroeg arriveerde, was Alison, gekleed in een zwarte deuxpièces, al bezig met het opzetten van schraagtafels en ouderwetse houten klapstoeltjes om het wat meer op een rechtszaal te laten lijken. De vloer van de zaal, niet veel groter dan een normaal schoollokaal, bestond uit naakte, versleten planken; de muren waren van door tabaksrook donker verkleurd vurenhout. Achterin bevond zich een laag podium en aan de voorzijde stond een met luiken afgesloten toog voor drankjes. De geur – oud hout, schimmel en doorgekookte thee – voerde Jenny ogenblikkelijk terug naar de zondagsschool die ze onder dwang had moeten bezoeken – een oord dat ze associeerde met angst en een vaag schuldgevoel. Miss Talbot, de zure oude vrijster die de zondagsschool had geleid, was een van die christenen geweest wier levensdoel eruit bestond alles wat naar plezier en vreugde zweemde te onderdrukken.

Alison reageerde op Jenny's onderdrukte reactie met de woorden: 'Het heeft tenminste het voordeel dat de mensen zich hier thuis kunnen voelen.' Ze zette de tafel voor het podium die Jenny tot rechtbank moest dienen recht. 'Mr. Marshall vond het hier altijd prettig – het herinnerde hem aan zijn jeugd, zei hij.'

'Ik begrijp wel waarom. Waar kan ik mijn spullen ergens laten?'

Alison wees naar een deur opzij van het podium. 'Daarachter is een klein kantoor. Zal ik u een kop thee brengen? Het water staat al op.'

'Graag.'

Jenny duwde de deur open en kwam in een klein vertrek met een oud bureau en een dito stoel, plus een aantal theekisten met daarin kleding die vermoedelijk uit kostuums voor de jaarlijkse pantomime bestond.

Een klein raam keek uit over een groot, plat veld met jonge tarwe, met daarachter – niet al te ver weg – de heuvels van Gloucestershire en Severn. Ondanks de landelijke omgeving en de ouderwetse 'rechtszaal' bespeurde ze een toenemend gevoel van claustrofobie. Ze had geen slaappillen willen nemen en had slecht geslapen. Ze was al sinds vijf uur 's ochtends wakker. Ze had een gevoel van beklemming in haar borst en had geen kans gezien iets te eten bij wijze van ontbijt. De pil die ze een uur geleden had genomen, had haar onrust nauwelijks verminderd, maar wel een gevoel van loomheid teweeggebracht. Het was een onaangename gewaarwording: tot het uiterste gespannen, maar lichamelijk uitgeput.

Ze haalde diep adem en begon een autosuggestie te herhalen die dr. Travis haar als een soort mantra had meegegeven: 'Mijn rechterarm is zwaar.' Ze liet de arm losjes bungelen, zich bewust van het gewicht, en probeerde diep vanuit haar maagstreek te ademen. Na een paar minuten voelde ze dat haar hart rustiger begon te kloppen. Opgelucht opende ze haar ogen en begon, met bewust ongehaaste bewegingen, het dossier en haar wetboeken en notitieblokken uit haar aktetas te halen.

Aan het bureau las ze de vellen met kruisverhoornotities door die ze tot 's nachts één uur zorgvuldig had zitten voorbereiden. Het verschil tussen een rechtszaak en een hoorzitting van een rechter van instructie is dat er geen debat plaatsvindt tussen twee partijen. Een hoorzitting wordt door de rechter van instructie geleid om de omstandigheden rond een sterfgeval aan het licht te brengen. Hij of zij ondervraagt alle getuigen persoonlijk, alvorens andere belanghebbende partijen toestemming te geven getuigen aan de tand te voelen. De spelregels aangaande het bewijsmateriaal waren vrij soepel. Getuigenissen uit de tweede hand – 'van horen zeggen' – en zelfs suggestieve vragen waren volstrekt toelaatbaar. Het had allemaal maar één enkel doel: de waarheid boven tafel krijgen.

Jenny zat naar de vellen papier te staren, beschreven met haar eigen fraaie handschrift. Ze zag de woorden, maar kon ze niet in zich opnemen. Gisteravond in haar werkkamer had ze het allemaal glashelder en vol zelfvertrouwen kunnen beredeneren. Nu werd haar geest bestormd door ongewenste gedachten en zorgen. Haar pogingen om zich te concentreren werden doorkruist door allerlei vernederende, onheilspellende scenario's. Ze probeerde de mantra van dr. Travis opnieuw, maar ze kon haar arm niet ontspannen en haar hart begon weer sneller te kloppen. Ze voelde zweet over haar rug sijpelen en onder haar armen prikken. Er was niets aan te doen: ze greep haar handtas en nam de Temazepam eruit. Met bevende handen trok ze aan de dop en draaide, maar met veel te veel kracht. De pillen dansten over het bureau en verspreidden zich in alle richtingen over de vloer. Verdomme! Ze griste er twee van haar notitieblok en slikte ze droog door, voordat ze zich bukte om de rest terug te stoppen in het buisje. De deur zwaaide open. Alison kwam binnen met een mok thee. Jenny keek op, zichtbaar geschrokken.

'Ik heb wat aspirientjes gemorst...' De woorden klonken enigszins paniekerig.

Alison zette de mok op een vrij plekje op het bureau. 'Weet u zeker dat er niets mis is, mrs. Cooper?'

'Barstende hoofdpijn. Ik heb te lang doorgewerkt, gisteravond.'

Alison gluurde naar de kleine, witte pillen, met de naam 'T-30' er duidelijk in geperst. Je hoefde niet bij de politie te hebben gewerkt om te bedenken dat dit geen pijnstillers waren. 'We hebben nog ruim een uur voordat we moeten beginnen,' zei ze met bijna moederlijke geruststelling. 'De politie stuurt een zekere mr. Hartley, een jurist die namens het korps vragen zal stellen, maar de ouders geven er de voorkeur aan zich niet te laten vertegenwoordigen. De jongeman van het reclasseringsteam belde om te zeggen dat hij onderweg is, maar van de politiemensen heb ik nog niets vernomen, en van dr. Peterson evenmin. Ik ga er maar vanuit dat ze er zullen zijn.'

Jenny nam een slok hete thee. 'Dat is ze geraden. Ik zal arrestatiebevelen uitvaardigen als ze verstek laten gaan.'

'Gelukkig heb ik een complete jury bij elkaar gekregen; en de waard van de plaatselijke pub heeft consigne gekregen om sandwiches klaar te maken.'

'Het lijkt wel of we een gezelligheidsclubje van dorpelingen organiseren.' Jenny verzamelde de laatste pillen van het bureau en liet ze in het buisje vallen. Het kon haar al niet meer schelen wat Alison dacht van het feit dat zij tranquillizers nam – de helft van de bevolking had die dingen weleens gebruikt.

'Hebt u er bezwaar tegen als ik u een bescheiden raad geef, mrs. Cooper?'

'Zeg het maar.'

'De ervaring op hoorzittingen heeft mij geleerd dat het altijd het beste is als de rechter van instructie niet te hard van stapel loopt. Getuigen zijn altijd geneigd meer te zeggen als ze zich ontspannen voelen.'

'Ik zal m'n best doen.'

Na een korte pauze zei Alison: 'En het spijt me van gisteren. Ik had mijn emoties in bedwang moeten houden. Allesbehalve professioneel van me.'

'We hebben het niet gemakkelijk.'

'Ja.' Alison bleef nog even peinzend staan, draaide zich om naar de deur, greep naar de deurkruk en zei achteromkijkend: 'Wees voorzichtig, mrs. Cooper.'

Toen Jenny om halftien uit haar kantoor kwam, had ze het gevoel alles weer in de hand te hebben: de twee pillen leken afdoende te zijn, maar ze was niet voorbereid op de aanblik van de zaal – tot op de laatste plaats bezet en nu al bedompt. Alison droeg de toga van de bode over haar mantelpak en riep luid: 'Opstaan!' Iedereen in de zaal stond op. Vier rijen stoelen achter in de zaal werden bezet door journalisten, belangstellenden en de kandidaat-juryleden. Ertussenin zag ze mr. en mrs. Taylor. Andy droeg een net pak en omklemde de hand van Claire Taylor, die er nog bleker uitzag dan Jenny zich herinnerde van haar bezoek. Op enige afstand van haar geïmproviseerde balie, onder een hoek van vijfenveertig graden, stond een schraagtafel waaraan twee juristen zaten: een tengere man van in de vijftig, gekleed in een donkerblauw streepjespak en de gesteven witte kraag van een advocaat, en een jongeman van begin dertig in wie Jenny zijn raadsman vermoedde. Tegenover de tafel van de juristen stond een kleinere tafel die dienst moest doen als getuigenbank. Er stond een opnameapparaat op – het budget van de rechter van instructie was niet toereikend voor een stenografe. Alison zat op een stoel bij het podium, rechts van Jenny: een positie van waaruit ze de hele zaal kon zien.

Jenny knikte haar kort toe en ging zitten. Iedereen in de zaal volgde haar voorbeeld en op dat moment zag ze een andere figuur in een net pak in allerijl binnenkomen en op zoek gaan naar een vrije zitplaats achterin: Grantham.

Ze legde haar gevouwen handen voor zich op de balie, in de wetenschap dat haar zenuwen niet opspeelden. 'Goedemorgen, dames en heren.' Ze raadpleegde de notitie met de naam van de jurist die Alison op haar bureau had gelegd: 'Ik heb begrepen dat u hier optreedt namens de Criminele Recherche, mr. Hartley.'

De advocaat Giles Hartley kwam op een bestudeerde, theatrale manier overeind en richtte zich tot haar in afgemeten kostschool-Engels. 'Zo is het, mevrouw, en ik word terzijde gestaan door mr. Mallinson hier.' Mallinson, de raadsman naast hem, gaf het gebruikelijke knikje. 'Maar voor we beginnen, mevrouw, zou ik met uw welnemen graag een juridische vraag willen stellen.' Zonder op haar antwoord te wachten vervolgde hij: 'Als ik het goed heb begrepen, is de onfortuinlijke dood van Katy Taylor, op basis van een sectie op dinsdag 1 mei, officieel te boek gesteld als een gevolg van een overdosis van de drug die we kennen als heroïne. Gelet op deze bevinding moet worden getwijfeld aan de geldigheid van deze hoorzitting, hoe plezierig de reis hierheen vanmorgen ook was.'

Kruiperig gelach golfde door het zaaltje.

Jenny had op een schot voor de boeg gerekend en pareerde het direct. 'Ongetwijfeld hebt u zich verdiept in de zaak *Terry versus Craze* uit 2001, mr. Hartley, waar het Hof van Beroep oordeelde dat een rechter van instructie bevoegd is om ook na afgifte van een overlijdensverklaring een hoorzitting te houden, indien er bewijsmateriaal voorhanden is dat aanleiding geeft te vermoeden dat de overledene een onnatuurlijke dood is gestorven.'

'Dat is precies waarom het draait, mevrouw. Het wás een onnatuurlijke dood en de rechter van instructie, uw voorganger mr. Marshall, heeft dat in zijn overlijdensverklaring vermeld. Het is wellicht mogelijk dat hij een hoorzitting had behoren te houden, maar dat geeft u niet de bevoegdheid dat nu alsnog te doen. Het komt mij voor dat de correcte gang van zaken is dat u de Hoge Raad om toestemming vraagt voordat u aan deze hoorzitting begint.'

Hartley hád een punt, maar dat legde weinig gewicht in de schaal. Jenny had de jurisprudentie én de wet zelf herhaalde malen zorgvuldig bestudeerd en was van plan geen krimp te geven. Hartley mocht zelf naar het Hof van Beroep stappen als hij dat wilde, maar ze peinsde er niet over zich te laten dwingen om de zitting af te gelasten. 'Inderdaad, mr. Marshall heeft ten onrechte een overlijdensverklaring afgegeven en ik beschouw die als van nul en gener waarde. Ik ben daarom niet alleen bevoegd, maar zelfs wettelijk verplícht deze hoorzitting te houden. Dank u, mr. Hartley.'

Ze wendde zich tot haar bode, Alison, die onder de indruk leek van haar openingssalvo. 'Kunnen we een jury installeren, bode?'

Geërgerd keerde Hartley terug naar zijn stoel. Terwijl Alison de acht juryleden achter in de zaal naar voren liet komen, boog hij zich naar Mallinson toe en fluisterde hem wat instructies in. Daarna stond de jonge jurist op, haastte zich naar de deur en verdween terwijl hij zijn mobieltje uit zijn zak trok.

Jenny liet haar blik langs de gezichten van de juryleden glijden, terwijl ze hun plaatsen innamen op een rij stoelen langs de muur, tegenover de tafel van de advocaat. Geen spoor van dr. Peterson of politieagenten. Mallinson was ongetwijfeld naar buiten gegaan om hen te laten weten dat ze toch naar de rechtszaal moesten komen. Jenny keek opzij naar Hartley, die ongeduldig met zijn vulpen op een notitieblok zat te tikken. Had hij werkelijk gedacht dat ze zich zo gemakkelijk van haar stuk zou laten brengen? Ze zag hoe hij zich omdraaide en een blik wisselde met Grantham, maar hij scheen te voelen dat er naar hem werd gekeken, want opeens trok hij wat paperassen naar zich toe en deed alsof hij ze las.

Ze had de eerste schermutseling gewonnen, maar ze maakte zich geen illusies: Grantham en consorten waren eropuit haar het leven zo zuur mogelijk te maken. Jenny voelde spanning in haar borst, gevolgd door angst. De enige keer dat Marshall wat al te diep had gegraven, zo hield ze zich voor, was hij gestorven voor hij uit de school had kunnen klappen.

De eerste en enige getuige die gehoor had gegeven aan haar dagvaarding op het vastgestelde tijdstip was Justin Bennett, een jonge maatschappelijk werker die deel uitmaakte van het reclasseringsteam voor jeugdige delinquenten van Severn Vale. Ross, Jenny's zoon, zou hem een patser hebben genoemd. Hij was blank, vierentwintig jaar en niet langer dan een meter vijfenzeventig. Zijn haar hing in matte dreadlocks af tot op zijn schouders, maar voor deze gelegenheid had hij ze gebundeld tot een wilde paardenstaart. Hij had meerdere ringen in beide oren, een piercing in zijn neus en nog een ring door zijn onderlip, die óf maakte dat hij lispelde óf zijn gelispel verergerde. Hij zat onrustig op de getuigenstoel, gehuld in een kakikleurig pak en een overhemd met open kraag. Deze jongeman, bedacht Jenny, moest ten prooi zijn aan enige verwarring: hij werkte feitelijk in dienst van de instanties voor wetshandhaving, maar probeerde op straat een drugsdealer te lijken.

Ze ondervroeg hem op dezelfde geduldige manier die ze ook altijd had toegepast bij het verhoor van een mokkende tiener. 'Begin maart van dit jaar werd Katy Taylor veroordeeld tot twaalf weken detentie en heropvoeding, omdat ze een achttienjarige vrouw had beroofd?'

'Ja,' mompelde Justin, die alle kanten op keek, behalve de hare.

'Alstublieft, mr. Bennett, zoudt u willen proberen luider te spreken? De jury moet u kunnen verstaan.'

Hij knikte afwerend, met een kleur op zijn wangen.

'Bij die beroving sloeg ze dat meisje een gebroken neus en stal dertig pond van haar om drugs te kunnen kopen.'

'Dat klopt.'

'Ze werd na een verblijf van zes weken in het gesloten heropvoedings- en detentiecentrum Portshead Farm op 17 april op vrije voeten gesteld en u werd haar reclasseerder voor de resterende zes weken van haar straf.'

'Ja...'

'Waaruit bestond uw taak precies?'

'Ze moest iedere dag naar school, mocht na zeven uur 's avonds niet meer de straat op en moest twee keer per week naar een A.C.'

'Een "A.C."?'

'Afkickcentrum. Ze had in Portshead een ontwenningskuur gevolgd, zodat ze schoon was. En het was de bedoeling dat ze dat bleef.'

'Hoe werden deze maatregelen afgedwongen?'

'Met behulp van stemherkenning. Ze werd iedere avond om kwart over zeven gebeld op het nummer van haar ouderlijk huis, waarbij de computer haar stempatroon controleerde om vast te stellen of zij het inderdaad zelf was.'

'Heeft zij ook persoonlijke ontmoetingen met u gehad?'

'Twee keer per week direct na schooltijd, en voor het A.C.'

'Zo te horen een streng regime.'

Justin antwoordde niet; Jenny vermoedde dat hij niet wist wat 'regime' betekende.

'Toch was ze pas vijf dagen vrij toen ze verdween.'

'Ja...'

'Hoe vaak hebt u haar in die periode persoonlijk gesproken?'

'Twee keer. Op woensdag de achttiende voor een afspraak; en op vrijdag kort, vlak voordat ze naar het A.C. ging. Het was de bedoeling dat ik haar op maandag de drieëntwintigste weer zou ontmoeten.'

Jenny noteerde dit antwoord en zette erachter: (*goed gerepeteerd*).

'Hield ze zich aan haar uitgaansverbod?'

'Meestal. Ze was echter vrijdagavond pas laat thuis, geloof ik.'

'Maar ze kwam wel naar het A.C.?'

'Inderdaad.'

'Wist of vermoedde u dat ze zich had geprostitueerd om aan drugs te kunnen komen?'

'Dat heb ik in haar dossier gelezen.'

'Hebt u er met haar over gesproken, bij die ontmoeting van woensdag?'

'Nee, ik geloof het niet.'

'Waarover sprak u met haar?'

'Ik heb haar de voorwaarden van haar voorwaardelijke invrijheidstelling uitgelegd, nam haar stem op en gaf haar alle informatie over het programma van het A.C. Het was meer administratief dan iets anders.'

'Administratief? Was het niet de bedoeling dat u haar emotioneel zou steunen, mr. Bennett? Een gesprek over de redenen van haar prostitutiewerk en wetsovertredingen zou toch van fundamenteel belang zijn geweest, vooral omdat ze pas vijftien was?'

Justins wangen werden nog roder. 'Het was pas een eerste ontmoeting.'

'Ik begrijp het. Bent u enigszins bekend met de namen van eventuele vrienden, kennissen of van wie ook die haar van heroïne had kunnen voorzien?'

'Nee.'

'U hebt haar nooit gevraagd wie haar het spul had geleverd?'

'Wij verlangen van jonge wetsovertreders nooit dat ze voor verklikker spelen. Het is onze taak hun vertrouwen te winnen.'

Na vijf minuten verhoor had ze het gevoel dat ze alles wat Justin Bennett te vertellen had uit hem had gekregen. Hij deed haar denken aan allerlei andere sociale werkers die ze in het kinderrecht had ontmoet: als ze dat werk een paar jaar hadden gedaan, begonnen ze te begrijpen dat hun worsteling om de misstanden in de maatschappij recht te zetten vergeefs waren. Ze kregen last van mededogenmoeheid en veranderden in mensen die alleen nog de klok in het oog hielden. Justin Bennett vertoonde alle symptomen van het syndroom.

'Dank u wel, mr. Bennett, ik heb geen vragen meer.' Ze keek naar Giles Hartley, die het hoofd schudde. 'U kunt gaan; u kunt het gebouw verlaten, als u dat wenst.'

Justin sprong op van de stoel en repte zich regelrecht naar de uitgang, waarbij hij de blikken van het echtpaar Taylor vermeed. Nog terwijl hij de deur openduwde was hij al bezig zijn colbertje uit te trekken.

De enige andere getuige die alsnog was komen opdagen, was de agente Helen Campbell, een nerveuze, tamelijk corpulente jonge vrouw die onder het lopen de ene dij moeilijk langs de andere kreeg. Ze wekte niet de indruk in staat te zijn tot het inrekenen van vastbesloten misdadigers. Onder het hardop lezen van de eed trilden haar handen en ze struikelde over de woorden. Leden van de jury keken dit verbaasd aan en wisselden blikken met elkaar. Jenny wist hoe de jonge agente zich moest voelen. Ze liet haar stem vriendelijk klinken terwijl ze rustig de tijd nam om haar vragen te stellen.

Agente Campbell was die ochtend om negen uur als eerste ter plaatse geweest, na een telefoontje van iemand die het lijk had zien liggen. Ze was alleen geweest in de patrouillewagen, omdat haar partner zich ziek had gemeld. Dus had ze in haar eentje rood-wit politielint om de vindplaats gespannen en naar de Criminele Recherche gebeld, die een uur later met een klein team van Sporenonderzoek was gearriveerd. Het regende hard, zoals ook de paar voorgaande dagen het geval was geweest. Omstreeks een uur of één hadden de mensen van de forensische dienst nog niets gevonden en had ze opdracht gekregen te zorgen voor een begrafenisondernemer, die het stoffelijk overschot moest overbrengen naar het mortuarium van het Vale. Later die middag had ze in het ziekenhuis mr. en mrs. Taylor opgevangen en hen naar het mortuarium begeleid, waar ze hun dochter hadden geïdentificeerd. Nog voor het einde van haar dienst had ze een proces-verbaal over de gebeurtenissen van die dag opgemaakt en dat overhandigd aan hoofdinspecteur Alan Swainton, die de leiding van het onderzoek had gehad. Ze had er niets meer over gehoord, totdat ze twee dagen later, op de tweede mei, te weten was gekomen dat de Criminele Recherche ervan overtuigd was dat Katy's dood een gevolg was van een onopzettelijk genomen overdosis en dat de onderzoeksrechter het lichaam had vrijgegeven voor begrafenis.

Jenny dacht een poosje na over de informatie die agente Campbell zojuist had verstrekt. Een jonge, nog aankomende politievrouw was als eerste op een mogelijke plaats delict gearriveerd. Het had een vol uur geduurd voor er rechercheurs en mensen van de forensische dienst ter plaatse waren. Agente Campbell kon nauwelijks lezen en schrijven, maar toch hadden ze haar belast met het schrijven van het proces-verbaal voor de onderzoeksrechter. Jenny maakte een notitie van deze gedachten en wendde zich weer tot de agente.

'Is het volgens u niet ongebruikelijk dat een mogelijke plaats delict een vol uur lang wordt overgelaten aan een agent die nog zo weinig ervaring heeft als u, en dan bovendien wordt belast met de taak een proces-verbaal voor de onderzoeksrechter te schrijven?'

'Niet echt, mevrouw.' Agente Campbell sprak met een zwaar Bristol-accent en scheen nu wat zelfverzekerder te worden. 'We hadden het zo razend druk dat het moest gebeuren door degene die daar tijd voor kon vrijmaken.'

'Hebt u aangeboden dat proces-verbaal op te maken, of werd het u gevraagd?'

'Ik moest hoe dan ook een proces-verbaal schrijven over het vinden van het lichaam. Hoofdinspecteur Swainton heeft me toen gevraagd het naar het bureau van de onderzoeksrechter te sturen.'

Vanuit haar ooghoeken nam Jenny waar dat Hartley uiterst aandachtig zat te luisteren naar wat er werd gezegd. Ook Alison zat op het puntje van haar stoel. Jenny herinnerde zich het vermoeden dat ze op kantoor had geuit voordat ze in tranen was uitgebarsten. Ze had toen gezegd dat er misschien zware druk op Swainton was uitgeoefend omdat Katy misschien in gezelschap was geweest van een belangrijk iemand, of wellicht een politie-informant – iemand aan wie noch de politie noch Marshall zelf de handen had willen branden.

'Agent, kunt u de jury precies vertellen hoe en door wie het lichaam van Katy is gevonden?'

'Door een vrouw die haar hond uitliet, ene mrs. Julia Gabb. Of eigenlijk was het de hond. Hij was weggerend en deze dame vond hem terug bij het lichaam.'

'Liet ze haar hond daar iedere dag uit?'

'Ze zei dat ze er al een week niet was geweest.'

'Mag ik aannemen dat daar ook nog allerlei andere mensen langs zijn gewandeld?'

'In elk geval een paar, ja.'

'Dus ook al was het lichaam vanaf de weg en het hoger gelegen voetpad niet te zien, dan toch moet het misschien vreemd worden geacht dat het niet eerder is ontdekt?'

Agente Campbell zei schouderophalend: 'Ik zou het niet weten.'

Jenny nam haar kopieën van de politiefoto's van Katy's lijk op de plaats delict ter hand en bestudeerde ze nog eens. Het lichaam lag onder een grote struik, een laurier of rododendron. Ze herinnerde zich van het verstoppertje spelen dat ze als kind in het noorden van de kust van Somerset had gedaan dat dit soort struiken van buitenaf ondoordringbaar leken, maar dat je, als je eenmaal door het buitenste gebladerte heen was, altijd wel een verborgen open plek in het midden aantrof. Hoe had Katy, een jong meisje dat in de stad was opgegroeid, zoiets kunnen weten? Waarom zou ze zoveel moeite hebben gedaan om ergens te komen waar ze zich ongestoord heroïne kon inspuiten?

'Zegt u mij, agent Campbell: hebt u op die plek of in de naaste omgeving ervan ook maar iets gevonden dat de indruk wekte dat dit een plaats was waar mensen zich plachten in te spuiten met drugs, of zich ophielden met prostituees? Zoals injectienaalden, of condooms?'

'Alleen die injectiespuit naast Katy.'

'Is deze plek de politie bekend als een plaats waar zulke activiteiten wel vaker voorkomen?'

'Niet bepaald.'

'Is het redelijk te zeggen dat het een afgelegen plaats is, die normaal gesproken alleen per auto bereikbaar is?'

'Zeker.'

'En Katy droeg hoge hakken?'

'Dat klopt.'

'Het lijkt niet erg waarschijnlijk dat ze daar in haar eentje is gekomen?'

'Onwaarschijnlijk.'

'Dan houden we twee mogelijkheden over: óf ze is samen met iemand anders naar die plek gegaan toen ze nog leefde, óf haar lichaam is daar na haar dood neergelegd.'

'Ik heb alleen het proces-verbaal geschreven, mevrouw. Ik ben geen rechercheur.'

'Nee.' Jenny keek naar de jury en zag hun verbazing. 'Blijft u nog even zitten, agent Campbell.'

Hartley kwam met een suikerzoet lachje overeind. Er glinsterde een gouden tand in de rechterbovenhoek van zijn mond. 'Ik heb maar een paar vragen, agent. Ik veronderstel dat u als eerste ter plaatse was omdat u op het moment dat de melding was binnengekomen daar het dichtst in de buurt was.'

'Dat is zo.'

'En omdat u er als eerste was, was u ook verplicht een proces-verbaal te schrijven over wat u had aangetroffen?'

'Ja, sir.'

'En u hebt er geen idee van hoe Katy op die plaats was beland?'

Agente Campbell aarzelde een seconde, alvorens toe te geven: 'Nee, sir.'

Hartley onthaalde de jury op een volgende glimlach en ging weer zitten, zo te zien uiterst ingenomen met zichzelf.

Juist op dat moment arriveerde dr. Nicholas Peterson, in gezelschap van een politieofficier in uniform die, te oordelen naar de rij sterren op zijn schouder, hoofdinspecteur Swainton moest zijn. Beide heren lieten ergernis en verontwaardiging blijken vanwege het feit dat ze ondanks al hun drukke werkzaamheden naar een afgelegen oord in Gloucestershire waren ontboden. Even voelde Jenny wat voldoening vanwege de macht die ze over hen had.

Ze liet hoofdinspecteur Swainton als eerste naar voren komen. Hij was een lange, breedgeschouderde man van rond de vijftig die nog in het bezit was van een dikke bos bruin haar. Hij had een krachtige fysieke uitstraling en wekte de indruk dat hij vol ongeduld wachtte op het moment dat hij terug kon naar veel belangrijker zaken. Hij trad abrupt en zelfverzekerd op, niet in het minst onder de indruk van Jenny of haar rechtszaal. Ze voelde onmiddellijk dat zijn zelfverzekerdheid een aanslag was op haar zenuwen. Bennett en Campbell waren gedweeë getuigen geweest, maar deze man was vastbesloten haar van repliek te dienen.

'Hoofdinspecteur, u had de leiding van het onderzoek naar de dood van Katy Taylor?'

'Ja.'

'Wanneer arriveerde u ter plaatse?'

'Ongeveer een uur na agent Campbell. Mijn team en ik waren de hele nacht in de weer geweest met een gewapend incident bij Stroud.'

'Zag u haar dood als verdacht?'

'In het begin. Totdat het sectierapport binnen was en het duidelijk was dat ze aan een overdosis heroïne was gestorven.'

'Dat sectierapport kon u echter niet duidelijk maken of zij zichzelf die dodelijke dosis had toegediend, of dat iemand haar erbij had geholpen of haar er zelfs toe had gedwongen.'

'De patholoog-anatoom had geen aanwijzingen gevonden voor eventueel geweld dat tegen haar was gebruikt.' Hij wendde zich nu rechtstreeks tot de jury, vastbesloten het laatste woord over dit zaakje te spreken. 'Natuurlijk konden wij de mogelijkheid van doodslag of zelfs moord niet uitsluiten, maar er waren geen fysieke bewijzen die als basis voor die aanname konden dienen. Daarom hebben we de zaak verwezen naar de rechter van instructie, hoewel we het dossier nog niet hebben gesloten, voor het geval er nieuwe bewijzen aan het licht mochten komen. Dat is wat wij hebben gedaan en er is tot op heden geen enkele aanwijzing voor betrokkenheid van derden.'

'U houdt dus de mogelijkheid open dat zij per ongeluk óf met opzet door iemand anders is gedood?'

'Natuurlijk, maar we moeten roeien met de riemen die we hebben. We hebben naar schatting elk jaar wel zes of meer van dit soort gevallen waarin een overdosis in het spel is. Als we al die gevallen als een mogelijke moord zouden behandelen, zouden we twee keer zoveel rechercheurs moeten hebben.'

'Katy Taylor was een kwetsbaar meisje van vijftien, van wie bekend was dat ze drugs gebruikte en zich had geprostitueerd. Als iémand een makkelijk slachtoffer was voor een man met moordneigingen was zij het wel.'

'Dat ben ik met u eens.'

'Waarom hebt u de omstandigheden dan niet wat grondiger onderzocht? Waarom hebt u uw mensen niet opgedragen haar laatst bekende activiteiten te achterhalen, zoals met wie ze was?'

'We hebben het geprobeerd, gelooft u mij, maar hoeren zijn niet echt geneigd de politie te helpen. Mijn mensen hebben oproepen gedaan om informatie te verstrekken en zullen iedereen die iets kan zeggen uiterst vertrouwelijk ontvangen, maar het feit blijft overeind dat er tot op heden geen enkele aanwijzing is dat er geweld tegen haar zou zijn gebruikt.'

'Wat denkt u van de mogelijkheid dat haar lichaam op die plek is neergelegd toen ze al dood was?'

'Om te beginnen had het lichaam verscheidene dagen in de stromende regen gelegen, waardoor het onmogelijk was het DNA van een eventuele betrokkene te verkrijgen; en ten tweede heeft de patholoog-anatoom bevestigd dat het rigor mortis-stadium en het feit dat haar bloed zich in die delen van haar lichaam had verzameld die zich het dichtst bij de grond hadden bevonden de veronderstelling wettigen dat ze daar al sinds haar dood in die houding had gelegen.'

'Hoe heeft hij u daarvan op de hoogte gesteld? Het staat niet in het sectierapport.'

Swainton keek opzij naar dr. Peterson, die op de voorste rij zat. De vraag had hem enigszins van zijn stuk gebracht en dat was de jury niet ontgaan. De hoofdinspecteur schraapte zijn keel en zei: 'Ik heb er op de middag van de eerste mei uitvoerig met hem over gebeld, nadat hij sectie had gedaan. Als gevolg van dat gesprek heb ik de zaak doorverwezen naar het bureau rechter van instructie.'

'Pas vierentwintig uur ná de vondst van het lichaam.'

'Zoals ik al heb uitgelegd: het was niet onze bedoeling het dossier te sluiten. Er waren alleen geen duidelijke redenen om te vermoeden dat er iets niet in de haak was.'

'U beschouwde haar dood niet als belangrijk genoeg om er een paar dagen gefocust onderzoek aan te wijden?'

'We hadden op dat moment verscheidene gemene moorden en ernstige seksuele misdrijven in onderzoek.'

'Met andere woorden, de zaak had geen prioriteit.'

'Niet in vergelijking met andere, nee. Het leek ons meer een zaak voor het bureau rechter van instructie.'

Jenny ging rechtop zitten en overwoog de implicaties van Swaintons getuigenis. Als ze hem moest geloven, had de politie eenvoudigweg niet genoeg menskracht om aan iedere verdachte dood de aandacht te schenken die het publiek mocht verwachten. Bloederige, onmiskenbare moorden genoten dus prioriteit, en de gevallen die problematisch of vaag waren, belandden onder op de stapel. Bij wijze van verweer tegen eventuele beschuldigingen van verwaarlozing beweerden ze dan dat de dossiers aangehouden werden, hoewel ze in werkelijkheid even diep werden begraven als de slachtoffers zelf. Een ideale stand van zaken voor moordenaars die slim genoeg waren om hun sporen uit te wissen.

Jenny vroeg: 'Wat voor onderzoek dacht u dat de rechter van instructie zou uitvoeren?'

Hoofdinspecteur Swainton knikte, alsof hij die vraag wel had verwacht. 'Ik moet u bekennen dat het me verbaasde dat de overlijdensverklaring was afgegeven zonder dat er een hoorzitting was gehouden, vooral gelet op de achtergrond van Katy Taylor. Ze werd geacht onder streng toezicht van het reclasseringsteam voor jeugdige delinquenten te hebben gestaan.'

Hij ondernam deze poging om de verantwoordelijkheid af te schuiven met bewonderenswaardig geveinsde oprechtheid. Jenny vermoedde dat hij deze zet had uitgebroed vanaf het moment dat de dagvaarding gistermiddag op zijn bureau was beland.

'Hebt u hierover met de rechter van instructie, mr. Marshall, gepraat?'

'Nee, mevrouw. Zoiets zou ongepast zijn voor iemand in mijn positie, en tegen de tijd dat ik erachter kwam, was hij helaas al overleden. Het moet me echter van het hart dat ik dankbaar ben dat u nu alsnog de aandacht aan Katy's dood geeft die zij verdient.'

De vleesgeworden charme. Hoofdinspecteur Swainton had bekwaam alle verantwoordelijkheid weggewuifd en haar in zekere zin de bal toegespeeld. Plotseling voelde ze een kinderlijke neiging om terug te slaan. Alison had de signalen gezien en keek haar waarschuwend aan. Jenny negeerde haar. 'De vraag blijft bestaan, hoofdinspecteur, waarom u en uw team nauwelijks een paar uur onderzoek hebben gewijd aan de dood van een meisje van vijftien. Dat lijkt zelfs zo uitzonderlijk, dat het vermoeden zou kunnen ontstaan dat er misschien duistere redenen voor waren.'

Hartley sprong op. 'Mevrouw, ik moet hier werkelijk bezwaar tegen maken. Hoofdinspecteur Swainton heeft een volmaakt rationele verklaring gegeven voor zijn besluit.'

'Dat klinkt u misschien rationeel in de oren, mr. Hartley, maar ik moet zeggen dat ik allesbehalve tevreden ben gesteld.' Ze had er nu echt haar tanden in gezet. Alison staarde strak naar de grond terwijl Hartley zich met een uitdrukking van nauwelijks verholen woede op zijn gezicht terug liet vallen op zijn stoel.

'Laat me het wat nauwkeuriger zeggen, hoofdinspecteur. Bent u onder druk gezet om dit onderzoek te staken?'

'Nee, mevrouw. In geen geval.'

De verslaggevers achter in de zaal zaten verwoed te schrijven en volgden elk woord.

'Is er ook maar zweem van een vermoeden dat Katy in het gezelschap kan hebben verkeerd van iemand voor wie uw team alle redenen had hem te beschermen – bijvoorbeeld een bekende persoon, of misschien een informant?'

Swainton staarde haar kil en onverzettelijk aan. 'Absoluut niet. En met alle respect, mevrouw, maar ik wijs deze suggestie met de grootste verontwaardiging van de hand.'

Jenny voelde zich klein worden onder zijn blik. Ze bedankte hem voor zijn tijd en probeerde haar houding te hervinden, terwijl Giles Hartley wat gemakkelijke vragen stelde om de aangerichte schade te herstellen.

Ze kon zichzelf wel voor het hoofd slaan. Ze was niet alleen al te voortvarend geweest, maar had zich zelfs in de kaart laten kijken. Als Swainton werkelijk iets te verbergen had, zou hij nu hemel en aarde bewegen om te voorkomen dat zij er iets van aan de weet kwam. Ze voelde de bekende kramp weer onder haar middenrif en de kloppende druk op haar slapen nu de pillen uitgewerkt raakten. Ongeduldig wachtte ze tot Giles Hartley zijn laatste vraag had gesteld. Ze kondigde een kort reces af.

Jenny verschafte zich enkele minuten eenzaamheid door tegen Alison te zeggen dat ze een paar telefoontjes moest plegen. Ze nam het buisje met Temazepam en een nagelvijltje dat ze altijd in haar handtas had en brak er drie pillen mee doormidden. Ze had dit niet meer gedaan sinds de duistere maanden van haar inzinking toen ze zich als advocate door haar dagen in de rechtszaal had moeten worstelen. Ze was nu lang niet zo onrustig als ze toen was geweest, maar nu kon ze nergens op terugvallen of zich terugtrekken om te verbergen dat ze er niet tegen opgewassen was. In die wanhoopstijd had ze ontdekt dat elke halve pil haar een uur lang stabiel kon houden. Het slimste ervan was het buisje pepermunt – de enige eetbare waar die in een Britse rechtszaal acceptabel was. Ze wikkelde de blister er zorgvuldig vanaf, nam er zes pepermuntjes uit, drukte een halve pil in het midden van de zachte pepermuntjes en stopte ze terug in het buisje. Niemand zou er iets van merken.

De hoofdinspecteur had het gebouw verlaten en dr. Peterson aan zijn lot overgelaten. Ook Grantham was verdwenen, voor Jenny een bevestiging van haar vermoeden dat die twee onder één hoedje speelden. Peterson zat in de getuigenbank met het air van een man die erin berustte dat anderen zijn dag ruïneerden. Zijn flirtlachje was verdwenen. Hij zag er vermoeid uit en leek het gewicht van alle lijken die achter elkaar in de gang van het mortuarium op hem wachtten op zijn frêle schouders te dragen.

'U hebt op de ochtend van de eerste mei sectie verricht op het lichaam van Katy Taylor, ongeveer vierentwintig uur nadat het was ontdekt, nietwaar?'

'Ja, dat klopt.'

'Wat was u bekend over de omstandigheden rond haar dood?'

'Alleen wat agent Campbell mij had verteld, namelijk dat ze in zithouding was aangetroffen, met een injectiespuit naast haar.'

'Wat bracht uw sectie aan het licht?'

'Om te beginnen het tijdstip van overlijden. De toestand van het weefsel zei me dat zij ongeveer vijf tot zeven dagen eerder was overleden, veel nauwkeuriger valt dat niet aan te geven. Het lichaam werd in de foetus-houding gebracht, maar toen de kleding eenmaal was verwijderd, was duidelijk te zien dat het bloed zich had verzameld in de billen, onderbuik, enkels en voeten – de lichaamsdelen die zich het dichtst boven de grond hadden bevonden. Dit bewees dat zij zich voor haar dood in een zittende houding had bevonden. Onderzoek van de inwendige organen wees uit dat zij was bezweken aan een hartstilstand zoals die optreedt na een overdosis. Ik verzocht om een versneld hematologierapport; dit bevestigde de aanwezigheid van een grote dosis onafgebroken diamorfine – heroïne dus. Het was helaas niet mogelijk te bepalen hoeveel ze zich had ingespoten, maar ik heb de afgelopen zes maanden diverse gevallen van deze aard onderzocht. Dat doet vermoeden dat er een hoeveelheid opmerkelijk zuivere heroïne in het circuit is beland. Ik heb gehoord dat het spul de laatste tijd spotgoedkoop schijnt te zijn.'

'Kunt u met zekerheid zeggen dat zij zichzelf had geïnjecteerd?'

'Nee.'

'Is het gebruikelijk dat heroïnegebruikers zichzelf inspuiten?'

'Ja, tenzij ze nog onervaren zijn.'

'Hebt u kunnen vaststellen of Katy een ervaren gebruikster was?'

'Haar lichaam vertoonde geen van de bijbehorende symptomen, zoals vermagering en -'

Jenny keek op en zag dat Andy Taylor bijna ongemerkt zijn hand opstak om haar aandacht te trekken. Jenny knikte hem toe en beduidde Alison naar hem toe te gaan om te zien wat hij wilde. 'Een ogenblik, dr. Peterson.'

Alison boog zich naar Andy Taylor toe. Hij en zijn vrouw zaten druk met elkaar te fluisteren, alsof de een de ander van iets wilde overtuigen. Alison kwam terug naar Jenny en vertelde wat het echtpaar haar had willen zeggen: Katy had wel marihuana en cocaïne gebruikt, maar ze had haar ouders altijd bezworen dat zij en haar vrienden niets van heroïne moesten hebben. Ze was een keer 's avonds in het ziekenhuis beland omdat ze crack had gerookt – een drug waar ze niet aan gewend was. Het klonk logisch; heroïne is een drug waarvan de intraveneuze toediening lastig is: alleen al aan de naalden komen was een probleem voor een meisje van vijftien. Een lijntje cocaïne opsnuiven was een veel gemakkelijker manier om high te worden.

Plotseling ging Jenny een licht op. Ze wendde zich weer tot dr. Peterson. 'Is het juist te veronderstellen dat deze dosis heroïne regelrecht in een ader werd gespoten?'

Hij dacht een ogenblik over de vraag na. Jenny meende een flits van verontrusting te zien. Misschien gingen zijn gedachten dezelfde kant uit als de hare. 'Ik zou zeggen dat dit meer dan waarschijnlijk is.'

'Een meisje dat niet gewend is zichzelf heroïne in te spuiten, moet moeite hebben gehad zelf een geschikte ader te vinden, is het niet? Ieder van ons heeft weleens ervaring opgedaan met verpleegkundigen die mis prikten toen ze ons bloed wilden afnemen.'

De juryleden knikten.

Peterson moest haar gelijk geven. 'Het is niet bepaald het gemakkelijkste om onder de knie te krijgen.'

'Maar als je het eenmaal kunt, wordt een toevallige overdosis steeds onwaarschijnlijker – zouden we dat kunnen zeggen?'

'Ik denk het wel.'

'Waar ik naartoe wil, dr. Peterson, is dat het waarschijnlijker is dat Katy een overdosis toegediend heeft gekregen van een onbekende die wist wat hij of zij deed.'

'Mogelijk, ja.'

'Er zijn forensische tests, nietwaar, die u hadden kunnen vertellen of zij vaker heroïne had gebruikt – bijvoorbeeld haaranalyse?'

De patholoog-anatoom zat nu met duidelijk onbehagen op zijn stoel – hij sloeg zijn armen over elkaar en liet ze weer zakken. 'Ja.'

'U hebt die tests gedaan?'

'Nee.'

'Waarom niet?'

Vaag schudde hij het hoofd. 'Ze leken me niet relevant.'

Jenny had graag een gevatte opmerking gemaakt, maar deze keer bood ze weerstand aan de impuls. Ergens diep in haar achterhoofd knaagde er iets – een verband dat ze nog niet helemaal had gelegd. Opeens schoot het haar te binnen: de vingernagels. Ze had in de paar weken sinds haar benoeming voldoende over pathologie gelezen om te weten dat DNA heel snel vergaat als het aan de elementen wordt blootgesteld, maar dat geldt niet voor vezels. Als Katy met geweld een overdosis was toegediend, was de kans groot dat ze zich daartegen had verzet en al doende vezels van de kleding van haar belager onder haar nagels had gekregen. De forensische dienst óf een patholoog had dat materiaal onder de nagels vandaan kunnen halen om het minutieus te laten onderzoeken op de aanwezigheid van vezels. Uiteraard was dat een kostbare procedure. En aangezien elk aspect van het politiewerk gebonden was aan veel te krappe budgetten, werden zulke tests zelden gedaan.

'Dr. Peterson, hebt u materiaal onder Katy's nagels verzameld om dit te laten onderzoeken op vezels of lichaamsvreemd DNA?'

'Nee. Zoiets doe ik alleen als de politie mij daar uitdrukkelijk om heeft gevraagd. Het zou dan noodzakelijk zijn het forensisch laboratorium in te schakelen.'

Jenny durfde er een eed op te doen dat ook de politie zelf niet de moeite had gedaan materiaal onder Katy's nagels te laten onderzoeken. Trouwens, zelfs als de politie dat wel had laten doen, zou zij de uitslag daarvan niet hebben vertrouwd. Ze stuitte hier op een dilemma waar het bewijzen betrof. Zowel de politie als dr. Peterson hadden net genoeg gedaan om zichzelf in te dekken, maar geen van beide partijen had genoeg gedaan om nauwkeurig vast te kunnen stellen hoe Katy was gestorven. Er waren tests die gedaan hadden kunnen worden, maar niet waren gedaan – tests die zelfs meer dan een maand later alsnog gedaan konden worden als zij bereid was een zeer drastische stap te zetten.

Jenny keek op naar de gepijnigde gezichten van Andy en Claire Taylor en stak haar hand uit naar haar buisje met pepermunt.

Ze trok zich terug in het kantoortje om haar krachten te verzamelen, terwijl Alison aan de andere kant van de deur de juryleden naar de over-kant van de dorpsmeent dirigeerde, waar hun lunch in de pub klaar-stond. Ze luisterde naar hun opgewekte gebabbel toen ze de warme buitenlucht in stapten en probeerde haar fragmentarische gedachten samen te voegen. De klop op de deur kwam voordat ze er klaar voor was. Met een ruk draaide ze zich om.

'Binnen.'

Alison opende de deur voor Andy en Claire en volgde hen naar bin-nen. Claire zag er nog bleker uit dan eerst, getraumatiseerd door deze ochtend in de rechtszaal. Andy hield zich sterk, maar de blik in zijn ogen vertelde haar hoe gespannen en moe hij was. Claire's depressie kostte hem evenveel energie als de hoorzitting zelf. Hij zei: 'Mrs. Trent zei dat u ons wilde spreken?'

'Ja... Het spijt me – ik zou u graag een stoel aanbieden, maar het is hier wat krap bemeten.'

Schouderophalend zei hij: 'Geeft niet.' Hij legde zijn arm om Claire's middel, in het besef dat ze niet waren opgetrommeld om goed nieuws te vernemen. Claire zelf zei niets. Ze staarde glazig naar het raam.

Jenny zei: 'Ik weet dat u allebei beseft dat deze hoorzitting bedoeld is om de exacte doodsoorzaak vast te stellen, voor zover dat mogelijk is. U hebt dezelfde verklaringen als ik aangehoord en ik neem aan dat u tot dezelfde conclusie bent gekomen als ik, namelijk dat noch de politie zelf, noch de patholoog-anatoom alles in het werk heeft gesteld om vast te stellen of Katy alleen was óf dat er iemand bij haar was toen ze overleed, of zelfs maar of haar dood inderdaad een ongeluk was.' Ze aarzelde even.

Ondanks de tranquillizers voelde ze haar hart tegen haar ribben bonken. 'Ik ben bang dat mijn voorganger, mr. Marshall, verzuimd heeft om bepaalde tests op Katy's lichaam te laten doen die veel licht hadden kunnen werpen op de zaak... Behalve het onderzoek van materiaal onder haar nagels had hij tevens een haaranalyse kunnen laten doen. Die test zou hebben uitgewezen wat voor drugs Katy gebruikte, en wanneer – haar is een soort chemische kalender. Die informatie kan ons helpen vast te stellen waar de drugs vandaan zijn gekomen, en misschien zelfs ook van wie... En het zijn tests die nog steeds kunnen worden gedaan.'

Claire keek abrupt op, met tranen in de ogen. 'Nee. Er wordt niet met haar gesold. Ik sta het niet toe.'

'Mrs. Taylor, we moeten vaststellen of er rond de dood van uw dochter iets niet in de haak is geweest.'

'Ik wist wel dat u zoiets van plan was. Ik wíst het. Ik laat Katy's rust niet verstoren. Het deugt niet.' Ze maakte zich los uit de omarming van haar man.

Andy zei: 'Lieverd, luister -'

'Ik wil er niet van horen. Ik moet hier niets van hebben. Er zal niets goeds van komen. Waarom laten jullie haar niet met rust?' Vechtend tegen haar tranen draaide ze zich om naar de deur, zodat Alison opzij moest gaan.

Andy omklemde haar pols. 'Claire...'

'Loop allemaal naar de hel. Er komt niets van in.' Ze rukte zich los en vluchtte snikkend de deur uit.

'Mr. Taylor...' zei Jenny.

Hij viel haar in de rede. 'Dit is absoluut verkeerd.'

'Laat het me u uitleggen. Ik heb liever uw medewerking dan...'

'Zeg dat maar tegen mijn vrouw.' Hij volgde Claire naar buiten en smeet de deur hard achter zich dicht.

Jenny staarde voor zich uit. Ze voelde zich als een automobilist die zojuist een onschuldige voetganger heeft overreden, alsof zij schuldig was aan het wanhopige verdriet van de Taylors.

Alison vroeg: 'U bent toch niet echt van plan haar te laten opgraven?'

'Het lijkt me niet dat ik een andere keus heb.'

'Wat had u gedacht te zullen ontdekken?'

'Geen idee. Dat is het 'm juist. Ik heb een neutrale patholoog van buitenaf nodig, iemand die niet betrokken is bij de plaatselijke maffia.'

'Daar moet u voor naar Wales. Bijvoorbeeld professor Lloyd in Newport. Die werkt voor Binnenlandse Zaken.'

'Prima. Ik zal opdracht tot opgraving geven. Ik zou je dankbaar zijn als je dat zo snel mogelijk regelt.'

'Weet u dit wel zeker? Een opgraving... Mr. Marshall heeft nooit...'

'Als hij dat wel had gedaan, zaten we misschien nu niet hier.'

'Als ik u een goeie raad mag geven – wacht nog even met deze beslissing, tot u de kans hebt gehad om af te koelen.'

'Als ik jouw raad nodig heb,' snauwde Jenny, 'zal ik je er wel om vragen.'

Alison verstrakte en draaide zich overdreven kalm om naar de deur. 'Zoals u wilt, mrs. Cooper.'

8

Ze maakte de reden voor de schorsing niet bekend. Ze was van plan om, voor zover dat mogelijk was, de opgraving geheim te houden, onzichtbaar voor het publiek. Toen Hartley opsprong en op hoge toon naar de reden van dit uitstel tot maandagochtend vroeg, zei Jenny alleen: 'Om nader onderzoek te doen.' Ze was niet verplicht hem of de jury een reden te noemen en hij ergerde zich daar blauw aan. Toen ze naar buiten liep, was hij in druk gesprek met zijn trawant, Mallinson, en twee andere heren die in de lunchpauze waren opgedoken. Ze had zo'n vermoeden dat het juristen waren van het bestuur van het ziekenhuis van Severn Vale, die hij haastig had opgetrommeld om te overleggen over de implicaties van de onvolledige sectie die dr. Peterson had verricht. Hartley zou hen om notities en andere schriftelijke bewijsstukken vragen, erop gebrand om belastende bewijzen op te duiken en te verdonkeremanen.

Buiten zat Grantham in zijn Mercedes, een chique auto voor een lagere overheidsambtenaar, te bellen; hij hield een mobieltje tegen zijn oor gedrukt. Hij keek schichtig op naar Jenny toen ze hem passeerde. Ze overwoog of ze zou blijven staan om hem te vragen naar de reden dat hij de hoorzitting had bijgewoond, maar ze wist zich in te houden. In de tien minuten dat ze hem tegenover zich had gehad in haar kantoor, had ze al alles opgestoken wat ze over de man moest weten: een onbeduidende figuur met een bekrompen geest en een enorme eigendunk. Met zo iemand in gesprek gaan was zinloos. Ze zou hem door haar daden duidelijk moeten maken wie het hier voor het zeggen had.

Haar opgetogenheid was van korte duur. Op kantoor lag er een e-mail van Mike van het ministerie van Justitie op haar te wachten: de afdeling IT van het ministerie had het veel te druk, waardoor hij pas over ruim een maand in de gelegenheid zou zijn haar nieuwe computersysteem te installeren. Het faxapparaat had een stuk of tien nieuwe overlijdensrapporten uitgebraakt, plus een stugge brief van de afdeling Financiën van de Plaatselijke Autoriteit waarin werd gevraagd om de boekhouding van het bureau rechter van instructie van het vorige fiscale jaar.

Jenny ging achter haar bureau zitten en staarde met een gevoel van naderend onheil naar de slordige stapel paperassen die Harry Marshall optimistisch 'de boekhouding' had genoemd. Ze kwam tot de conclusie dat haar tijd veel te kostbaar was om aan saai cijferwerk te besteden. Ze legde de stapel op de vloer, uit haar blikveld. Dat was werk dat Alison later kon doen.

Terwijl haar Temazepam-pillen uitgewerkt raakten, begon ze de laatste zending overlijdensrapporten door te nemen. Iedere korte, onpersoonlijke beschrijving riep een eigen tragisch verhaal op. Man van achtentwintig jaar, chronisch astmatisch, vermoedelijk ademstilstand. Man van vijfentachtig, wiens gedeeltelijk ontbonden lichaam op de keukenvloer was aangetroffen, doodsoorzaak onbekend. Alcoholica van dricënvijftig, vermoedelijk een hersenbloeding. Ambulante psychiatrische patiënte, gevallen of gesprongen van een balkon op de 9e etage. Dit waren de – een op de vijf – leden van de bevolking wier reis op dit ondermaanse op de snijtafel van het mortuarium eindigden. Het was Jenny's taak om aan hun vernederende levenseinde nog een beetje waardigheid te verlenen.

Na pas vier dagen aan het werk als onderzoeksrechter was zij nu al de aardse vertegenwoordigster van vijftig zielen die op traumatische manieren het tijdelijke voor het eeuwige hadden verwisseld. Hoewel ze slechts een fragment van hun verhaal kende, kon ze niettemin hun aanwezigheid bespeuren. In de vele uren die ze in de spreekkamer van dr. Travis had doorgebracht, had zij, in een poging de aard van de onverklaarde angst die in de duistere spelonken van haar geest rondwaarde op het spoor te komen, die emotie zelf als 'angst voor de dood' omschreven. De psychiater had haar destijds aangespoord om op zoek te gaan naar herinneringen aan de aanblik van het lichaam van haar overleden grootouders, in de hoop dat dergelijke herinneringen de sleutel tot het raadsel zouden bevatten, maar zonder succes. Ze had geprobeerd hem uit te leggen dat het gevoel in haar innerlijk veel sterker was dan zoiets: het was een gevoel van allesomvattend onheil. Hij had haar gezegd dat veel mensen die kampten met een onverklaarde angst precies dezelfde bewoordingen gebruikten om hun symptomen te omschrijven. Soms had ze kunnen geloven dat ze eenvoudigweg aan een veelvoorkomende nerveuze aandoening leed, maar er waren momenten – en daar had ze hem nooit van durven vertellen – waarop ze er absoluut van overtuigd was dat niet haar zenuwstelsel was ingestort, maar de subtiele scheidsmuur die het leven van alledag scheidde van de realiteit van het kwaad.

Op de ergste momenten, als David naast haar vast lag te slapen, had ze haar hand uitgestoken naar haar in leer gebonden catechisatiebijbel om op zoek te gaan naar woorden die haar konden helpen rustig te gaan slapen. De bijbel was bijna altijd opengevallen bij Matteüs 7:14: ... *want nauw is de poort naar het leven, en smal de weg ernaartoe, en slechts weinigen weten die te vinden.* Dan had ze haar ogen gesloten en oprecht gebeden – voor het eerst sinds haar kindertijd – dat ze de smalle weg zou vinden en verlost zou worden van haar lijden. De scheiding had wat verlichting gebracht, en het afscheid van haar baan nog wat meer – in elk geval genoeg om enkele maanden lang haar behoefte om te bidden weg te nemen. Nu was ze echter, bijna zonder er zich bewust van te zijn, in een nieuwe baan beland die haar in feite dwong de confrontatie met de optelsom van al haar angsten aan te gaan. Nu ze achter het bureau van een dode man zat en zich moest bezighouden met louter doden, waagde ze het zich af te vragen of dit wellicht de verhoring van haar gebeden was. Was het mogelijk dat ze met een bepaald doel hierheen was geleid?

Moeizaam dwong ze zichzelf zich weer op het heden te richten en op haar laptop een reeks e-mails te tikken waarin ze verzocht om sectie op de lichamen van deze nieuwe overledenen. Misschien, zo overwoog ze, werden alle mensen die zich bezighielden met de overledenen diep in hun innerlijk verteerd door doodsangst.

Ze had haar bureau nog maar net voldoende aan kant gebracht om weer aan de boekhouding te gaan denken toen Alison terugkwam. Ze had met een vertrouwde begrafenisondernemer, mr. Dawes, overleg gepleegd over de praktische aspecten van het opgraven van een overledene. Het was een uitzonderlijke procedure die hij pas twee keer in zijn dertigjarige loopbaan had moeten verrichten. Het was gebruikelijk zoiets te doen in het donker, nadat de hekken van de begraafplaats waren gesloten. Gewoonlijk stelde de politie er prijs op erbij aanwezig te zijn, hoewel dat niet noodzakelijk was, zoals ook soms gold voor naaste familieleden van de dode. Het werd ook als raadzaam beschouwd er een geestelijke bij te halen. Dawes en zijn mannen zouden een graafmachine gebruiken om het grootste deel van de aarde te verwijderen, maar de laatste halve meter aarde zou met de hand uit het graf worden gespit. Als alles volgens plan verliep, zou het lichaam binnen een uur zijn opgegraven. De lijkwagen zou het daarna overbrengen naar het ziekenhuismortuarium in Newport.

Terwille van de zakelijkheid vroeg Jenny haar in wat voor conditie het stoffelijk overschot zou verkeren. Alison legde uit dat Katy begraven was in een massieve kist die in een maand tijd nauwelijks aangetast zou zijn. De ontbinding van het lichaam zelf zou zijn doorgegaan, maar het grootste deel van de weefsels zouden nog beschikbaar zijn voor onderzoek. Aangezien moderne lijkkisten vrijwel luchtdicht zijn, nam het ontbindingsproces vele maanden in beslag. Dawes had Alison verteld dat het wel tien jaar kon duren voordat er alleen nog een skelet over was.

Jenny vroeg haar de noodzakelijke regelingen te treffen en nam haar laptop weer voor zich voor het formuleren van het bevel tot opgraving, de volgende avond laat.

Alison vroeg: 'Weet u absoluut zeker dat u dit door wilt zetten?'

Jenny opende haar exemplaar van het naslagwerk van *Jervis* en zocht in het register naar het lemma over 'opgraving'. 'Het gaat er niet om of ik het wel of niet wil; ik heb geen andere keus. Ik heb Swainton en Peterson niet rechtstreeks van nalatigheid beticht, maar het komt er wel op neer.'

'Het lijkt me erg vroeg in uw loopbaan om zoiets drastisch te doen als het laten opgraven van een lijk.'

Jenny vond de bladzijde die ze zocht en keek op. De uitdrukking op Alisons gezicht was meer dan alleen maar bezorgdheid – het leek meer op verontrusting of verbijstering. 'Je hebt me zelf gezegd dat er in de laatste weken van Harry Marshalls leven iets voorgevallen moet zijn – dat zijn je eigen woorden. Het laatste wat hij als onderzoeksrechter in deze zaak heeft gedaan, was het uitschrijven van een overlijdensverklaring, zonder dat hij een hoorzitting had gehouden. Sta even stil bij wat dat betekent.'

'Hij voelde zich kennelijk niet goed. Het kan best een vergissing zijn geweest... Of misschien voelde hij zich niet opgewassen tegen alweer een hoorzitting?'

'Aan de vooravond van zijn overlijden heeft hij jou gebeld, bijna om middernacht. Ik zou er liever niet over praten, maar jaren geleden is mij iets dergelijks overkomen. Een studievriendin van mij leed aan een depressie. Ze sloeg de hand aan zichzelf. Ze wist dat ik me zorgen over haar maakte, maar een paar uur voordat ze het deed, heeft ze mij gebeld om me te verzekeren dat ze het goed maakte – ze was aan de beterende hand, zei ze.'

'U weet niet of het zo is gegaan.' In Alisons stem klonk paniek door.

'Nee. Maar als hij wist dat hij ging sterven, heeft hij ongeveer alles gedaan – behalve het achterlaten van een expliciete instructie – om ervoor te zorgen dat zijn opvolger deze zaak nader zou onderzoeken. Hij ondertekende een overlijdensverklaring die er niet mee door kon zonder vragen op te roepen, en hij had de dossiermap in zijn afgesloten bureaula opgeborgen. Waarom lag die map daar, zelfs als hij zelf dacht dat hij de volgende ochtend weer aan het werk zou gaan? Voor wie hield hij dat dossier verborgen?'

'Niet voor mij.'

'Zo is het. En niemand anders heeft toegang tot dit kantoor, of wel?'

Alison schudde het hoofd.

'Juist. Tenzij er nog iets anders is dat ik volgens jou zou moeten weten, zal ik doorgaan met het toepassen van de wet. Dan zien we wel waartoe dat leidt.'

Er werd niet opgenomen bij de Taylors, maar ergens in de map vond Jenny een notitie met het nummer van Andy's mobieltje. Toen hij opnam, hoorde ze het gedreun van zware machines op de achtergrond. Hij zei dat hij met de middagploeg aan het werk was bij Sharpness, waar ze bezig waren een stuk grond bouwrijp te maken. Toen Jenny hem vroeg of ze hem of zijn vrouw zelf kon spreken, zei hij dat ze naar hem toe kon komen: om zeven uur 's avonds had hij pauze.

Jenny zocht zich een weg door een onbekend deel van het landschap van South Gloucestershire en volgde daar tijdelijke richtingborden die haar door smalle lanen langs het estuarium naar de bouwput dirigeerden. De locatie lag binnen het zicht van de betonnen sarcofaag van de voormalige kerncentrale Berkeley. De avondhemel was bewolkt en waar geen druilregen viel, mistte het. De sombere hemel versmolt met het grauwe water van de Severn dat zich bij laag tij naar zee spoedde.

Langzaam reed ze over een eind onverharde weg tot ze een keet bereikte die als receptie fungeerde, naast een hekwerk van drie meter hoog dat behangen was met borden die waarschuwden dat het terrein werd bewaakt door waakhonden en nachtwakers. Aan de andere kant van het hek waren zware bulldozers aan het werk om een toegangsweg te creëren, ongetwijfeld vooruitlopend op de alom verwachte Berkeley II. Er was nog geen toestemming verleend voor de bouw van een nieuwe kerncentrale op deze locatie, maar niemand twijfelde eraan dat die toestemming binnenkort zou komen. Jenny's mening over de kwestie was rechtlijnig: als die dingen zo veilig waren, waarom werden ze dan niet in hartje Londen gebouwd?

Een bewaker met bouwhelm en een reflecterend vest wees haar een parkeerplaats op een modderig stuk grond, verhard met gravel, en gebruikte zijn walkietalkie om Andy Taylor naar het hek te laten komen. Jenny stapte uit haar auto en keek uit over de rivier terwijl ze op hem wachtte. Hoewel het juni was, was de wind kil. Haar dunne regenmantel hield haar niet warm en weerhield ook de koude druilregen er niet van door te dringen tot haar huid. Ze putte een pervers soort genoegen uit dit wachten in een lichte storm, kijkend naar een vlucht ganzen die in een volmaakte V-formatie de rivier volgden, stroomopwaarts – een prestatie die de mens hem qua schoonheid en elegantie niet nadeed.

Andy Taylor kwam in een pick-uptruck naar het toegangshek en stapte uit. Hij droeg rubberlaarzen en een oranje fluorescerende jekker over zijn broek, overhemd en stropdas. Hij wandelde langs de binnenkant van het hek naar Jenny en bleef tegenover haar staan, het hek tussen hen in.

'Als ik door de poort ga, moet ik me afmelden, en me weer aanmelden als ik naar binnen ga. Te lastig.'

'Geeft niet.' Ze kon zien dat hij erop gebrand was dit gesprek zo snel mogelijk af te handelen. Zijn ogen dwaalden telkens vlug af naar de keet, alsof er iets ongeoorloofds was aan deze ontmoeting. 'Ik had dit graag op een andere manier willen doen, mr. Taylor...'

Het gezicht tegenover haar leek opeens als uit steen gehouwen. Een kille windvlaag streek langs hun gezichten. 'Wanneer gaat het gebeuren?'

'Morgenavond, om elf uur. U hebt het recht erbij te zijn als u dat wenst.'

Hij schudde het hoofd. 'In godsnaam, zeg het niet tegen mijn vrouw. Laat haar maar aan mij over.' Hij draaide zich al om naar de pick-uptruck.

'Ze geeft zichzelf de schuld, nietwaar?' zei Jenny. 'Zoals iedere moeder zou doen.'

Andy bleef abrupt staan en draaide zich met een ruk naar haar om, zijn gezicht nu vertrokken van emotie. 'We hebben alle uren die God ons heeft vergund gewerkt om een huis te krijgen in de buurt van een goeie school; Claire heeft zelfs 's avonds gewerkt – we deden alles wat nodig was. En wat gebeurde er? Ze hebben onze dochter van dertien genaaid en nog eens genaaid en volgestopt met drugs totdat ze dood was. Mijn vrouw geeft zichzelf níét de schuld. Wij geven alle schuld aan de leerkrachten, de politie, de politici en al die andere vervloekte zelfingenomen schoften die andere mensen denken te kunnen vertellen wat goed voor ze is, terwijl ze zelf het verschil niet kennen tussen goed en kwaad. Dat zijn degenen die wij de schuld geven.'

Hij trok het portier van de pick-uptruck open, sprong achter het stuur en reed zo hard weg dat zijn achterwielen fonteinen van modder en gravel lieten opspuiten.

De regen werd dichter en zwaarder; zwarte onweerswolken zweefden omlaag. De avondhemel werd af en toe verscheurd door bliksemflitsen en het verkeer kroop in een slakkengangetje over de Severn Bridge, waarboven in het halfduister rode waarschuwingslichten pulseerden. Jenny omklemde het stuur met beide handen, verstijfd van de spanning.

Halverwege de brug stuitte ze op een dichte mistbank. De voortkruipende file voor haar leek opeens in het niets te verdwijnen. Ze zette de autoradio aan en probeerde haar aandacht af te leiden met muziek, maar het gejengel uit de luidsprekers was niet bij machte haar aanzwellende paniek te sussen. Haar hart klopte als een razende, iedere ademtocht kostte inspanning en de weg leek voor haar ogen te zweven. Ze was ervan overtuigd dat ze van de brug zou worden geveegd en in de kolkende rivier eronder zou storten. Het enige wat ze kon doen, was voort blijven kruipen, maar op de een of andere manier hield ze het vol en haalde de overkant.

Toen ze eindelijk de afrit bereikte, brak ze door naar het licht en begonnen haar claustrofobiesymptomen weg te ebben. Er welde een golf van opluchting in haar op nu ze wist dat ze niet was overweldigd door een volledige paniekaanval, maar ook besefte ze in wanhoop dat het angstspook haar opnieuw begon te achtervolgen. Dr. Travis zou hebben gezegd dat het een symptoom van overmatige stress was. Zelf ervoer ze het meer als een psychische stoornis die al begonnen was op de ochtend voor de hoorzitting. Het was haar te moede alsof ze in de loop van de dag dooreen was geschud door een mentale aardbeving die inktzwarte bodemloze kloven had geopend, groot genoeg om haar volledig te verzwelgen.

Ze probeerde er logica in te ontdekken. De kern van haar onrust bestond uit iets gruwelijks, waarmee ze desondanks vagelijk vertrouwd was. Dat iets riep een stemming van volslagen wanhoop in haar op. Ze stond stil bij het woord 'wanhoop', zoals dr. Travis haar had geleerd. Welke voorstelling drong zich aan haar op?

Het was Katy. De foto van dat dode meisje, in voorovergebogen houding tussen de struiken. Dat beeld resoneerde met een toestand die ze zich herinnerde uit haar meisjesjaren – de keren dat ze het huis was ontvlucht en dan kilometers en kilometers had rondgezworven zonder doel, terwijl haar woede en onzekerheid neersloegen in afstomping en een overweldigend verlangen naar verlossing.

Het leek gemakzuchtig haar eigen emoties als opgroeiend meisje gelijk te stellen aan die van het dode kind, maar het bracht Jenny ertoe zich af te vragen of zij, als iemand haar in die toestand had benaderd met een spuit vol heroïne, zich die drug bereidwillig had laten toedienen.

Haar antwoord: nee. Zelfs in haar wanhopigste momenten was de levensvonk in haar innerlijk altijd sterk gebleven. Intuïtief wist ze dat het met Katy ook zo was geweest. Ondanks al haar verzet was ze zich goed blijven kleden, steeds vervuld van ontembare energie. Iets in haar innerlijk vertelde Jenny – en het was feitelijk niet meer dan een diepge- worteld gevoel – dat Katy niet had willen sterven. De sfeer om haar heen was – net als in het geval van Danny Wills – bezwangerd van intense, maar niet onontkoombare, tragiek.

Dat was wat ze voelde: de afschuw en verontwaardiging over een jong leven waaraan een onrechtvaardig eind was gekomen. Toen ze die gedachte losmaakte van al het overige, werd ze direct overvallen door een golf van eenzaamheid. De vallei, overdekt met laaghangende, zwar- te wolken, was nu veranderd in een vijandig en onheilspellend oord, overdekt met donkere eikenbossen waarin verloren zielen verbijsterd ronddoolden. Ze drukte het gaspedaal dieper in, nu alleen op de kron- kelende weg. Iedere vorm in de heggen was een dreigend verschijnsel, elke schaduw een spook. Ze keek vluchtig in de achteruitkijkspiegel, half verwachtend een donkere gedaante op de achterbank te zullen zien, klaar om oersterke vingers om haar nek te klemmen. Het gevoel van deze denkbeeldige aanwezigheid werd zo sterk dat ze achterom keek om hem te ontdekken, en toen ze hem niet zag, was ze ervan overtuigd dat hij achter haar rugleuning weg was gedoken. Ze tastte met haar linker- hand de ruimte achter de leuning af en vond alleen leegte. Ze wist dat het pure paranoia was en dat haar fantasie haar parten speelde, maar dat maakte het niet minder reëel. Gefrustreerd bonkte ze met haar vuist op het stuurwiel: ze was tweeënveertig jaar oud en werd nog steeds als een kind achtervolgd door onzichtbare schimmen.

Pas toen ze de bocht om was en Tintern in reed, trokken haar schim- men zich terug en voelde ze zich leeg en dwaas. Ze reed linksaf de heu- vel op naar haar huis en probeerde haar geest te overstelpen met geruststellende, onbeduidende gedachten. Had ze nog iets eetbaars in de koelkast? Wat moest er nog in de tuin worden gedaan? Nee. Verdomme, ze was van plan geweest even langs te gaan bij de supermarkt in Chep- stow. Het enige wat ze nog in huis had, was wat blikgroente, wat pasta en een verlepte krop sla. Bovendien was haar rode wijn op. Dit was geen avond die ze door kon komen zonder drank.

Met de gedachte aan drank op de voorgrond minderde ze vaart, seri- eus overwegend of ze de rit van ruim twintig kilometer heen en weer naar de supermarkt zou maken, toen ze een rij auto's voor de Apple Tree passeerde. Normaal zou ze er niet over hebben gepeinsd in haar eentje een pub binnen te stappen, maar ze had Steve's Landrover tussen de auto's zien staan. Als hij daar was, voelde ze zich wel nog net in staat naar de bar te stappen en een fles wijn te kopen om mee naar huis te nemen. Momenteel was haar behoefte aan drank sterker dan haar schuchterheid.

Het was aangenaam druk in de pub. Geen muziek, alleen ontspannen geroezemoes. Het interieur was sober, maar deed vriendelijk aan: houten vloeren, rechtopstaande tonnen die als tafeltjes dienstdeden omgeven door groepjes mannen met een pint bier. Aan enkele aparte tafeltjes deden stelletjes zich tegoed aan een stevige maaltijd. Onbeschroomd zocht ze zich een weg door de vriendelijke mensenmassa naar de bar. Daar wrong ze zich in een smalle ruimte naast twee joviale, potige kerels die eruitzagen alsof ze de hele dag tussen de koeien hadden doorgebracht en er ook naar roken. Ze ving de blik op van een jonge, zwartharige vrouw aan het uiteinde van de bar, die bezig was af te rekenen met een klant. Ze zag dat de klant, wiens gezicht schuilging achter een houten steunbeer, zijn arm uitstak en haar hand aanraakte toen ze het geld in ontvangst nam. De jonge vrouw bood geen weerstand en liet zijn vingers op haar hand rusten, alsof ze met enige aarzeling een verontschuldigend gebaar accepteerde. Toen ze zich peinzend omdraaide, zag Jenny dat Steve degene was met wie ze had afgerekend. Hij ontdekte haar en stak zijn hand op in een groet, terwijl zijn blik heen en weer flitste tussen het meisje en Jenny. Ze voelde dat er iets was tussen die twee, of op zijn minst enige wrijving.

Jenny vroeg om een fles wijn, maar niet de allergoedkoopste, waarna ze het barmeisje bestudeerde toen ze zich bukte om een fles uit een rek onder de toog te pakken. Niets aan haar getuigde van de levensvreugde van een jonge meid. Ze had een slank lichaam, maar zag er niet al te verzorgd uit, met dat zwarte haar – dat best mooi zou kunnen zijn – zo strak naar achteren gekamd, tot achter haar oren. In gedachten schetste ze een vluchtige biografie: opgegroeid in het dorp en intelligent genoeg om te gaan studeren, maar op haar achttiende verliefd en zwanger. Nu, tien jaar later, stond ze er alleen voor en moest ze alles op alles zetten om het hoofd boven water te houden, wanhopig verlangend naar een man die haar kon redden, maar veel te trots om dat feit te erkennen.

Toen het meisje zich weer oprichtte, met een fles Chileense rode wijn, zag Jenny hoe ze naar haar keek, zich kennelijk afvragend wat een vrouw in een broekpak hier in haar eentje uitvoerde. Haar blik zei dat dit háár territorium was en dat andere vrouwen, die misschien een oogje hadden op dezelfde prooi, hier niet welkom waren.

Of verbeeldde ze het zich alleen? Haar gedachten buitelden nog steeds over elkaar heen. Ze zou het grootste deel van de fles nodig hebben om haar geest tot bedaren te brengen. Jenny bedankte haar beleefd en begon terug te lopen naar de uitgang.

'Hé...'

Ze keek om en zag Steve achter haar aan komen, een half lege bierpul in zijn hand. Hij haalde haar in toen ze de deur had bereikt.

'Goeienavond.'

'Steve.' Ze zag dat het barmeisje naar hen keek terwijl ze de bestelling van een andere klant aannam.

'Ik heb een maat van me beloofd je iets door te geven. Hij heet Al Jones – en hij heeft een flinke partij grote, platte stenen voor je die ideaal zouden zijn voor een aardig terras achter je huis. Ze zijn afkomstig uit een oud kerkje.'

'Ik geloof niet dat ik al toe ben aan een terras. Ik ben heel tevreden met het gras, vooral nu ik het een gazon kan noemen.'

'Hij geeft ze je voor een zacht prijsje. Vijftien pond per stuk – goedkoper kun je niet uit.'

'Je doet flink je best om wat te verkopen, voor iemand die niet werkt.'

'Het is maar een idee. Geen verplichtingen.' Hij nam een grote slok bier. 'Zal ik een drankje voor je halen?'

'Een andere keer, misschien.'

'Het is jouw geld – dus kun je er net zo goed van profiteren.' Hij merkte haar onbewuste blik naar de bar op. 'Annie is een ouwe vriendin van me. Niet de vriendelijkste – ze heeft het zwaar gehad met haar ex; die verzoop de hypotheek en tuigde haar af.'

'Heeft iemand hier nog wel een geheim?'

'Niemand. En wat ze niet weten, verzinnen ze er wel bij,' lachte hij. 'Jij en ik zijn al god mag weten wat van plan, als je op de roddels afgaat, dus heeft het geen enkele zin mijn aanbod af te wijzen uit angst voor wat zij ervan zullen denken.'

'Geweldig. Ik dacht dat hier aardige mensen woonden.'

'Ach, er is hier niemand die het kwaad bedoelt.' Hij knikte naar een vrij tafeltje. 'Doe het voor mij. Ik wil graag wat horen over het werk dat jij doet.' Zijn lach was onschuldig en hartelijk.

'Ik kan niet lang blijven...'

'Wat wil je drinken?'

'Bloody mary – een grote.'

Ze ging met haar rug naar de bar gekeerd zitten, buiten het zicht van Annie. De manier waarop zij en Steve elkaars handen hadden aangeraakt, liet meer zien dan wat tussen twee oude vrienden gebruikelijk was. Het gebaar vertelde een heel verhaal. Annie wilde meer dan af en toe naar bed met een losvaste vriend, maar Steve, verslaafd aan het vrijgezellenleven, voelde er niets voor zich te binden.

Hij kwam terug met haar drankje en een whisky voor zichzelf. Hij liet zich op de bank tegenover haar zakken, dicht bij de muur, merkte ze op, zodat Annie moeite zou moeten doen om hem te zien. 'Jij besteedt je dagen dus aan uitzoeken hoe andere mensen gestorven zijn.'

'Min of meer. Maar nu je erover begint – ik herinner me niet dat ik jou heb verteld wat ik doe voor de kost.'

'Het dringt nog steeds niet tot je door, hè? Al veertien dagen voor je hier je intrek nam wist ik wie je was. Aantrekkelijke gescheiden vrouw uit Bristol, zojuist benoemd tot rechter van instructie.'

'Wat zeiden ze nog meer over me?'

'Wil je dat werkelijk weten?'

'Brand maar los.'

'De ex, een dure dokter, is er vandoor met een verpleegster.'

'Goeie genade. Bijna goed.' Ze liet de ijsklontjes in haar glas wervelen en nam een grote slok. 'Het waren verpleegstérs, om precies te zijn.'

'Ja, maar met sommige dingen hadden ze het mis – ze hadden het over kinderen.'

'Ik heb een zoon. Hij is vijftien en woont bij zijn vader in Bristol.'

'O? Sorry.'

'Geeft niet. Het is geen geheim. Het kwam ons alle drie beter uit. Hij zit voor zijn examens – het leek ons niet goed hem daar weg te halen.'

'Zal je niet gemakkelijk vallen.'

'Allicht.'

'Luister, het was niet mijn bedoeling om -'

'Laat maar. Ik hoop feitelijk dat hij binnenkort deze kant op komt. Het zal hem bevallen, denk ik.'

'De disco's zijn hier dun gezaaid.'

'Bristol is niet ver en hij kan vrienden laten logeren. Misschien verbouw ik de oude molen wel tot een logeerplek.'

'Ik ken een goeie bouwvakker.'

'Daar twijfel ik niet aan.' Ze nam opnieuw een slok. De wodka vond zijn weg door haar bloedsomloop en begon de scherpe kantjes weg te slijten.

'Ik heb Annie gevraagd er een stevige van te maken.'

'Dat heeft ze gedaan.'

Kort keek hij weg, richting bar. 'We hebben niets met elkaar. Alleen wat vriendschap.'

Jenny knikte, ze wist niet wat ze erop moest zeggen.

'Je kunt je wel voorstellen hoe het eraan toegaat, in zo'n klein dorp. De dingen worden er algauw te heftig.'

'Ik begin het te merken.' Het begon haar te dagen dat hij in feite tamelijk beschonken was. Nog niet zo erg dat hij niet meer goed kon articuleren, maar de remmen waren beslist los.

'Nadat ze van haar man af was, zijn we een paar keer met elkaar uit geweest, maar het kon niets worden. Ze wil mij te veel. Daar heb ik geen trek in. Daarom leef ik tenslotte in de bossen. Om de dingen simpel te houden.'

'Geloof je dat je daar ooit in zult slagen?'

'Zolang je het niet probeert, weet je het niet. Jij moet zelf ook op zoek naar iets zijn geweest, toen je hierheen kwam.'

'Mogelijk.'

'Heb je het gevonden?'

'Het is nog te vroeg om daar iets over te zeggen. Ik hoop het wel.'

Hij nam een grote slok whisky en monsterde haar boven de rand van zijn bekerglas. 'Vind je het erg als ik iets persoonlijks tegen je zeg, Jenny?'

Ze was er zeker van dat hij het hoe dan ook zou zeggen, dus had het geen zin bezwaar te maken. 'Ga je gang.'

'Er zit je iets dwars. Ik zag het aan je gezicht, daar in de tuin.'

'Ik had net mijn ex aan de lijn gehad.'

'Je houdt nog van hem?'

'Nee, en het zijn jouw zaken niet.' Ze had het serieus willen laten klinken, maar het kwam er te gevat uit. Ze bloosde en begon toen te lachen, in een poging het te verbergen.

'Een beetje nog, dan?'

'Nee. Geen greintje. Hij is een arrogante kwal.'

'Ik begin het te begrijpen.'

Hij plaagde haar nu. Ze begreep zelf eigenlijk niet waarom ze zich zo vriendschappelijk bloot gaf tegenover iemand die ze nauwelijks kende.

'We hebben niets met elkaar gemeen. Vijftien jaar lang heeft hij me onderdrukt en veroordeeld en al die tijd dook hij de koffer in met iedere vrouw die ja zei.'

'Zo te horen een echte heer.'

Ze nam weer een slok. 'En dan verwacht hij nog van mij dat ik dit weekeinde bij hem langs kom, terwijl zijn vriendinnetje van vijfentwintig hem daar op al zijn wenken bedient, als een dankbare slavin.'

'Dat kwam recht uit je hart.'

'Je vroeg er zelf naar.' Jenny keek naar haar glas – het was leeg.

'Nog eentje?'

'Beter van niet.'

'Zo te zien ben je er anders wel aan toe.'

'Ik heb een hele fles wijn die me gezelschap kan houden voor de televisie.' Ze maakte aanstalten om zich van de bank te laten glijden.

'Geloof je in karma?' vroeg Steve.

'Hoe bedoel je?'

'Annie daar zegt al maanden tegen me dat ik bezig ben slecht karma te verzamelen omdat ik nooit iets doe voor anderen.'

'Zeg haar maar dat je prima werk hebt geleverd in mijn tuin.'

'Ik zal je iets opbiechten – ik heb een aardig poosje naar je staan kijken voordat ik naar je toe kwam. Ik stond tussen al dat onkruid toen je zat te bellen en je hebt gelijk – hij klinkt als een schoft.' Hij bekeek haar nieuwsgierig, alsof ze een soort uitdaging voor hem vormde. 'Wat zou je ervan zeggen als ik je aanbood met je mee te gaan, naar die ex van je?'

'Waarom zou je dat doen?'

'Morele steun. Misschien verdien ik er zelfs wat goed karma mee.'

'Je kent me nauwelijks.'

Hij gooide de rest van zijn whisky achterover. 'Zo voelt het voor mij niet – voor jou wel?'

Jenny zei: 'Ik zal erover nadenken.'

Ze nam haar fles wijn en zette koers naar de deur.

Steve riep haar na: 'Laat het me even weten als je wilt dat ik me scheer.'

9

Lichte, schuinvallende regen uit de maanloze hemel striemde de vrolijk versierde graven in het deel voor pasgestorvenen van de openbare begraafplaats. Bij het afgesloten hek stonden verscheidene agenten in uniform. Op de toegangsweg naar de plek waar de minigraafmachine druk in de weer was, stonden de lijkwagen en een aantal particuliere auto's. In een ervan zat een treurig ogende geestelijke thee te drinken uit een thermosfles. Het hele tafereel werd schel verlicht door een paar tijdelijk opgestelde booglampen.

Onder het wachten wandelde Jenny onder dekking van haar paraplu langs de rij nieuwe grafzerken. Sommige graven waren bedekt met gekleurde gravel, omzoomd door een minihekje. De meeste zerken waren voorzien van een foto van de overledene. Ze was al bijna twintig jaar niet meer op een begraafplaats geweest en zag dat er veel was veranderd. De Bijbelcitaten waren bijna verdwenen; en de grafmonumenten waren vrolijke eerbewijzen aan doodgewone burgers, compleet met een stel golfclubs, een favoriete bierpul of een beeldje van Frank Sinatra – alles stevig verankerd met cement. Voor zover er naar het hiernamaals werd verwezen, schenen de mensen het zich voor te stellen als een soort Disneyland, met een ontspannend muziekje op de achtergrond, een oord waarin de overledenen eeuwige gezelligheid vonden in een knusse hemelbar. Geen spoor van godsvrees of angst voor de duivel.

Alison kwam naar haar toe, gehuld in een tot op haar enkels afhangende plastic regenjas en bijpassende muts. 'We zijn bijna toe aan het optakelen van de kist, mrs. Cooper.'

Jenny volgde haar terug langs de rij zerken, terwijl twee medewerkers van mr. Dawes een zenuwachtige jonge grafdelver in het overmaatse graf lieten zakken en hem een spade aanreikten. Hij stak de spade hard in de kleverige aarde en raakte het deksel van de kist met een holklinkend *bonk* en het kraken van splinterend hout. Dawes, een man met een mager uiterlijk in een zwart pak onder een dito regenjas, riep hem toe voorzichtiger te zijn en de aarde zachtjes van de kist te schrapen terwijl hij hem als een mimespeler voordeed hoe het moest. De moed zonk de jongeman even in de schoenen. Hij wendde zijn blik af en begon de spade voorzichtig over het glanzend geverniste kistdeksel te halen. Naast de kist was er nauwelijks genoeg staruimte voor hem; zo te zien scheen niemand te hebben bedacht hoe groot de kuil diende te zijn om te zorgen dat de grafdelver singels onder de kist kon schuiven, zodat hij naar boven kon worden gehaald. Terwijl Dawes en zijn mannen over dit dilemma overlegden, zag Jenny de koplampen van een auto die voor het toegangshek van de begraafplaats stopte. Een van de agenten liep naar het portierraam aan de bestuurderskant.

'O nee, in godsnaam niet de ouders,' zuchtte Alison.

De politieagent liep terug naar het toegangshek en maakte het open, zodat de auto erdoorheen kon.

'Wat doet hij nu? Ik heb hem gezegd dat er verder niemand in mocht.'

'Ik ga er wel heen,' zei Jenny. 'Jij blijft hier om te zorgen dat ze er geen puinhoop van maken, ja?'

Ze liep met grote passen over het natte gras naar de grote, zwarte sedan die achter de lijkwagen stopte. Het was een Mercedes die ze al eens eerder had gezien. Frank Grantham wilde eruit komen. Jenny ving hem op voordat hij een voet op het gras kon zetten.

'Ik moet u vragen te vertrekken, mr. Grantham. Ik heb strikte instructies gegeven niemand binnen te laten.'

'Waar dacht u hier mee bezig te zijn, mrs. Cooper?'

'Sectie 23 van de wet op overlijdensverklaringen -'

Grantham overschreeuwde haar. 'Daar hadden we u voor ingehuurd: overlijdensverklaringen, geen verdomde grafroverij!'

Jenny spande zich in om rustig te blijven. 'Ik ben u geen verantwoording schuldig, maar dit is een legitiem en noodzakelijk onderzoek. Ik doe alleen wat mijn voorganger heeft verzuimd te doen, om welke reden dan ook.'

'Laat mij u zeggen wat dit is! Dit is walgelijk!' Jenny kon zijn drankkegel ruiken. 'En aangezien mijn departement niet voor de kosten zal opdraaien, is het u geraden er meteen mee op te houden.' Hij zag er zo kwaad uit dat ze bang was dat hij haar wilde slaan.

'Ik heb het u nu een keer gevraagd, en nu zég ik het u: uw aanwezigheid hier is niet geoorloofd. Vertrek nu, anders zal ik de politie moeten vragen u te verwijderen.'

'Ik heb evenveel recht hier te zijn als u. Deze begraafplaats is eigendom van de gemeente.'

'Deze operatie valt onder jurisdictie van de kroon. Iedere poging om haar te belemmeren is een misdrijf.'

Grantham begon te gnuiven. De regen plakte losse slierten van zijn doffe grijze haar aan zijn voorhoofd. 'U bent niet helemaal goed snik, mevrouwtje.'

Hij wrong zich langs haar heen en zette koers naar het open graf. Jenny holde hem na. 'Hoe waagt u het! Hoe wáágt u het! Wie denkt u wel te zijn? Eruit!'

'Als er hier iemand is die eruit moet, bent u het wel.' Hij verhief zijn stem en riep Dawes en zijn mannen toe: 'Ophouden daarmee! Tot hier en niet verder!'

Verwarde gezichten keken naar hem op toen hij op hen af liep. Alison stapte naar voren. 'Frank?'

Jenny greep de mouw van zijn anorak beet en dwong hem te blijven staan. Ze explodeerde. 'Misschien heb jij een probleem met vrouwen in gezagsposities, maar ik zou er maar gauw aan wennen, zultkop. Ik ben de rechter van instructie hier, en mijn woord is hier wet. Zorg als de donder dat je deze begraafplaats verlaat, anders mag je de nacht doorbrengen in een politiecel.'

Grantham staarde haar aan, met stomheid geslagen. 'Mens, je – je bent volslagen gek.'

'Als jij niet binnen een minuut verdwenen bent, klaag ik je aan wegens het belemmeren van een rechter van instructie in functie en minachting van het hof. Kies maar.'

Grantham keek om naar Alison, alsof hij van haar redding verwachtte.

Jenny zei: 'Breng mr. Grantham even naar de uitgang, wil je.'

Grantham zei: 'Ik had gedacht dat jij verstandiger zou zijn dan je te laten betrekken in dit soort kolder, Alison.'

Zacht maar resoluut antwoordde Alison dat hij er misschien verstandiger aan zou doen de rechter van instructie haar werk te laten doen.

Grantham zei hoofdschuddend: 'Dit is niet te geloven. Ik kan het niet geloven.'

Jenny zei tegen Alison: 'Hij schijnt de boodschap nog steeds niet te hebben begrepen. Laat maar een van de agenten komen.'

Alison aarzelde maar een fractie van een seconde voordat ze een walkietalkie uit haar zak opdiepte.

'Mij best,' zei Grantham. 'Maar ik waarschuw je, Jenny, je krijgt hier grote moeilijkheden mee. Het ministerie van Justitie zal hiervan horen.'

'Daar zou ik maar op rekenen, ja.'

Hij wierp haar een minachtende blik toe en beende terug naar zijn auto, al gleed hij onderweg een paar keer bijna uit. Het was een kleine, meelijwekkende gedaante die achter het stuur klom en slingerend achteruitreed naar het toegangshek.

Jenny zei: 'Wat dacht hij hier eigenlijk te komen doen? Hij heeft het recht niet zich met een onderzoek te bemoeien.'

'U kent hem nog niet. Hij is altijd een koning geweest in zijn eigen rijkje. Als hem iets niet aanstaat, denkt hij dat hij de boel wel even naar zijn hand kan zetten.'

'Liet Marshall zich zoiets aanleunen?'

Met spijt in haar stem zei Alison: 'Ik vrees dat die er niet erg goed in was zich tegenover bullebakken te laten gelden.'

Jenny draaide zich om naar het graf, waar de mannen nog werkeloos wachtten op nadere instructies. 'Wie heeft u gezegd dat u moest ophouden? Kom, haal die kist naar boven, dan kunnen we weg hier.'

Om tien uur 's morgens ontwaakte ze uit een zware, droomloze slaap. Ze was pas om een uur of twee 's nachts thuisgekomen van de begraafplaats, geagiteerd en gespannen. Ze had tot bijna vier uur wakker gelegen, luisterend naar elk geluidje, totdat ze zichzelf met twee slaappillen had verdoofd. Het duurde even voordat het tot haar doordrong dat ze was gewekt door de telefoon en dat het ding nog steeds stond te jengelen. Ze werkte zich overeind en greep naar haar badjas. Meer slapend dan wakend stommelde ze de trap af, zich afvragend wie er zo dringend behoefte aan had haar op een zaterdagochtend te storen. Ze duwde de deur naar haar werkkamer open, streek haar lange haar weg achter haar oor en nam de telefoon op.

'Ja?'

'Goeiemorgen, mrs. Cooper. Met Tara Collins van de *Post*. We hebben elkaar eerder deze week gesproken.'

Hoe zou ze dát hebben kunnen vergeten?

'Excuus dat ik u thuis bel. Uw nummer staat in het boek.'

'Is dat zo? Dat had niet gemogen.'

'Ik bel u om te vragen of u soms commentaar wilt geven op de opgraving van Katy Taylor. Ik meen dat het de afgelopen nacht is gebeurd?'

'Van wie heeft u dat?'

'Ik ben bang dat het me niet vrij staat dat te zeggen. U begrijpt het wel.'

Nee, begrijpen deed ze het niet, maar ze begreep wel dat het dwaas was geweest te denken dat zo'n zeldzame en lugubere gebeurtenis de burelen van de krant niet zou halen. Iemand onder de ingewijden had de telefoon genomen en het verhaal voor een paar honderd pond aan de man gebracht. Waarschijnlijk een van de grafdelvers, of zelfs een van de agenten bij het toegangshek.

Ze wist dat ze in elk geval íéts zou moeten zeggen, om allerlei speculaties te vermijden, of een sensationele krantenkop als ONDERZOEKS-RECHTER ZWIJGT ALS HET GRAF OVER OPGRAVING. Ze zei: 'Om de doodsoorzaak vast te stellen, zal het lichaam opnieuw worden onderzocht en zullen er een paar verkennende forensische tests worden gedaan. Ik ben niet op zoek naar iets specifieks; ik wil er alleen zeker van zijn dat mijn onderzoek grondig genoeg is.'

'Ik heb begrepen dat ze vijf dagen na haar vrijlating uit Portshead Farm is gestorven.'

'Min of meer.'

'Dat komt u niet al te toevallig voor?'

'Ik houd me aan concrete bewijzen.'

'Was het u bekend dat Danny Wills en Katy elkaar kenden? Ze hebben samen verplichte voorlichtingsbijeenkomsten voor drugsgebruikers bezocht, onder auspiciën van het reclasseringsteam voor jeugdige delinquenten. Justin Bennett heeft hen allebei begeleid.'

Jenny probeerde professioneel over te komen, maar in haar innerlijk stak een verontrustend gevoel de kop op. 'Zoals ik al zei: ik kan me niet inlaten met speculaties.'

'Laten we even vertrouwelijk met elkaar praten, off the record, zoals dat heet,' zei Tara op samenzweerderstoon. 'Gelooft u niet dat het de moeite waard is deze connectie nader te onderzoeken? Ik zou graag een bezoekje brengen aan de Farm om te gaan praten met jongeren daar die hen allebei hebben gekend, maar mij laten ze niet toe. U moeten ze wel toelaten.'

Zelfs half slapend was ze niet van plan in de off the record-val te trappen. 'U moet begrijpen dat ik steeds stap voor stap te werk moet gaan met mijn onderzoek. Meer kan ik er niet over zeggen.'

'Hoorde u dat?' Jenny had een vaag klikgeluidje gehoord. 'Dat was m'n dictafoon die ik heb uitgezet, ik zweer het bij God. Niets van dit alles komt in de krant. Luister, ik begrijp best dat u moeilijk de zaak-Danny Wills kunt heropenen als daarover al een hoorzitting is gehouden, maar wat u nu doet is een goeie manier om het toch te doen. Geloof me, ik heb kinderen gesproken die ook in Portshead hebben gezeten – ze hebben er drugs en er wordt aan seks gedaan – de hele tent is verrot. Je zou zo denken dat het zo beroerd is gesteld met straatbenden dat er geen ontkomen aan is. Maar dáár komt helemaal niemand beter vandaan. Daarbinnen kan van alles zijn voorgevallen. We hebben het over een bloedmooi hoertje van vijftien met een drugsprobleem – over gemakkelijke slachtoffers gesproken...'

Het verontrustende gevoel werkte zich snel langs Jenny's wervelkolom omhoog en drong door tot in haar hoofd. Wat Tara haar vertelde, klonk volkomen plausibel, uiteraard; ze had tenslotte het grootste deel van haar loopbaan gevreesd voor de precaire toestanden in instituties die tot taak hadden kwetsbare kinderen in bescherming te nemen. Echter, het vooruitzicht om daar de strijd mee aan te binden door zo diep te gaan graven vervulde haar met vrees: dit was exact het moeras waaruit ze had gehoopt te kunnen ontsnappen door onderzoeksrechter te worden. Andy Taylor had de spijker op de kop geslagen, toen hij haar bij de bouwput met zoveel woorden had gezegd dat het systeem zelf geen goed van kwaad kon onderscheiden. Tienermisdadigers hadden iets demonisch over zich: ze waren opdringerig, angstaanjagend en onvoorspelbaar. De omgang met hen vereiste een ijzeren wil en een onwankelbaar moreel besef, maar ze had op dit terrein zelden een man of vrouw ontmoet die over die twee kwaliteiten beschikte.

Jenny zei: 'Bij ons laatste gesprek, miss Collins, hebt u mij min of meer bedreigd. Ik begrijp dat dit soort zaken u aangrijpt, maar ik laat me niet door u of door wie dan ook zeggen wat me te doen staat. Ik doe mijn werk zo goed als ik kan. Geen enkele richting van onderzoek zal worden veronachtzaamd. En ik hoop dat u me nu wel zult willen excuseren: ik ben meer dan toe aan een ontbijt.'

'Nog één vraag...'

Jenny legde de telefoon neer. Ze verwachtte eigenlijk dat de journaliste meteen weer zou bellen, maar de telefoon bleef zwijgen. Haar hoofd was al vervuld van mogelijke connecties tussen Danny Wills en Katy Taylor toen ze naar de keuken liep, en ze bevielen haar geen van alle. Dat telefoontje van Tara Collins had haar in meer dan een opzicht wakker geschud.

Ze was halverwege haar tweede kop sterke koffie toen ze, nadat ze in een notitieboek hele bladzijden had volgeschreven met vragen, zich opeens herinnerde dat ze een lunchafspraak had met David, Ross en... Deborah. Ze had Ross de vorige avond maar kort telefonisch kunnen spreken, omdat ze zelf weg moest naar de opgraving, terwijl hij op het punt stond uit te gaan met vrienden, volgens hem om te gaan bowlen. Hij had antwoorden van één lettergreep gegeven op haar vragen over zijn tentamens en had nog minder gezegd over de geplande lunch van vandaag. Wie kon het hem kwalijk nemen? David zou vermoedelijk ernstige waarschuwingen hebben geuit over een 'familiepalaver' en 'een serieus gesprek', het soort geijkte zinnetjes dat hij placht uit te spreken op dezelfde onheilspellende toon als die hij wel zou aanslaan tegenover patiënten die een hartoperatie moesten ondergaan. Ze kromp ineen bij de gedachte aan de scène rond de tafel in de eetkamer die haar wachtte.

Een derde kop koffie en een halve Temazepam hieven elkaars werking alleen maar op. Ze schoot een paar oude kleren aan en liep de tuin in om te zien of ze zich daar wat beter zou gaan voelen.

Na slechts drie dagen was het gras alweer zo'n vijf centimeter gegroeid en tierde het onkruid in het karrenspoor nog weliger. Ze zou de energie en bereidheid moeten vinden om 's zomers iedere week gras te maaien en onkruid te wieden, als ze niet wilde dat het haar een smak geld zou gaan kosten. Ze ademde de zachte, vochtige lucht in. Alles was nog doordrenkt van de regen van de afgelopen nacht en de zon was eindelijk doorgebroken, zodat de natte grond hevig dampte. Het was zo vochtig als in een regenwoud: de tuin voelde zwaar en drukkend aan, alsof iedere grashalm en elk blaadje gebukt ging onder een zware last. Ze slenterde naar de ruïne van de molenschuur, leunde wat tegen de koude granietblokken en keek naar de beek. Het water stond een centimeter of vijftien hoger dan normaal en was bezwangerd met vaalbruine slibdeeltjes. Het was van een onschuldig kabbelend stroompje gezwollen tot een kolkende massa waarin een kind zou kunnen verdrinken.

Dat David haar zoveel angst kon aanjagen, maakte haar razend. Hij was maar enkele jaren ouder dan zij, maar had altijd kans gezien haar het gevoel te geven dat hij haar vader was, maar in feite veel erger dan haar eigen vader, nu een broze oude man in een verpleegtehuis in Weston-super-Mare. In alle jaren van hun huwelijk was ze er nooit in geslaagd zich als zijn gelijke te laten gelden. Ze was altijd de ondergeschikte partner gebleven, degene die altijd fout zat. Alleen waar het de scholing van Ross betrof had ze haar zin gekregen. Ze had erop gestaan dat hij naar de plaatselijke openbare school ging om op te groeien tussen gewone kinderen voor wie rijkdom en een geprivilegieerde status niet vanzelfsprekend waren. Ze had echter moeten toegeven dat het geen doorslaand succes was geworden, zodat het falen van de school David een stok in handen had gegeven waarmee hij haar altijd kon slaan. Hij had geen gelegenheid daartoe voorbij laten gaan. Gelukkig was Ross niet arrogant of afstandelijk geworden. Tentamens kon je altijd opnieuw doen.

Ze ging weer naar binnen, nam een douche en besteedde het grootste deel van een uur aan het uitzoeken van bij elkaar passende kleding die haar in staat zou stellen zich tegenover de onvermijdelijk aantrekkelijke Deborah overeind te houden zonder de indruk te wekken dat ze er te veel moeite voor had gedaan. Ze koos uiteindelijk voor een strakke spijkerbroek en een zwart topje met een bescheiden decolleté. Ze deed een eenvoudig zilveren collier om – een sieraad dat ze zichzelf na de scheiding cadeau had gedaan – en koos bijpassende oorbellen. Met wat listige make-up zag ze er tien jaar jonger uit, en tamelijk sexy – het soort vrouw dat wel een vijfentwintigjarig snolletje voor haar ontbijt lustte.

Ze schoot een paar eenvoudige, zwarte schoentjes met hoge hakken aan die haar een centimeter of zeven langer maakten, zodat ze bijna oog in oog zou staan met David.

Aangegord voor de strijd balanceerde ze de trap af en bleef voor de gangspiegel staan, voor een laatste controle. Het gezicht dat haar aankeek, herkende ze nauwelijks. Het zag er sterk, zelfverzekerd en volwassen uit, maar achter dat masker was ze een en al zenuwen. Het ergste was nog dat David dat zou weten. Vrijwel alle andere mensen in haar leven dachten dat ze de rechtszaaladvocatuur domweg beu was en daarom voor verandering had gekozen, maar hij kende de waarheid, namelijk dat ze vanbinnen emotioneel gehandicapt was.

Terwijl ze haar autosleutels pakte en de deuren en ramen nog eens extra controleerde, begonnen de paniekgevoelens. Alle bekende symptomen borrelden naar de oppervlakte en kregen greep op haar. Ze overwoog of ze genoeg pillen zou slikken om de dag zwevend door te komen, maar ze had zich altijd aan een vaste regel gehouden: in de weekeinden geen pillen. Daar had ze zonder erbij stil te staan vanmorgen tegen gezondigd – nog meer pillen nu zou betekenen dat ze verslaafd was. Maanden geleden, toen ze in een veel zwakkere toestand verkeerde, had ze gezworen dat dát haar niet zou overkomen. Ze dwong zichzelf naar buiten te lopen en wist de auto te bereiken, maar ze durfde niet in te stappen. Wat ze voelde, was pure vrees: ze was domweg niet opgewassen tegen deze dag. Woedend sloeg ze met haar vuist op het autodak: wat is er toch mis met me? Ze was op weg om over de toekomst van haar zoon te praten, maar ze zat zo hevig met zichzelf in de knoop en werd daar zo sterk door in beslag genomen dat ze zich niet aan haar eigen onzekerheden kon ontworstelen.

Verdomme, verdomme, verdómme. Ze was verslaafd! Ze had geen andere keus: ze moest zichzelf wel enigszins verdoven en zo goed mogelijk door het leven strompelen. Als ze er maar in slaagde Ross veilig en wel te begeleiden naar volwassenheid, dan zou ze haar taak hebben verricht. Dat was het enige wat ertoe deed, deze ene verantwoordelijkheid. Ze tastte naar het buisje met pillen, duwde op het deksel en draaide. Ze had er nog maar drie over. Hoe was dat mogelijk? Ze herinnerde zich hoe ze pillen had gemorst in dat kantoortje in de dorpszaal. De helft van haar pillen was over de vloer alle kanten uit gerold. Ze was van plan geweest er nog wat online te bestellen, maar was het vergeten. Nu zou het tot dinsdag duren voordat de post ze kon bezorgen, maar ze zou er op zijn minst twee nodig hebben om de maandag door te komen. Dan hield ze er maar een over voor vandaag. Als ze hem nu nam, zou het effect al tegen lunchtijd zijn weggeëbd, maar ze durfde zonder pil de rit niet aan, laat staan de beproeving die haar daarna wachtte.

Ze overwoog de afspraak telefonisch af te zeggen, met de smoes dat haar werk het niet toeliet, maar ze wist dat David daar dwars doorheen zou kijken. Iets in haar wist dat hij deze lunch had bedoeld als een test: kon zij, een vrouw die tot voor kort twee keer per week een psychiater had bezocht, volhouden dat ze zichzelf weer in de hand had? Was zij iemand aan wie besluiten over de toekomst van zíjn zoon konden worden toevertrouwd?

Ze hield de pil in haar hand, geteisterd door besluiteloosheid. Een glanzende, nieuwe Toyota pick-uptruck reed langs haar heen en iemand die haar vagelijk bekend voorkwam stak zijn hand naar haar op. Het was de oude Rhodri Glendower, met een vriendin op de passagiersstoel. Lachend wuifde Jenny terug, geroerd door dit vriendelijke burengebaar. Waarschijnlijk liet Rhodri zich erop voorstaan dat hij haar uit die greppel had gered, maar ze betwijfelde geen moment dat hij haar opnieuw zou helpen als dat nodig was. Dat was wat fatsoenlijke mensen voor elkaar deden.

De Toyota verdween in de verte en liet bij haar de gekke gedachte achter dat de oplossing voor haar dilemma misschien te vinden was bij een van die andere goedbedoelende buren van haar. Steve had weliswaar aardig wat gedronken toen hij haar aanbood met haar mee te gaan, maar het had oprecht geklonken.

Wat had ze te verliezen? Steve kon hooguit nee zeggen.

Het enige wat hij even later zei was ongeveer: natuurlijk, gun me een paar minuten om schone kleren aan te trekken en even een scheerkrabber over m'n gezicht te halen. Meer niet. Geen spoor van verbazing. Hij liet haar achter aan de voet van de trap, waar ze de hond stond aan te halen, en riep naar beneden dat er een biertje in de provisiekast stond als ze daar trek in had – hij vond het niet erg om te rijden.

Ze nam het biertje aan. Vijf minuten later zat ze op de passagiersstoel van de Golf, een tikje tipsy van de Grolsch die ze nog zat te drinken, en luisterde naar Bob Marley op de radio, terwijl Steve met zijn polsen op het stuur een sjekkie rolde. Hij droeg een kraagloos wit hemd, een gekreukt linnen pak en een stel canvasschoenen – een uitdossing die de indruk wekte dat ze hem al de nodige jaren trouw had gediend. Net vlot en netjes genoeg om geen gekunstelde indruk te wekken.

Hij zei: 'Je keek nogal verbaasd. Ik verwachtte je al, zie je.'

'Dan moet je mij beter kennen dan ik mezelf. Ik had het zelf namelijk niet verwacht.'

'Echt?' Hij likte aan het vloeitje en keek haar van opzij aan terwijl hij de sigaret tussen zijn lippen klemde.

'Echt.'

Hij nam een doosje lucifers uit de zak van zijn colbert. 'Geen bezwaar?'

'Ga je gang. Het is je eigen begrafenis.'

'Ik zal je gedenken in mijn testament.'

Hij stak de sigaret aan en opende het portierraampje enkele centimeters. Jenny zei het niet, maar de geur van rook stond haar wel aan – het voerde haar terug naar haar studententijd, toen de wereld een onuitputtelijke bron van mogelijkheden had geleken en alle verantwoordelijkheden nog ver achter de horizon lagen. In plaats daarvan zei ze: 'Jij doet dit dus voor je karma?'

Steve nam een haal en blies de rook door de raamspleet. 'Dat, én omdat je me wel aanstaat.' Hij zag dat hij haar verlegen had gemaakt en zei vlug: 'Nee, dát bedoelde ik niet – gewoon dat ik je wel mag. Ik had het idee dat we goeie vrienden konden worden.' Met een verontschuldigend lachje liet hij erop volgen: 'Excuus. Ik zou mijn woorden wat zorgvuldiger moeten kiezen. Dat komt ervan als je alleen leeft – je vergeet algauw hoe mensen op dingen reageren.'

Ze belde David via haar mobieltje om hem te laten weten dat ze niet alleen kwam, maar kreeg Deborah. Die zei dat het geen probleem was; er was meer dan genoeg. Toen ze de bakstenen oprit op draaiden en de auto naast Davids Jaguar parkeerden, zag Jenny hem door het zitkamerraam naar buiten gluren om een glimp op te vangen van de oppositie. In de tien tellen die verstreken voordat hij kwam opendoen, had hij zijn sweater met V-hals uitgetrokken en de mouwen van zijn overhemd opgerold om zijn gespierde onderarmen te ontbloten, hard dankzij jaren squash en krachtoefeningen in de fitnessruimte die hij in de kelder had ingericht.

Hij opende de voordeur met een mannelijk: 'Môge.'

Jenny, nog warm van het bier, zei: 'David, dit is Steve, een van mijn buren. Deborah zei dat het goed was.'

'Geen enkel probleem. Aangenaam, Steve.' Hij drukte hem krachtig de hand.

Jenny zag hoe David het gekreukte pak en de sleetse schoenen in zich opnam en zich zichtbaar ontspande. Hij kon met andere mannen alleen overweg zolang hij zich superieur kon voelen.

Steve zei: 'Goed je te leren kennen, David. Het leek me dat ze wel een chauffeur kon gebruiken – ze reed laatst bijna tegen een tractor aan.'

Jenny zei: 'Ja, hij is een prima buurman.'

'Uitstekend.' David monsterde de jongere man nog eens en gebaarde hen toen binnen te komen. 'Laat me jullie even iets inschenken.'

Hij ging hen voor naar de grote, luxe ingerichte open keuken die aansloot op een serre die uitzicht bood op een grote, keurig onderhouden achtertuin. Op de een of andere manier zag het huis er extravagant maar zielloos uit, even smetteloos als een operatiezaal, maar dan met smaakvol, modern en kostbaar meubilair, zonder tierelantijnen of andere opsmuk. De inrichting was wat een binnenhuisarchitect 'rustgevend' zou noemen, en wat Jenny ervoer als doods. Zelfs de tuin was nagenoeg dood gesnoeid: een niervormig, kortgeschoren gazon, geheel omzoomd door winterharde struiken. Niets wat de strakheid kon verstoren of zoiets frivools doen als uitbundig bloeien of dorre bladeren laten vallen. Ze had hier meer dan tien jaar met David gewoond, maar ze had zich er nooit thuis gevoeld.

Deborah bleek een kleine blondine te zijn die eerder naar de dertig dan de vijfentwintig neigde. Ze was druk in de weer aan het keukeneiland, met een blauwgestreept schort voor een leuk hooggetailleerd zomerjurkje. Exact Davids type, met een lief onderdanig lachje. Het soort vrouw wier levensdoel eruit bestaat het haar man naar de zin te maken. Nou, ze mocht hem hebben. Deborah droogde haar handen af aan haar schort – dat Jenny nu pas herkende als een ongewenst kerstcadeau aan haar van Davids moeder – en haastte zich naar hen toe om hen te begroeten.

'Dag Jenny, ik ben Deborah.'

Jenny zei: 'Hi.' Hun handen raakten elkaar even aan; Deborah was te onzeker om de hare te schudden. 'Dit is mijn vriend Steve.'

Steve zei monter 'Dag' en haakte er meteen op in met een kus op Deborahs wang. Het scheen haar te bevallen.

Met een lichte blos zei ze: 'De lunch is zo klaar – ik ben alleen wat achter met de salade.'

'Geen probleem.'

'Ross moet ergens in de buurt zijn. Zal ik hem roepen?'

David, die bij de glanzende koelkast glazen pino grigio stond in te schenken, zei: 'Nou, uitgeslapen zal hij nu wel zijn. Ik heb hem pas een halfuur geleden uit zijn bed kunnen wrikken.'

'Dat zul je ongetwijfeld heel tactvol hebben gedaan,' zei Jenny.

Voordat David terug kon slaan, kwam Steve tussenbeide. 'Halfeen is niet gek voor een jongen van vijftien. Ik weet nog goed dat ik er soms om vier uur 's middags nog niet uit was.'

'Zo erg is het met mijn zoon nog niet gesteld, maar Joost mag weten hoe hij eraan toe zou zijn als hij het allemaal zelf moest uitzoeken.'

Deborah glimlachte suikerzoet toen ze een schaal rijstsalade naar de tafel bracht. 'Tieners. Zo zijn we allemaal geweest.'

Er viel een onbeholpen stilte toen David de glazen wijn uitdeelde. Jenny kon zien dat hij wanhopig graag zou weten wie en wat Steve voor haar was, maar hij was te beducht voor haar reactie om rechtstreekse vragen aan te durven. In de loop der jaren was hij haar gaan zien als volstrekt irrationeel en onvoorspelbaar, snel geneigd tot onacceptabele uitbarstingen. Zijn voornaamste prioriteit zou bestaan uit het koste wat kost vermijden van een scène waar Deborah bij was.

Het was Deborah die de impasse doorbrak. 'David vertelde me dat je bij Tintern woont. Het is daar heel mooi.'

'Een verademing, na de stad.'

Steve zei: 'Alleen lopen er heel rare types rond. Volmaakt vreemden die zomaar bij je aankloppen om werk.' Hij keek Jenny aan.

Ze was hem dankbaar voor de wenk. 'Steve's boerderij ligt aan de andere kant van de heuvel. Hij heeft me geholpen met mijn tuin. Als het onkruid nog iets hoger was geworden, had ik niet eens meer naar buiten kunnen kijken.'

David, meteen weer op zijn hoede, vroeg: 'Ah. Wat voor soort boerderij?'

'Ach, meer een keuterboerderij. Ik doe al tien jaar pogingen daar een rustig leventje te leiden.'

David stond versteld. 'Zelfbedruipend, bedoel je?'

'Zo ongeveer, ja. Het lukt me bijna.'

Jenny zei: 'Hij is eigenlijk architect.'

'Niet helemaal. Het laatste jaar heb ik het erbij laten zitten.' Hij knikte naar de tuin. 'Is het bezwaarlijk als ik even naar buiten ga voor een rokertje?'

David schudde het hoofd en gebaarde uitnodigend naar de tuin. Haastig dook Deborah een kast in en kwam terug met een schoteltje dat ze hem aanreikte. 'Bij wijze van asbak.'

'Bedankt.' Hij stapte door de dubbele tuindeuren het steriele terras op en schoof ze achter zich dicht.

Deborah keek naar David en zei met een nerveus lachje tegen Jenny: 'Ik zal even gaan zien wat Ross in zijn schild voert, goed?' Ze repte zich naar de gang, zodat ze alleen achterbleven.

David plooide zijn gezicht tot een glimlach, wachtend op haar uitleg.

'Hij is een vriend, meer niet. Hij bood aan me gezelschap te houden, da's alles.'

'Heb ik ernaar gevraagd?'

Dat was ook niet nodig geweest, zoals hij wist. Jenny kon zijn gedachten gemakkelijk lezen. In zijn ogen had ze expres een jongere drop-out tot vriend genomen, bij wijze van kinderlijk verzet tegen hem, het jachtige leven dat ze hadden geleid en de moederlijke verantwoordelijkheden die ze niet had genomen. Ze kon een uitvoerige verklaring niet aan.

Hij zou de waarheid trouwens toch niet geloven.

'Hoe zit het met jou en Deborah? Is het serieus?'

'Het lijkt de goeie kant op te gaan.'

'Ross en zij kunnen het met elkaar vinden?'

'Ze gaat goed met hem om. Meer geduld dan ik.'

Het liefst had Jenny gezegd dat dat kwam omdat ze zelf nog nauwelijks meer was dan een tiener, maar ze hield zich in. Ze had zich voorgenomen neutraal te blijven en zich te beheersen. Vandaag zou David haar van een andere kant leren kennen. Ze was hier als zijn gelijke.

'Hoe bevalt het om rechter van instructie te zijn?' vroeg hij. 'Ik moet zeggen dat ik me jou nooit in die rol had kunnen voorstellen. Je hebt altijd gezegd dat je geen rechter wilde worden.'

'Het accent ligt niet op het rechter zijn. Ik ben meer een onderzoeker. Rechters wegen argumentaties tegen elkaar af. Ik moet de waarheid boven tafel brengen.'

'Veel stress?'

'Niets wat mijn krachten te boven gaat.'

'Het gaat dus beter met je gezondheid?'

'Ik voel me prima.'

Hij knikte, met een gezicht alsof hij zich erover verheugde. 'Ik ben blij voor je.'

Ze voelde zich een bedriegster. Ze slikte nog steeds pillen en schrok zelfs van schaduwen. De ondertoon van zijn vragen was: ik hoop voor jou dat je jezelf niet voor de gek houdt. Een zenuwinzinking in de rechtszaal zou het einde van je carrière betekenen. Ze had vlinders in haar buik en voelde haar hart zacht bonzen. Ze nam een flinke slok wijn en vroeg zich af of ze de Temazepam toch beter wel had kunnen innemen.

Deborah kwam terug, gevolg door Ross. Hij droeg een veel te ruime spijkerbroek en een T-shirt met te lange mouwen, en zijn tot op de schouders afhangende haar, net zo zwart als het hare, was nog plat aan de kant waarop hij had liggen slapen.

Afkeurend gromde David: 'Had je geen kam kunnen vinden?'

'Nee. Hi, mams.'

'Dag lieverd.' Ze omhelsde hem, maar hij beantwoordde haar omhelzing niet – te verlegen met Deborah en zijn vader erbij.

Hij ontdekte Steve op het terras, die net zijn peuk uitdrukte. 'Wie is dat?'

'Steve is een buurman van mij.'

'O.'

'Hij bood aan me hierheen te rijden, meer niet.'

Ross slenterde naar de tafel. 'Wat eten we?'

Deborah en Steve deden dappere pogingen om gedurende de lunch een gesprek over koetjes en kalfjes gaande te houden. Ze praatten over haar werk als eerste operatiezuster, en over haar drie zussen die allemaal getrouwd waren en kinderen hadden en niet konden begrijpen waarom zij dat niet had gedaan. Daarna ging het over de zegeningen van onlineshoppen. Voor zover Jenny wist, beschikte Steve niet over een computer, maar je kon het niet aan hem merken. Zij en David spanden zich in om met luchtige, neutrale opmerkingen een bijdrage aan de conversatie te leveren, maar Ross bleef voornamelijk nors aan het eind van de tafel zitten zwijgen. Jenny had zich zorgen gemaakt over de mogelijkheid dat hij slecht zou reageren op het feit dat ze Steve had meegenomen – ze had sinds haar scheiding geen vriend gehad – maar hij scheen veel te in zichzelf gekeerd om zich er druk over te maken.

Tegen de tijd dat Deborah aardbeien met slagroom opdiende, had David nog eens ingeschonken en was hij eraan toe het onderwerp waarvoor ze bijeen waren gekomen aan de orde te stellen. Hij was nooit een diplomaat geweest en begon er plompverloren over. 'Zeg Ross, ik kan niet zeggen dat ik erg onder de indruk was van die zogenaamde leraren van je. Als ik er al ooit aan heb getwijfeld dat je beter elders je tentamens zou kunnen doen, heeft die ouderavond wel de doorslag gegeven.'

Jenny zei op afgemeten toon: 'We hebben nog niet definitief besloten wat er moet gebeuren.'

'En als ik nou eens tevreden ben met waar ik ben?'

David schonk zich nog een derde glas witte wijn in – Jenny had de tel bijgehouden: meer dan twee, betekende dat hij nerveus was. 'Waar het om draait, is dit: zelfs tegenwoordig moet je verdomd goeie cijfers hebben, willen ze je toelaten tot de medische faculteit.'

'Ik heb nooit gezegd dat ik medicijnen wil gaan studeren.'

'Je hebt me gezegd -'

'Jíj hebt me gezegd dat jíj dat wilde.'

Jenny legde beschermend een hand op Ross' schouder. 'Daar hoeft hij nu toch geen besluit over te nemen? Het gaat erom of hij momenteel op de juiste school zit. Hij is het beste op zijn plaats op een school waar hij zich lekker kan voelen.'

'Dat heb ik al gezegd. Ik wil blijven waar ik ben.'

David verzuchtte: 'Het is een moeras, Ross. Ze hebben niet de minste ambitie met jou. Ze behandelen je net als kinderen uit de arbeiderswijk. Als je het ooit tot bedrijfsleider van een supermarkt schopt, zullen zij dat als een succesverhaal zien.'

'Zullen we de emoties erbuiten laten?' zei Jenny.

'We hebben het hier over zijn hele toekomst! Je krijgt geen tweede kans om te studeren. Dit is een beslissing die de doorslag geeft voor de rest van zijn leven.'

'Dacht je dat ík dat niet wist? Ik ben niet achterlijk.'

'Dat beweer ik ook niet.'

'Een hele verandering.'

Deborah vroeg: 'Iemand zin in zelfgebakken merengues met aardbeien?'

Steve reikte haar zijn dessertbordje aan. 'Graag, ja.'

'Ross?'

Hij schudde nee en schoof het bordje van zich af.

Jenny zei: 'We kunnen dit beter uitstellen tot straks. Niemand hier wil dit op de spits drijven.'

'Wat heeft dát voor zin? Trouwens, er is hier toch niemand die naar mij luistert,' zei Ross.

'Dat is niet waar, Ross,' zei David. 'Wij zijn je ouders, in 's hemelsnaam. Als wij nu niet de beste beslissing voor je nemen, zul je het ons de rest van je leven kwalijk nemen.'

'Ja, en jij weet altijd wat voor iedereen het beste is, nietwaar?' Hij stond op en zette koers naar de tuindeuren.

'Ross, waar ga je heen?'

'Nergens.'

Hij schoof de deur met een ruk open en beende de tuin in om zich terug te trekken op het deel van het gazon dat achter de struiken lag, buiten hun zicht.

David, die naar de tafel had zitten staren om zichzelf te dwingen niet woedend uit te vallen, keek op en maakte aanstalten op te staan. 'Dit soort gedrag kan ik niet tolereren.'

'Laat hem. Alsjeblieft. Gun hem een ogenblik.'

'Wilde jij hem soms zijn zin geven? Wat voor boodschap zend je daarmee uit?'

Deborah en Steve wisselden een blik van verstandhouding. Ze zei: 'Laten we nu eerst maar de aardbeien opeten. Hij draait zo wel weer bij.'

David gromde iets en liet zich met tegenzin weer terugzakken. 'Waarom heb je me hem niet naar Radley laten sturen, dan...'

Jenny liet haar lepel vallen en staarde hem woest aan. Steve legde vlug een hand op haar knie, maar ze duwde hem weg. 'Waarom ik dat niet wilde? Daar zouden ze hem alleen maar nog erger hebben verpest dan wij hebben gedaan.' Ze duwde zich af van de tafel en ging Ross achterna.

Ze trof hem aan op de tuinbank, in het geheime deel van de achtertuin dat ze had afgedwongen toen ze die hadden laten ontwerpen, kort nadat ze hier waren komen wonen. Ze had zich toen voorgesteld dat ze op deze manier samen wat intieme ogenblikken konden hebben, buiten het zicht van het kindermeisje, beschut achter een dichte coniferenhaag en gedeeltelijk omsloten door een halvemaanvormige bamboeschutting die de tuin scheidde van drie aangrenzende tuinen. Zij en David hadden er misschien één keer gezeten. Ze had de plek voornamelijk gebruikt als een plek waar ze zich mokkend kon terugtrekken.

'Is er nog een plekje voor me?'

Schouderophalend schoof Ross een eindje op. Ze kwam naast hem zitten en het bleef even stil tussen hen. Ze wist hoe hij zich moest voelen: een veroordeling van David hakte er stevig in. Het was voor haar als zijn echtgenote al erg genoeg geweest, maar voor een zoon moest het werkelijk desastreus zijn.

'Het spijt me dat dit soort dingen altijd uitdraait op ruzie. Dat was niet mijn bedoeling... Je weet zelf hoe je vader is. Hij beseft domweg niet hoe onverbiddelijk hij klinkt.'

Ross plukte met zijn nagels aan een houtsplinter. 'Je hoeft hem heus niet te verontschuldigen.'

'Hij maakt zich zorgen over je, da's alles.'

'Nergens voor nodig.'

Jenny bestudeerde zijn gezicht. Er waren pas zes maanden verlopen sinds zij uit huis was gegaan, maar hij was al duidelijk veranderd. Je kon hem niet langer een kind noemen. Hij was een jongeman, met zijn lengte van een meter vijfentachtig en de atletische lichaamsbouw van zijn vader. Hij zou ooit een aantrekkelijke vangst zijn, maar had nog aardig wat pijnlijke jaren voor de boeg om genoeg zelfvertrouwen op te bouwen.

'Luister, ik heb hier nog niet met je vader over gesproken, maar ik vroeg me af of je er misschien iets voor zou voelen om tijdens je eindexamenjaar bij mij te komen wonen.'

'Ik dáár naar college? Vergeet dat maar.'

'Nee, in Bristol. Ik zou je op weg naar mijn werk kunnen afzetten. Trouwens, binnenkort ben je mans genoeg om zelf te rijden.'

Hij keek naar haar op, argwanend. 'Zou je mij een auto geven?'

'Geen flitsbak, maar oké, waarom niet? Je zou af en toe wat vrienden te logeren kunnen vragen...' God, ze was bezig hem te manipuleren, maar ze kon er niets aan doen. Het werkte. Voor het eerst in maanden scheen hij bereid te luisteren. 'Ga je nog om met Gina?'

'Lisa.'

'Neem me niet kwalijk...'

'Al goed.' Hij plukte weer aan het hout. Ze zag hoe hij haar aanbod aan alle kanten bekeek en de nadelen van een leven in de provincie afwoog tegen de mogelijkheid aan zijn vader te ontsnappen. 'Bedoel je dat ze de weekeinden en zo kan komen logeren?'

'Wie je maar wilt, zolang het niet te gek wordt.'

Ze leek aan de winnende hand. Hij knikte. 'Ik zal erover nadenken.'

'Waar wilde je eindexamen doen? Je vader wil dat je eens gaat praten bij Clifton College.'

'Ik wil niet weg. Trouwens, waarom zouden ze míj willen?'

'Hij heeft er zelf gezeten.'

Ross schopte naar het onkruidvrije gras. 'Je doet wel je best het me te verkopen.'

'Hij denkt dat je daar de beste leraren treft.'

'Ik heb geen behoefte aan het soort leven dat hij leidt. Hij hééft niet eens een leven.'

Jenny's mobieltje ging over. Ze nam het uit haar broekzak en controleerde het nummer op het scherm. Het was Alison. 'Dit duurt maar even – het is werk.' Ze drukte de antwoordknop in. 'Dag Alison.'

'Sorry dat ik u moet lastigvallen, mrs. Cooper. Professor Lloyd heeft zojuist gebeld. Hij heeft die sectie op Katy Taylor gedaan en wil er met u over praten.'

'Kan hij me niet bellen?'

'Hij vroeg of u erheen wilde gaan om hem te ontmoeten. Ik heb zo'n idee dat hij u iets wil laten zien.'

'Nu meteen?'

'Dat vroeg hij.'

'Goed dan. Zeg hem dat ik uit Bristol moet komen en dat het een uur kan duren.'

Ross stond op van de tuinbank.

Jenny zei: 'Ik bel je onderweg nog wel. ' Ze hing op. 'Ross, ik ben er klaar mee. Laten we praten.'

'Jij hebt werk te doen.'

Hij liep naar het huis.

De lunch had niets opgeleverd. Er waren nog geen beslissingen over Ross' toekomst genomen en David en Jenny hadden in een sfeer van verbittering afscheid genomen. Ross had geweigerd van zijn kamer te komen om afscheid te nemen en er was maar één van Deborah's meringues verorberd. Als Steve er niet bij was geweest, zou het op een afschuwelijke scène zijn uitgedraaid, daarvan was Jenny overtuigd. Ze had altijd een hekel gehad aan dat huis en die steriele keuken, maar de aanblik van een andere, jongere vrouw die zich er kennelijk zo thuis voelde, had haar een irrationeel gevoel van buitengesloten zijn gegeven, vermengd met ergernis. Ze had verdomme háár schort gedragen en in háár pannen gekookt. En op dit moment zou de hondstrouwe, gedomesticeerde Deborah naar boven worden gestuurd om Ross tot rede te brengen.

Steve had kans gezien de beproeving met slechts één glaasje wijn te doorstaan en was nu zo galant haar naar Newport te rijden, terwijl zij in somber stilzwijgen naar de weg staarde.

'Het is me wel duidelijk waarom jullie uiteen zijn gegaan.'

Jenny staarde naar wat koeien in een weiland en vroeg zich af of ze ooit aan het verkeer zouden wennen. 'Hoezo?'

'Iedere keer als hij wijn inschonk, drukte hij de kurk weer op de fles.'

'Het was me niet opgevallen.'

'Je raakt zo gewend aan dat soort dingen dat het je niet eens meer opvalt. En toen ze de tafel afruimde, moest ze de borden eerst afspoelen voordat ze ze in de vaatwasser mocht zetten. Hij hoefde het haar niet eens te zeggen, alleen die blik van hem was al genoeg.'

'Ze deed het ook nog?'

'Zonder tegensputteren.'

'Die man is een pietlut.'

'Tja, ik heb zo'n idee dat ook jij je liever niet door een sloddervos aan je hart wilt laten opereren.'

'Er zal best wel iemand zijn die hem weet te waarderen.'

Steve dacht er even over na en zei toen: 'Mag ik je iets vragen? Hoe is het om seks te hebben met een man als hij?'

'Jij zou dat soort gedachten niet moeten hebben, dat leidt tot slecht karma.'

10

Steve bedankte voor haar aanbod haar te vergezellen naar het mortuarium in het Algemeen Ziekenhuis van Newport – een imposant victoriaans gebouw op een helling die uitkeek over de stad. Ze liet hem sjekkie-rokend achter in de auto; hij luisterde naar *The Best of Jimmy Hendrix* en ze beloofde hem dat ze niet lang zou wegblijven. Steve antwoordde dat ze gerust alle tijd kon nemen; hij had geen haast.

Het mortuarium bevond zich op de geijkte plaats, beneden in de kelder, achter een deur zonder opschrift waar je eerst moest bellen voordat je naar binnen kon. Ze had ergens gelezen dat er zelden lijken werden gestolen, maar dat het stelen van sieraden, vooral ringen, van lijken vaak voorkwam. Er gingen zelfs verhalen over vingers die met een tuinschaar waren doorgeknipt. Het mortuarium van Newport had hetzelfde opslagprobleem als dat van Vale. Ze volgde de richtingborden in een schaars verlichte onderaardse gang naar de sectiezaal. Langs de muur aan haar rechterhand stond een lange rij brancards die op elkaar aansloten, stuk voor stuk bezet door een witte kunststofzak in de vertrouwde lichaamsvorm. Ze probeerde er niet naar te kijken en concentreerde zich in plaats daarvan op de wirwar van kabels en buizen langs de muur aan haar linkerhand: de gammele levensaderen van een tamelijk oud ziekenhuis. Het echoën van haar voetstappen tussen de smoezelige tegelwanden was het enige geluid.

Voor haar uit ging een deur open. Professor Lloyd, een wat excentriek ogende man van in de zestig, haastte zich enthousiast in hemdsmouwen zijn kantoor uit. Hij had een weerbarstige witte haardos en op zijn scherpe, klein uitgevallen neus balanceerde een leesbrilletje met halve glazen.

'Mrs. Cooper?'

'Ja.'

'Ik ben blij dat u kon komen. Het was interessant, hoogst interessant. Wilt u het zelf zien?'

'Eh...'

'Toch niet al te teerhartig, mag ik hopen?' lachte hij. 'Wacht even.'

Hij verdween haastig in zijn kantoor en kwam terug met twee schone operatiekielen en latex-handschoenen. Hij duwde Jenny een set in handen.

'Dat sectierapport dat uw patholoog-anatoom me heeft gestuurd, dat van dr. Peterson, bedoel ik, was dat werkelijk alles wat hij erover had te melden?'

'Ja. Waarom vraagt u dat?'

'Ik zal het u laten zien. Het moet me echter van het hart dat ik me erover verbaas. Ik heb altijd gedacht dat hij heel grondig te werk ging.'

Vliegensvlug schoot hij de operatiekiel en de handschoenen aan en haastte zich de gang in. 'Ze ligt daar.'

Hij duwde de rubberen klapdeuren naar de sectiezaal open. Jenny werd bestormd door een vlaag stinkende lucht. Ze trok de handschoenen aan, haalde diep adem en volgde hem naar binnen.

Het lichaam verkeerde in een dusdanige staat van ontbinding dat het nauwelijks nog herkenbaar was als dat van een mens. Afgezien van de overweldigende stank deed het haar eerder denken aan de gemummificeerde lijken in een museumvitrine dan aan een nog maar kort geleden gestorven meisje. De huid was, waar deze nog intact was, zwart of donkergroen en doordat de spieren en het onderhuidse vet al waren weggeteerd, zag de huid eruit alsof ze om het skelet was gesmolten. Het vlezige weefsel van de borsten en dijen was volledig ingezakt en weggerot tot op het bot. De handen hadden hun slanke vorm behouden, maar de huid was losgekomen en leek af te zakken naar de polsen of over de vingers te glijden.

Dit was allemaal nog net te verdragen, maar Jenny deinsde terug bij het zien van Katy's gezicht. Het haar was nog altijd blond, maar de hoofdhuid begon boven het voorhoofd los te raken. De oogleden waren volledig weggevreten, net als de ogen zelf, zodat er alleen nog twee gruwelijke holle kassen over waren. Het kraakbeen van de neus was feitelijk nog intact, maar de zachtere weefsels van de mond waren weggerot en ontblootten een gelijkmatig wit gebit in een grimmige grijns.

Professor Lloyd scheen immuun voor de stank toen hij zich over het lichaam heen boog om wat er nog van Katy's weefsels restte nader te bekijken. 'Heel jammer dat ik haar niet eerder heb gezien. Maar het geeft niet, ik heb me in elk geval een deel van het totaalbeeld kunnen vormen.'

Jenny drukte haar gehandschoende hand tegen haar gezicht en ademde in door haar mond. 'Wat hebt u ontdekt?'

'Laten we dit in de juiste context plaatsen. We weten dat de primaire doodsoorzaak een overdosis heroïne is geweest, maar als ik het bij het juiste eind heb, zijn we in feite op zoek naar iets wat ons kan vertellen wat er met haar is gebeurd vóórdat die troep in haar bloedsomloop belandde.'

Ze knikte, wensend dat hij ter zake zou komen.

Hij nam een dun instrument dat haar deed denken aan het soort haak dat een tandarts zou gebruiken om een holle kies uit te schrapen, en gebruikte het als aanwijsstokje. 'Het eerste wat me opviel, was dat er een stukje van deze voortand ontbreekt.' Hij tikte hoorbaar tegen de linkervoortand.

Ze vermande zich en keek. Inderdaad ontbrak er aan de onderste linkerhoek van de voortand een stukje van misschien enkele millimeters.

'De randen zijn scherp gekarteld, wat op een zeer verse breuk duidt. Zoiets kan natuurlijk allerlei oorzaken hebben, maar...' Hij stak zijn hand uit naar een roestvrijstalen niervormig bakje op het dito aanrecht naast de gootsteen en hield het onder haar neus. 'Hier hebben we het ontbrekende stukje tand. En raad eens waar ik het heb gevonden?'

'Geen idee.'

'Achter in haar mond, tussen de kiezen en de wang. Normaal reageert een mens op een vreemd object in de mond door het uit te spuwen, maar aangezien het er nog was, zou ik zeggen dat dit een tamelijk betrouwbare aanwijzing is dat ze is geslagen – en tamelijk hard ook.'

'Wanneer?'

'Kennelijk kort voor haar dood. Op grond van het feit dat dit fragment nog in haar mond zat, zou ik durven zeggen dat de kans groot is dat ze óf al buiten bewustzijn was toen het gebeurde, óf buiten bewustzijn raakte door de klap.'

'Waarom heeft Peterson dat niet gezien?'

'Ik moet – in zijn voordeel – zeggen dat je bij een normaal post-mortem niet al te veel aandacht besteedt aan het gebit, en soms zelfs helemaal geen. In ons vak heb je niet de luxe van een overmaat aan tijd.' Hij zette het bakje terug op het aanrecht. 'Zo, we hebben hier dus een mogelijke klap. Nu hebben we aanvullend bewijsmateriaal nodig. Zelfs in de huidige toestand doet dit lichaam ons niet één, maar zelfs twee verdere aanwijzingen aan de hand.' Hij wees naar de rechterschouder die, zoals Jenny dadelijk had opgemerkt toen ze omliep naar de andere kant van de snijtafel, tot op het gewricht was opengesneden. 'Ik ben op zoek gegaan naar sporen van een worsteling, en vond dit hier.' Zijn haakje wees naar het middengedeelte van het gewricht. 'Twee van de glenohumerale gewrichtsbanden zijn losgerukt van het bot.'

Jenny zag wat draderige stukjes weefsel, maar die zou ze zelf nooit als gewrichtsbanden hebben herkend.

Professor Lloyd begon warm te lopen voor zijn onderwerp. 'Dit wijst op een met geweld toegebrachte kwetsuur, zoals die kan ontstaan als de pols omhoog wordt gewrongen achter de rug. En bovendien is er dat haar.' Hij legde de dunne haak neer, nam voorzichtig het hoofd tussen de handen en rolde het naar rechts. 'Ziet u wel?' Zijn vinger wees naar een kale, zwarte plek huid. 'Hier ontbreekt een flinke lok hoofdhaar, met een diameter van twee tot drie centimeter. Volgens uw medewerkster heeft de politie op de vindplaats geen haar gevonden?'

'Nee, ik heb er in het proces-verbaal niets over gevonden.'

'Haar hoofdhaar is tamelijk lang. Het zal niet onmiddellijk zichtbaar zijn geweest, maar als je dit in zijn context plaatst, komt er vanzelf een beeld bij je op: haar belager heeft haar met brute kracht de pols op de rug gewrongen en zo hard aan haar haar getrokken dat er een hele handvol van loskwam. Als dit haar niet bij het lijk is gevonden, moet het geweld wel ergens anders hebben plaatsgevonden.'

'En die klap tegen haar mond?'

'Die zal vermoedelijk wel op de vindplaats zijn toegebracht, tenzij het allemaal tegelijk is gebeurd. Dat valt niet met zekerheid te zeggen.'

'Voordat ze die injectie kreeg?'

'Ja...' Professor Lloyd richtte zich op en keek haar strak en ernstig aan. 'Nog een laatste bevinding: ons laboratorium is zo vriendelijk geweest haar verschillende monsters vanmorgen nog te onderzoeken. Dat heeft een paar zeer belangwekkende uitslagen opgeleverd. Zoals u wel zult weten, bevat hoofdhaar de chemische geschiedenis van het lichaam over de afgelopen zestig tot negentig dagen. We hebben vastgesteld dat Katy gedurende die periode vrijwel zonder onderbreking geregeld cocaïne en marihuana heeft gebruikt, maar géén heroïne. Bloed- en weefselstalen zijn in dit stadium wat minder betrouwbaar, maar er is een hoge heroïnespiegel vastgesteld. We schatten dat het zo ongeveer 2000 milligram moet zijn geweest.'

'Dat betekent?'

'Genoeg om een klein paard te doden.'

Jenny vergat de stank op slag. Ze had nu bewijzen van moord in handen.

Ze vroeg: 'Is het nog na te gaan of daarbij seksueel geweld heeft plaatsgevonden?'

Professor Lloyd schudde het hoofd, een triest lachje om zijn mond. 'Ik ben bang dat de doden sommige geheimen met zich meenemen.'

'Hoe is ze volgens u overleden?'

'Waarschijnlijk terwijl ze zich verzette tegen een buitengewoon wrede en vastbesloten aanvaller. Iemand die over een enorme dosis heroïne kon beschikken en zijn handelwijze weloverwogen heeft gepland.'

'Ziet u wellicht kans me morgenochtend een sectierapport te bezorgen en maandagmorgen op de hoorzitting te komen getuigen?'

'Reken maar.'

Jenny keek naar het lichaam, denkend aan de lachende foto van Katy op de schoorsteenmantel van Andy en Claire Taylor. Wat was er toch aan mooie jonge meisjes dat kerels ertoe bracht hen te vermoorden?

Het enige wat ze er tegenover Steve over losliet, was dat ze zich verdiepte in de onverklaarde dood van een vijftienjarig meisje. Hij kocht geen kranten en ze had geen televisietoestel in zijn huis gezien, zodat ze gerust kon aannemen dat hij nog niet over het geval had gehoord. Anders dan sommige juristen had zij haar plicht tot geheimhouding altijd heel serieus genomen. Voor een onderzoeksrechter was dat zelfs nóg belangrijker. De ervaring had haar geleerd dat je aan niemand beroepsgeheimen kon toevertrouwen, zelfs niet aan naaste familieleden. Ook David had nooit over zijn patiënten gepraat, ondanks al zijn fouten. Ze hadden niet aan *pillow-talk* gedaan. In bed hadden ze eigenlijk nooit veel gedaan.

Steve liet haar zitten zonder haar gedachten te verstoren over seks, de dood en wat het voor haarzelf betekende verstrikt te raken in een gruwelijke moord, terwijl ze maar één ding wilde – een rustiger leven. Ze had geopteerd voor bestaanszekerheid, een baan en een huis dat haar verscheidene decennia onderdak kon bieden, maar binnen amper één week was ze volledig ondergedompeld in een turbulente hectiek van chaos en angst. Het was dezelfde soort onrust diep in haar die haar in zijn greep had gehad gedurende de maanden vóór haar zenuwinzinking. Het leek op de beklemming die je geest kon binnensijpelen bij de dreiging van een onweer dat zich nog achter de horizon bevond: dan voelde je de druk die je geest al belastte lang voordat je wist wat er ging komen. Het drong door alle lagen heen: geen enkele toestand van blijdschap, vreugde, dronkenschap of door drugs veroorzaakte euforie of afstomping kon je helpen eraan te ontkomen. Het hing als een molensteen om je nek.

Steve verliet de tweebaans autoweg en begon het brede Usk-dal dwars over te steken, op weg naar de heuvelrug die het dal scheidde van dat van de Wye aan de andere kant. Het was een weelderig groen, nauwelijks bevolkt landschap van velden en weilanden, verdeeld door ondoordringbare hagen en bezaaid met kreupelbosjes dat al in geen eeuwen was veranderd. Hij liet het portierraam zakken en zoog de frisse lucht, geurend naar hondspeterselie en mals gras, diep in zijn longen.

Hij zei: 'Ik geloof niet dat ik nog zonder dit hier kan leven. Dat was wat ik het meest haatte toen ik nog in Bristol woonde: de stank die er hangt.'

Jenny deed een poging haar sombere gedachten opzij te zetten en zei: 'Ik weet wat je bedoelt.' Ze liet haar portierraam ook zakken, sloot haar ogen en hield haar gezicht in de langs strijkende wind.

'Zin in een wandeling? Er is hier een plek die ik je zou willen laten zien.'

'Op deze schoenen?'

'Ik heb een stel laarzen in je auto gelegd.'

'Nee maar! Wanneer?'

'Toen we wegreden. Ik wist dat je geen andere schoenen bij je had.'

'Je weet niet eens mijn maat!'

'O, dat kan ik zo aan je zien. Jij hebt maat negenendertig, net als mijn ex.' Zijn elleboog leunde op het open raam – een man die zich volkomen op zijn gemak voelde in de wereld. 'Wat is erop tegen? Of heb je iets beters te doen?'

Ze parkeerden bij een toegangshek op de top van een heuvel nabij een gehucht dat volgens hem Llangovan heette. Hij deed een greep naar de boodschappentas die hij achter de stoelen had gedeponeerd. De tas bevatte twee paar leren werkschoenen die tot de enkels reikten. 'Ze heeft ze bewust achtergelaten, zie je – ze zei dat ze haar alleen maar zouden herinneren aan de keren dat ze door de modder had lopen baggeren, als een echte boerin.'

Jenny voelde zich nooit op haar gemak in andermans afgedankte spullen, maar ze deed toch haar hooggehakte schoenen uit en stak een blote voet in het stugge leer. 'Dat was haar verhaal.'

'Hoe bedoel je?'

'Geen vrouw houdt ervan om vergeten te worden.'

Hij leidde haar over een voetpad langs de rand van een weide vol schapen en een bos op de top van de heuvel. Onder het lopen wees hij haar bepaalde herkenningspunten in het landschap en legde haar uit dat eik en beuk vaak naast elkaar worden geplant om te zorgen dat het brede bladerdak van de beuk de eik berooft van zonlicht, zodat die wordt gedwongen een lange, rechte stam te vormen, zonder zijtakken die eraan ontspruiten en dan de nerf bederven. Een groot deel van het Wye-dal was beplant met bomen die hout leverden voor de scheepsbouw, en de houtskool die nodig was als brandstof voor de ijzerovens die in de victoriaanse tijd langs de rivier hadden gestaan. Die industrie was ter ziele gegaan, maar de bossen waren gebleven. Het was een zeldzaam en mooi plekje op de wereld, waar de natuur een voormalig industrieel landschap weer in bezit had genomen. Steve beschouwde het als een symbool van hoop.

Ze stopten bij het hoogste punt van het weiland en gingen in het gras zitten, genietend van het uitzicht over een afstand van vijfentwintig kilometer naar het zachtpaarse silhouet van de Brecon Beacons-keten aan de overzijde van het dal. Het brede hemelgewelf toonde vele stemmingen: delen van azuurblauw, op de ene plek bezaaid met hoge cumuluswolken, op de andere plaats betrokken met leigrijze regenwolken. Hun schaduwen gleden loom over het landschap en beroofden het van het zonlicht. Zo nu en dan werd de dikke wolkenlaag doorboord door een goudkleurige baan zonlicht die het aardoppervlak beroerde. Steve zei dat je het vaak zag op sentimentele ansichtkaarten, dat het 'Gods licht' werd genoemd, en terecht: geen mensenhand kon iets scheppen dat zo mooi was. Misschien was dit de reden dat hij de architectuur eraan had gegeven – zijn bouwwerken zouden alleen maar iets bederven dat niet te verbeteren viel.

'Je bent een echte romanticus,' zei Jenny. 'Vind je zelf ook niet?'

Hij strekte zich uit in het gras en staarde naar de hemel. 'Die moeten er ook zijn.'

'Kun je werkelijk gelukkig zijn zonder geld?'

'Ja en nee.'

'Waarom pak je de draad niet op en haal je alsnog je diploma om wat ethisch verantwoorde gebouwen neer te zetten? Iedereen wil nu groene gebouwen. Je kunt er rijk mee worden.'

'Ik speel weleens met de gedachte.' Hij rolde zich naar haar toe en werkte zich half overeind, steunend op een elleboog. Hij keek haar aan en zei: 'Of eigenlijk zou ik moeten zeggen: jíj hebt me op die gedachte gebracht.'

Jenny werd er verlegen van en vroeg zacht: 'Wat heb ik dan gedaan?'

'O, niets speciaals... Je hebt me er alleen aan herinnerd dat er buiten mijn boerderijtje nog een hele wereld is.'

Haar vingers plukten aan het gras; ze was wat nerveus onder zijn blik. Ze verwachtte elk moment dat hij zijn hand naar haar zou uitstrekken om haar aan te raken, maar ze had geen idee wat ze zou doen als dat mocht gebeuren.

Hij kwam overeind zitten, steunend op zijn handen achter zijn rug. 'Het kost je moeite je te ontspannen, nietwaar? Kun je niet gewoon maar genieten van het uitzicht?'

'Ik heb veel aan mijn hoofd.'

Hij keek haar aan met een bijna onmerkbaar glimlachje, maar schermde toen met zijn hand zijn ogen af om uit te kijken over het dal.

'Laat me je dan van één zorg afhelpen: ik ben niet uit op seks met je. Om eerlijk te zijn, ik zou er geen nee tegen zeggen, maar volgens mij kunnen we het ook best zonder stellen.'

Blozend zei Jenny: 'Da's bewonderenswaardig eerlijk van je.' God, wat klonk ze stroef.

'Ik dacht wel dat je het zou waarderen.' Glimlachend stond hij op, klopte zijn kleren af en zei: 'Je zult nu wel terug willen.'

Hij stak haar een hand toe. Na een korte aarzeling greep ze de hand en liet zich door hem overeind trekken.

De zaterdagavond laat zat ze nog achter haar laptop. De website die ze bezocht, had zijn basis in Ierland. Ze moest extra betalen om de pillen nog in het weekend verstuurd te krijgen. Ze regelde het zo dat ze het pakje maandagochtend om acht uur zou kunnen afhalen bij het depot van de firma in Avonmouth, zodat ze niet haar huisadres hoefde te geven, of het risico liep dat ze tot dinsdag zonder pillen zou zitten. Ze tekende het bestelformulier met een onleesbare krabbel. Het enige wat haar in verband kon brengen met de formeel illegale aankoop, was het afschrift van haar creditcard, maar volgens de website zou er op de omschrijving bij het bedrag alleen komen te staan: *Gifts by Mail*. Ze had nu in een keer tien buisjes vol pillen van dertig milligram besteld, zichzelf wijsmakend dat dit alles was wat ze ooit nodig zou hebben.

11

De atmosfeer in de dorpszaal was zo kribbig dat het grensde aan vijandigheid – reden genoeg voor twee Temazepams. Het aantal journalisten was gegroeid tot twee volle rijen en voor het gebouw stonden diverse reportagewagens met satellietschotels. Andy en de lijkbleke Claire Taylor hadden gezelschap gekregen van meerdere grimmig kijkende vrienden en verwanten en Hartley en Mallinson hadden hun tafel volgestouwd met dossiermappen en wetboeken. Grantham was nergens te bekennen, maar dr. Peterson had gehoor gegeven aan zijn tweede lastgeving en zat nu naast een ernstige jonge vrouw met een blauw notitieblok op schoot; Jenny veronderstelde dat ze een advocate was. Alison had hoofdinspecteur Swainton laten weten dat de procesgang van vandaag voor hem van belang kon zijn, maar hij had slechts een korte reactie gegeven: hij had het te druk om erbij te zijn, en zijn ondergeschikten eveneens.

Professor Lloyd wandelde in een driedelig pak en een slecht gestropte das kwiek naar de getuigenbank, genietend van zijn moment in de schijnwerpers. Hij zette zijn leesbrilletje met zorg op zijn neus toen hij de kaart met de eedformule las en de woorden met overdreven precisie articuleerde.

Zondagochtend had Jenny zijn zorgvuldige en gedetailleerde sectierapport per e-mail ontvangen. Zij en Alison waren de enigen die het hadden gelezen. Ze had besloten pas kopieën uit te laten delen nadat hij zijn bevindingen in de rechtszaal had gepresenteerd, want ze wilde de reactie van dr. Peterson zien en Hartley ermee overvallen, als dat even mogelijk was. Het was haar bedoeling de ochtend te gebruiken voor het aanhoren van al het forensisch bewijsmateriaal en iedere verklaring die dr. Peterson kon bedenken voor zijn verzuim om aandacht te besteden aan de dingen die professor Lloyd zo gemakkelijk had weten te vinden. Het volgende stadium zou bestaan uit het zoeken naar eventuele daders. Er waren ook dagvaardingen onderweg naar Justin Bennett van het reclasseringsteam voor jeugdige delinquenten en de hoofdverpleegkundige die in Portshead Farm verantwoordelijk was voor de vrouwelijke 'trainees'. Jenny wilde weten hoe Katy Taylor kans had gezien om gedurende haar verblijfsperiode daar regelmatig cocaïne en marihuana te blijven gebruiken.

Voordat Jenny een begin maakte met het horen van de getuige richtte zij zich tot de juryleden om te zeggen dat zij vermoedelijk al via de plaatselijke pers hadden begrepen dat zij afgelopen donderdag de hoorzitting had verdaagd om het lichaam van Katy Taylor te laten opgraven, teneinde het te laten onderzoeken door een patholoog-anatoom van buiten het district. De patholoog in kwestie beschikte over grote ervaring in het ontdekken van misdrijfsporen, omdat er vaak door de politie of de onderzoeksrechter een beroep op hem werd gedaan om sectie te verrichten. De juryleden luisterden met ernstige gezichten. De luchthartige stemming van donderdagmiddag en het nieuwtje van hun onwennigheid als juryleden in een afgelegen dorpszaal was verdwenen. De rimpels in hun voorhoofden en hun knikkende hoofden vertelden haar dat deze acht burgers nu het volle gewicht van hun zware verantwoordelijkheid voelden.

Ze wendde zich tot professor Lloyd. 'Professor Lloyd, u bent voor de stad Newport in het graafschap Gwent als patholoog-anatoom werkzaam?'

'Inderdaad.'

'Hebt u op zaterdag de drieëntwintigste juni sectie verricht op het lichaam van Katy Taylor?'

'Ja.'

'En u hebt op die datum een sectierapport opgemaakt waarin u uw bevindingen gedetailleerd uiteen hebt gezet?'

'Dat klopt.'

Ze keek kort naar dr. Peterson. Hij zat er roerloos bij, maar zijn ogen waren groot en stonden angstig; deze man wist dat zijn reputatie op het spel stond.

'Voordat we overgaan tot de details, professor, zou ik u willen vragen de jury de samenvatting van uw rapport voor te lezen.'

'Zeker.' Alison liep naar hem toe en overhandigde hem een maagdelijke kopie. Hij schraapte zijn keel, wachtte even en las toen hardop: 'Hoewel ik mij aansluit bij de bevinding van mijn collega, dr. Peterson van het Vale-ziekenhuis, namelijk dat de directe doodsoorzaak een enorme overdosis van diamorfine – beter bekend als heroïne – is geweest, ben ik in de loop van mijn onderzoek gestuit op sterke en overtuigende bewijzen van een brute fysieke, zeer gewelddadige aanval...'

Achter in de zaal klonk een geluid – iets wat het midden hield tussen hijgen van schrik en dof gekreun. Jenny keek op en zag hoe Andy Taylor Claire's hand tussen de zijne nam. Dr. Peterson trok nerveus aan zijn manchet. Zijn advocate noteerde verwoed elk woord.

'Het bewijsmateriaal bestaat uit drie bestanddelen. Om te beginnen bleken de glenohumerale gewrichtsbanden van de rechterschouder van het bot te zijn gescheurd, hetgeen erop duidt dat de rechterarm met brute kracht achter de rug van het meisje omhoog is gewrongen. Dit moet haar ondraaglijke pijn hebben bezorgd en er valt heel moeilijk een onschuldige verklaring voor te bedenken. Ten tweede bleek een dikke lok hoofdhaar – met een diameter van ongeveer tweeënhalve centimeter – met geweld uit het linkerachterste gebied van de hoofdhuid te zijn gerukt.' Hij wees naar een gebied tussen de bovenkant van zijn nek en de achterkant van zijn linkeroor. 'Dit leidt tot de redelijke conclusie dat dit haar tijdens een fysieke worsteling moet zijn losgerukt. Er zij op gewezen dat dit ontbrekende haar niet bij het lichaam is aangetroffen.'

Jenny zag de trek van onderdrukte wanhoop op het gezicht van dr. Peterson. Ze zou dolgraag willen weten waar hij nu aan dacht: had hij dit domweg over het hoofd gezien, of had hij dit bewijs van een gewelddadige dood doelbewust genegeerd?

'Ten derde ontbrak er een klein stukje tand aan de linkervoortand. De scherpe, gekartelde rand wijst op een recente breuk. Het ontbrekende stukje heb ik aangetroffen tussen het tandvlees en de wang. Naar mijn mening moet zij een harde klap tegen haar gezicht hebben gehad. Het feit dat zij dit stukje tand niet heeft ingeslikt of uitgespuwd, wijst erop dat zij als gevolg van die klap bewusteloos was óf alle gevoel in haar mond had verloren.'

Claire Taylor snikte. Een vrouw die eruitzag alsof ze haar zus kon zijn, gaf papieren zakdoekjes door in de rij. De gezichten van de vader en de andere familieleden waren toonbeelden van verdriet, verbijstering en het gevoel te zijn verraden. Peterson staarde wezenloos naar de vloer voor zijn voeten.

De zaal luisterde in sombere stilte – slechts verbroken door het snikken van Claire Taylor – toen Jenny aan professor Lloyd nadere details van zijn bevindingen vroeg. Hij vertelde dat de hoeveelheid heroïne zo overmatig was geweest dat, als Katy had geprobeerd zich die dosis eigenhandig toe te dienen, ze al dood of buiten bewustzijn had moeten zijn voordat de injectiespuit half leeg was. Hij was ervan overtuigd dat de injectie haar door een of meer anderen was toegediend: een om haar arm achter haar rug te wringen en haar hoofd aan haar haar vast te houden, terwijl de ander de naald in haar arm stak.

Jenny zei: 'Wat kunt u ons vertellen over de foto's die de politiefotograaf van haar lichaam heeft gemaakt, meteen nadat het was gevonden?'

'Ze moet in die houding zijn neergezet. Zoals ik al zei, kan ze zichzelf onmogelijk zo'n grote dosis heroïne hebben toegediend én daarna de spuit naast haar lichaam hebben gelegd. Ik zou hebben verwacht dat de naald nog in haar arm zou steken, terwijl de spuit nog halfvol was.'

'Is er u nog iets anders aan de foto opgevallen?'

'Haar kleding lijkt opmerkelijk ordelijk, gelet op het brute geweld dat ze over zich heen heeft gekregen. Ik heb alle reden aan te nemen dat het een snelle en meedogenloze aanval is geweest. Het resultaat van weloverwogen planning.'

'U denkt dat het met voorbedachten rade is gebeurd?'

'Het is niet eenvoudig aan een dergelijke hoeveelheid heroïne te komen en die geschikt te maken voor injectie. Het lijkt mij gerechtvaardigd te zeggen dat iemand met een dergelijke mate van knowhow moet hebben geweten dat zo'n enorme dosis haar dood zou worden.'

Vervolgens stelde ze hem vragen over de resultaten van de haaranalyse. Die bevestigden zonder twijfel dat het de enige dosis heroïne was die Katy ooit toegediend had gekregen – in elk geval in de laatste drie maanden voor haar dood. Hij was het eens met de bevinding van dr. Peterson dat het meisje vermoedelijk al een dag of zes dood was geweest toen ze werd gevonden en dat het, gelet op het verloop van de rigor mortis, meer dan waarschijnlijk was dat zij kort na haar dood in zithouding tussen de struiken was gezet.

Jenny merkte op dat dit betekende dat Katy vermoedelijk al op dinsdag 24 april was overleden, twee dagen nadat haar ouders haar thuis hadden vermist en slechts zes dagen nadat zij uit Portshead Farm was ontslagen. Ze moest er dus achter zien te komen waar het meisje in de nacht van zondag de 22e en maandag de 23e was geweest, en in wiens gezelschap ze had verkeerd. De twee dagen waarin ze vermist was geweest, waren van cruciaal belang.

Jenny beëindigde het verhoor van professor Lloyd door hem te vragen hoe het mogelijk was dat hij en dr. Peterson tot zulke sterk uiteenlopende conclusies waren gekomen. Hij dacht even over die vraag na, maar na een bestudeerde pauze zei hij: 'In het begin was ik geneigd het te vergoelijken. De bloedonderzoeken waarvoor hij opdracht heeft gegeven, waren minder precies dan de analyses die ik heb laten doen, zodat hij minder exact kon weten hoeveel heroïne het meisje binnen had gekregen – daar heb ik alle begrip voor. Hij staat onder grote werkdruk en zal vermoedelijk wel vijf tot zes secties per dag verrichten. Echter, in gevallen waarin een gewelddadige dood zelfs maar in de verte mogelijk moet worden geacht, zou een redelijk bekwame patholoog een veel gedetailleerder onderzoek hebben gedaan dan hij in dit geval.'

'Het verbaast u dat hij de afgebroken tand niet heeft gezien?'

'Enigszins wel, ja.'

'En dat ontbrekende hoofdhaar?'

'Dat was misschien een meer begrijpelijke omissie.'

Hij keek opzij naar Peterson, zonder een spoor van spijt of verlegenheid. Jenny wist wat dit betekende: hij had dan wel zijn antwoorden bewust redelijk laten klinken, maar in feite zei hij haar dat zijn collega in het gunstigste geval slordig of nalatig was geweest, of in het ergste geval bewust had geprobeerd bewijzen te verdoezelen.

'Dank u, professor. Wilt u zo vriendelijk zijn hier nog even te wachten – meester Hartley zal u misschien wat vragen willen stellen.'

Hartley, die uitgebreide notities zat te maken van de laatste opmerkingen van professor Lloyd, nam alle tijd om zijn schrijfwerk af te maken, nam het geschrevene nog even door alsof hij zich wilde overtuigen van een voor de hand liggende conclusie en kwam zonder een spoor van haast overeind.

'Professor,' begon Hartley, 'is het juist dat u op uitdrukkelijk verzoek van de onderzoeksrechter, mrs. Cooper, een volledig forensisch onderzoek hebt verricht op het lichaam van Katy Taylor?'

'Inderdaad.'

'U was zich dus bewust van het feit dat u op zoek ging naar bewijzen – en die wellicht ook zou vinden – die tot de conclusie zouden leiden dat de dood van Katy verdacht was?'

'Met het eerste deel van uw vraag kan ik het eens zijn.'

Hartley glimlachte. 'Als ik u nu goed heb begrepen, bent u tot de conclusie gekomen dat het meer dan waarschijnlijk is dat haar dood verdacht is.'

'Zo is het.'

'Dank u, professor.' Hartley wendde zich tot Jenny. 'Mevrouw, ik mag wel aannemen dat ik u niet hoef te herinneren aan regel zesentwintig, paragraaf één van de *Coroner's Rules* van 1984.'

Nog enigszins onzeker waar het de subtiele details van dit handboek voor rechters van instructie betrof, opende Jenny haar exemplaar van *Jervis* met een gevoel van naderend onheil.

'Daar staat dat, indien de hoogste politiefunctionaris de onderzoeksrechter verzoekt een hoorzitting te verdagen op grond van de mogelijkheid dat iemand kan worden aangeklaagd wegens moord of doodslag, dit uitstel minimaal achtentwintig dagen dient te zijn. Als vertegenwoordiger van de politieman in kwestie dien ik hierbij een verzoek tot verdaging van deze hoorzitting met onmiddellijke ingang in.'

Jenny las de passage nog eens door en stelde vast dat er stond wat zij had gedacht. 'Mr. Hartley, die regel is alleen van toepassing als de desbetreffende politieambtenaar van zins is een specifiek individu in staat van beschuldiging te stellen. De bedoeling daarvan is te voorkomen dat er twee juridische procedures tegelijk worden uitgevoerd. Aangezien er, naar ik mag aannemen, geen verdachte is die op het punt staat te worden aangeklaagd wegens moord respectievelijk doodslag in verband met Katy Taylor, acht ik mij volledig gerechtigd deze hoorzitting voort te zetten.'

'Er is mij verzekerd dat de hoofdinspecteur die het onderzoek leidt in het licht van dit nieuwe bewijsmateriaal van plan is het politioneel onderzoek te heropenen. Onder die omstandigheden is het de gangbare praktijk dat de rechter van instructie een hoorzitting verdaagt, in afwachting van het resultaat van criminele recherches en verdere procedures, zo die er zijn.'

'Meneer Hartley...'

'Misschien wilt u mij toestaan uit te spreken, mevrouw.'

Jenny zwichtte en liet hem zijn verhaal afmaken. 'Zo'n verdaging dient twee doelen. Niet alleen voorkomt het dat het politioneel onderzoek op enigerlei wijze wordt geschaad door de publiciteit die deze hoorzitting kan uitlokken, maar ook wordt ermee bereikt dat, wanneer deze hoorzitting wordt hervat, zowel u als de jury het voordeel hebben over door de politie vergaard bewijsmateriaal te kunnen beschikken. Ik heb hier een aantal gezaghebbende bronnen die mijn betoog hier ondersteunen, als u ze mocht willen inzien.' Hij gebaarde naar een fikse stapel kopieën van documenten. 'Ik denk echter dat u het er wel mee eens kunt zijn dat dit in eerste instantie in het belang is van de rechtsgang. Dat móét wel volgen uit het feit dat het politioneel onderzoek wordt hervat.'

'Ik zal nu schorsen om uw bijdrage in overweging te nemen, meneer Hartley.'

Jenny stond op en trok zich met haar *Jervis*-exemplaar terug in het kantoor. Ze was er niet gerust op en besloot er de *Coroner's Rules* nog eens op na te lezen. Hartley had gelijk. De politie had inderdaad het recht om verdaging te verzoeken als er kans was dat iemand – wiens identiteit niet bekend hoefde te zijn – in verband met een sterfgeval in staat van beschuldiging zou worden gesteld. Als zij het verzoek afwees, kon de politie de hoofdofficier van justitie verzoeken in te grijpen door er zelf om te vragen. Ook dan hoefde ze er geen gehoor aan te geven, maar dan riskeerde ze wel een geruchtmakend incident. Zoiets was niet bepaald raadzaam voor iemand die zojuist aan haar tweede ambtsweek was begonnen.

De voorschriften en procedures dienden een rechtlijnig en eenvoudig doel: zorgen dat de politie misdaden onderzocht en dat rechters van instructie de omstandigheden rond iemands dood ophelderden. Indien het onderzoek van de rechter van instructie bewijzen van een misdaad aan het licht bracht, vereiste de geest der voorschriften – zo niet een letterlijke interpretatie ervan – dat de onderzoeksrechter pas op de plaats maakte om de politie haar werk te laten doen. Het werk van de rechter van instructie zou pas worden hervat als de politie concludeerde dat er geen misdrijf was gepleegd, als er niemand in staat van beschuldiging werd gesteld, óf indien een verdachte tengevolge van een strafrechtelijke procedure alsnog in staat van beschuldiging werd gesteld.

De moeilijkheid was echter wat er diende te gebeuren als de rechter van instructie geen vertrouwen meer kon stellen in de politie. Als de politie om enigerlei reden verzuimde haar werk naar behoren te doen, was er maar één persoon die dat kon corrigeren: de rechter van instructie. Niemand anders beschikte over de noodzakelijke bevoegdheden en middelen om antwoorden te eisen.

Er werd op de deur geklopt en Alison kwam binnen. 'Voelt u zich wel goed? U werd spierwit toen hij om verdaging vroeg.'

'Ik wist dat hij op iets broedde. Hij heeft al die jurisprudentie niet voor de show meegezeuld.'

'Maar hij heeft wel gelijk, is het niet? U kunt hier niet mee doorgaan als de politie het onderzoek voortzet.'

'Dat zou wel kunnen, maar daarmee zou ik me niet populair maken bij het ministerie van Justitie.' Zuchtend vroeg ze: 'Wat zou er gaande zijn, denk je?'

'U hebt hen aan de kaak gesteld, mrs. Cooper. Niemand vindt dat leuk.'

'Maar jouw theorie dan, dat hoofdinspecteur Swainton onder druk was gezet?'

'Ik weet het niet... vermoedelijk liet ik me te veel meeslepen. Ik ken veel mensen bij de recherche. Ik kan me niet voorstellen dat iemand van hen in een zaak als deze bewust nalatig is, en al helemaal niet na een tweede sectie. Wat u moet weten, is wat Katy heeft uitgevoerd gedurende de laatste paar dagen vóór haar dood. Ik denk dat ze dat willen gaan uitzoeken.'

'Jij gelooft oprecht dat we hen kunnen vertrouwen, zelfs na wat Harry Marshall overkomen is?'

Alison keek even achterom naar de deur, om te zien of hij goed dicht was. 'Voor zover ik het kan overzien kunt u het verzoek weigeren, maar behalve de bevindingen van professor Lloyd hebt u niets om op af te gaan. Goed, de jury kan tot de conclusie komen dat er sprake is van moord, maar wat schiet u daarmee op? Ook dan zal de politie de dader nog moeten vind...'

'Wat stel jij voor?'

'Stem toe in verdaging en gebruik de tijd om zelf wat nader onderzoek te doen en nog een paar andere getuigen te vinden – dat kunnen ze u niet beletten.'

'En ze ondertussen de kans geven de waarheid nog dieper te begraven?'

'Er werken wat ouwe vrienden van Harry bij de recherche. Ik kan daar mijn licht eens opsteken – misschien hebben zij er iets over gehoord.'

Jenny overwoog de alternatieven. Als ze niet schorste, liep ze niet alleen het risico haar carrière te verpesten, maar ook dat ze geen snelle vorderingen zou maken. Zij was uit op de naakte waarheid en Alison had gelijk, de kans was klein dat zij die in de loop van de volgende paar dagen in de rechtszaal op het spoor zou komen. Als de politie daadwerkelijk betrokken was bij een doofpotactie, was er feitelijk geen schijn van kans dat zij in haar eentje de feiten boven tafel zou krijgen.

Jenny ging terug naar haar provisorische rechterstoel in de dorpszaal. Giles Hartley keek verwachtingsvol haar kant uit, een complete batterij juridische autoriteiten onder de vingertoppen, voor het geval haar besluit anders mocht uitvallen.

'Ik heb zojuist uw verzoek namens de hoofdcommissaris in overweging genomen, meneer Hartley, en ik ben bereid deze zitting veertien dagen te verdagen.'

Met een zelfvoldaan lachje kwam Hartley overeind. 'Dank u, mevrouw.'

'Voor ik daartoe overga, zou ik echter dr. Peterson nog wat vragen willen stellen. Wees zo vriendelijk naar voren te komen, dokter.' Ze gaf Hartley niet de kans om bezwaar te maken. Hij wisselde een blik met Mallinson, die zijn schouders ophaalde, alsof hij wilde zeggen dat ze niets te vrezen hadden.

Dr. Petersons advocate boog zich naar hem toe en gaf hem fluisterend een paar instructies. Hij stond op, liep naar voren en nam opnieuw plaats in de getuigenbank, vanwaar hij Jenny recht in de ogen keek.

'Dr. Peterson, u hebt kennisgenomen van de bevindingen van professor Lloyd. Kunt u ons verklaren hoe het mogelijk is dat u de drie factoren die hem ertoe brachten te concluderen dat Katy Taylor een gewelddadige dood is gestorven over het hoofd hebt gezien?'

Bedaard en met vaste stem antwoordde hij: 'Professor Lloyd sloeg de spijker op de kop toen hij zei dat ik overladen was met werk, zoals nog steeds het geval is.' Hij liet verontschuldiging in zijn stem doorklinken, en niet toevallig. 'Daardoor worden er weleens dingen over het hoofd gezien, hoewel dat niet zou mogen gebeuren. De politie had mij verteld dat Katy Taylor vermoedelijk aan een overdosis drugs was gestorven en mijn bevindingen bevestigden dat. Er was niets wat suggereerde dat zij een gewelddadige dood was gestorven, zodat ik niet dat zeer gedetailleerde onderzoek heb gedaan dat professor Lloyd nu op uw verzoek heeft verricht. Het is bijvoorbeeld niet gebruikelijk bij sectie een schoudergewricht te openen.' Hij keek even opzij naar professor Lloyd, die op de voorste rij van de voor het publiek bestemde stoelen zat. 'Ik ben mijn collega heel dankbaar dat hij zijn bevindingen heeft willen delen, en ook u, mevrouw, dat u om een tweede sectie heeft verzocht. Terwille van de heer en mevrouw Taylor en haar familie hoop ik oprecht dat het politieonderzoek succes zal opleveren. Ik wil hun zeggen dat ik met hen meevoel.'

In het kantoortje pakte Jenny met een gevoel van anticlimax haar boeken en mappen weer in haar aktetas. Na alle angsten en verwachtingen had ze de hoorzitting al na anderhalve dag moeten verdagen. Ze had met Claire en Andy Taylor te doen. Eerst de schok van de opgraving, daarna aanhoren dat hun dochter vermoedelijk een gewelddadige dood was gestorven, en nu ook nog uitstel vanwege een verdaging van de hoorzitting. Hun verdriet moest overstelpend zijn.

Nu haar woede over wat zo-even in haar ogen een cynische hinderlaag van Hartley had geleken begon weg te ebben, kwam ze tot de conclusie dat ze waarschijnlijk de juiste keuze had gemaakt. Ze had nu een adempauze waarin ze in haar eigen tempo getuigen kon horen en tevens een nieuwe poging kon doen om te begrijpen waarom Marshall al in eerste instantie had afgezien van een hoorzitting – als hij daar al een reden voor had gehad. Misschien had ze wat té overijld aan een samenzwering gedacht en zich te gemakkelijk laten meeslepen door de emotie die de schokkende dood van een tienermeisje in haar innerlijk had losgemaakt. Terwijl ze haar aktetas dichtklikte, besloot ze de rest van haar onderzoek zo afstandelijk en professioneel mogelijk af te handelen. Zij was tenslotte de onderzoeksrechter, een helder denkende en onpartijdige, vastbesloten speurder naar de waarheid.

Terwijl ze haar regenmantel aantrok die, te oordelen naar de regenvlagen tegen het raam, maar al te goed van pas kwam, hoorde ze achter zich op de deur kloppen. 'Kom binnen, Alison.' Ze keek naar buiten, geboeid door een bliksemflits in de verte. 'Alles geregeld?'

Een stem achter haar zei: 'Ik ben het: Tara Collins.'

Met een ruk draaide Jenny zich om. Tegenover haar stond een opvallend kleine vrouw van achter in de dertig, met kort zwart haar, en een vastberaden blik in haar ogen. Ze droeg een elegant – maar niet duur – broekpak. Jenny herinnerde zich dat ze haar vanmorgen in de zaal had zien zitten, waarbij ze aangenomen had dat ze een soort juriste zou zijn – de andere mensen van de pers hadden zich allemaal verraden door hun slonzige uiterlijk en verveelde gegeeuw.

'Hebt u even?'

'Ik kan deze zaak niet bespreken...'

'Het gaat niet over deze zaak, althans, niet rechtstreeks. Ik heb met uw medewerkster gesproken en ze zei dat het goed was.'

Tara stapte naar binnen en sloot de deur achter zich. 'Ik zat thuis een artikel te schrijven over Katy's opgraving en deze hoorzitting, toen ik u zaterdagmorgen belde. Tien minuten nadat we waren uitgepraat, kwam de politie aan de deur om mij te arresteren, zogenaamd wegens fraude met een creditcard. De grootste kolder. Ze hebben het in elkaar gezet. Ze hebben me pas vanmorgen om zes uur laten gaan. Morgenochtend moet ik voorkomen – ik zou de Western Union Bank voor vijfentwintig duizend dollar hebben getild.'

'Hebben ze bewijzen?'

'Het schijnt dat mijn laptop is gebruikt om al dat geld over te maken naar iemand in New York van wie ik nog nooit heb gehoord. Het geld zou daar zijn opgehaald met behulp van gestolen gegevens van mijn creditcard die ik zelf zou hebben ingetoetst op de website van Western Union. Het ergste is echter dat de Amerikaanse justitie om mijn uitlevering kan vragen. Degene die dit in elkaar heeft gezet, heeft er de nodige moeite voor gedaan.'

'Wie was de aangever?'

'Een tip, meer wilden ze niet kwijt. En ze hebben mijn laptop in beslag genomen. Al mijn werk staat erop – de notities van mijn navorsingen, de transcripties van mijn interviews – alles.'

Jenny voelde hoe een gewaarwording van gevoelloosheid zich vanuit haar vingertoppen begon uit te breiden. 'Hebt u bepaalde redenen te vermoeden dat dit verband houdt met de zaak-Katy Taylor?'

'Ik heb wat telefoontjes gepleegd, om te proberen een verband te ontdekken tussen Katy en Danny. Zo kwam ik erachter dat zij in december dezelfde verplichte voorlichtingsbijeenkomsten voor drugsgebruikers hebben bezocht.'

'Hoe bent u daarachter gekomen?'

'Via een meisje dat Hayley Johnson heet. Ze was bevriend met Katy. Dezelfde manier van leven, alleen iets ouder – ze is zestien.'

'Klinkt interessant.'

'Ik zal proberen of ik haar kan traceren – ze is nogal moeilijk te achterhalen vanwege haar omzwervingen.' Tara haalde een hand door haar dichte haar en zuchtte van frustratie. 'Luister, ik wil u duidelijk maken dat ik niet bepaald geneigd ben tot paranoia. Als u denkt dat ik gek ben, heb ik liever dat u me dat in m'n gezicht zegt, dan kan ik u nog wat bijzonderheden noemen.'

Jenny schudde het hoofd. 'Ik geloof u. Hebt u wel goeie advocaten? Die zouden in staat moeten zijn het verloop van die transacties te achterhalen.'

'Daar wordt aan gewerkt, maak u geen zorgen.'

'En wat kan ik nu voor u doen, miss Collins?'

Tara zei: 'Deze zaak niet loslaten voordat u een antwoord hebt.'

12

Er waren twee tieners dood, er bestond een verband tussen die twee, en een vastbesloten iemand die over goeie connecties moest beschikken, probeerde een onderzoek te verhinderen. Dit waren de stoutmoedige beweringen van Tara Collins, en Jenny deed haar best de logica ervan in te zien. Juist nu ze een beetje greep had op haar eigen irrationele angsten, was ze weer door de journaliste van haar stuk gebracht. Ze zei Alison niets over wat Tara had gezegd en stuurde haar eropuit om nieuw kantoormeubilair te gaan kopen. Ze wilde een poosje alleen zijn om na te denken.

Zodra ze terug was in Jamaica Street, draaide ze de deur tussen de receptie en de gang op slot en sloot de jaloezieën van haar kantoorraam. Ze knipte het licht aan en nam een notitieblok en een pen voor zich. De dagelijkse oogst aan overlijdensmeldingen lag al klaar, maar dat zou moeten wachten. Als ze geen plan de campagne maakte, zou haar onrust blijven toenemen tot ze niet meer kon functioneren. Ze begon haar gedachten op te schrijven.

Het sectierapport van professor Lloyd had haar ervan overtuigd dat Katy met geweld in bedwang was gehouden, een keiharde slag in het gezicht had gekregen en tegen haar wil was ingespoten met een dodelijke dosis heroïne. Dit kon wel of niet zijn gebeurd op de plaats waar het lichaam was gevonden, maar het leek haar waarschijnlijker dat het elders was gebeurd en dat het lijk daarna was gedumpt of, juister gezegd, met zorg tussen de dichte struiken was gelegd. Dit betekende dat haar belager of belagers de omgeving daar goed kenden – de vindplaats liep niet in het oog. Dat leverde steun aan de theorie dat het meisje was vermoord door een man die gebruikmaakte van hoeren. Alleen, waarom had hij geweld gebruikt als ze had toegestemd in seks? Hoe het ook zij, Katy was waarschijnlijk op dinsdag 24 april gestorven en had vijf dagen nadat ze van Portshead Farm was gekomen het ouderlijk huis verlaten. De politie zou haar inspanningen nu concentreren op pogingen Katy's gangen gedurende die dagen na te gaan en te ontdekken met wie ze in die tijd contact had gehad. Met een beetje geluk zou Alison wat inside-information van haar voormalige collega's loskrijgen, zodat ze op de hoogte kon blijven van de ontwikkelingen. Als mocht blijken dat de politie bewust bewijzen verdonkeremaande of veronachtzaamde, zou Jenny de zaak persoonlijk onderzoeken.

Zonder veel aandacht op zichzelf te vestigen zou ze intussen in stilte zelf hier en daar wat rondneuzen. Ze wilde met het echtpaar Taylor gaan praten, in de hoop dat die haar iets konden vertellen over waar Katy die twee dagen dat ze vermist was geweest kon hebben rondgehangen. Misschien wisten die twee meer dan ze wilden toegeven en hadden ze er zo hun redenen voor gehad om erover te zwijgen? Nu ze echter wisten hoe hun dochter aan haar eind was gekomen, zouden ze ongetwijfeld bereid zijn haar alles te vertellen wat ze zelf wisten. Bovendien wilde ze nog eens praten met Justin Bennett, de hoofdverpleegkundige van Portshead Farm én met Hayley Johnson, de ongrijpbare vriendin van Katy die volgens Tara voortdurend onderweg was om aan drugs te komen en haar lichaam te verkopen om het benodigde geld bij elkaar te krijgen.

Tot zover was alles duidelijk. Ze had getuigen op het oog die ze kon verhoren om bewijzen te vergaren. Degelijke, concrete taken die je van een competente rechter van instructie mocht verwachten.

Ze nam een maagdelijke bladzij van haar notitieblok voor zich en schreef de drie namen op die alles wat verontrustend en ongrijpbaar was aan de zaak belichaamden: Danny Wills, dr. Peterson en Harry Marshall.

De connectie tussen Katy en Danny was een verband dat ze op grond van haar bevoegdheden kon onderzoeken. Omdat die twee elkaar eerder hadden gekend en aangezien uit de bewijzen bleek dat Katy ook tijdens haar verblijf in Portshead Farm geregeld drugs was blijven gebruiken, was het een logische veronderstelling dat hun onderlinge relatie misschien verband zou houden met drugs. Misschien hadden ze allebei bij dezelfde dealer in het krijt gestaan? Geld verdienen met gewelddadige middelen of zelfs moord kwam steeds vaker voor in de stad. Hayley Johnson zou haar misschien wat inzicht kunnen verschaffen in de onderwereld van de tieners. Jenny wist dat dát wereldje een ondoordringbaar doolhof kon zijn waarvan de dynamiek – zoals loyaliteiten, angsten en vijandschappen – uitsluitend kon worden begrepen aan de hand van informatie van een ingewijde.

Het sectierapport van dr. Peterson was en bleef een raadsel. Zelfs als ze haar ogen sloot voor het feit dat hij pas bereid was geweest schriftelijk rapport uit te brengen toen zij hem daartoe had gedwongen, was zijn rapport bedenkelijk kort. Hij was er handig in geslaagd professor Lloyd tijdens de zitting lof toe te zwaaien – hij had zelfs haar er bijna van weten te overtuigen dat hij een onschuldig verzuim had begaan –

maar ze had in geen geval de indruk dat de man een sloddervos was. Ze had in haar praktijk genoeg luie beroepsbeoefenaren ontmoet, lieden die probeerden om met zo weinig mogelijk moeite hun pensioen te halen, maar niet één ervan was een atletisch gebouwde man van boven de vijfenveertig geweest. Best mogelijk dat Nick Peterson zich ergerde aan, of zelfs berustte in de gebreken van de National Health Service, maar hij had desondanks de intelligente ogen van een man die bereid was nieuwe taken ter hand te nemen. Het kon onmogelijk zo zijn dat de zaak-Katy Taylor níét zijn belangstelling had gewekt. In dat geval moest hij, als hij zelf ook sporen van geweld had opgemerkt, overtuigende redenen hebben gehad om erover te zwijgen. Jenny zette daarom een groot vraagteken achter zijn naam.

Harry Marshall vertegenwoordigde hetzelfde probleem: een man die zich over het algemeen liet meedrijven op de stroom, maar die – slechts enkele weken voordat hij, geheel in strijd met de voorschriften, Katy Taylors overlijdensverklaring had getekend – een bedreiging was geworden voor de grondvesten van het systeem voor jeugdgevangenissen. Ze zette een verbindingsstreepje tussen zijn naam en die van dr. Peterson. Die twee waren zeer goeie collega's geweest, die jarenlang op vertrouwensbasis met elkaar hadden samengewerkt. Harry had Peterson op zijn woord geloofd en hun ouwe-jongensnetwerk had jarenlang goed gefunctioneerd. Het leek waarschijnlijk dat Peterson op deze of gene manier betrokken was geweest bij wat er was voorgevallen of daar op zijn minst een vermoeden van had, maar de kans was klein dat hij zijn mond zou opendoen. Hij was pas halverwege zijn loopbaan en had ongetwijfeld een vrouw en kinderen voor wie hij de kost moest verdienen en die hij in bescherming zou willen nemen, zodat hij alles zou doen wat in zijn vermogen lag om zijn positie veilig te stellen.

Ook Harry had een gezin gehad – en alle reden om in leven te blijven. Er was geen aanleiding te denken dat zijn dood iets anders was dan alleen maar tragisch en veel te vroeg, maar toch bleef ze het gevoel houden dat zijn dood méér was dan alleen een ongelukkige samenloop van omstandigheden. Zelfs een hartaandoening was zelden een lukraak verschijnsel. Als je diep genoeg doorgroef, vond je altijd wel iets wat bij de overledene een depressie of gevoel van hopeloosheid had opgeroepen; hoe vaak gebeurde het niet dat een man kort na zijn pensionering overleed? Jenny nam even rust. Ze legde haar pen neer en nam een slokje van haar inmiddels koud geworden kop thee, die onaangeroerd op haar bureau had gestaan terwijl ze zat te schrijven. Harry's gedesorganiseerde dossiermappen en paperassen lagen nog aan weerskanten van haar stoel op de grond – misschien was daar een kleine aanwijzing in te vinden.

Ze schoof haar notitieblok opzij en tilde de stapels op haar bureau. De map met de 'boekhouding' die nog op aandacht wachtte was té saai om hem zelfs maar even te openen. Ze liet hem weer op de grond vallen en wijdde zich aan Harry's verzameling krantenknipsels, op zoek naar iets wat ze met elkaar gemeen hadden. Ze begon ze door te bladeren. Hier en daar werd zijn naam genoemd of werd hij geciteerd: het ging om bedrijfsongevallen, verkeersdoden, tragisch fout gelopen operaties in een ziekenhuis, diverse sterfgevallen van gevangenen in hun cel, de dood van een zwarte jongeman die met bruut geweld door politieagenten in elkaar was geslagen, en tal van spectaculaire zelfmoorden. De recentste knipsels hadden betrekking op de dood van Danny Wills. In al die artikelen werd Danny afgeschilderd als een gevaarlijke jeugdige delinquent wiens einde alleen maar te verwachten was geweest of zelfs werd toegejuicht. In een van de artikelen, geschreven door een journalist die eropuit scheen te zijn geweest Simone Wills zwart te maken, werd erop gewezen dat zij zelfs had verzuimd de namen van de vaders van haar drie kinderen te laten registreren, conform de bewering van een kennis die had laten doorschemeren dat hun vaders naar alle waarschijnlijkheid Simone's drugsdealers waren geweest.

Het feit dat Harry de moeite had genomen deze artikelen te lezen en uit te knippen, leek al veelzeggend, maar Jenny kon niet bepalen wát. Misschien had hij het alleen maar gedaan omdat hij niet helemaal vrij was geweest van ijdelheid – de Mick Jagger-pose op zijn schoolfoto leek dat te suggereren – en de knipsels zijn ego hadden gestreeld. Ze vond echter geen knipsels over de dood van Katy Taylor. Hoewel er veel over de ontdekking van haar lichaam was geschreven, had hij niet één krantenknipsel erover bewaard. Zou het feit dat hij er niet in geslaagd was om tijdens de hoorzitting over de zaak-Danny Wills de gevestigde orde op haar grondvesten te laten schudden tijdelijk zijn ego hebben geschokt? Of was hij in beslag genomen geweest door andere zaken?

Alison kwam terug van haar rondje winkelen en stuiterde naar binnen met het nieuws dat ze Jenny's opdracht letterlijk had genomen en twee nieuwe bureaus en directiestoelen had besteld die zo chic waren dat de rest van het kantoor er schamel bij zou afsteken. Ze had ook wat telefoontjes gepleegd en afspraken gemaakt met een schilder en een behanger die een kijkje zouden komen nemen om een offerte te kunnen maken – mensen die ook háár interieur hadden opgeknapt en er niet te veel voor hadden gevraagd.

Jenny liet de stroom van onbeduidende nieuwtjes over zich heen komen. Toen Alison was uitgesproken, zei ze: 'Ik zou de documenten over Harry Marshalls ziektegeschiedenis willen hebben. Wil je daarvoor zorgen?'

Alison leek geschokt door dat verzoek. 'Waarvoor?'

'Weet ik nog niet.'

'U bent daar toch niet toe bevoegd? U stelt geen onderzoek in naar zíjn dood.'

'Dat niet, maar wel naar die van Katy. Daarom moet ik weten wat voor motief hij heeft gehad om haar overlijdensverklaring zomaar, zonder meer te ondertekenen.'

'Harry zou nooit opzettelijk iets verkeerd hebben gedaan, mrs. Cooper. Hij was een fatsoenlijk mens.'

Vriendelijk zei Jenny: 'Ik begrijp best dat je zo over hem denkt en ik beloof je dat ik dit vertrouwelijk zal houden. Best kans dat ik niets uit die gegevens kan opmaken.'

'Wat moet ik tegen zijn huisarts zeggen?'

'Ik zal je een brief meegeven waarin hij opdracht krijgt de gegevens over mr. Marshall mee te geven. Hij is daar wettelijk toe verplicht. Als hij moeilijk doet, bel je mij maar even – dan zal ik zelf met hem praten.'

Alison kon niet meer tegensputteren. Ze zei alleen: 'Wat doen we met de behanger en de schilder? Die komen vandaag.'

'Die kunnen wachten tot een andere dag.'

Gesterkt door haar derde pil in tien uur tijd kroop Jenny met de trage, claustrofobie opwekkende verkeersstroom mee naar het huis van de Taylors. Ze had al drie keer gebeld en stond op het punt het op te geven toen Claire open kwam doen. Haar haar zat in de war, alsof ze had gelegen. Ze droeg haar gebruikelijke gebreide vest en leek licht te huiveren. Haar gezicht was nog magerder nu, alsof ze niet meer wilde eten.

'Het spijt me dat ik u moet storen, mrs. Taylor. Het leek me raadzaam u de situatie uit te komen leggen. Is uw man thuis?'

Ze schudde het hoofd en begroef haar handen in de zijzakken van haar vest, de armen tegen haar zijden gedrukt.

'Ik kan natuurlijk terugkomen als hij er is.'

Claire dacht er even over na, maar deed toen een stap terug, waarmee ze Jenny uitnodigde verder te komen.

Ze volgde haar door de korte gang naar de keuken. De gootsteen stond vol met delen van een onafgewassen ontbijtservies. De lucht binnen was benauwd en zuurstofarm; alle ramen zaten potdicht. Claire gebaarde naar een stoel aan de kleine eettafel. Jenny bedankte haar en ging zitten; Claire bleef in de hoek bij het fornuis staan, alsof ze zo veel mogelijk afstand wilde bewaren.

'U hebt begrepen dat ik de hoorzitting heb geschorst om de politie de tijd te geven het onderzoek te heropenen.'

Ze knikte.

'Ik ben bang dat Katy's lichaam zolang in het mortuarium zal moeten blijven, voor het geval de pathologen nog meer tests moeten doen.'

Weer een knikje. Iedere seconde van Jenny's aanwezigheid moest pijnlijk voor haar zijn.

'Ik doe zelf ook het nodige speurwerk. Ik wil vooral te weten komen met wie Katy op de zondag en maandag vóór haar dood samen is geweest – dus gedurende de twee dagen dat ze vermist was.'

Claire haalde haar schouders op, een welhaast onverschillig gebaar. 'Ze heeft ons nóóit gezegd waar ze had uitgehangen. Ze kan overal zijn geweest.'

'Zegt de naam Hayley Johnson u iets?'

Jenny zag dat ze de naam kende en dat de associaties die ze ermee had niet gunstig waren. Claire zei: 'Ik geloof dat ik Katy weleens met haar heb horen telefoneren. Een van die verslaafde vriendinnen van haar, neem ik aan.'

'U hebt geen idee waar ik haar zou kunnen vinden?'

'Andy heeft u al gezegd waar die kinderen altijd rondhangen, daarginds in het recreatiepark.'

'Daar ging Katy ook altijd heen?'

'Soms... Ik geloof dat er ook oudere kinderen bij waren. Meiden met een eigen flatje en zo. Katy snakte ernaar ook op zichzelf te gaan wonen.'

Jenny knikte glimlachend, opgelucht dat de moeder eindelijk een beetje los begon te komen.

'Had Katy een mobieltje?'

'Andy wilde het niet. Ze heeft er eens een gehad, maar we kregen prompt een rekening van drichonderd pond. Dus zette hij er een punt achter. Of ze er een van haar eigen geld heeft gekocht, kan ik niet zeggen. Volgens mij ging alles op aan drugs.'

'Kunt u zich herinneren wat er die zondag is voorgevallen, mrs. Taylor – ik zou graag wat meer willen weten over de laatste keer dat u Katy hebt gezien.'

Claire staarde naar buiten en uit haar lichaamstaal bleek dat ze weer in het defensief ging. Jenny wachtte. Het duurde even voordat Claire antwoordde.

'Ze kwam die zaterdagavond in opstand tegen dat uitgaansverbod, maar we hebben kans gezien haar binnen te houden. Andy en ik zijn om een uur of elf naar bed gegaan. Zij was toen al beneden. Toen ik de volgende ochtend om halfzes opstond, was ze verdwenen. Dat was het laatste wat we van haar hebben gezien.'

'Die ruzie, zaterdagavond, liep die hoog op?'

'Niet hoger dan anders.'

'Heeft Katy iets meegenomen? Een tas? Kleren?'

Claire schudde het hoofd. 'Dat is mij niet opgevallen. Alleen de kleding waarin ze haar hebben gevonden. Misschien heeft ze ook een jas aangehad.'

'Hoe gedroeg Katy zich als ze een tijdje geen drugs had gehad?'

'Dan werd ze onhandelbaar en opstandig. Dan sloeg ze en krabde ze, ze vloekte het hele huis...'

'Zo ging het ook op zaterdag?'

'Het bleef bij geschreeuw, tamelijk ingehouden, eigenlijk. Toen ze inderdaad thuisbleef, dachten wij dat het uitgaansverbod werkte – dat ze zich eraan wilde houden.'

'Hebt u, toen ze terugkwam uit Portshead, gezien of er iets aan haar was veranderd?'

'Ja... Ze was stiller. Onmiskenbaar stiller. Daardoor dachten we...' haar stem stokte en ze wreef haar ogen uit met haar mouw '... we dachten werkelijk dat het de goeie kant opging.'

'Nogmaals, excuus dat ik u hiermee lastig moet vallen, maar het is voor mij buitengewoon nuttig...'

Claire knikte en stak haar hand uit naar een rol keukenpapier.

'Bent u haar die zondag gaan zoeken?'

'We hebben door het recreatiepark gelopen, toen hielden we ermee op... De kwestie is dat we toch niets konden uitrichten. We hebben er de laatste paar jaar steeds weer met die maatschappelijk werkers over gesproken: je kunt geen fysiek geweld gebruiken tegen je eigen kind. Als Andy zoiets probeerde dreigde ze hem meteen met de kindertelefoon of de politie. En bellen dééd ze, zonder er ook maar even over na te denken. Dan kregen we hier de politie over de vloer, of maatschappelijk werk... en ze behandelden ons allemaal alsof wíj de boosdoeners waren. Natuurlijk, het liefst had ik haar in de auto geduwd om met haar naar de Highlands te rijden, of ergens anders waar we haar konden helpen afkicken, maar zoiets waag je niet eens. Je bent bang van je eigen kind...'

Jenny vroeg: 'Vindt u het goed als ik even rondneus in Katy's kamer?'

Schouderophalend zei Claire: 'Boven aan de trap, recht voor u.'

Jenny liet haar achter in de keuken en beklom de smalle trap naar de kleine overloop. Ze zag vier deuren, waarvan er een op een kier stond – de slaapkamer van het echtpaar. De gordijnen waren dicht en het bed was niet opgemaakt. Ze opende de deur recht vóór haar en stapte een kleinere, keurige kamer in, met een eenpersoonsbed. Haar eerste reactie was verbazing. Aan de muren hing de gebruikelijke schoolmeisjesverzameling posters. Op de kaptafel – die tevens dienstdeed als bureautje – lag een haardroger. Ze zag een klein televisietoestel, een stereo-installatie en wat boeken. Het had de kamer kunnen zijn van een meisje dat de beste van de klas was. Niets in de kamer wees op een kind dat uit de band was gesprongen. Geen geur van sigarettenrook, geen kapot gescheurd behang. Het stapeltje tijdschriften op de plank was betrekkelijk onschuldig. De kleren in de kast waren keurig opgehangen of netjes opgevouwen. Jenny trok laden open en liet zich op haar knieën zakken om onder het bed te kijken. Overal hetzelfde beeld: het leek allemaal griezelig weinig op de slaapkamer van een jeugdige delinquente.

Ze hoorde Claire de trap opkomen, maar ze bleef op de overloop staan. 'Bezwaar als ik even binnenkom?'

'Nee.' Jenny keek een laatste keer om zich heen en liep de kamer uit, naar haar toe. 'Haar kamer is bijzonder netjes, mrs. Taylor.'

'Zo was ze – meestal. Een deel van haar was nog onze kleine, lieve meid. Ik geloof niet dat ze besefte wat ze was. Die drugs, het idee dat ze indruk moest maken op haar vrienden – ik weet werkelijk niet wat haar bezielde.'

'U hebt hier sindsdien niets veranderd?'

'Nee. Zo heeft ze het achtergelaten.'

'Was dat altijd zo?'

'Ze heeft haar kamer heel netjes gehouden sinds ze die woensdag thuis was gekomen. Het leek alsof ze haar best wilde doen.'

'Heeft ze in die periode drugs gebruikt?'

'Niet dat ik weet. Meestal kon ik het wel aan haar zien, maar ze leek me nuchter. Alleen die zaterdagavond – toen had ik echt het idee dat ze ernaar snakte... Meer kan ik er niet van maken.'

Het klonk logisch. Ondanks haar rebellie was Katy afkomstig uit een hecht gezin. Ze had geweten wat geborgenheid was en hoe normale mensen leefden. Zelfs voor een meisje dat ertoe was gekomen zichzelf te verkopen om aan geld voor drugs te komen, moest dat verblijf van zes weken in Portshead Farm een schokkende ervaring zijn geweest. Ja, het klonk logisch dat ze daarna een poging had gedaan zich beter te gaan gedragen. Maar voor iemand die dagelijks drugs gebruikt, wordt de behoefte eraan acuut na vier dagen zonder drugs. Ze kon zich voorstellen hoe ze 's avonds in haar kamer had lopen ijsberen of bezig was geweest haar kamer netjes te houden omdat ze graag weer een normaal leven wilde leiden. Ze moest het wanhopig graag goed hebben willen maken met haar vader en moeder, maar al die tijd had ze geworsteld met de onweerstaanbare drang om high te worden.

Jenny vroeg: 'Heeft Katy het ooit gehad over een jongen die Danny

Wills heette, ongeveer een jaar jonger dan zijzelf.'

'De Danny Wills die zich in Portshead heeft opgehangen?'

'Ja.'

'Die kende ze. Ze zaten vroeger samen op de lagere school, Oakdene in Broadlands. Hij was toen al een lastpak.'

'Had ze hem de laatste tijd nog gezien?'

'Niet voordat ze naar Portshead ging, voor zover ik weet. Toen ze daarna thuiskwam, zei ze dat ze hem in de eetzaal daar had gezien, kort voor zijn dood. Volgens haar zag hij er beroerd uit – alsof hij had gevochten. Er werd daar vaak gevochten, zei ze.'

'Heeft ze er nog meer over gezegd?'

'Nee... hoezo?'

'Zijn geval is door mijn bureau behandeld.'

Claire keek haar wantrouwig aan. 'Katy mag dan opstandig zijn geweest, maar ze was niet met hem te vergelijken. Dat joch was al totaal ongezeglijk toen hij acht was. Katy had tenminste nog een ouderlijk huis en ouders die van haar hielden.'

Jenny had een zenuw geraakt. 'Daar ben ik van overtuigd – ik kan merken dat u veel van haar hebt gehouden. Ik wil erachter komen wat er met haar is gebeurd, mrs. Taylor. Dat verzeker ik u.'

De seizoenvreemde regen was terug en het recreatiepark – een weidse titel voor een klein en slecht onderhouden stadspark – lag er goeddeels verlaten bij. Jenny zette de kraag van haar regenmantel op en ging op zoek naar rondhangende tieners. Ze waren nergens te bekennen. Wel vond ze hun sigarettenpeuken en lege bier- en breezerblikken. Bij de banken in de hoek, het verst verwijderd van de ingang, ontdekte ze verscheidene gebruikte condooms in de verwaarloosde bloemperken. Het was deprimerend, maar niet shockerend – hooguit een paar graadjes erger dan in haar tijd. Ze had zelf ook vaak drank gebruikt en joints gerookt als ze haar werden aangeboden. En waarschijnlijk zou ze ook met cocaïne hebben geëxperimenteerd, als de juiste jongen het haar onder de neus had gehouden. Ook aan seks had het niet ontbroken, maar onder aangenamere omstandigheden en voornamelijk in het geloof dat het de weg was naar eeuwige liefde.

Toen ze over het natte gras terug wandelde naar de uitgang, zag ze twee meisjes van een jaar of veertien, vijftien het park in lopen. Ze staken onhandig een sigaret op en slenterden haar richting uit, op weg naar de houten banken. Ze droegen allebei iets wat vaag aan een schooluniform deed denken en een van de twee drukte een mobieltje tegen haar oor.

Jenny richtte zich op de langste van het tweetal, degene zonder mobieltje – een zwartharig meisje van gemengd ras, met een aantrekkelijk gezicht. 'Neem me niet kwalijk. Hebben jullie Katy Taylor gekend?'

'Wát zei u?'

'Ze was het meisje dat ongeveer een maand geleden is gestorven. Ze kwam hier vaak.'

Het meisje nam een agressieve houding aan, een heup uitdagend naar voren. 'Ik heb geen verdomd idee waarover je het hebt.'

'Hayley Johnson?'

Het andere meisje liet het mobieltje zakken en zei tegen haar vriendin: 'Wat moet ze?'

Jenny zei: 'Ik probeer mensen te vinden die Katy Taylor hebben gekend. Ik ben rechter van instructie en onderzoek haar dood.'

Het meisje met de telefoon zei: 'Wij weten geen moer,' en liep verder. Haar vriendin volgde haar en liep zo rakelings langs Jenny dat ze haar schouder raakte – hard.

Jenny stak haar hand in haar zak, nam er een visitekaartje uit en haastte zich het tweetal achterna. 'Luister, er is geld mee te verdienen. Honderd pond voor iedereen die mij kan zeggen waar Katy op zondag de tweeëntwintigste of maandag de drieëntwintigste april is geweest. Bovendien wil ik graag met Hayley Johnson praten. Geef haar dit nummer, als je haar ziet.'

Ze reikte het langste meisje haar visitekaartje aan. 'Het ziet ernaar uit dat ze is vermoord. Jullie zouden me geweldig kunnen helpen.'

De twee meisjes keken elkaar even aan. Hun bravoure was al wat minder geworden.

'Neem dit kaartje maar. Denk erover na.'

Het meisje met de telefoon griste haar het kaartje uit handen en smeet het op de grond.

Het was al bijna acht uur 's avonds en ze zat nog steeds achter haar bureau. Ze had de overlijdensmeldingen van de afgelopen dag doorgenomen – nu al wat ongevoeliger voor de gruwelijke details – en overwoog of ze de map met de boekhouding zou openen, alleen om te zien hoe groot en vermoeiend de taak was die haar wachtte. Ze had net kans gezien de map voor zich te nemen en hem te openen toen ze de buitendeur open hoorde gaan en Alison hoorde roepen: 'Hallo? Mrs. Cooper?'

'Ik ben hier.'

Alison verscheen in de deuropening, een grote bruine envelop in haar hand. 'In het ziekenhuis hadden ze de status al opgeborgen in het archief. We mogen van geluk spreken dat we hem hebben – dat meisje heeft er uren naar gezocht. Hij lag al klaar voor de papiervernietiger.' Ze reikte haar de envelop over het bureau heen aan.

Jenny maakte hem open en trok er een gekreukte map van slap karton uit. In het schuinschrift dat al tientallen jaren niet meer in gebruik was waren Marshalls naam en geboortedatum op de voorkant geschreven. Een vaag stempel droeg de datum 15 oktober 1951.

'Deze status gaat terug tot toen hij zes maanden oud was,' zei Alison.

Jenny begon de broze bladzijden om te slaan, glimlachend bij het zien van de keurige, plichtmatige notities van Marshalls huisarts: *Matige hoest. Bezorgde moeder gerustgesteld: geen kinkhoest. Buikklachten – alleen op doordeweekse dagen!*

'De laatste notities gaan voornamelijk over zijn bloeddruk. Hij gebruikte statinepillen om zijn cholesterol te verlagen.'

Jenny legde een dikke stapel stoffige paperassen om en vond de recentere notities. Ze kon Alisons nervositeit voelen.

Harry had de afgelopen twee jaar zo ongeveer om de zes weken zijn arts bezocht om zijn cholesterolspiegel te laten meten – en de waarden waren gestaag gedaald. Het laatste meetresultaat, een maand voor zijn dood, was 4,5 – flink lager dan wat je bij een hartpatiënt mocht verwachten. De laatste aantekening dateerde van vrijdag 27 april, iets minder dan een week voor zijn dood en twee dagen voor de hoorzitting in de zaak-Danny Wills. Ze las: '*Depressiesymptomen, het gevoel overweldigd te zijn, slapeloosheid, CV, angst zijn werk niet goed genoeg te kunnen doen. Lange zomervakantie geadviseerd – toegezegd. Recept voor 4 x 50 mg. Amitriptyline voor een periode van twee weken, daarna herevaluatie.*'

Alison vroeg: 'Wat betekent CV?'

'Chronische vermoeidheid. Dit zijn de klassieke symptomen van een depressie. Hij heeft hem een sedatief antidepressivum voorgeschreven – in een tamelijk hoge dosis.'

'Dat dacht ik wel.'

'Heb je er met mrs. Marshall over gepraat?'

'Nee. Waarom zou ik?'

Jenny stopte de status terug in de envelop. 'Misschien is het raadzaam dat ik dat ga doen.'

'Waar is dat goed voor?'

'Om te beginnen zou het nuttig zijn te weten hoeveel pillen hij over had van dit recept.'

'Nee, dit kunt u niet doen.'

Jenny keek naar haar op, verbaasd over de onmiskenbare verontrusting in haar stem.

'Laat mij eerst eens met zijn huisarts praten,' stelde Alison voor. 'Nergens voor nodig mrs. Marshall en zijn dochters van streek te maken.'

'Alison, er is iets wat je zult moeten begrijpen. Ik moet aan de weet komen wat er met Harry Marshall is gebeurd en als dat relevante informatie oplevert, zal die openbaar worden. Ik ben niet aangesteld om iemands reputatie in bescherming te nemen als dat de rechtsgang zal belemmeren, en dat zal ook nooit gebeuren.'

Alison staarde haar beschuldigend aan. 'Er komt een dag dat u dankbaar zult zijn dat u nog vrienden hebt, mrs. Cooper. En echte vrienden zíjn er voor je, ook als je er niet meer bent.'

De telefoon ging tegen middernacht over. Jenny werd met een schok wakker uit haar eerste onrustige, lichte slaap van die nacht. Onverwachte telefoontjes riepen bij haar altijd de gedachte op dat er iets afschuwelijks met Ross moest zijn gebeurd. Ze belden elkaar twee keer per week en in het gesprek van vanavond had hij nauwelijks meer gedaan dan wat onverstaanbaars mompelen. Ze had er een leeg gevoel van afwijzing aan overgehouden. Ze omklemde de trapleuning toen ze zich naar beneden haastte, vechtend tegen de effecten van een halve fles rode wijn en een slaappil. Bijna struikelend liep ze haar werkkamer in, nauwelijks in staat zich te focussen toen ze de telefoon opnam. 'Hallo?'

'Met Alison, mrs. Cooper. Ik wist niet goed of ik u wel of niet moest storen, maar...'

'Wat is er?'

'Ik heb het grootste deel van de avond met mrs. Marshall zitten praten. Ze is nog behoorlijk van streek, uiteraard... Ik heb kans gezien over die pillen te beginnen, maar ze wist er niet eens van. Ik heb er wat informatie opgezocht – het zijn geen pillen die zich laten combineren met alcohol, maar Harry dronk 's avonds evengoed zijn gin-tonics. We hebben het idee dat hij het recept niet eens heeft afgehaald.'

'Ze heeft geen doosjes met pillen in zijn zak of ergens anders gevonden?'

'Nee, niets. Alleen zijn statinepillen – die bewaarde hij in een keukenla.'

'Heb je ook gepraat over dat telefoongesprek met jou, op de avond voor zijn dood?'

'Dat stuitte me tegen de borst.'

'Nog iets anders?'

'Niet echt. Ze had net als ik gemerkt dat hij niet helemaal zichzelf was, maar hij had niet de gewoonte met haar veel over zijn werk te praten. Het maakte haar neerslachtig, zei ze.'

Geen wonder dat Harry zo graag gin dronk. De hele dag alleen met de doden en niemand bij wie hij 's avonds zijn hart uit kon storten.

'Goed. Bedankt.'

'Wat vindt u ervan?' Zo te horen hoopte Alison vurig dat ze zou zeggen dat ze niet dieper zou graven – omdat Harry's dood weliswaar tragisch, maar wel natuurlijk was.

Jenny zei alleen: 'Ik zal erover nadenken. Welterusten, Alison.'

Ze zette de telefoon weer in de houder en liet zich op de rechte stoel achter haar bureau zakken. De kamer leek langzaam om haar heen te draaien. Door het waas heen probeerde ze zich een beeld te vormen van de betekenis van deze informatie. Er waren twee mogelijkheden: Harry had zoveel gin gecombineerd met zijn antidepressiva dat hij zichzelf een hartstilstand had bezorgd, óf hij had het hele recept doorgeslikt, de strippen door het toilet gespoeld en de telefoon gepakt om afscheid te nemen van Alison (of haar misschien zelfs zijn liefde te verklaren) voordat hem op het laatste moment de moed in de schoenen zonk. Terwijl de pillen door zijn bloed werden opgenomen, had hij zich de trap op gesleept, zijn pyjama aangetrokken en zijn vrouw welterusten gewenst; toen moest hij stil in zijn bed zijn gekropen om te sterven.

13

Na ruim zeven uur diepe slaap besloot Jenny de nieuwe dag onder ogen te zien met maar één pil, die ze in tweeën deelde. De ene helft voor het ontbijt, de andere helft voor bij de lunch. Ze speelde met de gedachte verder geen pillen mee te nemen, maar ze was nog niet zover dat ze haar veiligheidsnet kon loslaten. In plaats daarvan stopte ze het buisje in het diepste vak van haar handtas en ritste het dicht – dan moest ze moeite doen om het te pakken.

Haar eerste reisdoel was het kantoor van het reclasseringsteam voor jeugdige delinquenten, een saai bouwsel uit de jaren zeventig halverwege een lange rij winkels, nagelstudio's en afhaalcentra, slechts honderd meter van de wijk Broadlands. Er werd niet gereageerd op de belknoppen die ze om negen uur indrukte, en ze had al twee koppen lauwe koffie in een groezelig café ertegenover gedronken voordat ze om even over halftien een armoedig ogende figuur die veel weg had van Justin de voordeur zag openen.

Hij nam alle tijd om op de bel te reageren – pas na vier pogingen.

'Wie is daar?'

'Mrs. Cooper, rechter van instructie. Ik heb u nog wat vragen te stellen, mr. Bennett.'

'O... Ik sta anders op het punt naar een cliënt te gaan.'

'Uw cliënt kan ongetwijfeld wel even wachten.'

'Kunnen we geen gunstiger tijdstip afspreken?'

Jenny verloor haar geduld. 'Ik ben bezig met een belangrijk onderzoek, mr. Bennett. U bent wettelijk verplicht mee te werken. Laat me binnen.'

Na een korte pauze bromde het deurslot.

Justins kantoor zag eruit zoals ze had verwacht. Hokkerig, chaotisch en weggestopt aan het eind van de gang op de begane grond. Hij zat nerveus achter zijn bureau, gekleed in een spijkerbroek en een T-shirt en deed zijn best de indruk te wekken druk bezig te zijn met het ordenen van paperassen vol koffievlekken.

'Wat kan ik voor u doen?'

'Ik probeer vast te stellen waar Katy was, en met wie, op die zondag en maandag voor ze stierf.'

'Geen idee. Ik heb haar na haar vrijlating uit Portshead maar één keer gezien – dat was op woensdag, afgezien van vrijdag, toen ik haar op de gang passeerde.'

'Toen ze naar die verplichte voorlichtingscursus ging?'

'Zo is het.'

'In dit gebouw?'

'Boven. Daar hebben we een zaal.'

'Hmm.' Jenny nam een notitieblok uit haar aktetas en nam een schoon vel voor zich. Ze zag hoe Justin ernaar keek – op zijn hoede. 'U hebt, toen u kwam getuigen, verklaard dat u die woensdag met haar hebt gesproken over de voorwaarden van haar vrijlatingsovereenkomst. Hebt u toen ook met haar over haar tijd in Portshead gesproken?'

'Ik zal haar wel hebben gevraagd of ze het kon volhouden. Wat er precies is gezegd, weet ik niet meer.'

Ze maakte een notitie. 'Heeft ze u verteld dat ze ook in haar periode daar geregeld drugs heeft gebruikt – cocaïne en marihuana? Het schijnt daar niet moeilijk te zijn eraan te komen.'

'Nee, daar heeft ze niets over gezegd.' Hij legde telkens zijn armen over elkaar en bedacht zich weer – kennelijk kon hij geen houding vinden waarbij hij zich behaaglijk voelde.

'Ze was hier vóór de kerst ook, is het niet – voor een voorlichtingscursus over drugs. Ze stond toen onder toezicht wegens het in bezit hebben van cannabishars, met de intentie die aan de man te brengen.'

'Ik geloof van wel, ja.'

'Had u toen ook al met haar te maken?'

'Niet rechtstreeks. Ik kende haar geval – haar naam werd geregeld in de teambesprekingen genoemd, meer niet.'

'Werd er toen ook over gesproken dat ze zich prostitueerde?'

'Ik meen van wel.'

Jenny maakte een nieuwe notitie en keek op. 'Mag ik haar dossiermap? Die wil ik graag meenemen.'

'Wat? Nu meteen?'

'Aangezien ze dood is, lijkt het mij dat u er niets meer aan hebt.'

'Daar moet ik eerst toestemming voor vragen. Mijn superieur zal zo dadelijk hier zijn.'

'De enige toestemming die u nodig hebt, is de mijne, mr. Bennett. Het dossier, graag.'

Met tegenzin hees Justin zich overeind en liep naar een archiefkast. Jenny hield hem scherp in het oog, voor het geval hij mocht proberen er documenten uit te vissen. Hij kwam terug met een dunne map en schoof haar die toe. Ze opende de flap en nam er een stapeltje paperassen uit, niet meer dan twintig losse vellen. Het waren formulieren met afvinkhokjes, afgezien van een uitgetikt rapport dat kort voor haar veroordeling in februari was opgemaakt. Ze keek alles door, maar ontdekte niets wat ze nog niet wist.

'Schrijft u nooit persoonlijke observaties op?'

'Daar ben ik niet toe geneigd, nee.'

'Waarom niet?'

Schouderophalend zei hij: 'Zo werken we hier nu eenmaal niet.'

Jenny bekeek de formulieren nog eens. Ze waren er allemaal op ingericht om zichtbaar te maken dat er aan criteria voldaan werd, dat er bijeenkomsten waren bijgewoond en dat de vereiste maatregelen waren getroffen. De jeugdige delinquent werd dikwijls aangeduid als 'cliënt'. Hier en daar was een notitie in de marge gekrabbeld, maar de nadruk lag op het zo onpersoonlijk mogelijk houden van de rapportage. Deze bureaucratische en zielloze formulieren vertelden haar dat deze instantie zich meer bezighield met zichzelf en haar medewerkers in bescherming nemen dan met de zorg voor haar cliënten. Een van de papieren in de map was een kopie van Katy's 'contract' met het reclasseringsteam voor jeugdige delinquenten waarin ze plechtig beloofde zich aan het uitgaansverbod te zullen houden, naar school te gaan, haar afspraken met haar begeleider stipt na te komen en trouw de voorlichtingsbijeenkomsten bij te wonen. Er was bovendien een clausule in opgenomen waarin Katy Taylor verklaarde dat ze zich bewust was van haar verantwoordelijkheden tegenover de samenleving en dat ze andere mensen en de wet zou respecteren. Mooie woorden.

Jenny stopte de paperassen terug in de map. 'Hebt u enig idee met wie Katy omgang heeft gehad nadat ze Portshead Farm had verlaten?'

'Nee.'

'Sprak u daar dan nooit met haar over? U moet over heel wat kennis van de handel en wandel van deze jongeren beschikken.'

'Zoals ik al in de rechtszaal heb geprobeerd uit te leggen: het is mijn taak het vertrouwen van een cliënt te winnen en me niet op te stellen als een gezagdrager.'

'En hoe wint u dat vertrouwen?'

Die vraag overviel Justin. Hij stamelde: 'Ik probeer hen zover te krijgen dat ze mij zien als iemand met wie ze kunnen praten... openhartig.'

'Maar u stelt geen vragen.'

'Vertrouwen opbouwen is een moeizaam proces.'

Jenny wilde zeggen – ja, en intussen zwerft ze over straat en laat zich vermoorden.

'Juist, mr. Bennett. Vertelt u me nu maar met wie ze volgens u omgang had.'

'Dat kan ik niet zeggen: ik weet het niet.'

Haar geduld raakte steeds sneller op. Hoewel ze als advocate verscheidene stappen verwijderd was van het maatschappelijk werk op straatniveau, had ze kijk gekregen op persoonlijkheden en reputaties. Justin Bennett maakte deel uit van deze buurt. Het enige wat hij de hele dag uitvoerde, was omgaan met de meest hardnekkige tienercriminelen hier.

Ze keek hem strak aan. 'Waarom lieg je tegen mij, Justin?'

Hij kreeg een vuurrode kleur en zijn adamsappel danste op en neer. 'Dat doe ik niet. Ik wéét niet wie haar vrienden waren... Ze was niet erg openhartig tegenover mij.'

'Werkelijk niet?' Haar blik liet de zijne niet los. 'Ze had toch omgang met Danny Wills, is het niet? Toen ze jonger waren, zaten ze op dezelfde school. Afgelopen december hebben ze samen dezelfde voorlichtingsbijeenkomsten bijgewoond en in Portshead ontmoetten ze elkaar opnieuw. Hij stierf tijdens haar verblijf daar.'

'Ze heeft zijn naam nooit genoemd.'

'Hij was toch ook een van jouw "cliënten", nietwaar?'

'Dat wel, maar...'

'Het kwam niet bij je op tegen haar te zeggen: "Wat erg van Danny..." Of "Heb je hem in Portshead nog gezien?" Was Katy er niet door van streek geraakt?'

'We hebben het niet over hem gehad.'

Jenny liet hem even in zijn sop gaarkoken. Ze wist niet goed wat ze van hem moest denken. Was de man een verstokte leugenaar, of een geboren bureaucraat die de kunst van zich in de rug dekken al volledig onder de knie had?

'Op welk tijdstip heb je Katy die woensdag gesproken?'

'Tegen het eind van de middag. Een uur of vijf, denk ik.'

'Dat verklaart veel,' zei Jenny, en liet hem zijn eigen conclusie trekken. Ze deed haar notitieblok dicht en opende haar aktetas. 'Ik neem Danny's dossier ook mee.'

Ze las het door in haar auto, die ze had geparkeerd voor een wedkantoor waar blanke senioren en werkloze jonge zwarten een onwaarschijnlijke band met elkaar leken te smeden. Voor het wedkantoor stond een groep ervan te roken en te kletsen – aan grappen geen gebrek, zo te zien. Het dossier bevatte weinig waarom te lachen viel. Het was dikker dan dat van Katy, maar al even onpersoonlijk. Het bevatte nagenoeg geen enkele aanwijzing over wie Danny Wills was geweest, behalve dan de lange lijst van vergrijpen die hij had gepleegd. Niemand die deze documenten doorlas, zou ook maar enig inzicht verwerven in de geest van een ongelukkige tiener die zonder vader of een greintje geborgenheid was opgegroeid. Het goeie nieuws voor Justin Bennett en zijn superieuren was dat er op het formulier met het opschrift RECIDIVE geen nieuwe hokjes hoefden te worden afgevinkt. Voor het afvinken van het overlijden was er geen hokje beschikbaar: als ze het een beetje handig aanpakten, zouden ze Danny's geval zelfs in de jaarlijkse statistieken kunnen opvoeren als een succes.

Wat haar echter het meest verontrustte, was het volslagen gebrek aan persoonlijke informatie: de interessen van het kind, zijn vrienden of talenten en vaardigheden. Het leek er sterk op dat Marshall de enige overheidsdienaar was geweest die een eerlijke poging had gedaan iets van hem te begrijpen, toen hij zijn pre-hoorzittingrapport had opgesteld. Wat ze vanmorgen had ontdekt, had haar woede gewekt. Gedachteloos viste Jenny de halve pil die ze voor later had bewaard uit haar zak en slikte hem door. Ze spoelde hem weg met een mondvol cola en ging zich er wat beter door voelen, zij het niet veel.

Ze keek naar de groep oude en jonge mannen voor het wedkantoor: zij leefden er zorgeloos op los – rokende vrienden onder elkaar. De gedachte kwam bij haar op dat het in gevangenissen niet moeilijk zou zijn vriendschappen te sluiten. Een angstig kind als Katy of Danny zou zich onherroepelijk aangetrokken hebben gevoeld door een vertrouwd gezicht in de eetzaal. Ze móesten elkaar hebben gesproken.

Ze opende haar notitieblok bij de chronologie die ze in grote lijnen op de achterste vellen papier was gaan samenstellen en zette kringen om de belangrijkste data:

14 april – *Danny dood in zijn cel aangetroffen*
17 april – *Katy ontslagen uit Portshead*
22 april – *Katy vermist*
27 april – *Marshall krijgt antidepressiva voorgeschreven*
30 april – *Katy dood aangetroffen*
               Hoorzitting in Danny's zaak geopend
1 mei   – *Uitspraak: zelfmoord*
2 mei   – *Marshall ondertekent Katy's overlijdensverklaring*
3 mei   – *Marshall overlijdt*

Ze bleef ernaar staren, proberend om Marshall een plaats in het geheel te geven. Simone Wills had gezegd dat hij een dag of drie voor de hoorzitting was omgeslagen als een blad aan een boom – dus tegen de tijd dat hij zijn huisarts had bezocht. Volgens Alison was hij al een poosje vóór die tijd zichzelf niet geweest, maar was het mogelijk dat er iets was gebeurd dat hem ertoe had doen besluiten zijn toevlucht te nemen tot pillen? Op dat moment was Katy al vermist – in feite was ze zelfs al dood geweest – maar voor zover Jenny wist, was haar naam Marshall pas bekend geworden op maandag 30 april, toen haar lichaam was gevonden.

Ze nam haar toevlucht tot het bekende advocatenfoefje: de feiten van alle kanten bekijken door middel van vragen die begonnen met: 'Stel eens dat...' Meteen leek een belangrijke vraag uit die categorie op te doemen uit het vel papier voor haar: stél dat Marshall tussen de 22e en de 27e op een verband tussen Danny en Katy was gestuit? Stél dat hij had geweten of vermoed dat ze dood was? Stél dat hij zo'n verband had gelegd en daar zo hevig van was geschrokken dat hij had geweten dat hij er onmogelijk iets tegen kon doen, zou dat verklaren waarom hij zo weinig moeite had gedaan om de waarheid rond Danny's dood aan het licht te brengen én waarom hij in Katy's geval al helemaal niet aan een hoorzitting was begonnen? Bovendien was er die kwestie rond Tara Collins. Zíj was er niet mee opgehouden in beide zaken dieper te graven en zij zag zich nu geconfronteerd met valse aantijgingen vanwege een misdrijf dat ze niet had begaan. Ja, er moest een gemeenschappelijke factor zijn.

Simone Wills had een tweejarig jongetje op haar heup en zijn drie jaar oude zusje aan haar voeten. Ze stond met ongekamd haar in de veel te ruime top en de shorts waarin ze had geslapen in de deuropening. Ze zagen er alle drie uit alsof ze hoognodig in bad moesten.

'Hebt u een momentje, mrs. Wills?'

Zuchtend schudde Simone het driejarige dochtertje dat haar been omklemde van zich af. 'Als u het niet erg vindt dat het hier een bende is...'

'Vijf minuten, dan bent u van me af.'

Berustend ging Simone haar voor door de gang die bezaaid lag met speelgoed en kinderkleren. Ook de zitkamer had al een tijdje geen stofdoek meer gezien en er stonden vuile borden en lege chipszakken op de koffietafel voor de bank. Ze dumpte haar zoontje van twee in een box en maakte een plek vrij op de bank. Het kind krijste en schudde aan de spijlen, terwijl zijn zus hem van de andere kant porde met een plastic zwaard.

'Niet op letten. Ze blijven toch brullen, wat je ook doet.'

'U hebt uw handen meer dan vol.'

'Vertel mij wat. En nu sta ik er nog alleen voor ook.' Ze haalde een pakje goedkope sigaretten uit haar zak. 'Ali is ervandoor.' Ze schudde er een sigaret uit en stak op.

'O, vervelend voor u.'

'Welnee. Hij was vreselijk voor de koters. Waar hij vandaan komt meppen ze er meteen op los als kinderen herrie maken. Ik heb hem gewaarschuwd dat ik, als hij dat ooit met een van mijn koters probeerde, hem zou laten oppakken wegens mishandeling. Hij maakte me uit voor witte hoer.' Ze nam een haal en hield de rook langdurig in haar longen. Toen ze die eindelijk uitblies, was de rook bijna kleurloos – gefilterd door haar longen. 'Een Egyptenaar. Nou, daar laat ik me niet meer mee in. Geef mij maar een Jamaicaan.'

Jenny knikte meelevend en zag de nieuwe iPod-speakers van Ali op de televisie staan.

Simone zag haar kijken. Ze glimlachte en zei toen hoestend: 'Ja, die heeft ie vergeten mee te nemen. Nou, hij kan de pot op; het was sowieso mijn geld.'

Jenny zei: 'Ik heb u vorige week beloofd Danny's dossier te lezen. Dat heb ik gedaan, en nu heb ik een paar vragen. Heeft hij het ooit gehad over een meisje dat Katy Taylor heette? Best mogelijk dat u over haar hebt gelezen. Ze zat in Portshead toen hij daar ook was. Ze was er nog geen week uit toen ze overleed.'

Simone's gezicht werd ernstig. 'Katy? Die heb ik gekend. Ze zat bij hem op school, in Oakdene. Haar ouders woonden toen nog hier, maar die zijn toen verhuisd. Ze ging het slechte pad op, is het niet?'

'Ze had problemen. Wat kunt u me over haar vertellen?'

'Danny praatte nooit over haar, maar ik heb haar een paar keer in deze buurt gezien.'

'Met wie?'

'Weet ik niet precies. Een groep meiden, een keer. Ik kan het niet allemaal bijsloffen.'

'Hayley Johnson?'

Simone keek er niet van op. 'Nooit van gehoord.'

'Wanneer hebt u Katy voor het laatst gezien?'

'Niet na haar vrijlating... januari, misschien, of februari...'

Veel was het niet, maar het was tenminste íéts. Katy Taylor had zich dus aangetrokken gevoeld door de buurt waar ze had gewoond toen ze de lagere school bezocht, vermoedelijk doordat ze daar vroegere klasgenoten trof. Ze kon Alison of haar vrienden bij de politie aan het werk

175

zetten om erachter te komen wie die klasgenoten waren.

'Een andere vraag van mij betreft mr. Marshall. U zei dat hij kort voor de hoorzitting van houding was veranderd en niets meer van zich liet horen.'

Simone nam een korte, nijdige haal van haar sigaret. 'Exact.' De twee kinderen brulden nu luider, hopend op aandacht. Tegen de jongste snauwde ze: 'Ophouden, Sam!'

Hij negeerde het. Hij had de vingers van zijn zusje de box in getrokken en probeerde erin te bijten.

Jenny wachtte op een luwte in het gebrul. 'Waar hebt u het met hem over gehad, de laatste keer dat u hem sprak?'

'Grote god, deze herrie...' Simone drukte haar handen tegen haar oren en probeerde na te denken. 'Dat was telefonisch... op die vrijdag.'

'Herinnert u zich nog waarover het ging?'

'Onze maatschappelijk werkster, Ruth Turner, wilde met hem praten. Ze had geprobeerd hem te bereiken, maar hij had haar niet teruggebeld.'

'Wie is zij?'

'Ze houdt een oogje op de kinderen en zo. Met Danny heeft ze niet veel te maken gehad, ze was meestal bezig met de jongere kinderen, maar zij was degene die wilde dat hij door een psychiater werd bekeken.'

'Wanneer?'

'Voordat ze hem opborgen in Portshead.'

'Wat zei Marshall erover?'

'Dat hij haar zou bellen. Ik geloof echter niet dat hij dat heeft gedaan.' Ze vond een leeg blikje op de grond en gebruikte het als asbak.

'Hebt u een nummer van haar?'

'Dat zou ik ergens moeten heb...'

'Ik vind het wel. Ze werkt vanuit het gezinscentrum, nietwaar?'

'Ja.' Ze zei vinnig tegen de kleuter: 'Sam, als je verdomme niet ophoudt, laat ik Ali terugkomen.'

Prompt hield hij op met krijsen en liet de vingers van zijn zus los.

'Bedankt, Simone. Ik hou je niet langer op.' Jenny stond op van de bank en voelde de vloerbedekking onder haar voeten plakken.

Simone zei: 'O, er is iets wat ik de vorige keer ben vergeten u te vertellen, iets wat voor de hoorzitting is gebeurd.'

In de deuropening bleef Jenny staan. 'Wat?'

'U weet nog dat de pers alles over mijn verleden en zo had opgedolven? Ze hadden ook ontdekt dat deze twee in een tehuis hebben gezeten toen ze nog heel klein waren.'

'Dat zullen ze dan wel van een van je goedbedoelende buren te horen hebben gekregen.'

'Mogelijk. Maar een dag vóór de hoorzitting begon, die zondag, dook de politie hier op om de hele boel ondersteboven te keren. Ze beweerden dat Scott, mijn zoon van twaalf, had lopen dealen.'

'Hebben ze iets gevonden?'

'Mooi niet. Hij is heel anders dan zijn broer. Hij gaat netjes naar school en zo. Ze joegen het arme kind de stuipen op het lijf. Ze hebben hem meegenomen naar het bureau en hem daar drie uur lang vastgehouden.'

'Je mag van geluk spreken dat Ali geen voorraad in huis had.'

'Had ie wel. Drie keer raden wie de halve dag met een ons van die troep heeft moeten rondlopen. Een Jamaicaan zou het hele zaakje hebben ingeslikt en geen mens had het in de gaten gehad. Die jongens kunnen zelfs van een politierazzia nog een feestje bouwen.'

Jenny glimlachte. 'Zei je laatst niet dat Danny's vader afkomstig was van Trinidad?'

'Die van Trinidad zijn anders. Dat zijn echte schurken.'

De telefoniste van de raad voor kinderbescherming moest wel zes pogingen nodig hebben gehad om het nummer van Ruth Turner te vinden, maar uiteindelijk kreeg ze een gejaagd klinkende vrouwenstem op haar mobieltje, met een massa verkeerslawaai op de achtergrond.

Jenny zat in haar auto die nog geparkeerd stond voor Simone's voordeur en vroeg: 'Spreek ik met Ruth Turner?'

'Met wie?'

'Mrs. Cooper, rechter van instructie voor het district Vale.'

'Wíé?'

Jenny verhief haar stem en herhaalde wie ze was.

'Ah, juist.' De stem klonk kalmer, nu. 'Wat kan ik voor u doen?'

'Ik zou u graag willen spreken, vanmorgen nog, als dat mogelijk is.'

'O... Ik ben niet op kantoor – ik ben onderweg naar mijn volgende afspraak.'

'Ik kom wel naar u toe, dan kunnen we ergens samen praten. U mag het zeggen. Het is dringend.'

Ruth Turner had even nodig om het tot haar door te laten dringen. Toen zei ze: 'Over een halfuur kom ik terug door Clifton. Kent u Dino's?'

'Ik vind het wel.'

Het duurde in feite bijna een vol uur voordat de maatschappelijk werkster het kleine Italiaanse café binnenstapte. Al die tijd had Jenny Dino van zich af moeten houden, die haar het lunchmenu was blijven aanbieden, met een blik boven zijn snor die zei dat hij voor haar iets heel bijzonders zou willen doen.

Tweeënveertig was best een interessante leeftijd. Als je er een beetje leuk uitzag, kon je nog de fantasie van een jonge kerel prikkelen, maar ook de oudere mannen zouden hun geluk bij je willen beproeven – ondanks hun bierbuik en vele gezichtshaar. Ze dacht voor het eerst sinds het weekeinde aan Steve; het had haar een aangenaam gevoel gegeven een degelijk iemand als hij naast zich te weten bij haar bezoek aan Davids huis. De term 'degelijk' was zomaar in haar hoofd opgekomen, maar het leek niet erg toepasselijk. Steve was in feite een soort drop-out die zijn talenten verspilde met het zoeken naar wat tuinierswerk. Dat kon je niet 'degelijk' noemen. Dat nam niet weg dat het prettig was te weten dat een aantrekkelijk ogende jongere man zich tot haar aangetrokken voelde. Ze vroeg zich af wat er gebeurd zou zijn als hij zijn hand naar haar had uitgestoken om haar aan te raken, toen ze naast elkaar in het gras lagen.

'Mrs. Cooper?'

Jenny schudde haar dagdroom van zich af en ontwaarde een vrouw van ongeveer haar eigen leeftijd, die echter te veel gewicht rondzeulde en een moederlijk uiterlijk had. Veel met henna geverfd haar, maar geen make-up.

'Dag mrs. Turner.' Jenny gebaarde naar de stoel tegenover haar.

Ruth riep Dino, die achter de toog stond, toe: 'Doe maar een latte, Dino.'

Hij knikte even, zonder haar glimlach te beantwoorden.

Ze hing haar grote handtas, die tevens dienstdeed als aktetas, aan de rugleuning van haar stoel en plofte met een dramatische zucht neer.

Jenny had geen belangstelling voor een verhaal over een drukke ochtend, dus kwam ze meteen ter zake. 'Ik ben bezig met een nader onderzoek naar de dood van Danny Wills. Als ik goed ben ingelicht, bent u de maatschappelijk werkster voor dat gezin.'

'Dat klopt. Ik dacht eigenlijk dat het onderzoek al afgelopen was, na die hoorzitting?'

'Hangt ervan af. Mijn voorganger was lichamelijk niet echt fit toen hij de hoorzitting leidde. Ik moet me ervan overtuigen dat hij alles heeft gedaan wat hij had moeten doen.'

'Ik ben bang dat hij geen van mijn telefoontjes heeft beantwoord. Ik had graag een gesprek met hem gehad.'

'Dat is waarnaar ik u wilde vragen. Hoe ging dat precies?'

'Ik werkte nog niet zo gek lang met het gezin Wills, niet meer dan een paar maanden, maar Simone had me verteld van Danny en het rapport dat vóór zijn veroordeling over hem was opgemaakt. Ze zei me hoe hij erop reageerde en steeds neerslachtiger werd. Het leek me dat er, gelet op de moeilijke tijden die hij had doorgemaakt, een psychiatrisch rapport moest komen voordat de rechter in overweging zou nemen hem in een inrichting te plaatsen.' Ze wachtte even en loosde opnieuw een zucht. 'Ik weet niet of u er enig idee van hebt hoe lang dat soort procedures gewoonlijk in beslag neemt, mrs. Cooper, maar -'

'Ik heb vijftien jaar ervaring met kinderbescherming, als hoofd van de juridische afdeling van North Somerset.'

'Dan weet u er dus alles van.' Ruth Turner leek opgelucht. 'Ik heb een verzoek ingediend via een van mijn collega's en contact opgenomen met die man van het reclasseringsteam voor jeugdige delinquenten – hoe-heet-ie-ook-alweer...'

'Justin Bennett.'

'Díé, ja...' Ze keek Jenny veelzeggend aan. 'Hij zei dat hij zou zien wat hij kon doen, maar er gebeurde niets. Na een week of twee belde Simone me in paniek op met de mededeling dat hij zojuist gevangen was gezet en dat ze bang was dat hij zichzelf iets aan zou doen.'

Een mollige serveerster kwam Ruths koffie brengen. Dino had het druk met het begroeten van twee aantrekkelijke meiden van in de twintig, die meteen het beste tafeltje mochten uitzoeken. Ze nam een flinke slok en veegde met de rug van haar hand het schuim van haar mond. 'Ik zat die dag tot over mijn oren in het werk – ik moest naar een hoorzitting over plaatsing in een tehuis. Toch heb ik een paar keer naar de receptie van Portshead gebeld, totdat ik eindelijk iemand daar aan de lijn kreeg. Ik denk eigenlijk dat het een verpleegster was.'

'In het dossier wordt een verpleegster genoemd die Linda Raven heet.'

'Komt me bekend voor. Ze zei me dat een psychiatrische beoordeling deel uitmaakte van de intakeprocedure. Ik vroeg of dat door een psychiater zou worden gedaan. Nee, zei ze, maar de procedure was onberispelijk. Meer kreeg ik niet uit haar.' Ze laste een korte pauze in en haar gelaatsuitdrukking vertelde Jenny dat ze zich schuldig voelde over haar rol in de zaak. 'Ik had helaas geen tijd om me er verder mee bezig te houden. U weet hoe het is als je een rechtszitting bijwoont... Toen ik hoorde dat Danny zichzelf had opgehangen, heb ik opnieuw geprobeerd Portshead te bellen, maar niemand wilde me te woord staan. Uiteindelijk heb ik contact opgenomen met de plaatselijke GGD, maar die zeiden dat ze op dat moment geen psychiatrische diensten aan Portshead Farm verleenden, vanwege een meningsverschil over het contract. Wat ik eruit begreep, was dat de GGD en de firma die Portshead runt het niet eens hadden kunnen worden over wat een psychiater-op-afroep mocht gaan kosten.'

'Wat gebeurt er met gevangenen die psychische problemen hebben?'

'Daar zeg je wat. Hun hele medische staf is in dienst van een particulier bedrijf. Daar zou een psychiater bij moeten horen. Ik zou zeggen dat élk kind door een psychiater behoort te worden gezien als onderdeel van de intakeprocedure, maar dat schijnt niet verplicht te zijn.'

'Danny heeft verscheidene dagen in een observatiecel gezeten, gekleed in niet meer dan wat mijn voorganger omschreef als een dichtgenaaide paardendeken. In feite een soort dwangbuis.'

'Da's hun idee van psychiatrische zorg, vrees ik. Dat was een van de punten waaraan bij de hoorzitting aandacht moest worden besteed, vond ik. Ik had mr. Marshall willen vertellen dat, als er een psychiater aan te pas was gekomen, misschien de symptomen zouden zijn opgemerkt en er iets aan zou zijn gedaan. Danny zou op zijn minst een of ander medicament hebben gekregen.'

'Hebt u niet geprobeerd hem deze informatie schriftelijk toe te sturen?' vroeg Jenny.

'U weet zelf hoe dat gaat – je probeert honderd dingen tegelijk te doen.' Haar mobieltje jengelde. Ze nam het uit haar handtas en nam een telefoontje aan van een huisarts die de verdenking had dat een moeder opzettelijk kokend water over haar kind heen had gegooid.

Jenny dronk het restje van haar dubbele ristretto op en deed haar best niet al te streng over de maatschappelijk werkster te oordelen. Zij was tenminste nog aan het werk in het systeem en hield vol. Ze was er niet aan onderdoor gegaan en probeerde zich niet te drukken.

Daar Ruth steeds meer in beslag werd genomen door het verontrustende telefoontje, scheurde Jenny een hoekje van een vel van haar notitieblok en schreef: *Wilt u dit alstublieft op schrift stellen en het mij toesturen?* Ze schoof het naar de andere kant van de tafel, samen met haar visitekaartje. Ruth stak haar duim op. Jenny liet een briefje van vijf achter op de tafel en zette koers naar de deur, terwijl Dino het druk had met het noteren van een bestelling. Hij keek op en gaf haar in het voorbijgaan een knipoog. Jenny zei, luid genoeg dat hij het kon horen: 'Griezel.'

Alison had zich op de boekhouding gestort. Haar bureau lag vol bonnen die ze probeerde te sorteren op datum. Jenny was de deurmat nog niet over toen ze een handvol paperassen oppakte en zei: 'Zeven, vandaag.'

Jonglerend met haar aktetas, handtas en afhaalsandwich bladerde Jenny de sectierapporten van de vorige dag en de afgelopen nacht door. 'Nou, dr. Peterson begint zijn leven te beteren. Hij stuurt zijn sectierapporten nu binnen vierentwintig uur.'

'Te mooi om waar te zijn. Dat zal niet lang duren.' Alison schudde een nieuwe envelop vol declaratiebonnen en nota's uit om Jenny te laten zien wat ze allemaal moest verduren.

'Ik waardeer het dat je deze klus aanpakt.'

'Iemand moet het doen.'

Jenny glimlachte en liep door naar haar kantoor.

'Wilt u niet weten hoe de politie vordert, mrs. Cooper?'

Bij de deur bleef Jenny staan en draaide zich om. 'Je hebt al iets gehoord?'

'Zeden denkt dat ze misschien wat bewakingsfoto's van haar hebben gevonden van die maandag; ze schijnt toen in Broadlands te hebben rondgehangen. De foto's zijn niet erg scherp, dus stuurt Recherche ze door naar het lab.'

'Alleen? Of was er iemand bij haar?'

'Dit is alles wat ik weet – en eigenlijk zou ik dat niet mogen weten.'

'Ik ben je dankbaar, werkelijk.'

Alison knikte stoïcijns en ging verder met haar bonnen. Jenny duwde de deur van haar kantoor open met haar schouder, terwijl ze bedacht dat ze nu bijna tien dagen met Alison samenwerkte en toch slechts twee dingen van haar wist: dat ze getrouwd was en verliefd was geweest op Marshall. Er waren massa's vragen die ze haar zou moeten stellen, maar Alison gaf haar de kans niet. Dat leek opzet en kwam haar bijna pervers voor, alsof Alison zich schaamde over wat Jenny al van haar wist, maar dat ze evengoed vastbesloten was haar duidelijk te maken dat ze het er moeilijk mee had.

Jenny nam haar pil voor de lunch om te zorgen dat het effect eerder intrad. Ze verorberde haastig haar sandwich terwijl ze de ochtendeditie van *The Post* doornam en een artikeltje van twintig regels over Tara Collins' voorgeleiding las. Volgens het artikel was ze op borgtocht vrijgelaten totdat de zaak over veertien dagen voor zou komen op grond van een aanklacht wegens fraude met een creditcard. Er werd geen melding gemaakt van het feit dat zij als journaliste bij de krant werkte, of dat zij vurig haar onschuld had betuigd. Het artikeltje maakte Jenny nerveus, ondanks de pil. Ze had de afgelopen dag nauwelijks aan Tara gedacht, maar nu las ze het zwart op wit: ze kon voor vijf jaar achter de tralies verdwijnen. En waarvoor? Alleen omdat ze haar neus had gestoken in twee verdachte sterfgevallen?

Ze schoof haar paperassen opzij en zette haar laptop aan. Na haar ontmoeting met Ruth Turner had ze genoeg aanleiding om de procedurele tandwielen in beweging te zetten voor een tweede hoorzitting over de dood van Danny Wills. De wet was glashelder. Op grond van paragraaf

13 van de *Coroner's Act* van 1988 kon de Hoge Raad het oordeel van een eerdere hoorzitting vernietigen en opdracht geven voor een nieuwe hoorzitting, als de eerste onbevredigend was verlopen bij gebrek aan grondig onderzoek, of als er nieuwe bewijzen aan het licht waren gekomen. En wat dat aanging, was de zaak eenvoudig genoeg: Marshall had geweigerd een getuige op te roepen die cruciale informatie had kunnen geven over het gebrek aan psychiatrische zorg, zowel vóór als nadat Danny Wills was veroordeeld en opgesloten. Er moesten twee hindernissen worden genomen: de Hoge Raad moest ervan worden overtuigd dat een nieuwe, naar behoren verlopende hoorzitting een ander resultaat zou opleveren; maar voordat ze een rekest daartoe kon indienen, moest ze er van de advocaat-generaal toestemming voor loskrijgen.

Met deze bureaucratische hindernis moest omzichtig worden omgegaan. De advocaat-generaal, de vertegenwoordiger van het Openbaar Ministerie bij de Hoge Raad, was een politicus, met een bijzondere verantwoordelijkheid tegenover het publiek – lees 'de overheid'. Elk rekest dat ook maar enigszins riekte naar woede of verontwaardiging, of dat de overheid in verlegenheid kon brengen, zou niet eens verder komen dan de lagere ambtenaar die de envelop opende. Ze zou het rekest dan ook gortdroog moeten formuleren, en daarbij het accent moeten leggen op een bezwaar waar niets tegenin viel te brengen: de maatschappelijk werkster van het gezin in kwestie had vergeefs geprobeerd een psychiatrische evaluatie voor een psychisch gestoorde tiener te bewerkstelligen. Hij was naar een inrichting gestuurd die hem wél met het oog op zelfmoordrisico in een observatiecel had gezet, maar niets had gedaan om hem psychiatrisch te laten onderzoeken. Indien deze getuigenis tijdens de hoorzitting aan bod was gekomen, zou het jury-oordeel hoogstwaarschijnlijk hebben geluid: dood ten gevolge van ernstige nalatigheid.

Ze schreef een concept en las en herlas haar rekest diverse keren, proberend redenen te bedenken die de advocaat-generaal – deel uitmakend van een regering die hamerde op haar principe van 'kinderen eerst' – zou kunnen aangrijpen om het verzoek te weigeren. Ze kon er niet een bedenken. Aan de nuchtere feiten viel niet te ontkomen: het rekest moest worden ingewilligd.

In het gras waren weer madeliefjes opgekomen en tussen de kruiden schoot weer onkruid op. Het was al over achten en ze kon nauwelijks de kurk uit de fles krijgen, laat staan in de tuin werken. Omdat het dinsdag was, had ze min of meer verwacht dat Steve weer geweest zou zijn. In haar hart had ze gehoopt hem daar nog aan te treffen, zodat hij zich naar haar zou omdraaien, met die lach van hem.

Ze schonk een groot glas vol tot aan de rand, zodat ze er eerst een flinke slok van moest nemen voordat ze het naar haar mond kon brengen. Na nog een paar slokken was het al voor twee derde deel leeg. Wat maakte het uit? Niemand die het zag. Ze schonk opnieuw in, maar nam zich voor langer met het tweede glas te doen. Het was heerlijke wijn, een chianti. Waarom zou ze er niet van mogen genieten?

Na het derde glas kreeg ze het gevoel in haar persoonlijke paradijsje te zitten. De bladeren aan de berken glinsterden, de hemel had de kleur van de Middellandse Zee. Wie had behoefte aan gezelschap als je je al in je eentje zo lekker kon voelen?

De tweede fles had een schroefdop en bevatte goedkope rode wijn uit Frankrijk. Toch niet slecht. Ze ontspande zich en genoot. Ze kreeg trek in een sigaret en herinnerde zich het pakje-voor-nood dat ze in de onderste keukenlade bewaarde. Ze stak er een op aan de elektrische kookplaat en slenterde weer naar buiten, het glas in de hand. Ze voelde geen kou. Wat kon er beter zijn dan bij zonsondergang in je eigen tuin zitten, je blote voeten op het natte gras, met een kabbelende beek die langs je heen stroomde? Ze kon Steve vergeten. Als ze ooit nog een man wilde, kon ze wel een betere partij vinden.

Het was schemerdonker toen ze wakker werd. Ze had barstende hoofdpijn en rilde van de kou. Ze keek gedesoriënteerd om zich heen en realiseerde zich dat ze nog steeds aan de ruwe tuintafel op het gazon zat, met twee lege flessen voor zich. Ze slingerde hevig toen ze zich naar binnen haastte. Het schermpje van de telefoon op het aanrecht knipperde. Ze griste hem uit de houder en probeerde te focussen: *Gemiste oproep. Ross 20:25.* Verdomme. Hoe had dit kunnen gebeuren? Hoe laat was het eigenlijk? Ze keek op de klok. Tien voor vier!

Tegen de tijd dat ze neerplofte in bed, begon het concert van de vogels. Ze waren met zijn duizenden, die kleine donderstenen.

14

Volgestouwd met aspirine, Temazepam en cafeïne wist ze tegen een uur of tien haar bureau te bereiken. Gelukkig was Alison niet op kantoor en kon niemand zien wat voor wrak ze was. Als ze er de energie voor had gehad, zou Jenny woest op zichzelf zijn geweest, maar ze was totaal murw en de kleinste beweging maakte dat haar hoofd begon te bonken. Het was een verdomd zware kater, en uit bittere ervaring wist ze dat die de hele dag zou duren en pas de volgende ochtend zou verdwijnen. Hoewel ze zichzelf diverse keren had gedwongen over te geven, had dat niets uitgehaald. Ze voelde zich te ziek om te eten en haar longen schrijnden, door de tien sigaretten die ze had gerookt. De laatste keer dat ze in deze toestand had verkeerd, was de ochtend nadat ze David had verlaten. Ze kon nu zelf niet eens meer nagaan hoe het zover was gekomen.

Op haar bureau lag een rapport dat Ruth Turner haar per e-mail had toegezonden, een herhaling van het verhaal dat ze haar gisteren had gedaan. Ook lag er een keurige stapel bonnen, bijeengehouden door een klem, en een register waarin Alison had geprobeerd ze in chronologische volgorde te zetten. De stapel ging vergezeld van een lange notitie vol vragen die nog onbeantwoord waren, plus een gedetailleerd formulier dat naar de accountant van de Autoriteit moest worden gestuurd. Ze schoof de boekhouding van zich af en richtte zich op de nieuwe stapel overlijdensmeldingen die ze van Alisons bureau had gepakt. Het was de gebruikelijke collectie deprimerende sterfgevallen in ziekenhuizen: een vrouw van negentig die gestikt was in haar kunstgebit; een vijfendertigjarige boer die in een beerput was gevallen, zwaargewond was geraakt aan zijn hoofd en daardoor was verdronken, enzovoort.

Net wat ze nodig had – lezen over iemands dood in een beerput.

Ze probeerde op te gaan in haar werk, maar bij het lezen van de sectierapporten van dr. Peterson kon ze de stank van zijn sectiezaal ruiken. Vechtend tegen een golf van misselijkheid liep ze naar het keukentje om nog een kop koffie te nemen. Terwijl ze tegen het aanrecht leunde en probeerde te berekenen hoeveel aspirine ze nog met een gerust hart kon nemen, kwam Alison binnen – druk en opgewonden.

'Ze hebben die videoband terug van het lab en denken dat ze een opname hebben van Katy toen ze op zondagavond om elf uur in een blauwe auto stapte, een Vectra.'

Jenny deed haar best opgewekt te klinken. 'Ze weten het niet met zekerheid?'

'De opname is nogal korrelig, schijnt het. Hij komt van een beveiligingscamera aan de muur van een flatgebouw.'

'Is er een kans dat wij er iets van te zien krijgen?'

'Ze hebben het nog niet openbaar gemaakt. Wij worden niet geacht het te weten. U zou Swainton kunnen bellen om hem te vragen hoe het onderzoek vordert.'

'Daar heb ik over nagedacht. Het lijkt me beter hem niet nog meer in het defensief te drijven.'

Opgelucht zei Alison: 'Ik heb het gevoel dat ze iets op het spoor zijn.'

Jenny deed een tweede schepje instantkoffie in haar kop. 'In elk geval hebben we geen last meer gehad van Frank Grantham. Ik begrijp niet goed wat voor probleem die man had.'

'U! Hij speelt graag de baas over iedereen.'

'Dat klinkt alsof je iets hebt gehoord.'

Alison pakte een kop uit het kastje, ze wilde zich niet laten haasten.

Jenny vroeg: 'Wat heb je gehoord?'

'Niets specifieks... Het ziet er echter slecht voor hem uit, is het niet? Iedereen weet hoe dik hij en Harry waren. Als Harry die hoorzitting over Katy fout heeft aangepakt, is dat ook voor hem ongunstig.'

'Jammer dan.' Jenny nam haar kop koffie en begon naar haar kantoor te lopen.

'Hebt u ook de reactie van het bureau van de advocaat-generaal gelezen?'

'Nee...?'

'Ik had die bij de boekhouding gelegd. Ze sturen iemand hierheen om over uw rekest te praten. Ik heb ze genoteerd voor vanmiddag.'

Haar hoofdpijn was niet verminderd toen Adam Crossley vijf minuten te vroeg kwam opdagen. Het leek eerder dat alle koffie die ze had gedronken haar toestand nog had verergerd, alsof haar hersenen waren gezwollen. Crossley, een ambitieuze man met het uiterlijk van een ex-militair van tegen de veertig, was scherp en opmerkzaam, nog helemaal fris na de treinreis eerste klasse, op kosten van de belastingbetaler. Alsof ze het nog niet moeilijk genoeg had, vandaag, had hij ook nog een jongere collega meegebracht, Kathy Findley. Ze was een aantrekkelijke, pedante blondine die in een hoek ging zitten om alles wat er werd gezegd woordelijk op te tekenen. In de loop van het onvermijdelijke inleidingsbabbeltje vertelde Crossley dat hij een strafpleiter was die via een headhunter een tweejarig contract had getekend bij het bureau van de advocaat-generaal, om te assisteren bij het doorvoeren van een radicale reorganisatie. Hij spuide een massa managementjargon over 'stroomlijnen' en 'focussen', maar het kwam erop neer dat de politiek haar greep op het bureau wilde verstevigen. Vergeet de wet maar, had hij kunnen zeggen, in de toekomst heeft de politiek voorrang.

Zodra hij 'strafpleiter' had gezegd, wist Jenny wat voor vlees ze in de kuip had. Net niet intelligent genoeg om als jurist voor een grote onderneming te werken. Waarschijnlijk had hij als strafpleiter een middelmatig inkomen gehad, met niet meer vooruitzichten dan, als hij geluk had, zijn laatste jaren te slijten als lid van een lager gerechtshof. Kortom, een middelmatige jurist die snakte naar een beetje macht.

Toen de beleefdheden waren uitgewisseld zei Crossley, die al de vrijheid had genomen haar bij haar voornaam aan te spreken: 'Ik heb je rekest gelezen, Jenny. Je stelt er een paar significante punten in aan de orde.'

'Daarom heb ik het gestuurd.' Haar kater maakte haar bits.

'Beschik je over een schriftelijke getuigenis van mrs. Turner?'

Ze schoof hem Ruths e-mail toe. Crossley nam een volle minuut de tijd om het verhaal door te lezen. Kathy Findley tikte met haar pen tegen haar notitieboek en keek met een blik van lichte afkeer om zich heen.

'Heel interessant,' zei Crossley. 'Kan ik dit meenemen voor mijn dossier?'

'Uiteraard.'

Hij borg de e-mail op in een map. 'Je realiseert je wel dat een hoorzitting overdoen een drastische stap is. De advocaat-generaal zal ervan overtuigd moeten zijn dat de nieuwe hoorzitting hoogstwaarschijnlijk een andere uitslag zal opleveren.'

'Een gesloten inrichting neemt een jongen op nadat de maatschappelijk werkster van het desbetreffende gezin er telefonisch op heeft gewezen dat een psychiatrisch onderzoek noodzakelijk is. Dat hebben ze nagelaten. Ze konden niet eens beschikken over een psychiater, door een meningsverschil over de honorering. Dat lijkt mij een duidelijk verzuim van de plicht tot zorgverlening.'

'Hoe kun je er echter zeker van zijn dat een psychiatrisch consult enig verschil zou hebben gemaakt? De jongen had ook dan zelfmoord kunnen plegen.'

'Een psychiater had een diagnose kunnen stellen, of hij zou hem op zijn minst antidepressiva hebben voorgeschreven.'

'Er zijn anders genoeg mensen die als geestesziek zijn gediagnosticeerd en zich desondanks van kant maken.'

Bij Jenny sloeg een stop door. 'We hebben het over een jeugdgevangenis die zonder psychiater te werk gaat. Daar maak je je geen zorgen over?'

'Het is zeker betreurenswaardig, maar ik ben er niet geheel van overtuigd dat...'

'Dat zou een hoorzittingsjury misschien wel zijn.'

Crossley leunde achterover in zijn stoel en verstrengelde zijn vingers. Zijn glimlach had plaatsgemaakt voor een frons. 'Dit is precies waarover ik me zorgen maakte, Jenny, dat jij te sterk betrokken zou zijn geraakt bij het geval. Het is me opgevallen dat jij als advocate veel ervaring hebt met jeugdzorg.'

Ze was het liefst over haar bureau heen gesprongen om hem buiten westen te slaan. 'Waarover ík me wél zorgen maak, meneer Crossley, is dat iemand jou hierheen heeft gestuurd uit vrees dat ik de overheid weleens in een lastig parket zou kunnen brengen door ernstige gebreken aan het licht te brengen in het systeem van door particulieren beheerde strafinrichtingen waar zij zo trots op is.'

'Ik moet zeggen dat je sterk de indruk maakt partijdig te zijn.'

'Een rechter van instructie ís niet de onpartijdige magistraat die jij zo goed hebt leren kennen in een gerechtshof. Zijn of haar primaire plicht is het aan het licht brengen van de eigenlijke doodsoorzaak. Mijn voorganger heeft verzuimd een belangrijke getuige op te roepen. Als jij mij geen toestemming zou verlenen de Hoge Raad te verzoeken deze zaak opnieuw te onderzoeken, kun je erop rekenen dat ik de overheid pas echt in verlegenheid zal brengen. Dan vraag ik om een gerechtelijk oordeel en zullen de media zich op de zaak storten omdat jouw bureau probeert mij iets in de weg te leggen.'

'Je schrijft het bureau van de advocaat-generaal een afkeurenswaardig motief toe? Dat grenst zelfs aan paranoia.'

'Leg me dan maar uit waar ik fout zit.'

'In het licht van de verklaring van mrs. Ruth Turner kan ik zien dat wij sympathiek zouden kunnen staan tegenover je rekest, maar je dient te begrijpen dat het onze zorg is dat hoorzittingen aan de hoogste maatstaven voldoen. Je zult door het ministerie van Justitie streng op de vingers worden gekeken.'

'Het ministerie kan zijn tijd beter besteden aan het op de vingers kijken van jeugdgevangenissen.'

'Je bent hier werkelijk kwaad over, is het niet?'

'Danny Wills was een ziek kind. Wie zou dat niet zijn?'

Crossley glimlachte onbehaaglijk. 'Als je er per se op staat die hoorzitting over te doen, zal dat op zijn minst in een waardig decor moeten gebeuren. Bel het ministerie, dat zal een behoorlijke rechtszaal voor je vinden. We kunnen niet toestaan dat het publiek denkt dat er in ons systeem derdewereldtoestanden heersen.' Hij stond op. 'Ik hoop dat we elkaar goed hebben begrepen.'

Alison deed Crossley en zijn jonge collega uitgeleide en beval hun een Italiaans restaurant aan waar ze ongetwijfeld nog een tafel konden krijgen voor hun lunch. Door de open deur naar de receptie hoorde Jenny dat Alison hem *mister* Crossley noemde en hem een aangename terugreis naar Londen wenste – ze deed haar uiterste best de schade te herstellen. Het maakte Jenny razend dat te horen.

Een paar minuten later kwam Alison terug met een handvol uitgeprinte e-mails. Ze keek haar aan met de blik die Jenny al had leren herkennen – een blik die bezorgdheid uitdrukte, maar die in werkelijkheid was bedoeld om haar eigen mening te ventileren. 'Ik hoop dat ze u toestemming zullen geven, mrs. Cooper.'

'Ze hebben geen keus. Als ze weigeren, stap ik regelrecht naar de Hoge Raad met een verzoek om een gerechtelijk vonnis.'

Weer die blik. 'U ziet er moe uit. Voelt u zich niet goed?'

'Als je me iets te zeggen hebt, voor de draad ermee.'

'... U klonk nogal agressief, zo-even.'

'Hij was de agressor; ik was alleen eerlijk.'

'Ze zullen u maar één kans geven, dat weet u.'

'Ik zou me geen zaak kunnen wensen die me meer redenen geeft om dit door te zetten. Jij wel?'

Het telefoontje kwam toen twee mannen bezig waren een zojuist afgeleverd bureau door de deur van haar kantoor te manoeuvreren. Ze moest zich platmaken tegen de boekenkasten en hen tot voorzichtigheid manen, want ze liepen paperassen en dossiermappen onder de voet en beschadigden de verf op de deurposten. Ze greep de telefoon voordat een van hen over de draad zou struikelen. 'Jenny Cooper.'

'Mrs. Cooper, met Isabelle Thomas – van de school van Ross.'

'Ah. Goedemiddag.'

'Ik ben bang dat we hier een probleempje hebben. Ross maakt het goed, maar hij zal er niet helemaal zonder kleerscheuren afkomen...'

'O nee...' Het hart klopte haar in de keel. 'Wat is er gebeurd?'

'Dat weten we niet precies. Een lid van onze staf heeft hem in lunchtijd gevonden. Hij is niet helemaal helder.'

'Dronken?'

'Nee. Volgens mij een soort drug. Zoals u weet, is het beleid van deze school erop gericht de politie op de hoogte te stellen...'

'Doe u dat niet, alstublieft. Het is absoluut niets voor hem.'

'Ik zal het deze keer stil houden, maar ik heb zelf het gevoel dat dit al een poosje gaande is.'

'Niemand heeft me er iets over gezegd.'

'Het is maar een indruk, meer niet... Luister, ik heb hem hier bij mij op kantoor. Ik heb geprobeerd uw man te bereiken, maar...'

'Doet u dat maar niet. Ik ben al onderweg.'

15

Het ironische ervan liet haar niet onberoerd toen ze nog twee Temaze-pam slikte alvorens de school binnen te gaan. Zelfs in het gunstigste geval joegen scholen haar altijd angst aan – de sfeer van veroordeling waarvan ze waren doortrokken. Haar voetstappen veroorzaakten echo's in de slecht onderhouden gangen. De lucht was allesbehalve fris en rook vaag naar lysol en de lasagne die kennelijk als lunch was opgediend. In sommige klaslokalen die ze passeerde heerste orde, in andere hing meer een sfeer van ordeloosheid waarin leerkrachten vergeefs de ongezeglijke kinderen tot stilte probeerden te manen. Het riep herinneringen op aan haar eigen tijd als schoolmeisje toen ze altijd gespannen was geweest, in afwachting van een scherpe terechtwijzing of krenkende hatelijkheid. Ze had het gevoel gehad in een gevangenis te zitten. Ze had gehoopt dat de druk op Ross minder groot zou zijn, maar ze kon de spanning in de atmosfeer voelen. Anders, maar niet minder intimiderend.

Isabelle Thomas, een kordate onpersoonlijke vrouw van begin dertig, liep in de gang buiten haar kantoor te bellen, haar mobieltje tegen het oor. Toen ze Jenny zag naderen, keek ze op haar horloge alsof ze wilde zeggen: waar bleef je toch?

'Mrs. Thomas?'

'Hij zit binnen, maar ik wilde u eerst even onder vier ogen spreken.' Ze leidde haar een aantal meters door de gang, tot ze buiten gehoorsaf-stand waren. 'Ross weigert iets los te laten, maar ik ben er tamelijk zeker van dat hij hasjiesj heeft gerookt. Een van mijn collega's heeft wat peu-ken gevonden, en hij had vloeitjes en tabak in zijn zakken.'

Jenny voelde een golf van opluchting. 'Gelukkig is het niet erger.'

'Het is sommige van zijn docenten opgevallen dat hij er de laatste tijd tamelijk vaag bijzat in de klas. Uit de absentielijsten blijkt dat hij een aantal keren heeft gespijbeld: de afgelopen drie weken vijf dagen.'

'Werkelijk? Daar had ik geen idee van.'

'Hij bleef dus niet thuis?'

'Dat denk ik niet... In feite woont hij meestal bij zijn vader.'

'U bent begin dit jaar gescheiden, nietwaar? Voor tieners is dat vaak een crisismoment.'

'We zullen ons ermee bezighouden. Het is vast en zeker een van die fases.'

'Ik zou u willen aanbevelen professionele hulp voor hem te zoeken, als dat mogelijk is. Normaal gesproken zou een voorval als dit er direct toe hebben geleid dat hij van school werd gestuurd.'

'Dat kunt u niet doen. We weten niet eens wat er precies is gebeurd!'

'Ik heb het hoofd moeten inlichten. Zij moet erover beslissen, maar ze zal in Ross' geval misschien te overtuigen zijn.'

'Hoe staat hij er nu voor?'

'Ze zal u bellen, maar u kunt ervan uitgaan dat hij tot nader bericht geschorst is.'

'Hij staat vlak voor zijn tenta...'

'Het zal hem worden toegestaan die mee te maken, maar hij zal niet in de school mogen blijven.'

'Dit is wel een heel erg overmatige react...'

'Het spijt me wat uw zoon overkomt, mrs. Cooper, maar het komt in de beste families voor.' Ze keek haar met gemaakt medeleven aan. 'Het lijkt me beter dat u hem nu meeneemt.'

Ross lag achterover op de passagiersstoel, de ogen half dicht, toen Jenny achter het stuur kroop. Hij zag er heel vredig uit, niet in het minst van zijn stuk gebracht door de gebeurtenissen van die middag. Ze keek nog eens goed naar hem: hij was stoned en voelde zich misschien in de zevende hemel.

'Waar wil je heen: naar huis, of met mij mee?'

'Maakt niet uit. Kijk zelf maar.' De woorden zweefden zijn mond uit.

Ze woog de beide mogelijkheden tegen elkaar af. Wat ze ook mocht beslissen, de dag zou hoe dan ook eindigen met een onaangename confrontatie waarbij David haar zou verwijten hun enige zoon te hebben verpest. Het leek verstandig Ross terug te brengen naar zijn eigen huis, waar hij zijn roes uit kon slapen, maar daar zou zijn vader weer de conclusie uit trekken dat zij er niet tegen opgewassen was. Nou, áls er dan ruzie van moest komen, kon ze beter in haar eigen territorium zijn, zonder Deborah als publiek.

Ross zat rustig te dutten toen ze de stad achter zich liet en de autoweg naar Severn Bridge begon te volgen. Ze belde Alison om te zeggen dat hij ziek was geworden en dat zij zelf pas de volgende ochtend terug zou zijn op kantoor. Alison was allang blij dat ze onmisbaar was. Ze beloofde Jenny dat ze het fort zou bewaken en belangrijke documenten naar Jenny's privéfax zou sturen. Tegen de tijd dat ze Chepstow bereikten, was Ross vast in slaap. Nadat ze voor Melin Bach was gestopt, deed

Jenny pogingen hem wakker te maken, maar hij verroerde zich niet. Ze kon alleen maar wat verder de onverharde oprit oprijden en liet hem daar achter in de auto.

Het was bijna zes uur toen hij weer bij zijn positieven kwam en met onvaste benen op het karrenspoor stapte. Jenny kwam de keuken uit met een tweede pot koffie en zag hem tegen de motorkap leunen, nog duizelig en proberend erachter te komen waar hij was.

'Hoe voel je je?'

Hij krabde aan zijn hoofd. 'Beroerd.'

'Kom mee en ga zitten. Ik haal even een kop voor je.'

Hij sleepte zich naar de tuintafel en wreef zijn ogen uit, haar blik vermijdend. Ze liep terug naar de keuken om een mok en wat koekjes te halen: na zo'n high moest hij uitgehongerd zijn.

Ze liet hem met rust, terwijl ze tussen de kruiden onkruid wiedde en dode rozen afknipte. Ze wilde hem laten merken dat ze niet over hem oordeelde en geen boeman was, zoals zijn vader. Ruim tien minuten zeiden ze geen van beiden iets, maar ze voelde hoe hij langzaam omhoog kwam uit het diepe gat waarin hij wakker was geworden. Ze zou het nooit hebben gezegd, maar ze wist dat ze zijn stemming begreep, beter zelfs dan hijzelf: hij was, net als zijzelf, gevoelig en verlegen. Als hij het gevoel kreeg te worden aangevallen, zou hij terugslaan en dingen zeggen die hij niet meende. Maar als hij wist dat hij werd geaccepteerd, zou hij zich openstellen en haar toelaten.

Hij verbrak de stilte door te mompelen: 'Sorry.'

Jenny hield even op met wieden en richtte zich glimlachend op. 'Het is goed.' Ze kwam naar de tafel, veegde haar vuile handen af aan de jeans die ze had aangetrokken terwijl hij lag te slapen. 'Voel je je wat beter?'

Hij knikte, een vermoeide frons op zijn voorhoofd.

'Hoe vind je het hier?'

Hij keek op van de tafel en begon om zich heen te kijken, zijn ogen dichtknijpend tegen het heldere vroege avondlicht. 'Anders.'

'Het bevalt je?'

'Ja... Cool.'

Zwijgend zaten ze enkele ogenblikken bij elkaar, totdat Jenny haar hand uitstrekte naar de zijne. 'Je voelt je werkelijk wat beter?'

'Best.' Hij trok zijn hand terug. 'Heb je met paps gesproken?'

'Ik heb een boodschap achtergelaten.'

'... Weet hij ervan?'

'Mrs. Thomas had eerst zijn secretaresse gebeld. Ik heb hem laten weten dat jij bij mij bent en dat we hem later zullen bellen.'

'Klote... Hebben ze me geschorst?'

'Totdat het hoofd een beslissing heeft genomen, maar je kunt wel je tentamens doen. Mrs. Thomas denkt dat we het hoofd wel kunnen overhalen je te laten blijven, als je dat wilt.'

'Ik weet niet wat ik wil.'

Jenny zei: 'Ik ga je niet de les lezen over wiet, niet na al de jaren dat ik legale tabak heb gerookt, maar misschien kun je me vertellen wat er aan de hand is...'

Hij staarde naar zijn lege koffiekop. Ze wachtte op hem. 'Ik heb een jointje gerookt, da's alles.'

'Hoe kwam je eraan?'

Schouderophalend zei hij: 'Van een vriend van me. Wat doet dat ertoe?'

'Had je er een bepaalde reden voor?'

Hij dacht even na en schudde nee.

'Had het te maken met die lunch van zaterdag? Je weet dat het me spijt dat het zo is gelopen.'

'Ik weet het niet... ik weet zelf niet waarom ik het deed. Ik wilde het opeens.'

Ze geloofde hem, ze geloofde echter ook dat hij wilde ontsnappen aan de hel die zijn vader continu voor hem creëerde door hem te willen pressen iets te worden wat hij niet wilde zijn.

'Weet je, je bent niet verplicht om te doen wat je vader zegt. Voor hem was het gemakkelijk – hij heeft altijd arts willen worden. Sommige mensen hebben meer tijd nodig om een keuze te maken.'

Zwijgend veegde Ross de koekkruimels op zijn schotel bij elkaar.

'Wat mij betreft kun je zelf beslissen wat je aanstaat of niet, en wanneer je daaraan toe bent.'

'Als drop-out?'

'Binnen zekere grenzen.' Ze probeerde een glimlach, maar kreeg er geen terug. 'Luister, ik meende wat ik zei over bij mij komen wonen. Het lijkt me leuk als je hier de zomer komt doorbrengen. Dan kun je over de dingen nadenken zonder dat je onder druk wordt gezet.'

'Je mag Deborah niet erg, of wel?'

'Dit heeft niets met haar van doen. Ik had tot nu toe nog geen eigen huis, zie je.'

'Paps had ook geen hoge pet op van die man die je mee had genomen.'

'Steve is gewoon een vriend. Hij houdt de tuin bij.'

Ross knikte naar het enkelhoge gras. 'Ja ja.'

'Het ís zo.'

'Maakt mij niet uit. Gelukkig is hij niet de helft jonger dan jij.'

'Als ik een relatie wilde beginnen met wie dan ook, geloof me, dan was jij de eerste die het te horen kreeg.'

'Nou ja, als het mocht gebeuren, probeer dan het fysieke gedoe uit het zicht te houden – het is geen prettig gezicht om een ouwe vent van vijftig naar een vrouw te zien graai...'

'Laat maar, ik begrijp wat je bedoelt.' Ze probeerde het beeld dat hij had opgeroepen uit haar hoofd te zetten. 'Ik weet dat het voor jou moeilijk is, dat van je vader en mij, maar je weet dat ik je altijd bij me heb willen hebben, toch?'

Ross keek omlaag naar de tafel. Ze voelde de golf van emotie die hem overspoelde. 'Ja...'

Er viel een stilte tussen hen. Plotseling voelde Jenny zich ontzettend schuldig, woedend op zichzelf omdat ze er al zo vroeg een punt achter had gezet. Twee jaartjes meer en Ross zou naar de universiteit zijn gegaan, waar hij kon leren op eigen benen te staan. Na een poosje zei ze: 'Je wilt dus wel komen, als je klaar bent met je tentamens?'

'Als je dat wilt...'

'En kun je me beloven dat je die troep niet meer zult roken?'

'Ik dacht dat je me niet de les wilde lezen.'

'Ik zou geen goeie moeder zijn als ik me er geen zorgen over maakte.'

'Daar is het nu een beetje te laat voor. De schade is immers al aangericht, of niet?'

Ze keek naar zijn gezicht, gekrenkt, proberend vast te stellen of hij dit had gemeend of alleen maar stoer had willen doen. Ze vroeg zich af wat zij ooit nog zou kunnen doen om de situatie te verbeteren.

Ze draaiden zich allebei om bij het geluid van een ronkende automotor die door de laan naderde. Davids BMW 7 Serie stopte achter Jenny's Golf. Ross kromp ineen toen David uit de auto stapte en het portier achter zich dichtsmeet.

'Rustig maar,' zei Jenny. 'Laat hem maar aan mij over.'

David beende over het gras, nog in zijn maatpakpantalon, overhemd en stropdas. Jenny stond op en posteerde zich tegenover hem – dit was het moment waar ze al de hele dag tegenop had gezien. Ze had wel vijf, zes scherpe opmerkingen bedacht waarmee ze hem de pas af wilde snijden, maar ze kon zich er niet een van herinneren. 'Wees niet kwaad, David, we komen er wel uit.'

Hij bleef naast de tuintafel staan en op zijn gezicht volgde de ene emotie op de andere voordat hij moeizaam een pose van gespeelde redelijkheid aannam. 'Ik ben niet van plan om kwaad te worden. Als er dingen moeten worden doorgesproken, zullen we dat rationeel doen, daar heb ik altijd in geloofd.' Hij monsterde Ross alsof hij een patiënt tegenover zich had. 'Je zult je wel een tikje beroerd voelen, neem ik aan?'

'Het valt wel mee met hem.'

Hij gebaarde naar een stoel. 'Mag ik?'

'Ga je gang.'

David ging naast Ross zitten, tegenover Jenny. Het vaderlijke lachje dat hij haar toonde, werkte haar op de zenuwen. 'Echt wat voor jou, dit hier. Rustig is het zeker.'

Jenny had spijt van alle koffie die ze had gedronken. Plotseling voelde ze haar zenuwen opspelen. 'Ik zei net tegen Ross dat hij van de zomer voor een tijdje hier kan komen.'

'Waarom niet? Misschien zal het hem goeddoen, een tijdje weg uit de stad.'

Ross staarde naar de tafel – gesloten als een oester.

David keek naar hem en herkende vertrouwde symptomen. 'We dringen nooit door tot op de bodem van dit akkefietje, tenzij je met ons wilt praten, makker.'

Jenny zei: 'Ik stel voor dat we hem wat tijd gunnen.'

Ross sprong op en smeet zijn stoel achterover. 'Waarom praten jullie altijd op die manier over mij? Ik ben verdomme geen klein kind!' Hij liep woedend door het gras, dook op de achterbank van Davids auto en trok het portier met een harde klap dicht.

'Precies wat ik nodig heb,' snauwde David. 'Na zes uur zware inspanning in de operatiezaal krijg ik een telefoontje en wordt me meegedeeld dat mijn zoon een drugsverslaafde is.'

'Hij heeft een jointje gerookt. Dat is het eind van de wereld niet.'

'Het kan het eind zijn van zijn studie.'

'Doe toch niet zo theatraal.'

'Wat moeten we volgens jou dan doen – niets? Hij is niet het enige kind op de wereld met gescheiden ouders.'

'Hij is gevoelig.'

'Moet je mij vertellen.'

'Waarom laat je hem niet hier, voor een paar dagen?'

'Terwijl jij weg bent naar je werk.'

'Ben jij dan niet naar je werk?'

'Deborah kan wat vrije dagen nemen.' Hij stond op. 'Ze is verstandig genoeg om hem op te vangen.'

Gekrenkt zei Jenny: 'Laten we het hopen. Als onze zoon ook maar iets van zijn vader in zich heeft...'

'Doe niet zo verdomd kinderachtig.'

Jenny stond naast de beek en luisterde naar het geluid van Davids auto die de heuvel afdaalde; ze kon zijn woede bespeuren in het rijzen en dalen van het geluid van de motor. In gedachten zag ze Ross als verdoofd op de achterbank naar buiten zitten staren. Hij zou zich gevangen voelen, maar was niet dapper genoeg om tegen zijn vader in opstand te komen, zodat hij er de voorkeur aan zou geven zich in zichzelf terug te trekken. Exact zo had zij zich gevoeld toen haar zenuwgestel haar in de steek begon te laten. David was haar gaan behandelen als een van zijn meer neurotische patiënten. Als ze was begonnen te huilen of een poging had gedaan hem de angstgevoelens die uit het niets leken te komen te beschrijven, had hij haar alleen maar kunnen zien als een geheel van symptomen dat onderdrukt moest worden. Niet één keer had hij gevraagd naar haar diepste gedachten, of dat ze misschien last had van het verleden. Hij scheen alleen in staat het leven als een aantal rechte lijnen te zien. Iedere bocht moest recht worden gehamerd.

De bries was te kil voor het seizoen – er hing een geur van vochtige aarde in de lucht. Het verergerde haar gevoel van hopeloosheid. Ze was een mislukking, niet alleen als persoon, maar ook als moeder. Ze zat te zeer verstrikt in haar problemen om voor haar zoon te kunnen zorgen. Als ze het aandurfde diep in de zwarte kern van haar binnenste te kijken, bekroop haar het gevoel dat het iets duivels moest zijn dat haar in zijn greep hield, een entiteit die ze zich alleen maar kon voorstellen als een soort kankergezwel. Vanavond voelde ze dat scherper dan ooit. Zelfs de bomen straalden iets boosaardigs uit. Beelden uit een repeterende nachtmerrie bleven rondmalen in haar hoofd: ze stond als kind in de hoek van een bekende, maar op een vreemde manier verwrongen kamer in haar ouderlijk huis en zag in de muur bij de hoek een scheur ontstaan die een gitzwarte nacht openbaarde, een angstaanjagende geheime ruimte die dreigde haar te verslinden...

Ze schudde het beeld van zich af en liep het huis in – een poging zichzelf terug te brengen tot de werkelijkheid. Het gevoel van naderend onheil liet zich echter niet verdrijven. Ze stak haar hand uit naar de wijnfles, ondanks de beklijvende kater, maar zette hem weer neer. Ze probeerde eten te koken, maar had het gevoel alsof iemand haar door het gordijnloze keukenraam bespiedde. Een geluid van boven was een spook, de oude vrouw die hier had gewoond en kennelijk haar aanwezigheid verfoeide, zodat ze dingen begon te verplaatsen. Ze greep naar haar pillen, maar stelde zich voor dat ze buiten bewustzijn zou raken om dan in het holst van de nacht wakker te worden en te ontdekken dat de oude vrouw, wier muffe kleren ze kon ruiken en wier woede ze kon voelen, over haar heen gebogen stond.

Ze omklemde de rand van het aanrecht en het bonken van haar hart veranderde in voetstappen op de houten vloerdelen van de slaapkamer boven haar hoofd. Ze sloften naar de overloop en begonnen de trap af te dalen, waarbij beide voeten tegelijk een trede raakten alvorens eraf te springen, naar de volgende. Ze draaide zich vlug om naar de deur, de blik gefixeerd op de deurkruk, wachtend tot hij in beweging zou komen. In de zitkamer kraakte iets. Ze greep haar autosleutels en ontvluchtte het huis via de achterdeur.

Hoewel het al juni was, vonden de mensen het nog te koud om op de veranda voor de Apple Tree te gaan zitten. Jenny liep naar de deur van de pub en keek door de ruit. Het was er minder druk dan bij haar eerste bezoek. Een handvol mannen stond bij de toog en er zaten een paar stelletjes aan tafeltjes. Steve zat op een kruk en Annie liep, steeds als ze een klant had bediend, naar hem toe om te praten. Jenny wachtte, te bang om naar binnen te gaan of alleen terug te gaan, het huis in. Ze bleef naar binnen kijken, wachtend op een moment dat Annies aandacht was afgeleid. Het leek een eeuw te duren. Toen Annie eindelijk in de keuken verdween, stapte ze naar binnen, ving Steve's blik en liep weer naar buiten. Ze voelde zich net een schoolmeisje, wachtend in het portiek.

Toen hij naar buiten kwam, viste hij tabak en vloeitjes uit zijn spijkerjack en wijdde zijn aandacht voornamelijk aan het rollen van een sigaret. Ze was zijdelings aan een van de houten tafels gaan zitten en wist niet wat ze moest zeggen nu hij er was.

'Hoe is het ermee?' vroeg hij.

'Sorry dat ik je avond verstoor.'

'Ik was toch toe aan een saffie.' Hij spreidde een pluk tabak uit in het vloeitje, rolde het met een hand op en likte aan de rand. 'Ze zeggen dat dit een vrij land is. Maar als je probeert je ernaar te gedragen, gooien ze je zo snel de bak in dat je voeten niet eens de grond raken.' Hij streek een lucifer af in de holte van zijn handen.

Jenny vroeg: 'Heb ik die zin al niet eens in een film gehoord?'

Grijnzend zei Steve: '*Easy Rider*.' Hij leunde ruggelings tegen de houten borstwering van de veranda en zoog de zoetgeurende tabaksrook in zijn longen. 'Een goeie film, maar Peter Fonda liep er altijd bij alsof hij vergezeld was van een kapper. Iedereen die weleens een motorhelm heeft gedragen, weet wat dat met je haar doet.'

'Ik vond hem er altijd wel leuk uitzien.'

'Hij kon ermee door, maar Jack Nicholson speelde hem van de set. Een drankzuchtige advocaat in een doorgezweet pak wordt wakker in een cel, koopt een bewaker om en gaat ervandoor met een groep motorduivels. Uiteindelijk wordt hij doodgeschopt door een groep *rednecks*.'

'De man die het waagde anders te zijn.'

'Ja, dat kan gevaarlijk worden.'

Jenny keek naar zijn bemodderde broekspijpen en verbleekte groene overhemd. Het haar over zijn voorhoofd reikte tot aan zijn wenkbrauwen en zijn gezicht zei haar dat hij er niet over peinsde vragen te gaan stellen – ze moest zelf maar beginnen.

Ze zei: 'Ik werd bang, in mijn huis.'

'Hmm.'

Ze zuchtte, wensend dat ze hem hier niet mee was komen vervelen. 'Ross was stoned, op school. Ik heb hem vanmiddag mee naar huis moeten nemen. Totdat mijn ex hem kwam halen, je kunt het je wel voorstellen... Later was ik alleen in de keuken, en kreeg het idee dat het boven mijn hoofd spookte – te gek voor woor...'

'Wat voor spook?'

'De oude vrouw die er vroeger woonde.'

'Joan? Niet het soort vrouw dat gaat lopen spoken.'

'Ik weet het, het is mijn verbeelding maar...'

Hij zoog aan zijn sigaret, waarvan het vuur zijn vingers bijna had bereikt. 'Je had een zware dag, da's alles. Daar wordt iedereen schrikachtig van.'

'Ik kan beter gaan, in plaats van jou lastig te vallen.' Ze stond op van de tafel en liep naar het verandatrapje dat uitkwam bij het voetpad.

Ze stond al beneden toen hij zei: 'Hé...' en haar achterna kwam.

Ze draaide zich om. Hij streek het haar uit zijn gezicht en zei: 'Wil je dat ik even meekom om binnen poolshoogte te nemen?'

'Ik heb je al te veel lastiggevallen.'

'Je hebt me van mijn barkruk gerukt, alleen om me dat te zeggen?'

Jenny keek langs hem heen naar de deur van de pub. 'Het gaat wel weer, denk ik.'

'Weet je dat zeker?' Hij gooide zijn peuk weg, liep naar haar toe en legde zijn armen om haar schouders. 'Volgens mij niet.'

Ze liet haar hoofd tegen zijn borst zakken en voelde hoe zijn hand haar achterhoofd streelde. 'Ik weet zelf niet hoe het met me is.'

'Luister, ik heb toch al te veel gedronken om te rijden. Geef me een lift tot jouw huis, dan ben ik al halverwege.'

Het gebeurde terwijl ze geen van beiden iets zeiden. Ze nam zijn hand toen ze samen naar de voordeur liepen, een gebaar dat hen allebei duidelijk maakte wat erop zou volgen.

Later lagen ze langdurig in het donker, hand in hand. Toen had Steve gevraagd: 'Is het spook weg, nu?'

Ze had gezegd: 'Ik geloof van wel.'

'Mooi.' Hij had zijn benen uit bed gezwaaid en was in zijn jeans gestapt, zijn sterke rug beschenen door maanlicht. 'Dan moest ik nu maar gaan. Als ik de hond niet meteen te eten geef, vreet hij m'n kippen nog op.'

'Moet ik je niet even brengen?'

'Ik ga lopen. Het is maar anderhalve kilometer, door het bos. Ik mag graag de uilen horen.'

Toen had hij zijn hemd aangeschoten, zich naar haar toe gebogen en haar op de mond gekust. 'Je bent een mooie vrouw, Jenny. Je weet het alleen niet.'

Ze had geluisterd naar zijn voetstappen, en toen hij wegliep door de laan, was ze na gaan denken over wat hij had gezegd. De ziekte in haar binnenste was verdwenen, maar de vreugde ook. Ze herinnerde zich het gevoel, zoals een gevangene zich zijn vrijheid zou herinneren – iets uit het verleden dat onbereikbaar was. Ze wilde het terug. Ze wilde haar cel uit.

Gelukkig leefde ze nog en kon ze zichzelf nog verliezen in seks. Ze was tenminste niet als Danny Wills, bungelend aan een strop. Ze stelde zich hem voor, met zijn jongensgezicht, en daarna Katy Taylor en Harry Marshall. Drie dode mensen, en haar hart was het enige van hen vieren dat nog klopte. Ze drukte haar hand tegen haar borst en kon het leven in haar binnenste voelen.

Ze zond woordeloos een dankgebedje op en gleed weg in een rusteloze slaap.

16

Op het briefje op het aanrecht stond: *Niet de oplossing voor je problemen, maar misschien een stap in de goeie richting. Jij bent. Steve.* Ze las het nog eens door, en nog eens terwijl ze haar koffie dronk, proberend te ontdekken wat hij ermee bedoelde, of wat zij wilde dat hij ermee zou bedoelen. Ze kwam tot de conclusie dat hij waarschijnlijk net zo verward was als zijzelf, maar beter gewend aan dit soort situaties. Hij was slim genoeg geweest om niet de hele nacht te blijven en het moeizame gesprek in de ochtend te riskeren.

'*Jij bent.*' Het feit dat hij de verantwoordelijkheid op haar afschoof, zei haar dat hij geen intimiteit wilde en tevreden was met vriendschap – neukmaatjes, zoals kinderen het tegenwoordig noemen. Ze moest vooral niet denken dat hij uit was op méér. In het weekeinde had hij het echter over zijn karma gehad en gezegd dat hij haar wilde helpen, alsof hij het gevoel had dat het lot haar op zijn weg had gebracht. Zelf geloofde ze niet in karma, een systeem – het leven verliep niet planmatig. Ze geloofde in goed en kwaad, geesten die het leven van een mens in en uit zweefden, wellicht omdat er reden toe was, maar misschien ook niet.

Ze vouwde het briefje op en stopte het in haar handtas, té bijgelovig om het weg te gooien, maar in de overtuiging dat ze ook zonder relatie al meer dan genoeg te verstouwen had. Een man in haar bed was een verademing. Als ze in staat was de juiste momenten te kiezen, zou het een goeie regeling zijn. Waarom zou ze er niet van genieten, een tijdje?

Ze dacht er nog steeds over na tijdens de rit naar kantoor, en had de brug al bijna bereikt toen ze zich realiseerde dat ze geen pil had geslikt. Wow! Het was goed raak geweest, vannacht.

David belde haar toen ze in de file optrok en remde, op weg naar het centrum van de stad. Bij wijze van uitzondering kreeg ze geen beklemd gevoel bij het horen van zijn stem. Het hielp dat hij bijna redelijk klonk.

'Bedankt dat je Ross gisteren uit de nesten hebt geholpen. Het hoofd heeft me net gebeld – hij is formeel geschorst, maar omdat het tentamentijd is, maakt dat weinig verschil. Als we haar de verzekering kunnen geven dat het niet nog eens zal gebeuren, zal ze hem niet van school sturen.'

'Dat is tenminste iets. Hoe is het met hem?'

'Gaat wel. We hebben gisteravond langdurig gepraat... Ik had me niet gerealiseerd hoe hard de scheiding is aangekomen bij hem. Ik neem aan dat kinderen van nature altijd geneigd zijn zich er op de een of andere manier verantwoordelijk voor te voelen.'

'Wat heeft hij gezegd?'

'Dat het hem van streek heeft gemaakt en hij zich daardoor onzeker is gaan voelen.'

'Er is veel dat we voor hem kunnen doen...'

David laste een pauze in. 'Ik heb hem gezegd dat hij zich er de volgende paar weken doorheen moet worstelen en heb hem beloofd dat we daarna gedrieën zullen overleggen wat er verder moet gebeuren.'

De bescheiden klank in zijn stem verbaasde haar. Ze kon zich de laatste keer dat ze die had gehoord niet heugen. 'Waar is hij momenteel?'

'Hij zit te blokken. Hij heeft me beloofd dat hij hard zal werken. Luister, ik moet nu ophangen, over tien minuten sta ik aan de operatietafel. Dag, Jenny.'

Ze voelde een steek van jaloezie toen ze de rode knop van haar mobieltje indrukte. Ross had met háár nauwelijks gepraat, maar nu had hij wel de hele avond zijn hart uitgestort tegenover David. Waarom had hij niet met háár over zijn onzekerheid willen praten? Zag hij haar misschien als de enige oorzaak ervan...? Ja, zo zat het natuurlijk. Zij was tenslotte degene die het gezin kapot had gemaakt, met haar driftbuien en gesmijt met serviesgoed. Die gedachte maakte dat ze wilde huilen, maar dat was precies het soort reactie waarvoor Ross zou terugdeinzen. Ze moest sterk voor hem zijn, zichzelf weer volledig in de hand krijgen.

Van nu af aan, zo nam ze zich voor, zou dat haar taak zijn: zichzelf volledig in de hand krijgen.

Ze was eerder dan Alison op kantoor en ontdekte daar dat haar nieuwe bureaus netjes waren opgesteld en dat de hele boel was schoongemaakt en aan kant gebracht. Het zag er al een stuk professioneler uit. Ze startte Alisons oude computer op en bekeek haar e-mails. De eerste was een formeel berichtje van Adam Crossley van het bureau van de advocaat-generaal: de advocaat-generaal had haar rekest om de Hoge Raad toestemming te mogen vragen voor een nieuwe hoorzitting in de zaak-Danny Wills in overweging genomen en besloten er gehoor aan te geven, op strikte voorwaarde dat dit zou gebeuren in een van de officiële rechtszalen van het Combined Court Centre in Bristol. Crossley besloot met een verholen dreigement: *Ik vertrouw erop dat je je onderzoek redelijk, grondig en ingetogen aanpakt. We zullen het met belangstelling volgen.*

Jenny handelde haar papierwerk af en formuleerde toen het verzoek aan de Hoge Raad om het oordeel uit de hoorzitting in de zaak-Danny Wills te vernietigen teneinde een nieuwe hoorzitting mogelijk te maken. Ze belde de rechtsburelen in The Strand en hield een van de ambtenaren die over het zittingenschema ging lang genoeg aan de praat om een afspraak los te krijgen met een rechter aan wie ze de zaak kon voorleggen – over twee dagen. Nu de advocaat-generaal al toestemming had verleend, zou die hoorzitting een formaliteit zijn. Ze kon een aankomend jurist naar de rechter in kwestie sturen. Die zou hem of haar in zijn burelen ontvangen, haar uitleg lezen en de lastgeving tekenen.

Ze overhandigde Alison de officiële documenten, met de instructie ze onmiddellijk per koerier naar de Royal Courts of Justice te sturen. Ze was van plan de nieuwe hoorzitting al op maandagochtend te beginnen, om iedereen ermee te overvallen. Alison vertelde dat ze al was gebeld door een van de ambtenaren van de Bristol Law Courts: hij had haar gezegd dat hij het bureau van de advocaat-generaal aan de lijn had gehad met het verzoek haar een rechtszaal ter beschikking te stellen. Het gaf haar het gevoel dat het systeem besloten had om, nu ze het haar niet konden beletten, haar voortdurend op de vingers te blijven kijken.

Rechters van instructie hadden in het recente verleden nogal veel hinderlijk stof doen opwaaien: de hoorzitting in de zaak van prinses Diana had zich ruim tien jaar lang voortgesleept onder vijf rechters van instructie. De rechter van instructie in Oxfordshire die het had gewaagd een onderzoek in te stellen naar de dood van Britse militairen wier lichamen uit Irak naar zijn territorium zouden worden gestuurd, had moeten ontdekken dat de lijken in plaats daarvan waren beland in de jurisdicties van collega's die meer bereid waren de verklaringen van het leger te slikken. Jenny was niet van plan zich te laten dwingen om de minder fraaie waarheid te negeren, maar die aan het licht te brengen, zij het zonder haar waardigheid of houding te verliezen. Als de media zich in haar vastbeten, zou ze zichzelf presenteren als elegant, vastbesloten en cerebraal, met nooit meer dan een spoortje emotie in haar stem.

Ze vroeg Alison of zij nog nieuws had gehoord over het politieonderzoek naar de dood van Katy Taylor.

'Alleen dat ze nog steeds op zoek zijn naar die Vectra. Er kunnen valse nummerborden op hebben gezeten, en dat wil zeggen dat ze iedere blauwe Vectra in Bristol moeten natrekken. Dat kan nog dagen duren.'

'Hebben ze nog een van die vrienden of vriendinnen van Katy gevonden? Ze kan onmogelijk in haar eentje over straat hebben gezworven.'

'Mij niet bekend. Groepen jongeren zijn het moeilijkst aan de praat te krijgen van alles en iedereen.'

'Er moeten hoertjes in die buurt actief zijn. Als Katy op die manier aan haar geld...'

'Ze doen hun best, geloof me, maar ook die zijn allesbehalve praatziek. Er moeten op zijn minst al drie meiden vermoord zijn voordat die iets willen loslaten. Ze zijn voornamelijk blij dat de concurrentie is uitgedund.'

'Werkelijk?'

'Hang maar een paar maanden rond op straat, mrs. Cooper. Dan zult u er versteld van staan hoe goedkoop een mensenleven is.'

Jenny liep met de binnengekomen overlijdensmeldingen van de afgelopen nacht haar kantoor in, maar ze kon zich niet echt goed concentreren. Haar gedachten bleven teruggaan naar de jongeren die Katy én Danny moesten hebben gekend. Iemand van hen moest toch weten of er een connectie tussen die twee had bestaan, of dat Marshall over iets was gestruikeld dat zo groot was dat hij er zelf door in ernstige verlegenheid was gebracht en de dood de enige uitweg voor hem was geweest. Ze liet diverse morbide mogelijkheden de revue passeren, maar niets ervan paste in het plaatje. Waarom had Marshall zo geaarzeld, als er een misdrijf in het spel was?

De enige naam waarover ze beschikte, was die van het meisje dat Tara Collins haar had genoemd, Hayley Johnson. Na Tara's bezoekje aan haar, direct na de hoorzitting in de zaak-Katy Taylor, had ze op een telefoontje gerekend, maar dat was uitgebleven. Het zou rationeel zijn de naam van Hayley door te geven aan de politie, maar haar knagende wantrouwen jegens de politie was nog niet verdwenen. In feite stelde ze al evenmin een onvoorwaardelijk vertrouwen in Tara zelf – voor zover zij wist, kon ze best een creditcardfraudeur zijn. Bovendien was Tara er niet voor teruggedeinsd haar te dreigen met openbaarmaking van haar ziektegeschiedenis. Als ze echter een gesprek met Hayley wilde, zou ze uit een van die twee kwaden moeten kiezen.

Ze besloot het mobiele nummer te bellen dat Tara Collins haar in het dorpszaaltje had gegeven. De telefoon ging zeven tot acht keer over, voordat een voorzichtige stem 'Hallo?' zei.

'Tara?'

'Ja?' Ze klonk schrikbarend timide.

'Jenny Cooper. Hoe is het ermee?'

'Niet best...' Tara's stem beefde – al haar zelfvertrouwen was verdwenen.

'Vanwege die aanklacht?'

'Dat ook, plus het feit dat ik gisteravond ben overvallen. Iemand nam me te grazen.'

'Wie?'

'Kon ik niet zien. Ze overvielen me in het donker van achteren en sloegen me tegen de grond, vlak voor mijn eigen huis. Volgens mij waren het er twee.'

'Getuigen?'

'Nee. Niemand die me iets zou kunnen vertellen.'

Jenny wachtte en dacht na over wat ze zojuist had gehoord; ze probeerde afstand te bewaren, op haar hoede voor het geval Tara haar wilde manipuleren. 'Waar waren ze op uit, denk je?'

'Ik had een handtas bij me. Die lieten ze ongemoeid. Het enige wat ik kan bedenken, is dat ik pogingen heb gedaan om na te gaan hoe die creditcardtransacties tot stand zijn gekomen. Ik heb er een computerfreak op gezet; hij denkt dat ze mijn IP-adres hebben gekraakt.'

'Iemand had jouw identiteit gestolen?'

'Op zijn minst mijn online-identiteit. Iemand die wat geld achterover had gedrukt en de bewijzen op mijn computer heeft gedumpt. Ik weet dat het zo is gegaan, maar het wordt moeilijk dat te bewijzen.'

'Wie zit hierachter, volgens jou?'

'Laten we het zo zeggen: ze overvielen mij met die aanklacht nadat ik vragen begon te stellen over Katy Taylor. Iemand wil niet dat ik meer aan de weet kom.'

'Denk je dat het veilig is te telefoneren?'

'Dat betwijfel ik.'

'Misschien kunnen we beter ergens afspreken.'

Ze reed het parkeerterrein van de supermarkt in Bradley Stoke op. Bradley Stoke was in de jaren zeventig uit de grond gestampt en inmiddels een voorstad aan de noordoostrand van Bristol. Na een minuut of vijf zag ze een witte Fiat Panda langskomen, met Tara achter het stuur. Ze ontdekte Jenny en parkeerde haar auto in een vak tegenover het hare. Ze kwam naar haar toe hinken, de linkerkant van haar gezicht gezwollen. Jenny boog zich naar links om het portier te openen.

Het instappen kostte Tara moeite. 'Ik moet bij mijn val mijn heup hebben gekneusd.'

'Je gezicht ziet er ook niet best uit.'

'Ja, de eerste paar weken kan ik afspraakjes wel vergeten.' De glimlach deed haar pijn.

Jenny vroeg zich af of ze op mannen óf op vrouwen viel. Iets in haar zei het laatste. Tara had weinig vrouwelijks over zich en ze had dat afstandelijke dat sommige lesbiennes praktiseren om mensen emotioneel op afstand te houden.

Jenny zei: 'Ik zou jou niet hierheen hebben gesleept als je me dit had verteld.'

'Ik was allang blij weg te kunnen uit huis. Sinds die aanklacht heb ik betaald verlof.'

'En iedereen maar roepen dat een mens onschuldig is totdat zijn schuld bewezen is.'

'Wie heeft die mythe uitgevonden? Zelfs mijn creditcards zijn bevroren. Ingeseind door de politie, uiteraard. De schoften.' Haar ogen scanden het parkeerterrein en ze maakte instinctief gebruik van de spiegels, op haar hoede na die overval. 'Wat was het dat je me niet per telefoon kon vertellen?' vroeg ze.

'Ik wilde je vragen naar dat meisje dat je me hebt genoemd, Hayley Johnson. Voor zover ik weet, heeft de politie haar nog niet gevonden, en ik wil de politie voor zijn.'

'Ik heb haar maar een keer ontmoet. Ze tippelde op straat in Broadlands.'

'Wat weten we verder van haar?'

'Zestien. Gemengd bloed. Ze komt uit Plymouth, meen ik dat ze zei.'

'Ze heeft Katy gekend?'

'Ze zei dat ze haar een paar keer heeft zien weggaan met een klant. Ze hadden wat met elkaar gebabbeld – niets van belang.'

'Wanneer heb je haar gevonden?'

'Een dag of tien geleden, maar ze beweerde dat ze Katy niet meer had gezien voordat ze naar Portshead ging.'

'Geloofde je haar?'

'Weet ik niet. Ze deed nogal schichtig, wilde niet geloven dat ik geen politievrouw was.'

'Hoe ben je haar op het spoor gekomen?'

'Door daar rond te rijden. Ik heb die buurt leren kennen.'

'Ik wil haar graag spreken om te zien wat ze me van de hoerenlopers kan vertellen. In wat voor auto's ze rijden, en of Katy vaste klanten had.'

'Is er een bepaald soort auto waarnaar u uitkijkt?'

'Misschien.'

Tara keek haar aan, en keek toen opzij naar buiten, waarmee ze Jenny de indruk gaf dat die haar vertrouwen had geschonden door informatie achter te houden.

Jenny zei: 'Het enige wat ik weet, is dat de politie op zoek is naar een blauwe Vectra. Meer niet.'

Tara wachtte even met haar antwoord; deze keer had Jenny haar nodig en dat wilde ze haar te verstaan geven. 'Zoals ik al zei, Hayley was moeilijk te vinden. Ik was nog bezig haar vertrouwen te winnen.'

'Zie je kans haar voor mij te pakken te krijgen?'

'Hangt ervan af.' Ze keek Jenny uitdagend aan. 'Wat doet u aan Danny Wills?'

Jenny zei: 'Hoe kan ik een vrouw vertrouwen die me heeft gedreigd met openbaarmaking van mijn ziektegeschiedenis?'

Tara liet haar hoofd zakken, alsof ze haar gelijk moest geven. 'Ik dacht toen niet dat ik je aardig zou gaan vinden. We hadden elkaar nooit ontmoet.'

Jenny beantwoordde haar blik en besloot de ondertoon van wat ze zojuist had gehoord te negeren. 'Ik heb die zaak opnieuw ter hand genomen. En als het lukt, begin ik volgende week aan een tweede hoorzitting.'

Tara keek haar verbaasd aan. 'Ik heb je werkelijk verkeerd ingeschat.'

De ambtenaar die het zittingenschema verzorgde, had zichzelf overtroffen. Ze zou niet alleen met voorrang worden gehoord, maar hij had zelfs een afspraak voor haar geregeld voor vrijdagochtend om halftien bij de vertegenwoordiging van de Hoge Raad in Bristol, een halfuur voordat daar de rechtszaken normaal begonnen. Jenny rekende op een legertje juristen die de Kroon en het Openbaar Ministerie vertegenwoordigden, maar het OM liet verstek gaan en de Kroon had de jongste juriste gestuurd die ze hadden kunnen vinden. Jenny's eigen team bestond uit de jongste bediende van de bescheiden advocatenfirma die ze had ingeschakeld; en in de rechtszaal zat een ernstige jonge advocate, die eruitzag alsof ze de hele nacht had zitten blokken op de principes van de *Coroner's Law*, kaarsrecht te wachten op haar komst. In het gedeelte voor het publiek zat één enkele journalist.

De edelachtbare Aden Chilton, een felle intellectuele snob met wie ze in het verleden heel wat keren de degens had gekruist over de voogdij van onfortuinlijke kinderen, knikte haar nauwelijks toe toen hij in vol ornaat met zijn rode mantel en bepoederde pruik de rechtszaal binnenzweefde. Hij zei meteen dat hij het verzoekschrift van de rechter van instructie had gelezen en geneigd was het rekest in te willigen als daar geen bezwaren tegen waren. De dankbare jonge vertegenwoordiger van de Kroon schudde het hoofd en mompelde: 'Geen bezwaar, edelachtbare', en de zaak was afgehandeld. Jenny keek even naar de journalist en zag hem voor de zoveelste keer geeuwen; hij scheen het niet de moeite waard te vinden een notitie te maken.

Ze wandelde de rechtszaal uit en nam met groeiend wantrouwen afscheid van haar verbijsterde teamleden. Een stelsel dat vaak leek samen te zweren om ouders maandenlang in onzekerheid te laten wachten op een beslissing over de voogdij van een of meer kinderen, had haar wens in minder dan drie etmalen ingewilligd. Een regelrecht wonder! Het leek te mooi om waar te zijn – en dat betekende dat het dat waarschijnlijk ook was.

Ze vond het niet meer dan beleefd Alison eerst even te laten bellen met de staf van Portshead Farm, een halfuur voor haar komst. Voor de volledigheid faxte ze bovendien een kopie van de lastgeving van de Hoge Raad naar het secretariaat van de directie. Haar bezoek was uitzonderlijk: rechters van instructie maakten er geen gewoonte van de plaats van overlijden zelf te bezoeken, laat staan dat ze zich vaak ergens zonder afspraak vooraf vervoegden – maar wettelijk stond ze in haar recht. De brede bevoegdheden van een rechter van instructie tot het onderzoeken van een doodsoorzaak gaven haar het recht om, desnoods met steun van de politie, volledige medewerking van alle potentiële getuigen af te dwingen en onbeperkt inzicht te eisen in alle relevante bewijzen. Ze had de afgelopen twee avonden haar handboeken zitten bestuderen, totdat ze heel zeker was van haar zaak: Portshead Farm had geen andere keuze dan haar toe te laten.

Er viel een kille, gestage motregen, mistroostig weer dat al de hele maand nauwelijks was veranderd, toen ze de inrichting bereikte. Ze kon geen mens ontdekken bij de poort van het gesloten heropvoedings- en detentiecentrum. Ze wandelde over het omheinde parkeerterrein via een verhard voetpad naar de massieve stalen voordeuren van de inrichting, bewaakt door een hele groep beveiligingscamera's op hoge stalen posten. De buitenste betonnen muur rond de inrichting was zo hoog dat alleen de daken van de gebouwen binnen de muur zichtbaar waren. Een stukje stedelijke hel in het Engelse landschap.

Ze drukte op de knop, maar er kwam geen reactie. Pas bij haar vierde poging vroeg een stem haar via de luidspreker wie ze was en wat het doel was van haar bezoek.

'Mrs. Cooper, rechter van instructie voor het district Severn Vale. Ik kom voor de directeur.'

Stilte. Na een poosje kwam de stem terug en zei: 'Er is ons geen afspraak bekend. U zult eerst een afspraak moeten maken.'

Jenny zei: 'Ik ben rechter en mijn komst is officieel. De directeur is van mijn komst op de hoogte gesteld.'

'Geen afspraak, geen toelating.' Klik. Einde communicatie.

Ze drukte de knop vijf volle tellen in.

De stem kwam terug, minder formeel deze keer. 'Mevrouw, u hebt gehoord wat de procedure is.'

Ze dwong zichzelf kalm te blijven en zei: 'Luister goed naar wat ik zeg, wie u ook mag zijn. Bel naar het kantoor van de directeur en zeg haar dat de rechter van instructie Cooper haar wenst te spreken. Ik ben binnen twee minuten aan de andere kant van deze deuren óf u mag komen lunchen in een politiecel.'

Jenny wachtte geagiteerd. Ze voelde de werking van de pil die ze vooraf had genomen snel afnemen. Het was ondenkbaar er nog een te nemen voor het oog van al deze camera's.

Er verstreken verscheidene frustrerende minuten voordat de deur werd geopend. Een vrouw van ongeveer haar eigen leeftijd, gekleed in een zwart, perfect passend broekpak, stond aan de andere kant van de drempel. Haar onberispelijk gekapte haar en nadrukkelijke make-up werden verklaard door het Amerikaanse accent waarmee ze haar begroette. Ze zei, scherp articulerend: 'Goedemorgen, mrs. Cooper. Elaine Lewis. Wat kan ik voor u doen?' Ze maakte geen aanstalten haar binnen te nodigen.

'Ik neem aan dat u een telefoontje van mijn bode hebt gehad, en een afschrift van de lastgeving die vanmorgen is uitgevaardigd.'

'Zojuist ontvangen. Ik zat in een vergadering.'

'Ik ben hier om de plaats van overlijden te inspecteren.' Ze stapte over de drempel. 'Weest u zo goed iemand te zeggen mij rond te leiden.'

'Al mijn personeel is volledig bezet. Deze inrichting is overvol.'

'Dan kunt u mij misschien zelf begeleiden. Als onderdeel van mijn onderzoek moet ik mij een gedetailleerd inzicht vormen van de procedures die Danny Wills hier heeft doorlopen.'

'Die informatie ís al verstrekt.'

'Ik leid een volledig nieuw onderzoek, mrs. Lewis. En dat onderzoek begint hier en nu.'

Elaine Lewis leek te schrikken. 'Ik geloof niet dat ik de toon die u aanslaat kan waarderen.'

'Dat wordt ook niet verlangd. U bent wettelijk verplicht aan al mijn verzoeken om bewijsmateriaal te voldoen, met inbegrip van een complete inspectie van dit complex.'

'Dit is nieuw voor mij. Ik zal eerst mijn advocaten moeten raadplegen.'

'Ik zou liever afzien van politie-escorte, maar als u het zo op de spits wilt drijven, moet u dat maar doen.' Jenny toonde haar een welwillend lachje.

Op ijzige toon zei Elaine Lewis: 'Ik zal even kijken of mijn assistente vrij is.' Ze draaide zich om en liep haastig weg, na een gebaar naar een van de beveiligingscamera's. Jenny volgde haar in haar eigen tempo terwijl de metalen deur met een dreun achter haar dichtviel.

Elaine Lewis haalde haar pasje door de lezer en ze liepen door de hoofdingang van het intakecentrum, een bakstenen gebouw van twee verdiepingen. Links lag een ruimte, met boven de stalen toegangsdeur een bordje met het opschrift TRAINEE RECEPTION. In de zware stalen deur was een kijkraam aangebracht. Jenny ving een glimp op van een tienerjongen, zo te zien niet ouder dan twaalf, dertien jaar.

Elaine Lewis zei: 'U kunt hier wachten. Er komt zo dadelijk iemand naar u toe.' Zelf verdween ze vlug achter een deur die toegang verleende tot een gang aan de rechterkant, met links en rechts plaquettes met opschriften als ADMINISTRATION, SECURITY en DIRECTOR. Jenny bleef als een eenzame gevangene achter in de verlaten hal. Tegenover haar zag ze een deur die uitkwam op een rechthoekige open ruimte waarvan de andere gebouwen de resterende drie zijden vormden, maar ook die deur kon uitsluitend met een pasje worden geopend.

Jenny had er een hekel aan ergens opgesloten te zitten en voelde de eerste symptomen van claustrofobie in zich opwellen. Ze bekeek de muren en plafonds, op zoek naar camera's, maar ze kon er maar een ontdekken, boven de deur naar de open binnenplaats. Ze keerde het ding de rug toe, opende haar handtas en vond op de tast een paar losse Temazepam in een zijvakje. Ze hoestte, waarbij ze haar hand naar haar mond bracht en de pil naar binnen wipte.

Haar angstgevoelens begonnen meteen weg te ebben, alleen al door het gevoel van de pil op haar tong. Ze slikte de pil door en voelde het kloppen van haar hart tot bedaren komen. Ze liep naar de stalen deur en keek op enige afstand door het raampje naar binnen, hopend dat ze niet zou worden opgemerkt. Drie jongens werden begeleid door twee verpleegkundigen, een man en een vrouw, beide gekleed in het medisch uniform dat in Britse gevangenissen voorgeschreven was: een nauwsluitend en over de hele lengte dichtgeknoopt jasje dat weinig houvast bood. Twee Aziatische jongens van veertien of vijftien jaar oud zaten op plastic stoelen wat te donderjagen, terwijl de jongere blanke jongen werd onderworpen aan de intakeprocedure. De mannelijke verpleegkundige tuurde in zijn oren, terwijl zijn vrouwelijke collega vragen oplas van een klembordje. Ze leek weinig geduld te hebben voor zijn antwoorden, alsof hij haar niet volgde. De jongen vond het niet prettig dat er aan zijn oren werd gepeuterd en rukte zijn hoofd opzij, maar de mannelijke verpleegkundige omklemde het met een grote, vlezige hand en dwong hem stil te staan.

De deur naar de administratiegang ging open en een grote, onverschillige jonge vrouw kwam naar haar toe. Ze zei dat ze Sue heette en dat mrs. Lewis haar had gevraagd haar rond te leiden.

Wie denken deze lui wel dat ze zíjn? dacht Jenny, en ze zei: 'Ik ben rechter van instructie en dit is een officiële inspectie. Mij moet toegang worden verleend aan elk deel van deze faciliteit. We beginnen met de afdeling voor jongens.'

Sue, een muur van steen, keek haar nietszeggend aan en begon, wiegend met haar zware heupen, naar de afgesloten deur te lopen die uitkwam op de binnenplaats.

Het cellenblok was een langwerpig gebouw van één etage met veertig kamers ter grootte van een konijnenhok – twintig aan weerskanten van een enkele gang. Aan het uiteinde van het gebouw lagen een bedompt ruikende personeelskamer en een gemeenschapsruimte met een televisietoestel voor de 'trainees'. Aan het andere eind van de gang bevonden zich de toiletten en de gemeenschappelijke doucheruimte. Elk kamertje bevatte een bed, een stalen kast, een roestvrijstalen toiletpot, een stoel van kunststof en een kleine schrijftafel. Al het meubilair was met bouten aan de vloer bevestigd, behalve de stoel. De celraampjes waren permanent afgedicht en voorzien van tralies. Sommige cellen bevatten wat persoonlijke bezittingen: posters, een radio enzovoort, maar de meeste niet. Sue, voor wie communiceren een hele inspanning leek, zei dat dit te maken had met het stelsel van privileges. Alleen trainees die zich voorbeeldig gedroegen, mochten een radio hebben.

De trainees hadden les, zodat het cellenblok verlaten was, afgezien van twee jonge Poolse meisjes die aan het schoonmaken waren. Jenny keek naar het plafond van de gang en zag de zwarte, halve koepel die de bewakingscamera bevatte. Volgens Sue stonden alle monitoren in een suite, gelegen aan de administratiegang, niet ver van het directiekantoor. Ze kon niet zeggen hoeveel man personeel dienst had gehad in de nacht van Danny's dood.

Jenny keek door het versterkte kijkraampje de cel in waarin Danny Wills hangend was gevonden. De ruimte was een meter of drie lang en nog geen twee meter breed. De kleerkast stond aan het eind van het bed tegen de linkermuur, met minder dan dertig centimeter ruimte tussen de zijkant en het celraam. De toiletpot stond in de rechterhoek ertegenover; wie erop zat, zat met zijn gezicht naar de celdeur. Als Danny aan de meest linkse tralie had gehangen, tussen de muur en de kleerkast, zou zijn lichaam misschien deels aan het oog onttrokken zijn geweest, maar je moest wel blind zijn om het niet te zien als je stond waar Jenny nu stond.

Ze liepen naar het cellenblok voor meisjes. De indeling was identiek. Het enige verschil was dat de toilethokjes deuren hadden, net hoog genoeg om wat privacy te bieden, en dat er tussen de douches gordijnen hingen. Het stelde weinig voor. Je kon hier nauwelijks van privacy spreken; er was nergens een plek waar een kind zich kon terugtrekken om zich over te geven aan haar fantasie.

Ze staken de binnenplaats weer over en liepen door het schoolgebouw, waar circa tachtig trainees verdeeld waren over vier klassen. Door de ramen kon Jenny de klaslokalen in kijken: ze zag kinderen in identieke marineblauwe trainingspakken en zwarte gympen, en docenten die de grootste moeite hadden orde te houden. Je kon de energie die deze kinderen uitstraalden bijna voelen: uitdagend en vijandig.

Sue stond met gekruiste armen tegen de deurpost van de eetzaal geleund terwijl Jenny om zich heen keek. Het grootste deel van de tijd deed de ruimte dienst als sportlokaal, maar aan de achterzijde hingen tafels met geïntegreerde banken eraan aan de muren. Achter een keukenluik waren twee vrouwelijke koks druk in de weer met het verhitten van bevroren maaltijden, die in rode, voorgevormde dienbladen – een groot vak voor de hoofdmaaltijd, een klein vak voor het dessert – zouden worden opgediend, druk kletsend in een taal die vermoedelijk Pools was. De bekers en het eetgerei waren van hetzelfde materiaal.

Door het luik ontwaarde Jenny een man die met een grote schroefsleutel onder de gootsteen vandaan kwam. Hij had een gedrongen lichaamsbouw, droeg zijn haar in het pleeborstelmodel en had de ogen en jukbeenderen van iemand van Slavische afkomst. Ze herinnerde zich de onderhoudsman die Danny dood had aangetroffen.

Jenny liep naar het keukenluik. 'Pardon, bent u mr. Smirski?'

De man keek om. Jenny lachte hem ontwapenend toe en zag hoe zijn ogen langs haar lichaam dwaalden. 'Nee. Sorry.' Hij sprak met een zwaar accent.

'Kunt u me zeggen waar ik hem kan vinden?'

'O, die is terug naar Polen.'

'Sinds wanneer?'

Hij keek haar behoedzaam aan.

'Ik ben rechter van instructie. Ik moet hem wat vragen stellen over een jongen die hier een paar weken geleden is gestorven.'

Hij wendde zich af en zei iets in het Pools tegen de beide kokkinnen, die aan een verhitte discussie begonnen. Jenny hoorde Sue's zware tred naar haar toe komen; die kwam natuurlijk kijken waar al die drukte over ging.

Jenny zei: 'Hij was een maand geleden nog hier, dat weet ik.'

Een van de vrouwen leek aan het langste eind te trekken en wisselde nog wat woorden met de man. Hij draaide zich weer naar haar om en zei dat hij geloofde dat de man drie weken geleden was vertrokken.

'Enig idee waarom?'

De man vertaalde het en de vrouwen schudden het hoofd. Niemand scheen het te weten. De man zei: 'Polen komen en gaan. Zo is het.'

Sue dook naast Jenny op. 'Is er iets mis?'

'Ik zal,' zei Jenny, 'vragen moeten stellen aan al het personeel hier. En ik moet Jan Smirski spreken; hij was hier in april nog onderhoudsmonteur.'

Sue zei: 'Onderhoudspersoneel staat in dienst van een uitzendbureau. U zult met hen moeten praten.'

'Dat zal ik doen.'

De laatste stop was het intakecentrum met de medische afdeling. De vrouwelijke verpleegkundige zat achter een bureau in een tijdschrift te lezen toen Sue de belknop indrukte. Ze drukte op de knop van het elektrische slot, geïrriteerd dat ze werd gestoord in haar roddellectuur over beroemdheden. Voordat Sue haar mond kon opendoen, zei Jenny dat ze onderzoeksrechter was en of zij misschien Linda Raven was, de verpleegster die Danny door de intakeprocedure had geloodst.

De verpleegster, een vrouw van achter in de dertig, was bijna knap te noemen, maar ze had harde grijze ogen en er kon geen lachje bij haar af. Ze zei ja, stak haar hand onder het bureau en legde Danny's dossier voor zich. Ze zei dat mr. Marshall, de andere rechter van instructie, het allemaal al had gezien toen hij ruim een maand geleden hier was geweest. Jenny bladerde de map door, niet bang om zuster Raven en Sue stilzwijgend te laten wachten terwijl zij alle tijd nam om de inhoud in zich op te nemen. Ze kon niets nieuws ontdekken, niet meer dan de basis voor zijn evaluatie en het observatielogboek dat om de dertig minuten was bijgehouden terwijl Danny in een observatiecel zat. De notities waren kort en onthulden maar weinig. *Trainee zit op de rand van zijn bed. Reageerde op groet.* Er waren massa's vragen die Jenny zuster Raven wilde stellen, maar die konden wachten tot de hoorzitting – het was beter haar in het ongewisse te laten.

Ze sloot de map en klemde die onder haar arm. 'Ik hou deze bij me. Nu wil ik graag de observatiecel in waarin Danny heeft gezeten.'

Zuster Raven keek op naar Sue, die volstond met het optrekken van haar wenkbrauwen. Wat konden ze doen? De verpleegster nam haar pasje en stak de tegelvloer over, haalde het pasje door een lezer en ging Jenny en Sue voor naar een tweede ijzeren deur en verder door een vensterloze gang die als twee druppels water leek op de gangen onder veel gerechtshoven in het land: aan de rechterkant een rij van zes cellen, elk met een observatieraampje en een wit bordje waarop met een viltstift de naam van de persoon in de cel was geschreven. Het was er heet en het stonk er naar lysol en ongewassen lijven. De verpleger die Jenny bezig had gezien met het onderzoeken van de jongen van twaalf, zat in een glazen hok aan het eind van de cel naar een klein televisiescherm te turen.

Jenny vroeg: 'Hoeveel trainees hebt u hier momenteel?'

'Op dit moment maar een,' zei zuster Raven.

Jenny begon langs de rij cellen te lopen. Cel 1, 2 en 3 waren leeg. Voor de vierde bleef ze staan en ze zag een zwarte jongen op het houten plateau liggen dat als bed dienstdeed. Hij droeg een soort jurk van wit papier die zijn lichaam van zijn hals tot zijn knieën bedekte. Eronder was hij naakt en blootsvoets, en de mouwen waren afgeknipt. Verder was de cel leeg, afgezien van een toiletpot en een dienblad met een maaltijd dat onaangeroerd op de vloer stond. Hij had het postuur van een volwassen man, maar zijn gezicht was nog dat van een kind, met een gladde huid. De jongen lag roerloos naar het plafond te staren, de ogen half gesloten en de handen gevouwen op de buik. Volgens het witte bordje op de deur heette hij MEDWAY, LEONARD.

'Is deze jongeman door een psychiater gezien?' vroeg Jenny.

'Ja. Ze zijn het eens geworden over het contract. Hij krijgt antidepressiva.'

'Wat is er mis met hem?'

'Hij heeft een zelfmoordpoging gedaan in een politiecel.'

'Waarom is hij hier?'

'Een stuk of vijfentwintig diefstallen en het aanvallen van een agent.'

'Wat is er gebeurd met het dwangbuis dat Danny Wills hier heeft gedragen?'

'Zoiets is alleen nodig als ze proberen zichzelf te verwonden. Leonard hier bezorgt ons geen moeilijkheden.'

De jongen stak zijn hand onder de papieren jurk, trok de zoom omhoog en begon te masturberen. Jenny wendde zich af. Sue en zuster Raven bleven een poosje staan kijken.

Sue zei: 'Kennelijk is zijn depressie toch niet zó erg.'

17

Met een gevoel van frustratie verliet Jenny Portshead Farm, maar dat gevoel ontwikkelde zich tijdens de terugrit naar de stad gestaag tot woede. Ze vloekte naar automobilisten die stug op de rechterweghelft bleven rijden en toeterde naar auto's die bij een stoplicht te langzaam optrokken. Het kon haar niet schelen of ze haar konden horen of haar gebaren in de spiegel zagen. Ze konden allemaal doodvallen.

Het gaf haar een goed gevoel toe te geven aan die woede. Al gedurende de hele inspectie had ze willen protesteren. Het liefst had ze Sue, dat luie, stompzinnige varken, een klap in haar gezicht gegeven en toegeroepen: mens, denk toch eens na! Jullie houden hier kinderen gevangen, kinderen die de pech hadden om te worden geboren uit mensen als Simone Wills. En wat doen jullie met hen? Jullie sluiten ze op en vernederen ze iedere dag, zodat ze veranderen in verbitterde, gewelddadige jonge mannen en vrouwen die maar één ding willen: iemand ervan langs geven, het geeft niet wie. Het contact met deze lieden: de arrogante kwal van de beveiliging, de verwaande Elaine Lewis en de verpleegkundige die haar beroep eigenlijk prostitueerde door als cipier te werken, had de herinnering aan jaren van machteloze woede in haar gewekt. Een lange stoet van allang vergeten gezichten en begraven grieven trok aan haar geestesoog voorbij: maatschappelijk werkers die kleine kinderen moederziel alleen de nacht in een politiecel lieten doorbrengen en te beroerd waren om hen er weer uit te halen; personeelsleden in kindertehuizen die een andere kant op keken als hun collega's tieners mishandelden; rechters die weigerden kritiek te leveren op het systeem, ondanks het feit dat de gebreken ervan het gebruik van geweld of zelfs de dood veroorzaakten. Tijdens het parkeren raakte ze de voorbumper van de auto achter haar en hoorde iets kraken, maar het kon haar niets schelen. Als iemand haar nu iets in de weg legde, zou ze hem of haar waarschijnlijk slaan.

Ze smeet de deur naar de receptie open en begon Alison ogenblikkelijk instructies te dicteren. De hoorzitting zou aanstaande maandag beginnen en Simone Wills moest daar onmiddellijk van op de hoogte worden gesteld. Elaine Lewis, zuster Raven, Darren Hogg – de bewaker die de monitors van het gesloten televisiecircuit in het oog moest houden – en de zorgverleners in het cellenblok voor jongens moesten worden gedagvaard. Elaine Lewis moest een lastgeving krijgen om de verblijfplaats van Jan Smirski bekend te maken, plus de identiteit van de jongens die de cellen tegenover en aan weerszijden van de cel van Danny hadden bewoond. De firma die de bewakingscamera's in het complex onderhield, moest een vertegenwoordiger aanwijzen die in de rechtszaal gedetailleerd kon komen uitleggen wanneer er camerastoringen in het cellenblok voor jongens waren gemeld. Toen ze klaar was, haastte ze zich naar haar eigen kantoor en wierp zich op de paperassen die zich op haar bureau hadden opgehoopt, waarbij ze iedere overlijdensmelding en elk nieuw sectierapport grondig onder de loep nam, met de energie van een bokser die zijn tegenstander alle hoeken van de boksring liet zien. Gedurende twee uiterst productieve uren voelde ze zich woest en onoverwinnelijk. Niets en niemand kon haar iets in de weg leggen.

Die middag laat klopte Alison op haar deur en kwam binnen met wat boodschappen. Nog volledig onder adrenalinestoom hoorde Jenny haar ongeduldig aan en gaf kortaf antwoord, alsof haar medewerkster bezig was haar tijd te verspillen. Alison bleef geduldig, op haar hoede voor Jenny's gevaarlijke stemming. Pas nadat ze de kleinere kwesties hadden afgehandeld, zei ze dat er goed én slecht nieuws was van Portshead. Het goede nieuws was dat ze haar het adres hadden gegeven van een vijftienjarige inbreker die Terry Ryan heette en een cel naast die van Danny had bewoond. Alison had al met Terry's moeder gesproken, en die had haar beloofd dat ze dinsdag naar de hoorzitting zouden komen. Het scheen dat de belendende cel aan de andere kant onbezet was geweest. Het slechte nieuws was dat het uitzendbureau dat Jan Smirski in dienst had gehad, geen idee had waar hij heen was gegaan. Hij had drie weken eerder ontslag genomen en gezegd dat hij naar huis moest vanwege familieomstandigheden. Hij had geen adres achtergelaten. Ze had geprobeerd Jan Smirski via Google te vinden, maar het wemelde in Polen van de Jan Smirki's en de paar die ze had gebeld spraken geen Engels. Jenny zei dat Alison vol moest houden; ze moest het bureau om de details van Smirki's bankrekening vragen en alles doen wat een politieman zou doen om iemand op te sporen. Alison knikte licht geërgerd en zei toen dat ze een e-mail had ontvangen van Frank Grantham, met het dreigement dat hij de geldkraan zou dichtdraaien als Jenny niet binnen zeven dagen de complete, bijgewerkte boekhouding overlegde.

'Waarom hebben wij verdomme geen boekhouder?'
'Daar wil hij niet voor betalen.'

'Bel hem maar op met de mededeling dat we er toch een in dienst zullen nemen.'

'Het lijkt me beter dat u dat soort telefoontjes zelf doet, mrs. Cooper.'

'Ik vráág het je niet, Alison, ik draag het je op! Dit hoort bij je werk. Bel die man nou maar.'

'En ik zou het op prijs stellen als u die toon niet tegen mij aanslaat, als u het niet erg vindt.'

'Wat voor toon?'

'Alsof ik een soort bediende ben. Dat ben ik niet. Toen mr. Marshall hier nog de leiding had, heeft hij zo'n houding nóóit tegen me aangenomen.'

Jenny haalde diep adem. 'Ik neem geen "houding" aan: ik heb je alleen maar gevraagd een simpel telefoontje te plegen. Wat jouw relatie is met Grantham interesseert me niet. Dit is een zuiver zakelijke aangelegenheid en als hij het zich persoonlijk aantrekt, is dat zijn probleem – niet het jouwe.'

Alison gaf geen krimp en haar gezicht maakte duidelijk dat ze per se haar zegje wilde doen. 'Het gaat me niet om hem, mrs. Cooper, het gaat me om u. Ik zeg dit niet graag, maar al vanaf uw eerste dag hier vond ik dat u heel abrupt en soms zelfs lomp tegen mij deed. U lijkt heel erg kwaad te zijn, en naar mijn ervaring is dat geen nuttige emotie in een baan als de uwe.'

'Nou, als we dan toch openhartig zijn tegen elkaar, moet ik je zeggen dat ik vind dat jij steeds dwarsligt, je verzet tegen nieuwe ideeën en mij beslist de indruk geeft dat het jou niet aanstaat mij als superieur te hebben.'

'U hebt niet bepaald moeite gedaan om het tot een plezierige ervaring te maken.'

'Misschien komt dat omdat ik gedurende de twee weken dat ik hier ben niets anders heb kunnen doen dan orde scheppen in de chaos die jouw mr. Marshall mij heeft nagelaten.'

'Daar kiest u zelf voor, mrs. Cooper.'

Jenny ontplofte. 'Wat zou ik dán volgens jou moeten doen? Het erbij laten? Doen alsof Marshall goed werk heeft gedaan? In godsnaam, wat voor gevoelens je voor hem ook mag hebben gehad, het is een feit dat hij zijn werk heeft veronachtzaamd!'

'Ach, neem toch zo'n verdomde pil.' Alison had de deurkruk al in haar hand.

'Wát zei je daar?'

Met een ruk draaide Alison zich om. 'Het is duidelijk dat u niet tegen deze baan opgewassen bent. Iedereen weet dat u uw laatste baan hebt opgegeven omdat u een zenuwinzinking hebt gehad.' Ze liep het kantoor uit en trok de deur dreunend achter zich dicht.

'Kom terug en maak je excuses, anders kun je vertrekken.'

Alison antwoordde niet. Jenny hoorde dat ze haar spullen pakte en woedend wegliep door de gang. Enkele ogenblikken later hoorde ze woedende voetstappen haar raam passeren en wegsterven in de straat.

Nou, en wat dan nog? Ze kon haar missen als kiespijn. Ze had haar bekomst van mensen die haar kwamen zeggen wat ze wel of niet kon doen.

Het was al bijna middernacht en ze was nog altijd kwaad. Ze had de hele avond in haar werkkamer in Melin Bach het dossier van Danny Wills bestudeerd om haar kruisverhoor te plannen en leemten te vinden die Elaine Lewis niet zou kunnen vullen. Ze betwijfelde geen moment dat haar hoorzitting zou uitlopen op een jury-oordeel dat zei dat hier sprake was van dood door grove nalatigheid en gebrek aan zorg. Elaine Lewis en haar staf zouden volledig bloot komen te staan aan de schandaalkracht van de media en de afkeuring van het publiek. Er zouden vragen worden gesteld in het parlement en er zouden aanklachten uit voortkomen. Haar naam zou worden vereenzelvigd met een moedige worsteling om de waarheid aan het licht te brengen en gerechtigheid te bewerkstelligen. Het maakte niet uit dat haar zoon haar had afgewezen of dat Steve geen begrijpelijke boodschap voor haar had achtergelaten. Niets kon haar nog van haar stuk brengen. Ze was als een natuurkracht.

Ze schonk een bekerglas half vol met wodka, deed er ijs bij en dronk de wodka aan haar bureau, terwijl ze inlogde bij het e-mailadres van haar bureau. Er was antwoord binnengekomen van een goedkope vliegmaatschappij met de mededeling dat ene mr. J. Smirski op 10 mei een enkele reis had geboekt naar Poznan, maar dat ze helaas geen adres van hem hadden. Een zekere mr. Mason van Sectech Ltd. schreef dat hij maandagmorgen ter zitting zou verschijnen, en Ruth Turner bevestigde ook dat ze zou komen. Geërgerd vanwege Smirski raadpleegde Jenny haar handboek om te zien in hoeverre zij bevoegd was getuigen uit het buitenland op te roepen. Het was echter een omslachtige procedure die vereiste dat ze een beroep moest doen op een civiele rechtbank waarvan de jurisdictie zich uitstrekte tot de Europese Unie. Het kon weken duren voordat ze de man kon laten getuigen. Ze besloot voorlopig zonder hem door te gaan; als het bewijsmateriaal niet overtuigend genoeg was, kon ze de zitting altijd nog verdagen om hem te laten opsporen.

Ze bleef als een razende doorwerken en pauzeerde alleen even om haar glas opnieuw te vullen. Het was al twee uur geweest toen de alcohol het won van haar strijdlust en ze zich naar bed sleepte.

Ze droomde opnieuw over de scheur in de muur van haar kinderkamer. Deze keer kreeg ze meer details te zien: achter die scheur, om de hoek, bevond zich een menselijke gedaante, uit het zicht. Ze stelde zich de gedaante voor als een man met een verwrongen gezicht en muffe kleren die haar elk moment kon wenken, zodat ze door de duisternis zou worden opgeslokt. Dan zou de muur zich achter haar sluiten en zou niemand weten waar ze was gebleven. Ze keerde haar hoofd naar de deur en de veiligheid van haar ouders aan de andere kant van de muur, maar haar lichaam weigerde te volgen; haar benen voelden zo zwaar aan als graniet. Ze voelde hoe de gedaante dichter naar de scheur kwam en hoorde hem rommelen in het stof tussen de muur en de dakbalken. Ze trok met beide handen aan haar benen, maar ze bleven vastgenageld aan de vloer.

Jenny werd moeizaam wakker – onrustig en met het gevoel alsof er een zware last op haar schouders rustte die zich niet liet afschudden terwijl ze zich waste, aankleedde en probeerde een ontbijt klaar te maken zonder abrupte bewegingen te maken. Het weer was somber en haar geest was traag. Zelfs diverse koppen koffie konden haar inertie niet verdrijven. Ze probeerde in de tuin te zitten, maar de schaduwen bleven om haar heen hangen.

Het indringende van haar droom begon haar echt angst aan te jagen. Ze herinnerde zich hoe dr. Travis haar eens had verteld dat de menselijke psyche alleen verontrustende beelden creëert als de geest zelf verontrust is. Zulke beelden hadden op zichzelf weinig betekenis, maar ze waarschuwden haar dat haar geest overbelast was. Ze wist dat ze gestrest was, maar probeerde zich gerust te stellen met de gedachte dat ze de laatste keer dat haar dit was overkomen niet zo sterk geweest was als nu. Ze had zichzelf toen nog willen wijsmaken dat ze haar huwelijk kon redden. Ze stond er nu veel beter voor: ze had inmiddels haar leven gereorganiseerd en wist waar ze heen wilde. Wat zij nu voelde, was een naijl-effect, het weerbarstige deel van haar geest dat haar vastbeslotenheid op de proef probeerde te stellen. Hét antwoord daarop was dat ze zich met hart en ziel op dit onderzoek moest storten, dan zou ze uiteindelijk zegevieren.

Ze ging terug naar de keuken, slikte een Temazepam en nam een kop kruidenthee mee naar haar bureau. Ze keek niet op voordat het bijna drie uur was. Tegen die tijd waren de schimmen eindelijk weggekropen.

Alison stond in de hal van het gerechtsgebouw in Short Street te wachten toen Jenny er die maandagochtend om halfnegen binnenstapte. Ze droeg een donker mantelpak en straalde gekrenkte waardigheid uit.

'Aangezien ik nog niets van u had gehoord, mrs. Cooper, leek het me alleen maar fatsoenlijk dat ik er op zijn minst vandaag bij ben, als tenminste mijn aanwezigheid wordt verlangd.'

'Het lijkt me dat we eens over diverse dingen met elkaar moeten praten, vind je ook niet?'

'Nu, mrs. Cooper?'

'Dat lijkt me niet zoals het hoort. Laten we maar afspreken op kantoor, na de zitting van vandaag.'

'Prima. Hebt u me nodig in de rechtszaal?'

Jenny bestudeerde haar gezicht. Haar gelaatsuitdrukking was uitdagend en verried gekrenkte trots. Achter de ogen ging een gevoel schuil dat ze maar moeizaam kon bedwingen. 'Waar heb je die geruchten over mij gehoord?'

'Op het bureau rechter van instructie voor Bristol-Centrum wisten ze al alles van u af voordat u kwam. Mr. Hamer, de plaatsvervanger daar, vertelde me dat u na uw echtscheiding met ziekteverlof was gegaan wegens stress.'

'Grantham?'

'Als het klopt wat ik heb gehoord, werd er wat druk op hem uitgeoefend om uw benoeming door te zetten.'

'Druk? Door wie?'

'U hebt de naam een goeie juriste te zijn. U had vijftien jaar met succes als advocate gewerkt en het Openbaar Ministerie wil beslist meer vrouwelijke onderzoeksrechters.'

'Ah.'

Dit verklaarde meteen het gemak waarmee haar benoeming tot stand was gekomen: haar bazen in North Somerset hadden een goed woordje voor haar gedaan bij het ministerie en haar daarmee aan een vaste baan geholpen. Ze hadden een gewillig oor gevonden bij het ministerie, vooral toen ze de vrouwelijke troef hadden uitgespeeld en de tegenstribbelende Grantham en zijn collega's van de Plaatselijke Autoriteit gedwongen haar de baan te geven. Het had niets van doen gehad met haar merites; het was slechts een beloning voor de vijftien slechtbetaalde, zware jaren die ze als advocate in dienst van de overheid had gewerkt. Hoewel er tegen haarzelf geen woord over was gezegd, was men ervan uitgegaan dat ze dit had begrepen en deze reddingsboei dankbaar had gegrepen. De Plaatselijke Autoriteit en het ministerie van Justitie rekenden op een dankbare, meegaande rechter van instructie, en als ze het spel niet meespeelde, konden ze altijd nog de bom van haar psychiatrische behandeling laten ontploffen en haar ten val brengen. Ze dachten dat ze haar naar hun pijpen konden laten dansen.

'Zal ik de rechtszaal in orde brengen, mrs. Cooper?'

Enigszins versuft zei Jenny: 'Graag.'

Alison liep naar de deur, bleef daar staan en zei: 'Er valt nog niets nieuws te rapporteren over dat onderzoek inzake Katy Taylor, vrees ik. De recherche had dit weekeinde een moord en verscheidene gevallen van verkrachting – ze hebben daar hun handen meer dan vol aan, momenteel.'

De rechtszaal, waarin normaal strafrechtprocessen werden afgehandeld, was klein en modern, maar maakte niettemin een officiële indruk. Jenny zat op een grote draaistoel met hoge rugleuning, ruim een meter boven de begane grond. Dat alles gaf haar niet het gevoel belangrijk te zijn, maar versterkte wel haar verantwoordelijkheidsgevoel, als een bestanddeel van de rechterlijke macht. In de dorpszaal van Ternbury had ze het gevoel gehad alleen te staan; hier zat ze onder het koninklijk wapen en was ze omgeven door de attributen van haar ambt.

Ze liet haar blik langs de banken gaan, allemaal tot op de laatste plaats bezet. Simone Wills en een aantal vriendinnen van haar – vrouwen met veel tatoeages op hun armen – zaten op de voorste rij van het gedeelte voor het publiek. Tussen hen in zat Tara Collins, wier gekneusde gezicht nu diverse kleuren paars vertoonde. Van de overige zitplaatsen werden de meeste ingenomen door verslaggevers omdat de banken voor de pers al volledig bezet waren. Jenny schatte dat er bijna twintig verslaggevers waren. In het publieksgedeelte zaten ook twee keurig geklede mensen: een vrouw van middelbare leeftijd in mantelpak, en een niet onaantrekkelijke, wat jongere man. Ze veronderstelde dat het ambtenaren waren, vertegenwoordigers van het Openbaar Ministerie die hierheen waren gestuurd om haar bekwaamheid en onpartijdigheid te beoordelen. Op de advocatenbank die optrad voor UKAM Secure Solutions, Ltd., zat haar oude vriend mr. Hartley, die kennelijk regelmatig voor hoorzittingen in Bristol werd ingehuurd. Deze keer werd hij geïnstrueerd door een jonge roodharige advocaat die een kostbare leren map met de naam van een dure advocatenfirma uit Londen erop voor zich had. Achter hen zaten diverse heren in nette pakken van de UKAM. Ze droegen gestreepte overhemden en dankten hun gebruinde huid aan de tijd die ze op de golfbaan doorbrachten. Het gezin-Wills werd vertegenwoordigd door een nerveuze nieuwbakken advocaat, net afgestudeerd, die in zijn hoedanigheid als vrijwilliger van het Law Centre van Bristol-Noord pro Deo werkte. In de jurybox zaten acht juryleden, onder wie verscheidene van minder allooi, haar kant op gestuurd door sluwe gerechtsdienaren die tot taak hadden juryleden te selecteren.

Jenny had haar zenuwen gesterkt met 30 mg Temazepam voordat ze de hoorzitting opende met een uiteenzetting van de naakte feiten rond de dood van Danny Wills. Ze wees de jury erop dat een nieuw onderzoek door een patholoog-anatoom onmogelijk was geweest, aangezien de overledene was gecremeerd. Ze zouden daarom af moeten gaan op het sectierapport van dr. Peterson, waarin hij verklaarde dat de directe doodsoorzaak verstikking tengevolge van verwurging was. Danny was hangend aan een reep laken, bevestigd aan een van de tralies voor zijn celraampje, dood in zijn cel aangetroffen. De jury had tot taak aandachtig te luisteren naar de getuigenverklaringen teneinde zich een oordeel te vormen over wanneer, waar en hoe Danny was overleden. Tot de mogelijke oordelen behoorden: 'ongeval' (een onbedoeld voorval met dodelijke afloop); 'zelfdoding'; 'moord'; 'dood door grove nalatigheid' (bijvoorbeeld een grof verzuim om de gevangene te voorzien van fundamentele levensbehoeften, met inbegrip van medische zorg voor een persoon in een afhankelijke positie), of een 'open oordeel' (onthouding van een oordeel voor het geval het bewijsmateriaal geen definitieve conclusie toeliet).

De eerste getuige die ze liet oproepen, was Simone Wills. Nu ze voor zoveel mensen stond, sprak Simone bijna fluisterend en kon ze haar tranen nauwelijks bedwingen. Ze moest zo nu en dan even wachten om zich weer in de hand te krijgen. Jenny loodste haar erdoor en moedigde haar aan zich rechtstreeks tot de jury te richten. Ze vertelde hun uitvoerig hoe Danny was opgegroeid, hoe hij altijd overhoop had gelegen met de mannen in haar leven en hoe hij – in weerwil van al haar pogingen hem fatsoenlijk op te voeden – het slechte pad was opgegaan totdat het onvermijdelijke vonnis over hem was uitgesproken. Tegen de tijd dat ze vertelde van haar wanhopige telefoontjes naar de directie van Portshead Farm, had ze de jury op haar hand. Een vrouw op de achterste rij moest haar tranen drogen toen Simone zei dat ze geweten had, ze had het ábsoluut gewéten, dat er iets fundamenteel verkeerd was met haar zoon. Toen ze toe was aan het bezoek van de twee politiemensen aan haar deur, die haar het afschuwelijke nieuws kwamen brengen, moesten nog twee vrouwelijke juryleden hun ogen droog deppen. Ze leek er kracht uit te putten: ze had tenminste het gemoed van de mensen die ertoe deden geraakt, zodat ze haar verdriet mee konden voelen.

Giles Hartley zei dat hij geen vragen had voor Simone, maar zei listig op gemaakt oprechte toon dat hij met haar meeleefde, zodat het sterk geroerde jurylid op de achterste rij hoorbaar snikte.

Ruth Turner kwam bijna buiten adem de zaal in. Ze had na wat eerdere afspraken de stad door moeten jakkeren en was maar net op tijd om als tweede te kunnen worden gehoord. Ze was een zelfverzekerde getuige met vele jaren ervaring en gaf een onopgesmukte maar meedogende beschrijving van het disfunctionele gezin-Wills. Ze beschreef Simone zelf ook als een slachtoffer: een jonge vrouw die altijd had moeten worstelen om haar kinderen een geborgen thuis te geven, maar keer op keer door nietsnutten van mannen aan haar lot was overgelaten. Ze beschreef de wanhoop van de jonge moeder toen Danny van de kinderrechter te horen had gekregen dat hij op gevangenisstraf moest rekenen, waarna ze bij het reclasseringsteam voor jeugdige delinquenten diverse vergeefse pogingen had gedaan om hem te laten beoordelen door een psychiater, in het kader van de evaluatieprocedure die steevast voorafging aan het definitieve vonnis. Toen zij de details van haar telefoongesprek met zuster Linda Raven uit de doeken deed – het gesprek waarin haar was gezegd dat er geen psychiater beschikbaar was, zelfs niet in het geval van een kind dat zeer waarschijnlijk suïcidale neigingen had – verschenen er boze trekken op de gezichten van zelfs de meest terughoudende juryleden.

Jenny legde er een schepje bovenop: 'U bent er zeker van dat zuster Raven u heeft gezegd dat er geen enkele mogelijkheid was om Danny te laten beoordelen door een psychiater?'

'Ze zei me dat de plaatselijke GGD had geweigerd er een beschikbaar te stellen.'

'Er waren echter geen redenen die de exploitanten van Portshead Farm konden verhinderen er zelf een in de arm te nemen?'

'Natuurlijk niet.'

'Dus voor zover u bekend, werd Danny – hoewel hij voor een periode van drie etmalen in een observatiecel werd opgesloten – nooit psychiatrisch onderzocht?'

'Zo is het.'

'Wat zou er volgens u gebeuren in, laten we zeggen, een gemeentelijk kindertehuis, als een van de kinderen daar van zelfmoordneigingen werd verdacht?'

'Dan zouden we hem met de grootst mogelijke spoed laten onderzoeken door een psychiater.'

'En als dat werd verzuimd?'

'Dan zou dat uiteraard neerkomen op grove nalatigheid.'

'Is Portshead Farm verplicht om in psychiatrische zorg te voorzien?'

'Dat is een voorwaarde van het contract tussen Portshead Farm en de Raad voor Kinderbescherming. Het is niet vereist om iedere jeugdige delinquent te laten beoordelen, maar als er zich een probleem voordoet, hebben zij de plicht een psychiater in te schakelen.'

Hartley kwam met de gouden-tandglimlach die Jenny goed had leren kennen overeind en vroeg Ruth Turner of Danny, voor zover zij wist, al eens eerder blijk had gegeven van een geestesstoornis of psychose? Nee, zei Ruth, dat had hij niet.

Hartley vroeg: 'Op welke gronden hebt u dan zuster Raven gebeld om erop te hameren dat hij door een psychiater zou worden gezien?'

'Vanwege wat zijn moeder mij had verteld.'

'Heeft mrs. Wills medische kwalificaties?'

'Natuurlijk niet.'

'Heeft ze hem meegenomen naar haar huisarts om daar haar zorgen over zijn geestelijke gezondheid kenbaar te maken?'

'Ze had zes kinderen.'

'En de oudste stond op het punt voor het eerst naar een strafinrichting te gaan. Je zou zo denken dat zij, als haar bezorgdheid werkelijk zo groot was, hem tot haar eerste prioriteit zou hebben gemaakt.'

'Wij hoopten dat het reclasseringsteam voor jeugdige delinquenten hem zou doorverwijzen.'

Hartley was het geduld zelve. 'Dat wekt de suggestie dat uw bezorgdheid er eerder op was gericht hem te vrijwaren van straf dan dat deze voortkwam uit zijn feitelijke geestestoestand.'

Aarzelend zei Ruth Turner: 'Achteraf bezien had ik er bij haar misschien op moeten aandringen met hem naar een arts te gaan.'

'Dat hebt u echter niet gedaan. Net zoals u na dat telefoongesprek met zuster Raven hebt verzuimd te blijven aandringen op beoordeling door een psychiater.'

Ze dacht lang na. 'Ik kom om in het werk. Ik heb er spijt van dat ik dat niet heb gedaan, maar formeel was Danny mijn verantwoordelijkheid niet meer toen hij eenmaal in die strafinrichting zat.'

'Uw bezorgdheid voor zijn broze geestestoestand was zo groot dat u uw handen van hem aftrok?'

'Nee. Ik heb gedaan wat ik kon in de tijd die ik beschikbaar had.'

Hartley knikte en zei: 'Ongetwijfeld kunnen we daar allemaal inkomen.'

Toen Ruth Turner verslagen de getuigenbank verliet, had Jenny het gevoel alsof ze in een afgrond staarde. Het was geen moment bij haar opgekomen dat de getuigenis van Ruth net zo goed kon worden gebruikt als een versterking van de positie van de UKAM, maar dat was precies wat er was gebeurd. Hartley had Ruth Turner in feite beschuldigd van sentimenteel opportunisme: ze had een grote mond opgezet over een psychiater, maar zonder zelf echt te geloven dat Danny psychisch niet in orde was. Hartley was er zelfs in geslaagd tot de jury door te dringen: er waren beschuldigende blikken gericht op Simone toen zij hoorden dat ze niet met Danny naar een dokter was gegaan. De huilerige vrouw op de achterste rij zat afkeurend naar haar te staren, met een gezicht dat zei: wat ben jíj voor een moeder?

Jenny nam een slok water en liet zuster Linda Raven de eed afnemen terwijl ze zichzelf voorhield dat Hartley dan wel wat punten had gescoord, maar dat zelfs hij niet heen zou kunnen om wat er in het cellenblok voor jongens was gebeurd. Er was geen excuus te bedenken voor het feit dat het lijk van de jongen pas 's morgens was ontdekt.

Linda Raven herhaalde de eed met dezelfde gevoelloze, ongenaakbare gelaatsuitdrukking die Jenny al in het intakecentrum van haar had gezien. Ze gaf gortdroge antwoorden op de inleidende vragen, zonder een spoor van verontschuldiging: ja, ze was hoofdverpleegkundige in Portshead Farm en als zodanig verantwoordelijk voor de medische beoordeling van nieuwe trainees. Ze deed dat werk al sinds de inrichting drie jaar geleden was geopend en had daaraan voorafgaand dertien jaar ervaring opgedaan in dienst van de National Health Service, waarvan de laatste vier als hoofdverpleegkundige op de afdeling Spoedgevallen van het Vale-ziekenhuis. Gevraagd naar de reden dat ze de NHS had verlaten, zei ze dat ze gezwicht was voor het hogere salaris en de mogelijkheid een managementfunctie te vervullen.

Jenny vroeg: 'Kunt u ons een beschrijving geven van de aard van het onderzoek waaraan u Danny Wills onderwierp?'

'Ik hield me aan de standaardvragenlijst die is goedgekeurd door het ministerie van Volksgezondheid én de dienst voor het gevangeniswezen van Justitie. We noteren in het kort de ziektegeschiedenis, vragen of de trainee aan lichamelijke of psychische stoornissen heeft geleden en of hij of zij kampt met een of meer allergieën. Bovendien verifiëren we de gegevens van de NHS: als die niet online beschikbaar zijn, bellen we de huisarts om met de arts of diens assistente te praten.'

'Maakt een psychiatrische beoordeling deel uit van deze procedure?'

'Nee. Als er medische klachten zijn, sturen we hen naar de arts – hij houdt twee keer per week spreekuur. In dringende gevallen komt hij daarvoor over.'

'Er was op dat moment echter geen regeling getroffen voor psychiatrische zorg.'

'De onderneming waar ik voor werk, heeft een contract met de National Health Service dat voorziet in een reeks medische diensten. Destijds had de plaatselijke GGD de betaling voor psychiatrische zorg buiten specifieke klinieken gestaakt. Er is verscheidene weken over gesteggeld en gedurende die periode bleven zij weigeren de kosten te vergoeden. We konden geen psychiater krijgen, zelfs niet als we erom hadden gevraagd.' Haar antwoord was gladjes en grondig gerepeteerd. Ze had dergelijke zinnen vermoedelijk niet zelf kunnen bedenken: 'en gedurende die periode...'

'Zou u ervóór zijn geweest om Danny door een psychiater te laten beoordelen?'

'Nee. Hij stelde ons niet voor specifieke problemen, zoals u uit zijn dossier kunt opmaken. Er is zelfs over getwijfeld of het nodig was hem onder observatie te plaatsen.'

'Wat bracht u ertoe toch daartoe te besluiten?'

'Alle trainees die drugs hebben gebruikt worden naakt onderzocht om er zeker van te zijn dat zij geen drugs bij zich hebben. Toen mijn collega probeerde hem te onderzoeken, werd Danny weerspannig en gewelddadig.'

'Op welke manier?'

'Wilt u dat ik de taal die hij uitsloeg hier herhaal?'

'Ga uw gang.'

'Toen mijn collega, verpleegkundige Hamilton, hem erop wees dat hij desnoods met geweld zou worden onderzocht, zei hij: "Ga verdomme je gang maar, wat mij betreft mag je me zelfs koud maken. Ik laat me liever afmaken voor ik me door jullie witte nikkers laat aanraken." Toen hij dit had gezegd, kwam dat neer op het dreigement dat hij zichzelf iets aan zou doen. In zo'n geval houden we de trainee drie etmalen lang onder observatie.'

'Hij werd naakt onderzocht?'

'Ja.'

'Daar kwam fysiek geweld aan te pas?'

'Hij werd door twee cipiers in bedwang gehouden terwijl verpleegkundige Hamilton het onderzoek verrichtte.'

'Daartoe behoorde ook een inwendig onderzoek?'

'Jawel.'

'Hoe reageerde Danny daarop?'

'Na dat onderzoek werd hij opgesloten in een observatiecel, waar hij nog urenlang heeft lopen schreeuwen en vloeken voordat hij enigszins tot bedaren kwam.' Zuster Raven wendde haar gezicht naar de jury en zei: 'Ik wil er met nadruk op wijzen dat hij na dat lichamelijk onderzoek niet meer heeft gedreigd met zelfmoord.'

'U nam echter zijn eerste dreigement ernstig genoeg om hem een soort dwangbuis aan te doen om te voorkomen dat hij zichzelf kon verwonden.'

'Hij was gewelddadig geweest. Dat is de vaste procedure.'

Jenny kwam niet verder. Het zorgvuldig voorbereide verhaal van zuster Raven bevatte geen zwakke plekken. Het kwam erop neer dat Danny onder observatie was geplaatst, alleen omdat hij had gedreigd zichzelf iets aan te doen. Hoewel dat dreigement formeel wees op het risico van zelfmoord, was het in feite een vijandige reactie op de vernedering dat een mannelijke verpleger in zijn anus wilde kijken. Bij zijn kruisverhoor wist Hartley dat feit verscheidene keren te benadrukken en liet hij zuster Raven bevestigen dat Danny's gedrag verder geen aanleiding had gegeven om te denken dat hij een gevaar was voor zichzelf.

Toen Hartley klaar was, stelde Jenny de getuige nog twee laatste vragen. 'Als er op dat moment wél een psychiater bij de hand was geweest, zou u Danny dan hebben laten evalueren?'

'Dat betwijfel ik. Na die eerste paar uur werkte hij gewillig mee. U kunt dat opmaken uit het observatielogboek.'

'U had echter toen al de maatschappelijk werkster van het gezin aan de telefoon gehad, die er bij u op aandrong hem te laten evalueren door een psychiater.'

'De meeste trainees hebben psychische problemen, dat is de reden dat ze crimineel worden. Wat dat aangaat konden we wel werk verschaffen aan tien psychiaters. Afgaande op mijn ervaring met zelfmoordplegers moet ik zeggen dat zij gewoonlijk het plan daartoe voor zich houden.'

Er werd door juryleden bevestigend geknikt. In het gedeelte voor het publiek werd Simone Wills getroost door een vrouw met het in glinsterende letters geschreven opschrift PORNOSTER IN OPLEIDING op haar strakzittende topje.

Jenny bedankte zuster Raven voor haar getuigenis en gaf haar toestemming de getuigenbank te verlaten. Ze had het gevoel dat de grond onder haar voeten langzaam afbrokkelde. Bij het horen van haar laatste antwoord herinnerde zij zich de slimme manier waarop haar vriendin Cathy het twee decennia geleden had aangepakt. Nadat ze een week lang straalbezopen was geweest en volgens eigen zeggen met wel tien mannen naar bed was geweest, had ze zich dagen in haar kamer in hun gedeelde flatje opgesloten zonder een druppel drank; en toen ze eruit kwam, had ze zich netjes aangekleed en had met zachte stem spijt betuigd. Nog diezelfde avond was ze voor een trein gesprongen.

Jenny schorste de zitting voor de lunch en trok zich terug in het kale kantoor achter de rechtszaal met het snorkende opschrift JUDGE's CHAMBERS. Ze voelde zich niet in staat om in de kantine van het gerechtsgebouw, waarvoor ze een pas had voor de duur van de hoorzitting, over koetjes en kalfjes te zitten praten. In plaats daarvan knabbelde ze lusteloos aan een paar Sultana's die voor haar klaar waren gelegd, samen met wat zakjes oploskoffie en een kleine elektrische waterkoker.

Deze ochtend had ze met haar onderzoek geen millimeter vooruitgang geboekt. Ze voelde zich naïef en dwaas dat ze zich had durven voorstellen dat het anders zou uitpakken. Zelfs Harry Marshall, een man die dit werk decennialang had gedaan, had geen vat kunnen krijgen op de UKAM. Hij moest acht weken geleden, zittend in een soortgelijk vertrek, tot precies dezelfde deprimerende conclusie zijn gekomen: het systeem zat zo listig in elkaar dat iedereen de kans had zijn verantwoordelijkheid te ontlopen. Dat was de enige verklaring waarom het functioneerde. Wat deed het ertoe of er een of twee kinderen stierven? De meeste bleven in leven.

Alison, nog even ijzig en afstandelijk, kwam binnen met een boodschap van Hartley. Elaine Lewis was tot haar grote spijt verhinderd te komen getuigen en verzocht het hof toestemming dat de volgende morgen te doen. Jenny zei dat ze het graag eerder had geweten, maar dat ze haar procedure zou aanpassen. In haar hart was ze allang blij dat ze haar niet vanmiddag al tegenover zich zou hebben. Ze voelde zich nu al uitgeput.

Alison zei: 'Die verpleegster was heel wat zelfverzekerder dan de vorige keer. Volgens mij hebben ze haar geprepareerd.'

'Daar ziet het naar uit, ja.'

'Misschien komt de manier waarop mr. Marshall de zaak heeft aangepakt u nu wat minder vreemd voor?'

Ze keek Jenny veelbetekenend aan en verliet het vertrek.

De middag begon gunstiger. De volgende getuige was een zekere Vince Mason, bij Sectec Ltd. in dienst als werkverdeler. Hij overlegde een dik pak computeruitdraaien van het servicelogboek van de cliënt en hield vol dat zijn onderneming op de ochtend van de 14e april pas om negen uur 's morgens bericht had gekregen dat er een bewakingscamera was uitgevallen. Dat was dus enkele uren nadát Danny's lijk was ontdekt. Op grond van hun contract met de UKAM verrichtte de firma Sectec om de drie maanden een complete systeeminspectie. Zijn technici waren veertien dagen vóór die bewuste dag in Portshead Farm geweest en hadden vastgesteld dat alles in orde was. Daar kwam bij dat Sectec garandeerde dat niet-werkende delen van het systeem altijd binnen achtenveertig uur na een storingsmelding werden vervangen of gerepareerd. Het was onvoorstelbaar dat een camerastoring een week lang niet zou zijn verholpen.

Hartley, zich niets aantrekkend van Masons gedecideerde getuigenis, vroeg hem of het mogelijk was dat Portshead Farm de storing had gemeld, maar dat zijn firma die eenvoudigweg had gemist of er niet aan toe was gekomen erop te reageren. Mason zei nee, hij mocht het logboek inzien, er was vóór de 14e april geen storing gemeld.

'Sommige cliënten melden toch storingen per e-mail; andere doen dat telefonisch, is het niet?'

'Dat komt voor.'

Hartleys raadsman overhandigde hem twee vellen papier en verzocht Alison die voor te leggen aan Mason. Er waren ook kopieën voor Jenny.

'U kunt zien dat in deze e-mails melding wordt gemaakt van een camerastoring in de hoofdgang van het cellenblok voor jongens?'

'Dat zie ik, sir.'

'Zijn ze naar het juiste e-mailadres verstuurd?'

'Daar ziet het naar uit.'

'Misschien wilt u zo vriendelijk zijn de jury te zeggen welke verzend-datum hier staat.'

Mason, van zijn stuk gebracht, bekeek de e-mails nog eens. 'Er staat hier de negende én de veertiende april, maar ik kan dat niet geloven: de storing is niet in ons logboek vermeld.'

'Wilt u zeggen dat uw afdeling Klantenservice deze e-mails nooit heeft ontvangen?'

'Het lijkt me van niet.'

Hartley wendde zich tot Jenny. 'Mevrouw, kan deze getuige een paar minuten de tijd krijgen om deze situatie op te helderen? Mogelijk dat een paar telefoontjes hier wat licht op kunnen werpen.'

Jenny zag dat Tara Collins in de publieksafdeling haar blik opving. Het was een blik die zei dat ze allebei wisten wat erop zou volgen.

Jenny zei: 'Probeer erachter te komen of deze e-mails wel of niet ont-vangen zijn, mr. Mason.'

Het was voor haar niet verrassend dat hij nog geen vijf minuten later terugkwam naar de getuigenbank, verbijsterd door het nieuws dat de e-mails achteraf toch op de computer waren beland. Hij had er geen ver-klaring voor waarom ze niet in het logboek waren opgetekend of waarom er niet op was gereageerd. Dit was nooit eerder voorgekomen.

Jenny vroeg: 'Is het volgens u mogelijk dat ze inderdaad niet zijn ont-vangen, maar er alleen uitzien alsof dat wel zo is?'

Mason antwoordde: 'Dat zou ik niet weten. Op dat gebied ben ik geen expert.'

Hartley kwam tussenbeide en zei: 'Ik begrijp niet goed wat u wilt sug-gereren, mevrouw, maar verzenddatums van e-mails zijn al jaren door strafrechtbanken geaccepteerd als betrouwbaar bewijsmateriaal.'

Jenny zei: 'Ik zal me beslist nog een gedegen oordeel vormen over de betrouwbaarheid van dit bewijsmateriaal, mr. Hartley. Voorlopig onthoud ik me daarvan.' Uit haar ooghoeken zag ze Tara Collins glimlachen.

Darren Hogg zag eruit alsof hij zijn leven lang had doorgebracht in een verduisterd vertrek, omringd door monitors. Hij had de kleur huid van een man die leeft op junkfood en zijn gezicht werd ontsierd door de littekens van acne. Hij liep in zijn keurige bewakersuniform naar de getuigenbank, met de trots die je soms ziet bij jonge politieagenten. Jenny dacht: een beroepscipier met een ongezond fantasieleven.

Ze zei: 'U had dienst in de cameracontrolekamer in de nacht van de veertiende april?'

'Dat klopt.'

'Wat kon u van het cellenblok voor jongens zien?'

'Alleen de ingang, mevrouw. De camera in de hoofdgang vertoonde al een week of zo kuren.'

'Wat werd daaraan gedaan?'

'Ik stuurde een e-mail naar de cameraleverancier, zoals mijn collega al eerder had gedaan.'

'U weet zeker dat u die e-mail hebt verstuurd?'

'Ja, mevrouw.'

'Waarom meldde u die storing niet per telefoon?'

'Het is niet de bedoeling dat wij de buitenlijn gebruiken – in verband met kostenbeheersing.'

'Had u het directiekantoor ingelicht over de storing?'

Hij aarzelde licht. 'Ik meen dat mijn collega dat al had gedaan. Ja. Hij werkte die week overdag.'

'U weet dat niet met zekerheid?'

'Nee.'

'U bent het met me eens, als ik zeg dat een niet-werkende camera een ongewenste stand van zaken is?'

'Allicht. Maar camera's gaan nogal eens kapot.'

'U weet zeker dat er geen videoband van die hoofdgang beschikbaar is voor de desbetreffende nacht?'

'Absoluut.'

'Ik wil u vragen te bedenken hoe zwaarwegend deze vraag is, voordat u er antwoord op geeft, mr. Hogg... Heeft iemand u ooit verzocht om video-opnamen die van belang kunnen zijn voor dit onderzoek te vernietigen, te veranderen, zoek te maken of onvindbaar te maken?'

Hij dacht even na en schudde het hoofd: 'Nee.'

Jenny keek tersluiks naar de jury. Op de gezichten van een paar mannen stond twijfel te lezen.

'Stel dat die camera wél had gefunctioneerd, wat hadden we dan mogen verwachten te zullen zien?'

'Niet veel. Hooguit de nachtcipier die zijn ronde deed.'

'Hoe vaak?'

'Om het halfuur.'

'De nachtcipier moet de hele nacht om de dertig minuten die gang op en neer lopen en door elk celdeurraampje kijken om te zien of alles in orde is?'

'Ja.'

'U hebt hier veel ervaring mee. Hebt u weleens gezien dat een nachtcipier een ronde of twee verzuimde om een dutje te doen in de personeelskamer?'

'Nooit meegemaakt.'

'Absoluut niet?'

'Nee.'

De sceptische juryleden glimlachten. Andere juryleden keken elkaar aan. Hogg was het soort man dat desnoods zijn moeder zou verkwanselen voor de kans om een uniform te dragen, en zij hadden hem doorzien.

Jenny zei: 'Ik kan eenvoudigweg niet geloven dat dit waar is, mr. Hogg. U kunt met de hand op uw hart verklaren dat geen enkele nachtcipier ooit een halfuurscontrole heeft verzuimd?'

'Nooit, mevrouw.'

Ze hoorde een van de juryleden zeggen: 'Op je bolle ogen.'

De laatste getuige van die dag was Kevin Stewart, de cipier die de desbetreffende nacht dienst had gehad in het cellenblok voor jongens. Hij was een magere man met blond haar van in de veertig, en hij sprak met een onmiskenbaar Glasgows accent. Het colbert van zijn uniform hing los om zijn benige schouders en de kraag van het overhemd was te groot voor zijn schrale nek. Jenny voelde hoe haar hart sneller begon te kloppen toen ze naar hem keek terwijl hij de eed aflegde. Hij was de man die ze klem moest zetten. Ze raakte de twee pillen aan die los in haar zak lagen en zou willen dat ze zich rustiger voelde. Ze stak haar hand uit naar haar glas, maar bedacht zich toen ze haar hand zag trillen. Stewart legde de kaart met de eedformule neer en draaide zich naar haar om. Ze slikte om wat speeksel door haar droge keel te persen.

Ze doorliep de gebruikelijke formaliteiten. Stewart vertelde dat hij bijna twintig jaar in inrichtingen voor jeugdige delinquenten en trainingscentra had gewerkt, waarvan de laatste twee in Portshead Farm. Zijn staat van dienst was onberispelijk en er waren nooit klachten tegen hem ingediend. Hij werkte normaal overdag, maar vanwege ziekte van diverse collega's had hij in de week waarin Danny was gestorven nachtdienst gedaan. Het was hem bekend geweest dat Danny na de intakeprocedure drie etmalen in een observatiecel had gezeten en dat hij had geweigerd zijn cel te verlaten, behalve om te eten. Hij zei dat dit met veel kinderen zo ging, vooral als ze voor het eerst in een inrichting zaten. Het personeel was gewoon hen dan een week of zo te laten acclimatiseren, want zelfs de moeilijkste gevallen kregen er tegen die tijd genoeg van om al die tijd in afzondering te zitten.

Jenny vroeg: 'Hebt u met Danny Wills gesproken?'

'Een paar keer als ik om tien uur 's avonds aan mijn dienst begon. Ik bleef daar dan een paar minuten om te helpen de talmers in hun cel te krijgen.'

'Hebt u hem in de nacht van de dertiende op de veertiende gezien?'

'Heel kort. Hij zat in zijn cel en vertelde mij dat zijn toilet verstopt was. Ik ging het controleren en zag dat het veel te traag leegliep – alleen geschikt voor vloeistof, maar niet voor vaster spul, als u begrijpt wat ik bedoel. Ik heb hem beloofd het door te geven aan Onderhoud.'

'Er waren die nacht twee cellen vrij. Waarom hebt u hem niet naar een van die cellen verhuisd?'

'Het was geen catastrofe die niet tot morgen kon wachten. Het leek me al het papierwerk niet waard.'

'Wanneer hebt u Onderhoud gebeld?'

'Direct nadat de lichten uitgingen. Ik sprak een boodschap in op de voicemail.'

Jenny maakte een notitie. 'Heeft een van de leden van de dagploeg iets over hem tegen u gezegd?'

'David Whiteside – hij zat in de avondploeg – zei iets in de trant van dat hij zich onder de andere trainees begon te mengen; hij was die avond naar de gemeenschapsruimte gegaan. U kunt het in de commentarensectie van zijn dossier vinden.'

Jenny groef haar exemplaar van Danny's vooruitgangsstatus op en bekeek het logboek. Het bevestigde dat hij de hele dag in zijn cel was gebleven, voor het avondeten naar de eetzaal was gegaan en *gedurende de avond in de gemeenschapsruimte in het gezelschap van anderen had verkeerd*. Achter de notitie stond de paraaf van D. Whiteside.

'Wat gebeurde er toen de lichten zouden uitgaan?'

'Dan zorg ik altijd dat iedereen in bed ligt en doe het licht uit met de hoofdschakelaar.'

'In de cellen was het donker?'

'Niet helemaal. Er brandt een kleine lamp in het plafond, zodat we naar binnen kunnen kijken.'

'Hoeveel cipiers hadden die avond dienst in het cellenblok voor jongens?'

'Alleen ikzelf, tot aan de wektijd van zeven uur. Soms zijn we met z'n tweeën, als er lastpakken bij zijn, maar deze jongens waren rustig. In het cellenblok voor meisjes hebben er meestal twee collega's dienst – om de een of andere reden zijn die 's nachts lastiger.'

'Wat doet u gedurende die tien arbeidsuren, mr. Stewart?'

'Ik doe om het halfuur de ronde door de gang. Tussendoor kijk ik wat televisie en hou een oogje in het zeil.'

'Waren er problemen?'

'Nee. Het was een rustige nacht.'

'U weet dat de patholoog-anatoom heeft vastgesteld dat Danny tussen twee en drie uur 's nachts is gestorven.'

'Dat heb ik begrepen, ja.'

'Zelfs als dat dichter bij drie uur is gebeurd, moest u nog negen keer de gang op en neer – en al die keren hebt u zijn lichaam niet aan de tralies van zijn celraam zien hangen.'

'Dat heb ik al op de eerste hoorzitting uitgelegd, mevrouw. Ik keek door het raampje in de deur naar binnen en zag hem onder de dekens liggen, zo zag het er tenminste uit. Het bleek dat hij wat kleren onder de dekens had gestopt. Zien hangen kon ik hem niet, omdat hij achter de kleerkast hing.'

'Ik heb zijn cel afgelopen vrijdag bekeken, mr. Stewart, en die kleerkast zit bij het raam vastgebouwd aan de muur. Die kast steekt niet ver genoeg de cel in om een lichaam aan het oog te onttrekken, zelfs geen tenger lichaam.'

'Hebben ze u het niet verteld, mevrouw? We hebben de kasten pas na dit incident vastgebouwd. Dat was een van de lessen die we uit die nacht hebben getrokken. Hij was een slim kereltje en hij had de kast ver genoeg naar voren getrokken om niet te worden gezien. In mijn vak hoor je dat soort dingen keer op keer: als mensen het van plan zijn, lijkt het alsof ze in de ban van iets verkeren. Dan zie je een knul die niet eens zijn eigen veters kan vastmaken plotseling touw vlechten of lakens aan repen scheuren.'

Een nieuwe pil dempte iets van de onrust die haar verteerde. Als het zo acuut was, werden de fysieke symptomen het ergst. Ze was dwars door het centrum gewandeld, terug naar kantoor, en ze had om de paar honderd meter moeten stilstaan om weer op adem te komen. Haar middenrif was zo sterk verkrampt dat iedere ademhaling bewuste inspanning vergde. Met tussenpozen van vijf minuten leek haar hele zenuwgestel te haperen, als een lamp die flikkert in een onweer. Toen het haar overviel, had ze de gewaarwording gehad alsof ze in een gat stapte en begon te vallen.

Nog een half tablet was op het randje, maar het maakte haar borstkas wat ruimer en liet haar weer wat gemakkelijker ademen. Ze zat met gesloten ogen op de rand van het bureau en probeerde zich te ontspannen en haar ledematen zwaar te laten worden, waarbij ze in gedachten de zware, geruststellende stem van dr. Travis hoorde.

De getuigenverklaringen van deze dag hadden niet beroerder kunnen zijn. De bewering van Simone Wills en Ruth Turner dat Danny Wills suïcidaal was geweest, was door Hartley afgeschilderd als een mislukte poging hem aan zijn verdiende straf te onttrekken. Zuster Raven was overgekomen als een zeer bezorgde en bekwame verpleegkundige die uit extra voorzichtigheid Danny in een observatiecel had laten opsluiten. De UKAM had op de een of andere manier kans gezien geantidateerde e-mails op de computers van Sectec te dumpen en Kevin Stewart had haar belet gebruik te maken van het ene punt dat de deur had kunnen openhouden naar het oordeel 'grove nalatigheid'. De enige hoop die haar restte, was de zestienjarige Terry Ryan, die de cel naast die van Danny had bewoond, maar aangezien hij geen aanstalten had gemaakt een schriftelijke verklaring af te geven, ondanks talloze telefoontjes naar zijn huis, had ze er geen idee van wat hij zou kunnen zeggen.

Wat haar nog het meest ergerde, was het feit dat zij ooit zelf had durven geloven dat het anders zou uitpakken. Hoe had ze zichzelf zoveel zand in de ogen kunnen strooien? Het gaf haar het idee dat ze ergens in haar leven het contact met de werkelijkheid had verloren en nu verstrikt was in een wereldje van eigen maaksel, terwijl David en Ross alleen maar hun best deden haar tevreden te houden.

Ze hoorde de sleutel in de voordeur. Hij ging open en dicht. Alison zette een paar stappen en bleef toen staan. Jenny kon voelen dat ze roerloos in de receptie bleef staan. Geen van beiden zeiden ze iets. De stilte leek meer dan een minuut aan te houden voordat Alison naar haar deur liep en aanklopte.

Haar zenuwen schokten bij het geluid. 'Ja?'

Alison kwam binnen en ze zag eruit alsof ze zojuist tragisch nieuws had gehoord. Ze had gehuild en haar make-up was weggespoeld, zodat haar ogen er nu bleek en hol uitzagen. De twee vrouwen keken elkaar aan, ze wisten geen van beiden waar ze moesten beginnen.

Alison hervond als eerste haar stem. Zacht en vol spijt zei ze: 'Ik moet u iets opbiechten, mrs. Cooper... Ik ben bang dat ik iets heb gedaan dat ik nooit had mogen doen. Ik heb me door mijn gevoelens laten meeslepen.' Ze ritste de aktetas die ze ook in de rechtszaal bij zich had gehad open en nam er een dikke map uit. 'Ik heb dit hier gevonden toen mr. Marshall overleden was. Het was weggesloten in dezelfde lade waarin u ook het dossier over Katy Taylor hebt gevonden...' Ze gaf de map aan Jenny.

Hij was meer dan anderhalve centimeter dik, gebonden in een spiraalmap en droeg het stempel VERTROUWELIJK. De titel luidde: *Officiële inschrijving voor de bouw en exploitatie van een gesloten heropvoedings- en detentiecentrum ten behoeve van de stad Bristol en de regio Zuidwest.* Eronder prijkte het logo van UKAM Secure Solutions, Ltd. De meer dan honderdtwintig vellen A4 bevatten een gedetailleerd bouwplan alsmede kostenramingen voor de bouw van een detentiefaciliteit voor jeugdige delinquenten met een capaciteit van maximaal 500 gedetineerden.

De beoogde locatie was een braakliggend terrein van tien hectare ten noordoosten van de stad, op de plaats van een voormalige sigarettenfabriek. De grond was nu eigendom van de Plaatselijke Overheid. Jenny bladerde door naar de optelsom en zag hoeveel de bouw zou gaan kosten: acht miljoen pond. De jaarlijkse exploitatiekosten voor de eerste vijf jaar waren begroot op dertig miljoen pond. De laatste bladzijde was gedateerd op 18 januari van het lopende jaar.

Ze deed de map dicht en legde het document op haar bureau. Haar verkrampte middenrif hield haar longen in een bankschroef. 'Waarom heb je mij dit niet eerder laten zien?'

'Ik was bang dat Harry misschien steekpenningen aangenomen had, of zoiets. Hij klaagde altijd dat hij te weinig verdiende.'

'Hoe is hij aan deze inschrijving gekomen?'

'Geen idee. Het had een vertrouwelijk stuk moeten blijven, tussen de inschrijver en de Raad voor Kinderrecht. Iemand zal het hebben gelekt.'

'En hij heeft er met jou nooit over gesproken?'

Ze schudde het hoofd. 'Ik heb hier mijn ontslagbrief.' Ze stak haar hand in haar aktetas en diepte er een envelop uit op.

'Wat schieten we daarmee op?'

'Er is een jongen gestorven en ik heb bewijsmateriaal achtergehouden.'

'O. Je wilt dus dat de UKAM ook jouw carrière naar de knoppen helpt?'

'Hoe kunt u me ooit nog vertrouwen? Ik vertrouw mezelf niet eens.'

'Je hebt me dit zojuist gegeven, toch?'

Alison staarde haar ongelovig aan. 'U wilt niet dat ik ga?'

Jenny zei: 'Ik zal het met jou op een akkoordje gooien. Jij bewaart mijn geheimen en ik bewaar de jouwe. De geheimen van anderen zijn vogelvrij.'

De gebeurtenissen van de afgelopen dag bleven door haar hoofd malen. De smerige trucs van de UKAM en de doortrapte manier waarop de UKAM-advocaten de getuigen hadden geprepareerd, hadden iedere poging om die onderneming ook maar iets te verwijten de grond in geboord. Ze had niet genoeg doordacht hoever een agressieve commerciële onderneming zou gaan om zichzelf te beschermen. Een jury-oordeel als 'grove nalatigheid' zou niet alleen leiden tot een herziening van gevangenisinrichtingen en -procedures, maar vormde ook een gevaar voor tientallen miljoenen ponden omzet per jaar.

De inschrijving op de passagiersstoel van haar auto leek haar een nog niet ontplofte brandbom. Harry Marshall had het gelezen, net als zij, en zich gerealiseerd dat het leven van een delinquent van veertien niets voorstelde in vergelijking met het zakelijke belang dat op het spel stond. Onder het lezen was hij in woede ontstoken en had hij zich vast voorgenomen de stad op haar grondvesten te laten schudden, maar in plaats daarvan was hij op de een of andere manier zelf hevig geschokt. Er moest tussen het moment dat hij de inschrijving in handen had gekregen en de dag dat hij die schandalige karikatuur van een hoorzitting had gehouden iets zijn gebeurd dat hem kapot had gemaakt. Alison was bang dat hij zich had laten corrumperen, maar Jenny geloofde dat niet – de UKAM zou nooit het risico hebben genomen dat hij naar de politie zou stappen, dus hadden ze het slimmer aangepakt. Wat ze precies hadden uitgehaald, wist ze niet, maar het had Harry Marshall geknakt. Simone Wills was in de pers zwartgemaakt en haar hele huis was aan de vooravond van de hoorzitting op grond van een moedwillige tip door de politie overhoop gehaald. Tara Collins, die had geprobeerd een verband te leggen tussen de dood van Danny Wills en Katy Taylor, zag zich nu geconfronteerd met een aanklacht wegens fraude die er gemakkelijk toe kon leiden dat ze voor jaren een Amerikaanse gevangenis in draaide.

Ze vroeg zich af wat haarzelf te wachten stond. De pillen die ze illegaal had gekocht via het internet? Haar ziektegeschiedenis? Bedreigingen tegen het leven van haar zoon?

Jenny omklemde het stuurwiel met handen die glibberig waren van het zweet en ze deed haar best in leven te blijven terwijl ze de Severn Bridge overstak, ingeklemd tussen de middenberm en een boosaardige file vrachtwagens met aanhanger. Haar hart bonkte en al haar oude panieksymptomen staken weer woedend de kop op, zodat ze bang werd dat ze uiteen zou spatten.

Thuis rolde ze de pijpen van haar oude spijkerbroek op en liep blootsvoets de beek in. De scherpe steentjes folterden haar voetzolen, maar die werden algauw gevoelloos in het ijskoude water. Toen ze in het midden stond en het water tot aan haar dijen reikte, keek ze omhoog naar de wuivende kronen van de essen en vroeg de God in wie ze altijd had geloofd, hoe iemand die zich volkomen vrij behoorde te voelen zo in haar eigen innerlijk gevangen kon zitten.

Ze bleef in het water staan tot ze begon te bibberen en haar hele lichaam iets voelde dat sterker was dan de beklemming van ongrijpbare angst. Toen ze zo klappertandde dat ze haar kaken niet meer op elkaar kon houden, strompelde ze terug naar de oever en ging aan haar houten tuintafel zitten. Nog in haar natte kleren, nauwelijks in staat een pen vast te houden, begon ze notities te maken op haar schrijfblok. Ze bleef er zitten, huiverend, maar weigerde zich te laten verdrijven totdat het te donker was om nog iets te kunnen lezen.

18

Ze voelde zich gedissocieerd, alsof ze niet thuishoorde in haar lichaam, toen ze wakker werd. Het gezicht dat haar vanuit de badkamerspiegel aankeek kwam haar onbekend voor. Ze moest de koude rand van de wastafel hard omklemmen om het ding te kunnen voelen. Dr. Travis had haar dit symptoom eens met een term uit het medische jargon omschreven, maar ze had er de voorkeur aan gegeven die bewust te vergeten. Het enige wat ze had onthouden, was dat het deel uitmaakte van haar syndroom en dat het haar angst aanjoeg.

Terwijl ze zich aankleedde en ging ontbijten, werd de gewaarwording minder sterk en keerde het gevoel langzaam terug in haar vingers, maar in plaats daarvan werd ze beslopen door paranoïde, ongewenste gedachten. Ze zag ertegen op het broodmes aan te raken en betrapte zich erop dat ze zich moest inspannen om niet de voegen tussen de plavuizen van de keukenvloer te gaan traceren. Ze hield zichzelf voor dat ze dit allemaal al eerder had doorgemaakt; dit waren eenvoudigweg symptomen van een stress die ze kon verdragen en overwinnen als ze zichzelf dwong de volgende paar dagen door te worstelen. Een ander stemmetje zei haar echter dat het nu zover was, dat ze er deze keer kapot aan zou gaan, voorgoed.

Ze nam het heft in handen op de enige manier die voor haar openstond, het minutieus plannen van haar medicatie voor deze dag. Nu een pil, en dan eentje kort voordat de zitting begon, en nog eentje voor de middagzitting. Om eventuele noodsituaties voor te zijn, herhaalde ze het trucje met de vier halve tabletjes in het buisje met pepermunt. Tijdens de rit naar de stad deed ze een deel van de oefeningen die dr. Travis haar had geleerd en slaagde erin haar meest bizarre en verontrustende gedachten tot onder de oppervlakte terug te dringen. Ze herinnerde zich hoe hij had gezegd dat, als ze zich zo voelde als nu, het belangrijkste was haar emoties onder controle te houden en zich niet kwaad te maken of te laten ergeren. Als ze erin slaagde kalm te blijven zou ze de dag net kunnen doorkomen; en als haar dat één keer was gelukt, zou het met iedere volgende dag gemakkelijker worden. Ze wist dit uit ervaring: ze had deze berg al vaker beklommen.

Toen ze door de deur van de rechter de zaal in liep, en weer op de troon van Vrouwe Justitia ging zitten, voelde ze zich bijna weer zichzelf. Precies de juiste dosis Temazepam, twintig minuten ontspanningsoefeningen en geen cafeïne in haar lijf. Ze was er klaar voor; ze had zichzelf in de hand. Dat kon niet worden beweerd van Simone Wills, die beurtelings verdrietig en kwaad was en giftige blikken wierp naar het groepje managers van de UKAM die van deze onderbreking van hun dagelijkse sleur leken te genieten. Tara Collins zat naast haar en praatte geruststellende op haar in. De vrouw met het pornoster-topje en het merendeel van haar overige vriendinnen lieten verstek gaan, zodat er leemten in de banken voor het publiek waren ontstaan. Ook waren er minder journalisten, maar de twee ambtenaren in hun nette kleren zaten op dezelfde plaatsen achter in de zaal, hun notitieboekje en pen in de hand. Hartley leunde achterover op zijn stoel en zat met zijn raadsman grappen te maken. De lichaamstaal van de man zei haar dat hij heel zeker was van zijn zaak en ervan uitging dat de dag een gunstig verloop voor hem zou hebben. Jenny besloot hem flink op zijn neus te laten kijken en liet de eerste getuige oproepen.

Elaine Lewis nam ruimschoots de tijd om op Alisons roep te reageren. Ze kwam uit de foyer en liep met afgemeten passen naar voren. Ze wekte in alle opzichten de indruk dat zij in de rechtszaal evenzeer de lakens uitdeelde als in de gevangenis. Ze droeg een onberispelijk zittend broekpak en een minimum aan sieraden. Ze nam elegant plaats in de getuigenbank en las de eedformule zonder een zweem van nervositeit; elk woord en elk gebaartje erop berekend onwankelbaar zelfvertrouwen uit te stralen. Simone Wills keek met een moorddadige blik in haar ogen haar kant uit, maar ze bleef afstandelijk. Koninklijk. Zich bewust van de toenemende spanning in haar eigen lichaam, voelde Jenny een steek van afgunst.

'Mrs. Lewis, u accepteert in uw hoedanigheid van directeur van Portshead Farm de volledige eindverantwoordelijkheid voor alle beslissingen aangaande de gang van zaken in uw instelling?'

Na een nauwelijks merkbare aarzeling zei Elaine Lewis: 'Natuurlijk.'

'Laten we samen eens nagaan wat er in uw instelling allemaal met Danny Wills is gebeurd en welke beslissingen er over hem werden genomen. Nog voordat hij bij u werd gebracht, bent u opgebeld door zijn moeder én de maatschappelijk werkster van het gezin om u te waarschuwen dat hij in een kwetsbare psychische toestand verkeerde.'

'Ja. Wij houden ons aan rigoureuze procedures ter evaluatie van trainees als ze bij ons binnenkomen, en die zijn er speciaal op gericht zulke kwetsbaarheden op te sporen. Dat is precies wat er ook in Danny's geval is gebeurd.' Ze sprak met zachte, bedaarde stem en liet de naam Danny klinken alsof het haar neef betrof.

'Wie heeft deze telefoontjes aangenomen?'

'Mijn assistente neemt alle telefoontjes aan. Ik heb geen rechtstreekse buitenlijn.'

'Zij heeft u deze boodschappen doorgegeven?'

'Ik word van alle relevante telefoontjes op de hoogte gesteld. Er was niets bijzonders aan die van mrs. Wills en mrs. Turner. We proberen weliswaar tegemoetkomend te zijn voor familie, maar Portshead Farm ís tenslotte een strafinrichting.'

'Wilt u zeggen dat uw beleid geen ruimte biedt voor de beantwoording van telefoontjes van bezorgde familieleden of professionele begeleiders?'

'Erop reageren zou voor mij uitzonderlijk zijn, ja.'

'Hebt u iets gedaan met de informatie uit deze telefoontjes, zoals contact opnemen met de medische staf?'

'Nee. Ik heb het volste vertrouwen in het professionele oordeel van ons personeel en dat was in dit geval meer dan gerechtvaardigd.'

'U deed deze telefoontjes af als hysterische nonsens?'

'Die woorden zou ik er nooit voor kiezen. Laat me alleen zeggen dat een trainee na de intakeprocedure van Portshead onze verantwoordelijkheid is. Wij handelen in plaats van de ouders en nemen die plichten buitengewoon ernstig.'

Jenny pauzeerde om een notitie te maken en doelbewust het tempo te dicteren. Na een langdurig moment, zonder opkijken, zei ze: 'Wat voor effect zal het volgens u hebben wanneer een jongen die mentaal labiel is naakt in een dwangbuis met het uiterlijk van een paardendeken wordt gewrongen en hij vervolgens voor drie dagen wordt opgesloten in een cel?'

'Ik ben geen medicus. Daarom geef ik daar liever geen commentaar op. Het is echter een goedgekeurde algemene procedure die erop berekend is te voorkomen dat het kind zichzelf schaadt.'

'Het is erop berekend te voorkomen dat het kind zichzelf fysíék letsel toebrengt, nietwaar? Het staat volkomen los van zijn of haar psychische toestand.'

'Onze hoogste prioriteit is de zorg voor het fysíéke welzijn van het kind.'

'Hij werd in de observatiecel geplaatst omdat de indruk was ontstaan dat hij gevaar liep zichzelf iets aan te doen. Dat is op zich al een psychische stoornis, maar toch werd hij niet door een psychiater onderzocht. Er was zelfs geen psychiater beschikbaar.'

'U hebt de protocollen gezien die wij volgens de wet moeten volgen.

Dat hébben we gedaan. In het ideale geval zou Danny door een psychiater zijn gezien, maar als gevolg van overmacht was er in die periode geen psychiater beschikbaar.'

'U had zelf een psychiater kunnen betalen.'

'Als dat nodig was, ja, zouden we dat hebben gedaan. Niets in Danny's ziektegeschiedenis wees echter op een psychische stoornis en hij heeft zich gedurende de observatieperiode netjes gedragen. Hij behoorde niet tot de categorie trainees voor wie we normaal gesproken een psychiater zouden hebben laten komen.'

'U vindt het niet verontrustend dat dit achterwege bleef?'

'Mevrouw, het hele gevangeniswezen is onvolmaakt – voor volwassenen én voor jeugdige delinquenten. In Portshead Farm doen wij wat in ons vermogen ligt, binnen het budget dat de overheid daarvoor beschikbaar stelt. Elk aspect van onze procedures is onderhevig aan zeer strenge controles en wordt voortdurend geactualiseerd.'

De zorgvuldig gerepeteerde antwoorden van Elaine Lewis begonnen Jenny te irriteren, maar ze maande zichzelf dat ze zich moest ontspannen en niet emotioneel te worden: deze gladde praatster mocht zichzelf ophangen.

'Mrs. Lewis, hoe verklaart u het feit dat de bewakingscamera in het cellenblok voor jongens een week lang defect is gebleven? Zijn deze camera's níét onderhevig aan die zeer strenge controles van u?'

'Dat had niet mogen gebeuren. Er zijn maatregelen genomen om te zorgen dat alle defecten in de toekomst binnen vierentwintig uur zijn verholpen.'

'U ziet het niet als een zeer merkwaardig toeval dat de enige camera ter plaatse die ons had kunnen vertellen wat er precies is gebeurd, en of mr. Stewart wel of niet zijn halfuursrondes heeft gemaakt, zoals hij beweert, defect was?'

'Niet in het minst. Bovendien is Kevin Stewart een van onze meest ervaren en betrouwbare personeelsleden.'

Jenny keek even naar de jury. De gezichten waren als uit steen gehouwen. Ondanks het gepolijste optreden van Elaine Lewis waren ze niet van haar gecharmeerd.

'Evenmin vindt u het merkwaardig dat een van uw meest ervaren en betrouwbare personeelsleden niet één keer, maar zelfs négen keer verzuimde op te merken dat er een lichaam aan een celraamtralie hing?'

'Ik acht de verklaring dat het niet zichtbaar was overtuigend, en ook dat hij er helaas toe is verleid te geloven dat Danny in zijn bed lag. Het is heel goed mogelijk ook camera's in cellen aan te brengen, maar ik geloof niet dat iemand hier dat toe zou juichen.'

'U weigert aan te nemen dat uw systemen en procedures op enigerlei wijze hebben bijgedragen aan Danny's dood?'

'Ja.'

'U neemt er geen enkele verantwoordelijkheid voor?'

'Nee.'

Er ontstond boos geroezemoes onder het publiek. Simone's stem klonk erbovenuit toen ze zei 'kutwijf', en Tara Collins zat dringend tegen haar te fluisteren om haar te manen kalm te blijven.

Jenny gunde haar een ogenblik, in de hoop dat ze kalm zou worden zonder een scène te schoppen. De ambtenaren die achterin zaten keken elkaar aan, er verbaasd over dat Jenny verzuimde in te grijpen. Uiteindelijk werd Simone echter weer stil, al bleef ze binnensmonds zitten schelden.

Jenny wierp een blik op het buisje met pepermuntjes dat ze voor zich had gelegd en overwoog of ze er een in haar mond zou steken. Nee, dit kon ze ook zonder pil doorkomen. Ze stak haar hand tussen twee dossiermappen en trok haar kopie van de inschrijving ertussenuit, zonder Elaine Lewis te laten zien wat het was.

'Mrs. Lewis, dit is alleen bedoeld om de jury volledig inzicht te geven in de feitelijke situatie. Portshead Farm is, net als veel andere gevangenissen in dit land, eigendom van een commerciële onderneming met winstoogmerk en wordt door dat bedrijf ook geëxploiteerd, nietwaar?'

'Dat is zo, ja.' Voor het eerst klonk er iets van afweer door in haar stem. Hartley kneep zijn ogen samen en hij boog zich op zijn stoel naar voren. De beide ambtenaren achterin keken op van hun aantekeningen.

'Als u uw faciliteit niet volgens de gestelde normen runt, loopt u het risico uw franchise te verliezen. Het gaat om heel veel geld.'

'Exact. Daarom kunnen wij ons geen blunders veroorloven.'

'Het is u bekend dat er in Portshead Farm trainees zijn die geregeld drugs gebruiken?'

De ogen van Elaine Lewis flitsten naar Hartley. Jenny zag het als een bewijs dat ze haar hierop niet hadden voorbereid.

'Iedere gevangenis en elk detentiecentrum heeft problemen met drugs. Dat is min of meer onvermijdelijk, tenzij we alle fysieke contacten met bezoekers onmogelijk maken.'

'Laat me u een voorbeeld geven, mrs. Lewis. In Portshead Farm was ook een meisje dat Katy Taylor heette en tegelijk met Danny haar periode als trainee uitzat. Ongelukkigerwijs overleed zij kort nadat zij op vrije voeten was gesteld. In het kader van de sectieprocedure werd een haaranalyse gedaan. Daaruit bleek dat zij vrijwel dagelijks in uw faciliteit cannabis en crack-cocaïne had gebruikt.'

'Als dat juist is, valt dat zeer te betreuren.'

'Verreweg het merendeel van de dagen in een periode van zes weken. Dat betekent heel veel drugs.'

Hartley kwam overeind. 'Mevrouw, het is verre van mij u te zeggen wat u wel of niet kunt vragen, maar zijn de drugs die miss Taylor al dan niet heeft gebruikt ook maar enigszins relevant voor deze zaak?'

Jenny zei: 'Het werpt een ander licht op de boude bewering dat Portshead Farm boven alle kritiek verheven is, als trainees daar dagelijks drugs kunnen gebruiken.'

'Eén trainee, mevrouw.'

Jenny richtte zich tot de getuige. 'Dat weten we helaas niet, of wel, mrs. Lewis?'

'Wij houden regelmatig drugstests. Het probleem wordt op dezelfde manier behandeld als in staatsgevangenissen.'

Jenny knikte Giles Hartley toe dat hij kon gaan zitten. Hij deed het met tegenzin.

Jenny hernam: 'Danny was een vaste drugsgebruiker. Heeft hij in Portshead Farm drugs gebruikt?'

'Dat kan ik zo niet zeggen.'

'Het ís dus mogelijk?'

'Natuurlijk. Het is geen probleem dat we zonder tirannie uit te oefenen volledig kunnen uitbannen.'

Jenny opende de inschrijving bij een bladzijde die ze van een ruitertje had voorzien. 'Herkent u de volgende woorden, mrs. Lewis? Ik citeer: "... het verst ontwikkelde systeem van surveillances en drugstests zal worden toegepast, op basis van het systeem dat in Portshead Farm zo succesvol is gebleken en dat garandeert dat de faciliteit vrijwel vrij blijft van drugs"?'

De blik van de directeur flitste naar de rij UKAM-managers die al over hun tafels hingen om verwoed op Hartley en diens raadsman in te praten.

'Ik vroeg u of u deze woorden herkende?'

Ze weigerde te antwoorden en wachtte op redding van de kant van Hartley.

Jenny zei: 'Ze komen voor in een inschrijving, ingediend door uw eigen werkgevers, met het doel een overheidscontract voor...'

Hartley sprong op. 'Mevrouw, mijn cliënten hebben mij erop gewezen dat u wellicht citeert uit een bij uitstek vertrouwelijk en commercieel gevoelig document dat volmaakt irrelevant is voor de zeer specifieke feiten in deze zaak.'

'Ik zal u zeggen waaruit ik citeer, mr. Hartley...'

'Mevrouw, staat u mij toe u te benaderen over een juridisch punt.'

Jenny voelde een golf adrenaline door haar heen gaan, maar bij wijze van uitzondering eens van het goede soort. Ze was van plan dit stuk ellende op zijn plaats te zetten. 'Nee. Gaat u zitten. Ik wens nu het antwoord van de getuige te horen.'

De twee ambtenaren achter in de zaal waren druk in gesprek. De vrouw knikte instemmend naar haar collega en repte zich naar de uitgang, terwijl ze haar mobieltje uit haar zak nam.

'Mevrouw, ik moet hier in de sterkste termen bezwaar tegen maken. Dit is volstrekt ongepast. Deze hoorzitting heeft alleen ten doel vast te stellen waar, wanneer en hoe de dood is ingetreden.'

'Dat is exact waarmee ik bezig ben, mr. Hartley, en u weet heel goed dat u niet het minste recht hebt mij in deze rechtszaal voor te schrijven welke vragen ik wel of niet mag stellen.'

'Ik hoop dat u beseft, mevrouw, dat dit ernstige wettelijke gevolgen voor u persoonlijk kan hebben. Schending van commercieel vertrouwen...'

Jenny viel hem in de rede. 'Dit is niet iets waarvan ik zal toestaan dat het een hoorzitting over de dood van een kind kan belemmeren.' Ze richtte zich weer tot de getuige. 'Als u weigert mijn vragen te beantwoorden, komt dat neer op minachting van het hof. Is dat duidelijk?'

'Ja.'

'Mrs. Lewis, herkent u deze woorden?'

Ze keek naar Hartley, die koortsachtig in een naslagwerk zat te bladeren. Hij knikte.

'Ik herken ze.'

'Maar we kunnen Portshead Farm moeilijk drugsvrij noemen – is het niet?'

'Daarover kan van mening worden verschild.'

'Uw onderneming, UKAM Secure Solutions, Ltd., heeft ingeschreven op een contract ter waarde van vele miljoenen ponden voor de bouw van een groot gesloten heropvoedings- en detentiecentrum in deze stad, is het niet? Dat is op zichzelf geen vertrouwelijk feit; dat geldt alleen voor de bedragen die in deze inschrijving worden genoemd.' Ze klopte met haar wijsvinger op de map.

De getuige hervond haar houding. 'Natuurlijk hebben we dat gedaan. Het gaat om een belangrijk overheidscontract en onze firma is de leider in deze branche.'

'Laat me dit zo omzichtig formuleren als maar mogelijk is... De reputatie van uw onderneming als veilige hoedster van jonge levens is een essentiële component van uw kansen om dit contract gegund te krijgen, nietwaar?'

'Dat is een aspect van onze inschrijving waarover ik niet de minste zorg koester.'

Jenny keek naar de gezichten van de jury. De onverschillige, heterogene groep burgers die gisterochtend in de getuigenbank had plaatsgenomen, was nu één in hun minachting voor dit creatuur van de commercie en haar gladde praatjes. Overtuigd dat ze genoeg had gedaan, zei Jenny dat ze geen vragen meer had. Hartley had ze evenmin.

Jenny stond Elaine Lewis toe de getuigenbank te verlaten en liet Terry Ryan oproepen. Terwijl Alison op weg was naar de deur kwam de mannelijke ambtenaar naar het middenpad en duwde haar zijn kaartje in de hand. Alison keek ernaar en keek toen om naar Jenny, die haar toeknikte: ze kon doorgaan met het oproepen van de getuige.

Alison deed de deur naar de gang open en riep Terry Ryan. Een magere jongen van zestien in een veel te ruime spijkerbroek en een laag uitgesneden T-shirt met het logo ICE T kwam met veel branie naar voren. Hij had haar op zijn borst en wilde dat de wereld het zag. Alison overhandigde het kaartje van de ambtenaar aan Jenny terwijl ze Terry naar de getuigenbank leidde. Er stond: SIMON MORETON, AFDELING RECHTERS VAN INSTRUCTIE, MINISTERIE VAN JUSTITIE. Op de achterkant had hij een boodschap neergekrabbeld: *Verzoek z.s.m. reces voor een gesprek over de inschrijving. Zeer dringend.* Jenny keek langzaam op naar de man, die verwachtingsvol naar haar opkeek. Jenny legde zijn visitekaart terzijde en wendde zich tot de getuige.

Terry had het grootste deel van de afgelopen vier jaar de ene rechtszaal na de andere in en uit gelopen en leek te genieten van de aandacht, vooral omdat hij voor de verandering eens niet in de beklaagdenbank stond. Hij verklaarde dat hij nog twee weken had moeten volmaken van een straf van vier maanden wegens inbraak toen Danny in de cel naast de zijne was gearriveerd.

'Wanneer heb je hem voor het eerst gezien?' vroeg Jenny.

'Ik geloof dat ze hem zaterdag kwamen brengen – hij zat al in die cel toen we terugkwamen van de sportzaal. Hij is er die avond niet uitgekomen.'

'Hij is vanaf die zaterdag tot aan de vrijdag daarop op de afdeling geweest. Heb je in die tijd met hem gepraat?'

'Een beetje. Heel kort. In de douches en zo.'

'Hoe gedroeg hij zich?'

'Stilletjes. Hij wilde niet naar les en ging alleen naar de eetzaal, meer niet.'

'Waarom wilde hij niet naar les?'

'Zal er wel een probleem mee hebben gehad, weet ik veel.'

'Heb je hem ernaar gevraagd?'

'Nee.'

'Je hebt hem in de eetzaal wel gesproken?'

'Een of twee keer. Om hem te vragen waarvoor hij zat en zo.'

'Wat voor indruk maakte hij?'

'Pissig. Net als iedereen, de eerste keer. Je kan het zelf niet geloven.'

'Had hij verwondingen of zag hij eruit alsof hij met iemand had gevochten?'

'Mij niet opgevallen.'

'Leek hij in jouw ogen van streek?'

Terry schudde het hoofd. 'Hij was geen baby, man. Als iemand iets tegen 'm zei, keek hij je aan alsof hij wou zeggen, mot-je-wat-van-me.'

'Hij heeft wel met iemand anders in de eetzaal gepraat?'

Schouderophalend zei Terry: 'Een paar meiden misschien. Je kon niet beweren dat ie gezellig was, nee.'

'Wat voor meisjes?'

'Geen idee.'

'Als je hem met meisjes hebt zien praten, zul je toch nog wel weten wie dat waren?'

'Ik lette er niet zo op.'

'Heeft hij ooit met je gepraat over wat er in hem omging.'

'Ja hoor, vast...' grijnsde Terry.

'Zag je hem 's avonds wel, als je van les kwam?'

'Nee, hij bleef in zijn hok... behalve de laatste avond. Ik meen dat hij er toen uit is gekomen om kassie te kijken.'

'Heeft hij je verteld dat hij in de observatiecel had gezeten?'

'Nee. Daar hoorde ik pas van toen alles uitkwam, weet je. Hij zei er niks over. Bemoeide zich met niemand.'

'Behalve de meisjes met wie hij praatte?'

Terry haalde zijn schouders op.

Jenny keek even naar Simone Wills. Ze leek gesterkt door wat ze hoorde, trots dat haar zoon als stoer was overgekomen.

'Terry, kun je me vertellen van die vrijdagavond de dertiende – de nacht waarin hij is gestorven. Hoe gedroeg hij zich?'

'Hij kwam na de eetzaal naar de gemeenschapsruimte. We zaten wat kassie te kijken.'

'Heeft hij toen met iemand gesproken?'

'Niet echt. Gewoon wat chillen. We keken naar zo'n talentenshow en maakten geintjes over de meiden en zo.'

'Lachte Danny mee?'

'Kan zijn.'

245

'Wat gebeurde er daarna?'

'Kassie uit om halfnegen, dan wassen en je nest in.'

'Heb je in dat halfuur nog contact met Danny gehad?'

'Nee.'

'Dus toen de lichten uit waren, wat gebeurde er toen?'

'Ik lag gewoon in me nest. Ging slapen.'

'Hoorde je geluiden uit Danny's cel?'

Terry dacht na en zei hoofdschuddend: 'Ik ben er niet zeker van...'

'Waarvan niet?'

'Er was een moment... ik dacht dat ik iemand zijn cel hoorde binnen-gaan, alsof de deur werd gesloten – stemmen, misschien.'

Jenny's maag begon op te spelen. Stémmen.

'Hoe laat was dat?'

'Weet ik veel – laat. Ik weet niet of ik het heb gedroomd of zo.'

'Wat voor stemmen waren het?'

'Weet ik niet... gewoon een stem, iemand die schreeuwde, en toen viel er iets om... dat was het. Toen werd het stil.'

'Je had het over meer dan één stem.'

'Weet ik... Ik ben er niet zeker van... ik geloof dat ik het hem heb horen doen. Het was laat, dat weet ik wel.'

'Kun je met zekerheid zeggen dat je meer dan één stem hebt gehoord?'

'Nee... sorry.'

'Waarom had je het dan over stémmen?'

'Weet ik niet.'

Jenny geloofde hem niet, maar als ze erop door bleef gaan, zou dat de indruk wekken dat ze wanhopig was. Ze speelde haar laatste troef uit en vroeg: 'Waren er veel drugs in het cellenblok?'

'Hoeveel weet ik niet.'

'Waar kwam dat spul vandaan?'

'Zulk spul komt er altijd in.' Hij trok uitdagend zijn schouders naar achteren. 'Verwacht van mij niet dat ik de boel ga verraden. Dan ga ik nog liever terug.'

'Kun je zeggen of Danny iets ervan heeft gekregen?'

Terry keek haar aan en knikte terwijl hij zijn wang wreef, alsof ze hem een idee had aangereikt waarover hij nog niet had nagedacht. Toen zei hij: 'Ja... Hij was behoorlijk afwezig, ja. Best kans van.'

Meer kon ze niet loskrijgen uit Terry. Als hij meer wist, liet hij dat niet merken. Als hij rondbazuinde wie de dealers waren in Portshead, was zijn leven niet veel meer waard. Jenny wist genoeg van de tienercultuur om te weten dat hij meende wat hij zei: dat hij liever terugging dan voor verklikker te spelen. Dat was, geruggensteund door de dreiging van zwaar geweld, de wet van de straat en die woog zwaarder dan alles wat de politie ertegenover kon stellen.

Hartleys kruisverhoor was kort maar effectief; hij beperkte zich ertoe de eventuele schade die Terry's vage getuigenis zijn cliënt had toegebracht te neutraliseren. Terry herhaalde dat hij niet met zekerheid wist of hij meer dan één stem had gehoord of zelfs de hele episode had gedroomd. Hij gaf toe dat hij geen idee had of Danny er die avond in was geslaagd aan drugs te komen; hij had er zelfs nooit over nagedacht voordat hem ernaar was gevraagd.

Toen Hartley klaar was, draaide hij zich glimlachend om naar zijn cliënten om hen te kennen te geven dat de orde was hersteld. Ondanks de negatieve reactie op Elaine Lewis wist hij dat de jury geen enkele reden had om tot een ander oordeel dan zelfmoord te komen.

Jenny schorste de zitting voor de lunch en trok zich terug in haar kamer. Ze voelde de energie uit haar ledematen wegvloeien toen de adrenalinegolf wegebde. Ze nam de pil die ze voor de tijd van één uur had gereserveerd, slikte die door en liet zich in haar bureaustoel onderuitzakken. Ze diende een beslissing te nemen: doorzetten en een begin maken met de samenvatting van de zaak voor de jury, of opnieuw schorsen teneinde een paar dagen tijd te winnen om naar meer bewijzen te zoeken. Ze zou kunnen proberen de meisjes te vinden met wie Danny in de eetzaal had geprat, het was niet ondenkbaar dat Katy een van die meisjes was geweest. Dat ene woordje, 'stemmen', bleef door haar hoofd spoken. Als er inderdaad een andere stem was geweest, van wie had die dan kunnen zijn? Ze beschikte over te weinig informatie. Als ze voor schorsing koos, zou ze genoodzaakt zijn daar een rechtvaardiging voor te vinden; als ze in dit stadium aan een jacht op spoken begon, liep ze het risico de verdenking van bevooroordeeldheid op zich te laden. Als ze echter meteen aan de samenvatting begon, kon het alleen maar uitlopen op het oordeel 'zelfmoord', zodat de UKAM straks de rechtszaal kon verlaten zonder het minste vlekje op het ondernemingsblazoen.

Er werd op de deur geklopt. Ze keek op en zag, zonder dat ze had gereageerd, de man binnenkomen die ze herkende als de ambtenaar die achter in de zaal had gezeten. Zijn gezicht stond streng.

'Mrs. Cooper, Simon Moreton. Ik ben van het ministerie van Justitie en rechters van instructie zijn mijn zorg.'

'Ik heb uw kaartje gezien.' Ze gebaarde naar een stoel. 'Valt u altijd zo plompverloren binnen?'

Hij bleef staan en negeerde haar vraag. 'Er is geen tactvolle manier om dit te zeggen, dus ik zal er niet omheen draaien. U hebt van het bureau van de advocaat-generaal de vermaning gekregen dat u deze hoorzitting tactvol en binnen normale proporties diende te leiden. Ik ben bang dat uw gedrag ons ernstige redenen tot bezorgdheid geeft.'

'Werkelijk? Hoe, precies?'

'Dat inschrijvingsdocument is, zoals u weet, niet alleen in commercieel opzicht sensitief, maar ligt ook in politiek opzicht uiterst gevoelig. Het is geen informatie voor de openbare arena en het is niet aan u het daar aan de orde te stellen. Hoe u eraan komt weet ik niet, maar ik moet u vragen het mij nu ter hand te stellen.'

'Ik dacht dat de rechter van instructie onafhankelijk was van de regering, mr. Moreton. Is dat niet juist waarom het draait?'

'Met openbaarmaking van dat document brengt u ons hele programma voor de bouw van strafinrichtingen in gevaar. Het is u bekend hoezeer het publiek, onder aanvoering van de media, gekant is tegen de idee van door particuliere bedrijven gerunde strafinrichtingen. Het lijkt er trouwens niet eens op dat die ene passage in deze inschrijving relevant is voor de dood van Danny Wills.'

'Ik zou zo denken dat ik als rechter van instructie daar beter over kan oordelen, vindt u niet?'

'Moet ik nog explicieter worden, mrs. Cooper? Als u blijft doorgaan het smalle kader over de vraag waar, wanneer en hoe Danny Wills is overleden te buiten te gaan, bewijst u daarmee dat u ongeschikt bent voor dit ambt. Eerlijk gezegd was uw benóéming, gelet op uw ziektegeschiedenis, al twijfelachtig. Zoiets verzwijgen bij een sollicitatie is een verzuim dat ernstig genoeg is om u uit dit ambt te ontzetten, zonder pensioen en, helaas, zonder vooruitzichten op verdere werkzaamheden als jurist. Niemand heeft trek in een leugenaarster met slechte referenties.'

De contouren van het vertrek vervaagden. Ze had geen macht over haar stem. Moreton boog zich naar voren en nam het inschrijvingsdocument van haar bureau, waar ze het zo-even had neergelegd. 'Uiteraard kan ik dit niet meenemen zonder uw instemming...'

Ze keek naar de map en daarna naar zijn gezicht, niet in staat haar blik te focussen. Hij wachtte, en toen haar reactie uitbleef, knikte hij bijna onmerkbaar.

Jenny zag hoe hij zich omdraaide, de deur opende en wegwandelde. Toen het slot klikte, werd ze door de gewaarwording overweldigd, alsof de dood haar onverwachts overmande. Ze worstelde zich overeind, klampte zich vast aan de hoek van het bureau en zakte ineen op de vloer.

'Hoe lang heeft deze aanval geduurd?' vroeg dr. Allen haar.

'Een minuut of twintig... Mijn hart bonsde zo hevig dat ik de kracht niet meer had om op te staan. Mijn bode heeft me zo gevonden.'

'Wat is er gebeurd met uw hoorzitting?'

'Verdaagd tot aanstaande maandag. Officieel heb ik voedselvergiftiging.'

Dr. Allen keek haar aan met oprechte sympathie. Hij was van zijn praktijk in Cardiff naar zijn spreekkamer in Chepstow komen rijden, een afstand van tachtig kilometer, om haar daar na zijn normale spreekuurtijd te ontvangen. Positief was dat ze weer op de been was en praatte en kon lopen en zelfs vanuit Bristol zelf naar zijn spreekkamer was gereden, maar ze kon niet langer doen alsof ze haar probleem in de hand had. Ze had haar eerste echte grote paniekaanval in maanden gehad en deze was even heftig als de hevigste die ze eerder had gehad toen ze op haar slechtst was.

'U hebt zwaar onder stress gestaan?'

'Ja...'

'Daar had ik u voor gewaarschuwd.'

'Ik weet het, maar ik kan er nu niet mee ophouden. Ik zit tot over mijn oren in twee belangrijke zaken.'

Hij glimlachte geduldig. 'U weet dit ongetwijfeld al, maar het soort algemene paniekstoornis waaraan u lijdt, wordt normaliter onderverdeeld in drie categorieën. Soms doet ze zich voor als iemand eenvoudigweg overbelast is – en als die druk verminderd wordt en de persoon voldoende rust krijgt, wordt het geleidelijk beter. Soms echter is zo'n stoornis een symptoom van post-traumatische stress, en andere keren is er helemaal geen te identificeren reden voor. Ik heb de notities over u van dr. Travis grondig bekeken en ik heb de indruk dat hij en ik het erover eens zijn dat in uw geval de directe oorzaak van deze aanvallen bestaat uit het feit dat u overbelast was en zich ongelukkig voelde. Toch zijn hij en ik van mening dat er vermoedelijk ook nog een diepere oorzaak achter zit. De leemte in uw jeugdherinneringen...'

Zijn woorden riepen een gevoel van naderend onheil op. Dr. Allen zag haar onbehagen.

'Indien er sprake was van een trauma dat u niet verwerken kon, kan dat uw vecht-of-vluchtrespons hebben versterkt. Dat leidt ertoe dat u, in situaties waarin een gezond iemand niet méér ervaart dan wat onbehagen, wordt overweldigd door – en dat bedoel ik heel letterlijk – verlammende angst.'

'Ik heb dit met dr. Travis allemaal al doorgewerkt. Hij heeft ik weet niet meer hoeveel keer regressietherapie geprobeerd.'

'Ik weet hoe angstig je je op dit moment moet voelen, Jenny,' zei hij, alsof hij haar wilde tutoyeren om haar gerust te stellen, 'maar soms, als je het heel moeilijk hebt, betekent dit dat je heel dicht bij de eigenlijke oorzaak van je trauma bent. De route tussen het een en het ander is om zo te zeggen korter. Als je er eenmaal bij kunt, kun je het overwinnen. Ik zou nu echt een oefening met je willen doen... wat heb je te verliezen?'

Ze had niet de wil of de kracht zich te verzetten. Ze strekte zich uit op zijn divan en begon haar ontspanningsoefeningen te doen tot ze het gevoel kreeg alsof ze in de vloer wegzonk. Het was een procedure die al een soort tweede natuur was geworden.

Dr. Allen zei: 'Mooi zo. Nu zou ik, als je ertoe in staat bent, graag willen dat je het angstgevoel dat je overweldigt kort samenvat.'

Dat was niet moeilijk.

'Hou eraan vast en ga terug tot je vier jaar oud was. Je bent nog een jong kind... Zeg me wat voor beelden er in je geest opkomen.'

Het was altijd hetzelfde beeld. 'Ik ben in mijn slaapkamer. De muren zijn geel en er ligt een lichtblauw tapijt op de vloer. Ik zit erop te spelen met een Cindy-pop... Ze heeft kort haar en draagt een zwart-wit geblokt minirokje.'

'Voel je je gelukkig?'

'Ja, heel gelukkig.'

'Wat gebeurt er om je heen?'

'Het is winter. Het zou buiten zelfs wel eens kunnen sneeuwen, maar in mijn kamer is het warm. Ik voel me knus.'

'Wat gebeurt er verder?'

'Ik weet het niet... Misschien beneden luide stemmen. Mijn ouders hadden vaak ruzie.' Verder was ze nooit gekomen. Ze had dr. Allen gezegd wat ze zich herinnerde: de pop, het vloerkleed, het tikken van de radiator, haar witte sokken tot over de enkels, etensgeuren die naar boven zweefden – maar ze wist nooit wat er verder was gebeurd. Steeds als ze probeerde het te forceren, raakte ze gedissocieerd en verloor het contact.

Dr. Allen vroeg: 'Je kunt de stemmen horen?'

'... mijn moeder die vanuit de keuken naar de gang roept, en mijn vader die terugschreeuwt; ik geloof dat hij in de zitkamer zit, ik kan de televisie horen -' Opeens schokte haar hele lichaam.

'Wat is het?'

Jenny hapte naar adem. Het beeld was echter weg en ze was terug in de spreekkamer met een verdoofd gevoel, alsof ze een blootliggende stroomdraad had aangeraakt. Ze deed haar ogen open en zei hoofdschuddend: 'Een geluid... een gebons.'

'Waarop? Op een deur?'

'Ik geloof het wel.'

'De voordeur?'

'Kan zijn...'

'Kunnen we terug naar dat moment?'

Ze schudde het hoofd. 'Het lijkt alsof er een valluik omlaag is gekomen. Ik kan er niet doorheen.'

'Had je dit geluid al vaker gehoord?'

'... Nee.'

Dr. Allen glimlachte verheugd. 'Zie je wat ik bedoel? We beginnen ergens te komen.' Hij begon aantekeningen te maken. 'Dit is werkelijk iets. Wellicht kunnen je ouders ons helpen. Leven ze nog?'

'Mijn vader wel, maar hij zit in een verpleegtehuis – hij heeft alzheimer. Tegenwoordig krijg je weinig zinnigs uit hem.'

'Zijn er broers en/of zussen?'

'Nee. Alleen ik.'

'Hebben je ouders het nooit over een voorval gehad?'

'Ze zijn gescheiden toen ik een jaar of zeven, acht was. Mijn moeder is toen hertrouwd. Daarna heb ik van mijn vader weinig gezien.'

'Waarover hadden ze altijd ruzie?'

'Ze pasten eenvoudigweg niet bij elkaar. Hij was een nuchter type en had een garage. Mijn moeder klaagde altijd dat er nooit iets enerverends in haar leven gebeurde, dus ging ze ervandoor met een makelaar in onroerend goed. Kom daar maar eens om.'

'Hoe het ook zij, we hebben wat vooruitgang geboekt. Als we hiermee doorgaan, zou het me niet verbazen als jij het zelf binnen een paar weken ontrafeld hebt.'

'Wat moet ik tot zolang doen?'

'In het ideale geval neem je een paar weken vrij.'

'Dat kan ik niet maken...'

'In dat geval moet ik je antidepressiva en bètablokkers geven om verdere aanvallen te voorkomen, maar dan moet je me met de hand op het hart beloven dat je er verder niets bij gebruikt. Je zult geen tranquillizers kunnen slikken als je daar behoefte aan hebt, en je zult alcohol waarschijnlijk niet kunnen verdragen.'

'Werken kan ik wel?'

'Voor zo'n vijfentachtig procent.'

Jenny dacht even na. 'Dan doe ik dat.'

Ze slikte in Chepstow, waar ze laat op de avond een bezoek had gebracht aan de apotheek in High Street, nog de eerste dosis in haar auto. Omdat ze sinds het ontbijt niet had gegeten, werd het medicament snel in haar bloed opgenomen. Het was een gewaarwording die ze bijna was vergeten. De dingen leken zich te egaliseren. De angst smolt weg, haar middenrif kon zich ontspannen en ze was zich niet meer bewust van haar hartslag. Het was heel anders dan het effect van drank – een subtieler, niet opgeschroefd gevoel – alsof er iets meer af- dan aanwezig was.

Dr. Allen had haar gezegd dat hij haar niet wilde verbieden te rijden, mits ze extra voorzichtig zou zijn. Als ze ook maar even het begin van een aanval bespeurde, moest ze de auto meteen aan de kant zetten. Formeel kon hij haar rijbewijs ongeldig verklaren, maar hij besloot haar te vertrouwen. Het was zijn manier om te zeggen dat ze een akkoord hadden gesloten. Hij zou haar wat ruimte gunnen, mits zij zich voor het opgraven van haar trauma zou inzetten.

Op dit moment wilde ze niet over haar verleden nadenken. Terwijl ze de heuvel opreed, naar de rand van de stad, voelde ze zich prima achter het stuur. Ze had drie heldere werkdagen en het weekeinde in het verschiet om aanvullend bewijsmateriaal op te sporen.

19

Op de voicemail in haar werkkamer waren twee boodschappen inge-sproken. De eerste was van Alison, die hoopte dat ze er weer wat boven-op zou zijn; stelde ze er prijs op dat zij de eerste paar dagen de routinezaken afhandelde? Ze kon haar altijd per e-mail bereiken als er zich iets ongewoons voordeed. De zaal was voor aanstaande maandag gereserveerd en iedereen was van de verdaging verwittigd. Ze hoefde zich nergens zorgen over te maken, behalve beter worden. Ze glimlach-te toen ze Alison dat hoorde zeggen, alsof ze niet meer had dan een koutje.

De tweede boodschap was van Tara Collins, en haar stem klonk heel wat bezorgder. Ze had gehoord dat ze onwel was en hoopte dat het niets ernstigs was. Onder het luisteren naar de vragen die ze in de rechtszaal had gesteld, had Tara opgemerkt dat ze een poging had gedaan verband te leggen met de zaak-Katy Taylor. Ook had Tara uit haar woorden opgemaakt dat ze graag Hayley Johnson wilde spreken. Een van Tara's connecties had haar doorgegeven dat Hayley de laatste paar dagen op straat in Broadlands tippelde. Wilde Jenny dat ze een poging deed haar te vinden?

Jenny toetste Tara's telefoonnummer in en werd doorgeschakeld naar haar mobieltje. Zo te horen bevond ze zich in een kroeg of zoiets, want Jenny hoorde veel stemmen en muziek op de achtergrond.

'Met Jenny Cooper. Ik heb net je boodschap afgeluisterd.'

'Hoe is het ermee? Je bode zei dat je ziek was?'

'Ik maak het goed. Niets ernstigs.'

Tara klonk opgelucht. 'Om tijd te winnen, nietwaar?'

'Min of meer.'

'Ik dacht al zoiets. Die schoften dachten zeker dat ze alle gaatjes had-den gestopt, hè? Het zou me niet verbazen als ze zelfs kans hebben gezien Terry Ryan te bewerken. Er is niets wat zo'n knul niet zou doen voor een paar gram *ice*.'

'Ice?'

'*Crystal meth* – het soort methamfetamine dat je rookt.'

'Ik loop achter.'

'Zo is het tegenwoordig ook met de mode – je spullen zijn al verouderd tegen de tijd dat je ermee thuiskomt.' Tara klonk spraakzamer dan ze haar had meegemaakt, bijna alsof ze er een paar ophad.

'Luister, ik zou die Hayley Johnson graag spreken. Denk je dat ik haar vanavond zou kunnen vinden?'

'Daar is het nog een beetje te vroeg voor. Die gaat de straat pas op na elven.'

'Enig idee waar ik zou kunnen beginnen?'

'Als je wilt, kan ik wel met je meekomen. Mij zal ze zeker herkennen.'

'Prima. Waar zien we elkaar?'

'Kom maar naar mijn huis. Ik zit op Alexander Road 15b, Bradley Stoke.'

'Tot elf uur dan maar.'

'Bye, Jenny, byeee.'

Ze moest inderdaad aardig wat ophebben.

Zodra Jenny de telefoon neerlegde, voelde ze zich rusteloos. Ze moest nog vier uur doorkomen. Ze werkte haastig een sandwich en een kop thee naar binnen en probeerde aan haar bureau een chronologie van de gebeurtenissen op te stellen die haar kon helpen haar gedachten te ordenen. Ze liep alle belangrijke datums nog eens door, maar bleef uitkomen bij hetzelfde punt: Harry Marshall was zijn hoorzitting over Danny's dood op maandag 30 april begonnen. Volgens Simone Wills was zijn stemming op de donderdag of vrijdag ervóór abrupt omgeslagen. Katy was de zondag daarvoor weggelopen uit huis en was op de maandag of dinsdag daarna overleden dan wel vermoord. Als er al een connectie bestond, moest ze die zoeken in wat er gedurende de laatste week van april was gebeurd.

Ze belde Alison thuis en vroeg haar om het telefoonnummer van de weduwe Marshall. Alison aarzelde en deed ontwijkend door haar te vragen hoe ze het maakte en pogingen te doen haar de reden voor dat verzoek te vertellen. Jenny zei dat ze zich goed voelde en Mary Marshall alleen wilde vragen of zij zich wellicht herinnerde of Harry tegen haar iets over de zaak van Danny of Katy had gezegd.

Alison zei: 'Ik heb dat al gezegd: hij praatte nóóit over zijn werk met haar. Zij vond het te luguber.'

'Het kan geen kwaad het haar te vragen.'

'U gaat toch niets zeggen dat haar van streek kan maken, mrs. Cooper? Zij en haar dochters zijn nog hevig geschokt.'

'Waar ben je bang voor? Denk je soms dat ik haar ga zeggen dat jij en Harry een platonische relatie hadden?'

'Alstublíéft.' Ze dempte haar stem en fluisterde: 'Mijn man zit in de andere kamer.'

'Je bent toch niet vergeten, Alison, dat wij een deal hebben?'

'Ik... ik wil alleen dat zijn nagedachtenis voor haar niet wordt verstoord. Hij was zo'n in-goeie man.'

Mary Marshall was een kleine, schuchtere vrouw met grijs haar die er ouder uitzag dan Jenny had verwacht. Ze had hoofd van een lagere school kunnen zijn, of een bibliothecaresse: ijdelheid was in geen geval een zonde van haar. Ze deed de voordeur van haar gerieflijke, vrijstaande huis in het met veel groen verfraaide Stoke City niet verder open dan het kettinkje toeliet en achter haar hielen stond een kleine terriër te keffen. Opgelucht dat er geen gemaskerde boef voor haar deur stond, dreef ze het hondje naar de keuken voordat ze Jenny binnenliet.

'Excuus voor Sandy. Hij lijkt sinds Harry's dood permanent wachtdienst te hebben.'

'Hij doet het met veel ijver.'

Mary glimlachte en ging Jenny voor door een gang met vloerbedekking, langs de open deur van een zitkamer waar twee verstandig ogende tienerdochters naar een natuurfilm zaten te kijken. Het huis was onberispelijk schoon, al was er kennelijk sinds de jaren tachtig niet meer geschilderd of behangen.

Jenny bedankte voor het aanbod van een kop thee of iets sterkers, zodat Mary haar meteen voorging naar een kleine werkkamer die, zo zei ze, van Harry was geweest. Ze sloot de deur achter hen en draaide de sleutel om in het slot. Kennelijk mochten de meisjes niet horen waarover er werd gepraat. In dit huis, bedacht Jenny, werden kinderen zolang mogelijk kind gehouden. Ze nam plaats in een van de fauteuils die eruitzagen alsof ze op een avondcursus opnieuw waren bekleed. Mary nam de andere. Bezorgd, zich enigszins vooroverbuigend met haar handen op haar knieën, vroeg ze waarmee ze Jenny kon helpen.

'U hebt misschien in de krant gelezen dat ik de hoorzitting die uw man als laatste heeft geleid moet overdoen.'

'Ik heb het gezien, ja.' Het klonk enigszins verwijtend, alsof ze het als een persoonlijke krenking opvatte.

'Uit de aantekeningen die hij achter heeft gelaten, heb ik de sterke indruk gekregen dat hij met hart en ziel bij deze zaak betrokken is geweest, maar dat hem, tegen de tijd dat hij aan de hoorzitting zelf begon, min of meer de moed in de schoenen is gezonken.'

'Ik weet alleen dat hij er erg verdrietig over was. Hij had een hekel aan

sterfgevallen onder gevangenen. Vóór zijn benoeming heeft hij jarenlang voor Amnesty gewerkt.'

Jenny knikte. 'Heeft hij überhaupt nog met u over de zaak gepraat?'

'Alleen terloops. Hij heeft altijd zijn best gedaan zijn werk niet mee
naar huis te nemen. Dat was de reden dat hij deze baan heeft aangenomen: als rechter van instructie kon hij zich 's avonds en in de weekeinden aan zijn gezin wijden.'

'Een paar dagen voor zijn dood hield hij zich bezig met de zaak van
een meisje van vijftien jaar, Katy Taylor. Heeft hij daar ooit iets over
gezegd?'

Mary verstijfde. Ze kon best in de *Post* over de zaak hebben gelezen,
zodat ze wist dat Harry in gebreke was gebleven. 'Nee, dat deed hij niet.
Ik weet zeker dat hij erover zweeg om zijn gezin te ontzien. Soms is het
niet bepaald meedogend als je je aan de voorschriften moet houden.
Dat zult u ongetwijfeld zelf ook nog wel ondervinden naarmate u meer
ervaring opdoet.'

Jenny glimlachte neutraal. Mary had Harry jarenlang strak aan de lei-
band gehouden en gaf hem nu zijn postume beloning: de status van een
heilige. 'Hij had een document in een lade van zijn bureau weggesloten,
iets wat hij van derden moet hebben ontvangen, mogelijk een klokkenluider. Het was een inschrijving die de exploitant van Portshead Farm
had ingediend en het ging om een grote strafinrichting voor jeugdige
delinquenten...' Jenny laste een pauze in om goed na te denken over wat
ze nu ging zeggen. 'Met dat contract zijn tientallen miljoenen ponden
gemoeid. Als u man met zijn hoorzitting had vastgesteld dat die onderneming op enigerlei wijze verantwoordelijk was voor de dood van
Danny Wills, zou dat wellicht zijn professionele einde hebben betekend.
Ik vraag me af – heeft hij tegenover u echt niets maar dan ook helemaal
niets over deze zaak gezegd?'

Afwerend zoog Mary haar wangen naar binnen en schudde het hoofd.
'Nee, helemaal niets.'

'Had u de indruk dat hij over iets tobde?'

'Niet meer dan anders... hij leek wat vermoeid, meer niet.'

'Ik breng dit onderwerp liever niet ter sprake, mrs. Marshall...'

'Ik heb Alison duidelijk gemaakt hoe ik daarover denk. Harry zou er
nóóit zelf een eind aan hebben gemaakt. Net als ik geloofde hij dat zelfmoord een zonde is, even erg als moord, en zelfs euthanasie bij termi-
nale patiënten.'

'Feitelijk wilde ik u iets anders vragen, namelijk of hij ooit te maken
heeft gehad met corruptie in het bedrijfsleven en zo ja, hoe hij daarmee
omging.'

Mary's gezicht ontspande zich enigszins. 'Zoiets verfoeide hij, natuurlijk. Hij was een man met principes. Altijd geweest.'

'Hoe zou hij volgens u hebben gehandeld met een document dat zo gevoelig lag als dit? Het feit dat hij het níét openbaar heeft gemaakt... daaruit maak ik op dat hij daar een zeer goede reden voor moet hebben gehad, of misschien moet ik zeggen, een dwingende reden.'

Mary zat direct stofstijf overeind. 'Als u soms wilt suggereren dat hij ooit zichzelf zou hebben laten compromitteren, dan kan ik u dat wel meteen zeggen: geen sprake van!'

'Natuurlijk.' Jenny begon te geloven dat ze haar tijd verdeed, maar ze kon zich niet voorstellen dat Harry's weduwe inderdaad zo in het duister tastte als ze voorwendde. De ervaring had haar geleerd dat mensen die hun toevlucht zochten in een geloof zich gewoonlijk scherper dan de meeste anderen bewust waren van de minder lofwaardige neigingen die inherent zijn aan de menselijke natuur. Ze besloot het over een andere boeg te gooien voordat ze het opgaf. 'Ik heb begrepen dat uw man een goede vriend was van Frank Grantham?'

'Nee.' Ze spuwde de ontkenning feitelijk uit.

'O? Alison zei dat ze veel met elkaar te maken hadden.'

'Dat is heel wat anders. Harry had geen tijd voor hem; hij vond hem een bemoeizieke onderkruiper.'

'Toch nam hij notitie van hem. Grantham heeft mij in elk geval de indruk gegeven dat hij gewend was in het bureau rechter van instructie zijn zin door te drijven.'

'Harry had een vrouw en vier dochters – hij kon het zich niet veroorloven vijanden te maken.'

'Waarom was hij bang voor Frank Grantham? De man heeft geen enkele zeggenschap over de rechter van instructie.'

'Hij was niet bang voor hem.'

'Waarom liet uw man zich dan door hem koeioneren?'

Mary sloot kort haar ogen, alsof ze pijn voelde. 'Ik denk omdat Harry veel werk voor de gemeenschap deed. Frank heeft overal een vinger in de pap en hij deinst er niet voor terug mensen zwart te maken. Als u de waarheid wilt horen: mijn man dacht dat hij vermoedelijk corrupt was, maar hij was zo fatsoenlijk zijn verdenkingen voor zich te houden.'

'Corrupt in wat voor opzicht?'

'Ik zie niet in waarom iets hiervan voor u relevant kan zijn... Ik verfoei kwaadsprekerij.'

'Alstublieft, mrs. Marshall. Dit kan heel belangrijk zijn.'

Mary wendde haar hoofd af toen ze verder sprak, alsof ze de titels in de boekenkast probeerde te lezen. 'U hoeft maar te zien hoe Frank leeft om te begrijpen dat hij dat nooit allemaal van zijn salaris kan bekostigen. Hij kan nauwelijks meer hebben verdiend dan Harry zelf.'

'Harry geloofde dat hij steekpenningen aannam? Uit welke branche? Onroerend goed, misschien?'

'Hij sloeg er maar een slag naar.'

'Hij heeft nooit iets specifieks genoemd?'

'Nee. Hij hield zelf ook niet van verdachtmakingen.'

Jenny vermande zich. 'Neem me niet kwalijk dat ik u ernaar vraag, mrs. Marshall, maar u begrijpt dat ik de zaak van alle kanten moet bekijken... Hebt u sinds de dood van uw man de een of andere onregelmatigheid in zijn financiën ontdekt, zoals ongewone betalingen?'

'Het lijkt me dat u het antwoord op die vraag zelf wel weet, mrs. Cooper.' De blik waarmee Mary haar aankeek, zei haar dat het gesprek voorbij was. 'Het wordt bedtijd voor de meisjes.'

Jenny verliet het huis van de Marshalls met het gevoel dat, als Harry al ooit betrokken was geweest bij iets onwettigs, Mary daar wel haar verdenkingen over zou hebben gehad, maar dat ze die zo diep zou hebben weggestopt dat ze pas boven konden komen als ze zelf seniel was. Deze vrouw klampte zich vast aan háár wereldbeeld, met God zelf aan de top van de piramide en alle anderen gerangschikt volgens een afdalende hiërarchie, al naargelang hun matigheid en seksloosheid. Jenny zou een zeer lage plaats in die hiërarchie innemen, hooguit een of twee stenen traptreden hoger dan het meisje dat ze nu hoopte te vinden.

Tara rook sterk naar wijn toen ze op de passagiersstoel ging zitten. Ze deed een dappere poging te doen alsof ze nuchter was, maar ze struikelde over haar woorden en moest zich steeds vasthouden aan de handgreep boven het portierraam als de auto door een bocht reed. Jenny begon zich een duidelijker beeld van haar te vormen: een lesbienne zonder partner die alleen woonde en al haar energie in haar werk stak. Ze had iets zelfdestructiefs over zich, alsof ze energie putte uit het dramatische van de situatie teneinde de aandacht af te dwingen die ze niet in een relatie kreeg. Ze was feitelijk niet blij met haar voorkeur en dronk vermoedelijk vaak te veel als ze zich in lesbiennekroegen tussen de anderen mengde maar niet aantrekkelijk genoeg was om met enige regelmaat te scoren, iemand aan wie je niet bleef hangen. Veel te intens. Ze had een beetje met haar te doen.

Het was al even voor halftwaalf toen ze Broadlands binnenreden. Op de straathoeken en rondom de banken op een haveloos speelplein hingen groepen jongeren rond. Ze dronken en rookten sigaretten, maar de sfeer was ontspannen en er werd veel gelachen. Je zou hier niet graag met pech aan de kant komen te staan, maar het zou je alleen je portemonnee kosten, in plaats van vijf liter bloed.

Toen ze een paar minuten hadden rondgereden, zag Tara aan de rand van de wijk een paar meisjes in korte rokken bij de trottoirrand staan. Ze zei Jenny vaart te minderen als ze er voorbijreden. Jenny vroeg zich af wat de meiden ervan zouden denken om zo te worden bekeken door twee al wat oudere vrouwen.

'Misschien kunnen we ze vragen of ze Hayley hebben gezien?' opperde Jenny.

'Nee, dan bellen ze haar meteen om haar te waarschuwen.'

Jenny hield even in, genoeg om Tara de kans te geven goed te kijken. Ze schudde het hoofd. 'Hier hangen ze meestal rond om de hoerenlopers op te pikken. Achter die rij winkels ligt een lange rij garages; daar laten ze hun klanten parkeren.'

Ze keerden om en reden een tweede keer de wijk door. Een stel kinderen sprong voor hen de weg op. Ze zwaaiden met hun armen en trokken gekke gezichten, proberend hen tot stoppen te dwingen. Tara hing de door de wol geverfde journaliste uit en zei: 'Hun idee van een geintje.'

Ze reden nog eens langs de twee meiden en zagen dat ze geen zaken hadden gedaan. Tara vond dat het nog te vroeg was voor Hayley om al de straat op te gaan, zodat ze stopten bij een benzinestation om bekers hete koffie te kopen die ze in de auto opdronken. Het was al middernacht geweest en Tara's oogleden dreigden dicht te vallen; ze praatte aan een stuk door over de tegen haar uitgebrachte aanklacht en beweerde dat ze niet alleen valselijk was beschuldigd, maar ook dat haar telefoons werden afgeluisterd en dat er kwaadaardige e-mails over haar naar haar baas bij de krant waren gestuurd.

Jenny probeerde meelevend te zijn, maar ze kon moeilijk bepalen waar de feiten ophielden en de zelfmisleiding begon.

Toen Tara voor de vierde keer aan haar verhaal begon, stak Jenny haar hand uit naar de radioknop en zei dat ze even naar het nieuws wilde luisteren.

Tara overstemde de radio toen ze zei: 'Er is iets wat ik je nog niet heb verteld, Jenny...' ze glimlachte met de zelfvoldaanheid van iemand die een geheim wist '... namelijk hoe ik over jouw ziektegeschiedenis heb gehoord.'

Jenny nam een teugje van haar koffie; ze voelde dat de werking van de pil afnam en begon Tara een tikje achterbaks te vinden.

'Wil je dat niet weten?'

'Niet speciaal.'

'Gewoon gehackt. Er is zo'n knul van een jaar of zestien, meer zeg ik niet over hem, die ik heb leren kennen via een babbelbox. Beweert dat hij elk computersysteem kan kraken. Ik zeg hem hoe ik heet, en meteen komt hij aanzetten met mijn complete krediethistorie, medische gegevens enzovoort. Je staat er versteld van wat ze tegenwoordig op internet over je kunnen vinden. En hij vindt twintig pond een smak geld.' Ze knikte wijs. 'Er bestaan geen geheimen meer. Het enige wat staat tussen de waarheid en de persoon die erachter wil komen, is de inspanning die hij of zij bereid is daarvoor te doen.'

Jenny vroeg: 'Wat weet deze knaap over jou?'

Tara hield haar beker stil en keek haar van opzij aan. 'Ben je aan het vissen?'

'Het was maar een vraag.'

'Er valt niet zoveel van mij te weten...' Ze liet het open, in de hoop dat Jenny verder zou vragen.

Dat deed ze niet. De sfeer in de auto begon Jenny aardig te benauwen en ze begon Tara ervan te verdenken dat ze avances wilde maken. Ze was niet bevooroordeeld, maar het idee dat een andere vrouw dergelijke gevoelens voor haar kon koesteren benauwde haar. Tijd om te vertrekken.

Er reden nog verscheidene andere auto's langzaam door de wijk, allemaal bestuurd door mannen alleen. Voor zover Jenny kon zien was er maar een handvol tippelaarsters beschikbaar, drie of vier, zodat de trottoirschuimers achter elkaar rondjes moesten blijven rijden als ze aan de beurt wilden komen.

Het liep al tegen enen en Tara was bijna onder zeil. Ze maakte plotseling een snurkend geluid en haar kin zakte omlaag naar haar borst, zodat haar hoofd losjes vooroverhing. Geweldig. Haar verspiedster was in dromenland, haar angst begon haar opnieuw te besluipen en ze was de hele avond geen streep verder gekomen. Ze liet de auto een U-bocht maken en begon de wijk uit te rijden.

De patrouillewagen kwam uit het niets. Hij schoot uit een zijstraat, de blauwe zwaailichten aan, en liet de sirene janken terwijl hij voor hen uit raasde.

Tara schrok wakker. 'Wat was dat?'

De patrouillewagen remde abrupt af en zwaaide naar de trottoirrand, tweehonderd meter voor hen, waar een andere politiewagen een stationwagen had klemgereden.

Jenny zei: 'Zo te zien gaan ze iemand arresteren.'

Ze minderde vaart totdat ze stapvoets langs de scène reden. Een dikke, kalende man stond heftig tegen een agent te oreren, terwijl een vrouwelijke agent een jonge vrouw in een spijkerrok naar een van de auto's escorteerde.

Tara zei: 'Dat is ze. Dat is Hayley!'

Jenny greep haar telefoon en belde Alison.

Het was al bijna twee uur 's nachts toen Alison het politiebureau uit- kwam, moe en prikkelbaar, en tegen het portierraam tikte om te zeggen dat ze de dienstdoende brigadier had overgehaald haar en Jenny tien minuten de tijd te geven in de cellen. Jenny was erin geslaagd Tara ervan te overtuigen dat het zinloos was dat zij mee zou gaan en had haar onderweg thuis afgezet.

Alison leidde haar door het groepje huiverende rokers de bordestrap op en ging haar voor door de ontvangstruimte, waar verscheidene dronken vrouwen luid op het raam van de balie klopten. Alison knikte naar de zwaar belegerde brigadier van dienst die op de knop van de vei- ligheidsdeur drukte welke toegang gaf tot het binnenste van het bureau.

De detentiecellen bevonden zich in het souterrain, waar de afdeling voor inbewaringstelling al wat stiller begon te worden voor de nacht. Er was alleen een handvol slaperige dronkaards aanwezig, ineengedoken op een bank en met een handboei vastgelegd aan ijzeren ringen in de muur, in afwachting van de administratieve procedure. De dienstdoen- de hoofdagent wierp Alison een sleutelbos toe en zei Jenny beleefd gedag, maar hij wilde er niet bij betrokken raken. Dit was niet meer dan een gunst voor een ex-collega.

Hayley lag opgerold op de brits, de armen om de blote knieën geslagen. Ze zag er met haar achttien jaar fris genoeg uit om niet automatisch voor een hoertje te worden aangezien en had een weelderige bos dik, zwart haar en een olijfkleurige huid. Jenny stelde zich zo voor dat het leven haar wel betere kansen te bieden had dan tippelen in de straten van Broadlands. Ze keek slaperig naar hen op, kwam overeind en ging op de rand van de brits zitten. Haar rokje reikte niet verder dan een derde van de afstand naar haar knieën.

'Kut. Wie zijn jullie?'

Alison zei: 'Ik ben mrs. Trent, assistent-rechter van instructie, en dit is mrs. Cooper, de onderzoeksrechter zelf.'

Jenny zei: 'Dit heeft niets te maken met de reden waarom u vanavond bent gearresteerd, miss Johnson, en ik heb geen band met de politie. Mijn taak bestaat eruit, uit te zoeken hoe mensen zijn overleden. Ik ben bezig met het onderzoek naar de dood van Katy Taylor. Volgens mij hebt u haar gekend.'

Hayley keek argwanend van Jenny naar Alison en terug, alsof ze een truc verwachtte. 'Hebben jullie sigaretten?'

Alison stak haar hand in de zak van haar regenmantel en diepte er een gehavend pakje Marlboro uit op. Ze tikte er een uit en gaf Hayley vuur met een plastic aansteker.

Hayley zoog de rook met kracht diep in haar longen voor een nicotineboost voordat ze antwoord gaf.

'Ik heb haar een of twee keer gezien.'

Jenny zei: 'Ze tippelde in Broadlands.'

'Zo nu en dan.'

'De politie heeft foto's waarop te zien is dat ze in een blauwe Vectra stapte – en dat was de laatste keer dat ze is gezien.'

Hayley schudde het hoofd. 'Van auto's weet ik niet veel.'

Jenny zei: 'Ik weet niet of u goed bent met datums, miss Johnson, maar Katy kwam op 17 april vrij uit Portshead Farm, waar ze zes weken had gezeten. Ze werd sinds zaterdag de eenentwintigste, toen ze het huis van haar ouders verliet, vermist, en we weten dat ze de volgende dag alweer tippelde. Ze is die avond om elf uur in deze blauwe Vectra gestapt. Kort daarna is ze overleden of vermoord.'

Hayley nam weer een lange haal. 'Ik geloof dat ik haar op zaterdagavond heb gezien.'

'Waar?'

'Op straat. Ze had toen eigenlijk een uitgaansverbod, hè? Ze lachte erom.'

'Waarover heeft ze nog meer gepraat?'

Hayley trok een gezicht alsof ze probeerde het zich te herinneren. 'Ik geloof dat we het hadden over waar we wat crack konden scoren. Daar deed ze het voor. Zelf raak ik die troep niet aan. Als je dan toch iets neemt, zorg dan dat het puur is, in plaats van vermengd met rotzooi.'

Alison vroeg: 'Gebruikte ze ook heroïne?'

'Nee. Hoe oud was ze helemaal – vijftien? Ze speelde maar wat.'

Jenny zei: 'Heeft ze misschien iets gezegd over dat ze in moeilijkheden was of dat iemand het op haar had voorzien?'

'Volgens mij niet.'

'Sprak ze over haar tijd in Portshead?'

'Kan zijn, ze had het over hoe saai het er was...'

'Of zei ze misschien iets over een jongen, Danny Wills, die er tegelijk met haar zat? Heeft ze iets over hem gezegd?'

'Heb je nog sigaretten?'

Alison gaf haar het pakje. 'Hou maar.'

'Bedankt.' Ze tikte er een uit en stak die aan met de peuk van de eerste. 'Ze zei wel dat daar een jongen was die zich had opgehangen na een gevecht met de cipiers. Ik geloof dat hij iets tegen haar heeft gezegd over een mes dat hij wilde maken...'

'Meer niet? Probeer het je te herinneren, het is belangrijk.'

'Da's alles wat ik weet. Ik weet alleen nog dat ze zei dat zij had gedacht dat hij van plan was die cipier neer te steken, maar dat hij zich toen had opgehangen. Ze hadden samen op school gezeten of zo.'

Alison vroeg: 'Heeft ze ook gezegd wíé die cipier was?'

'Dat herinner ik me niet... maar ik geloof dat ze zei dat ze zou proberen er met iemand over te praten.'

Jenny zei: 'Met wie? Alsjeblieft, Hayley, probeer het.'

Hayley krabde zich geeuwend aan haar hoofd; het begon haar te veel te worden: 'Haar reclasseringsambtenaar?'

'Justin Bennett. Reclasseringsteam voor jeugdige delinquenten.'

'Ja... zoiets, misschien.'

Het was Alisons idee om hem te onderscheppen als hij de deur uit kwam, zodat ze hem konden overvallen als hij dat het minst verwachtte. Ze sprongen Jenny's auto uit toen hij de voordeur van zijn flat opende, op de begane grond van een vrij haveloos, terrasvormig flatblok in Redlands.

'Goeiemorgen, meneer Bennett,' zei Jenny, 'we hebben nog wat vragen voor u. Wat zou u zeggen van een lift naar uw werk?'

Alison hield het achterportier uitnodigend open. Justin deed een stap naar achteren en schudde het hoofd.

'We kunnen hier praten, als u dat liever doet, en anders in mijn bureau.'

'Wat wilt u van mij?'

Alison zei: 'Mrs. Cooper stelt hier de vragen. En als ik jou was, zou ik er maar antwoord op geven.'

Justin zwichtte voor een compromis. Hij wilde wel praten in de auto, maar hij liet zich nergens heen rijden. Eenmaal op de achterbank was hij niet in staat stil te zitten, op van de zenuwen. Jenny merkte dat zij zich vanwege het antidepressivum niet in zijn nervositeit kon verplaatsen en vroeg zich vluchtig af of dit de gemoedsgesteldheid was van politiemensen of cipiers, zonder een greintje empathie. Ze keek hem via de achteruitkijkspiegel aan en zei: 'Katy Taylor heeft na haar vrijlating uit Portshead Farm met jou over Danny Wills gepraat. Wat kun je ons daarover vertellen?'

Justin kruiste zijn handen voor zijn buik. 'Is dat zo?'

Met een stem die Jenny nog niet eerder van haar had gehoord snauwde Alison: 'Lul niet. Zeg ons wat je weet, anders draai je de bak in wegens het belemmeren van de rechtsgang.'

Justin zei: 'Het zou kunnen dat ze iets over hem heeft gezegd tijdens onze bijeenkomst. Is hij niet gestorven toen zij daar ook was?'

Alison zei: 'Ze heeft meer over hem gezegd, dat weten we.'

'Ik probeer het me te herinneren.'

Alison wisselde een blik met Jenny. 'Zij heeft jou gezegd dat Danny overhoop lag met een van de cipiers en dat hij van plan was zich een mes te bezorgen om hem neer te steken.'

'... Ja, dat komt me bekend voor. Ze hebben allemaal van die verhalen dat je -'

'Wie was die cipier?'

'Dat zei ze niet.'

'Nou, nou, dat kwam er snel uit.'

'Ze heeft mij geen naam genoemd.'

Alison draaide zich om op haar stoel. 'De waarheid, Justin.'

'Het ís de waarheid.'

Jenny vroeg: 'Waarom heb je hierover dan niet veel eerder iets gezegd?'

'Dat héb ik gedaan. Aan Marshall. Ik heb hem gebeld op de dag dat Katy het mij had verteld.'

'Welke dag was dat?'

'De vrijdag voordat ze verdween, 20 april.'

Alison zei: 'Dus ruim een week voordat mr. Marshall de hoorzitting over Danny begon.'

Jenny zei: 'Waarom heb je het míj niet verteld?'

Justin wreef met zijn hand over zijn nek. 'Omdat ik bang was, ja?... Zij vertelt me zoiets, en de volgende dag is ze dood. Daarna vertel ik het aan de rechter van instructie, en die sterft óók! De optelsom is gemakkelijk genoeg.'

20

Het antidepressivum plus een klein, verboden extraatje van een halve Temazepam had haar een energieboost gegeven. Hoewel ze maar drie uur had geslapen, voelde ze zich ontspannen en doelgericht, op alles voorbereid.

Alison kwam haar kantoor binnen met de transcriptie van de aanvullende verklaring die ze op de achterbank van de auto uit Justins mond had opgetekend en door hem had laten ondertekenen. Ze ging in de stoel aan de andere kant van het bureau zitten en gaf haar de verklaring aan. 'Wat gaat u ermee doen?'

'Als we de zitting heropenen, zal ik hem en Hayley oproepen om te komen getuigen,' zei Jenny resoluut. 'Daarna roep ik de staf van Portshead op, en als we niet verderkomen, laat ik elk kind dat op dat moment in Portshead zat voorkomen totdat we weten wie de cipier was met wie Danny moeilijkheden had.'

'Ik begrijp waarom u dit zegt, mrs. Cooper, maar stel dat we inderdaad een naam aan de weet komen. Dan zouden ze het glashard ontkennen! We beschikken niet over forensisch bewijsmateriaal dat duidt op een misdr...'

'Ik wil aantonen dat er een sfeer van angst heerst. Laten we zeggen dat Danny dwarslag en niet wilde meewerken, zodat ze geprobeerd hebben hem met geweld zijn cel uit te krijgen en naar les te escorteren. Dat moet door een paar andere jongeren daar zijn gezien. Hij was emotioneel kwetsbaar, en als het personeel daar hem overstuur heeft gemaakt, wil ik dat de jury daarvan hoort.'

'Wat is de plaats van Katy in dit alles?'

'Zij heeft er met Bennett over gepraat, en die heeft het op donderdag 26 april aan Marshall verteld. Katy was toen al vermist, maar ze was nog niet gevonden, en de hoorzitting over de dood van Danny zou drie dagen later beginnen. Marshall heeft dit feit voor zich gehouden, zodat Katy's verhaal niet op de hoorzitting ter sprake is gekomen. De politie heeft hij het ook niet verteld. De volgende dag, vrijdag, ging Marshall naar zijn huisarts en kreeg pillen van hem los. We mogen aannemen dat hij die kopie van de inschrijving toen al had. Hij moet net als wij hebben gedacht dat iets aan de dood van Danny niet bepaald fris rook, maar voor de UKAM stond er te veel op het spel om het risico te lopen dat hij aan zou sturen op een oordeel dat voor hun nadelig was.'

Alison liet haar hoofd zakken. Ze leek erg vermoeid na haar verstoorde nachtrust. 'Wat is uw theorie?'

'Iets moet hem ertoe hebben gebracht een andere kant op te kijken. Hij liet die maandag alle getuigen zo snel mogelijk hun verhaal doen, maar toen hij die avond op kantoor kwam, hoorde hij dat Katy dood was gevonden. Er werd dinsdag sectie op haar stoffelijk overschot gedaan, en hoewel hij heel goed wist dat hij een hoorzitting over haar dood moest houden, heeft hij haar overlijdensverklaring al op woensdag getekend. In de nacht van donderdag stierf hij... Jij hebt hem gekend, wat denk je er zelf van?'

Alison keek haar verdrietig aan. 'Ik neem aan dat hij bang was omdat hij van de een of ander geld had aangenomen, maar mrs. Marshall zegt dat er niets is.'

'Hij kan het hebben verborgen, of misschien hebben ze hem gezegd dat hij later zou worden betaald.'

Alison stond op uit haar stoel en begon te ijsberen. 'Nee, dat zou hij niet hebben gedaan. Waarom zou hij vanwege een kind dat gevangenzat geld hebben aangenomen? Hij zou zich geen moment in verleiding hebben laten brengen.'

'Wat zou geld voor hem hebben betekend?'

'Hetzelfde als het voor ons allemaal betekent.'

'Vat dit alsjeblieft niet verkeerd op, Alison, maar geloof je dat hij erover kan hebben gedacht zijn vrouw te verlaten?'

Alison bleef staan en draaide zich met een ruk om. 'Bedoelt u of hij en ik er vandoor wilden gaan? Bespottelijk.'

'Ik moet dat vragen.'

Rood aangelopen zei Alison: 'Er was geen seks tussen ons en dat zou er ook nooit van gekomen zijn. Ik hou van mijn man en Harry was dol op zijn gezin.'

'Neem me niet kwalijk...'

Alisons woede hield nog wat aan voor ze zich weer in de stoel liet vallen, onder de oppervlakte verbitterd. Ze was nog steeds kwaad op hem, begreep Jenny, vooral omdat hij haar dit alles had laten doormaken.

'Zou hij dan misschien bedreigd kunnen zijn?' vervolgde ze vriendelijk. 'Katy is een gewelddadige dood gestorven en misschien heeft iemand Harry gedreigd zijn dochters iets aan te doen. Zou dat niet genoeg zijn geweest?'

'Hij was geen lafbek en zou ermee naar de politie zijn gegaan.'

'Wat hij ook gedaan mag hebben, het was voor hem genoeg reden om de hand aan zichzelf te slaan.'

'Dat weten we niet zeker.'

Ze keken elkaar aan. De uitdrukking op Alisons gezicht verried hoe hol haar tegenwerping nu klonk.

'Het zou veel simpeler zijn geweest als hij een briefje had achtergelaten, maar daar zal hij misschien zijn redenen voor hebben gehad,' hernam Jenny. 'Wat hij in plaats daarvan heeft achtergelaten, waren Katy's dossier en die inschrijving in dezelfde bureaulade. Hij wist dat jij die als eerste zou openen, nietwaar?'

'Ja...'

'Als ik mag afgaan op wat ik van Harry Marshall weet, lijkt het mij dat Katy en Danny voor hem twee bewijzen van onrecht zijn geweest. Onrecht waarmee hij onmogelijk kon leven.'

'Gelooft u niet dat we er nu de politie bij moeten halen?' vroeg Alison, de tranen nabij.

'Vertrouw jij de politie nog wel, nu ze Katy's zaak op deze manier hebben behandeld?'

'Deze zaak is veel te groot voor u om er zelf op door te gaan. U hebt al moeilijkheden met het ministerie en sta even stil bij wat Tara Collins overkomen is...'

'Tara is een onberekenbaar gevaar. Met mij zijn ze sneller klaar.'

'Hoe bedoelt u?'

'Laten we er geen doekjes om winden. Ik heb deze baan alleen gekregen omdat zij dachten dat ze mij wel zouden kunnen manipuleren. Als ik niet doe wat zij van mij verwachten en de hoorzitting geen oordeel "zelfmoord" oplevert, zal mijn ziektegeschiedenis plotseling in de openbaarheid komen en kan ik het verder wel vergeten. We hebben nog vier dagen voordat we de zitting moeten heropenen, dus kan ik net zo goed mijn tijd gebruiken om te zoeken naar een bom die ik onder dit hele gedoe kan laten exploderen. "Dan liever de lucht in," zoals die Hollander zei toen hij zijn turfschip opblies.'

'Waar denkt u aan?'

'Om te beginnen zal ik even aanwippen bij dr. Peterson. Ik geloof geen moment dat hij ons de hele waarheid heeft verteld, of er zelfs maar in de buurt kwam.' Jenny greep haar aktetas.

'Ik wil u er niet graag mee lastigvallen, mrs. Cooper, maar ze hebben me alwéér gebeld over de boekhouding.'

'Ze kunnen doodvallen met hun boekhouding.'

Ze reed door het vroege spitsuur naar het ziekenhuis, maar daar kreeg ze van de mortuariumassistent te horen dat dr. Peterson vroeger naar huis was gegaan vanwege een kinderfeestje. De rit naar Clifton duurde veertig minuten in kruiptempo. Peterson bewoonde een herenhuis in achttiende-eeuwse stijl in een zijstraat van de Downs. Hij droeg jeans onder een roze poloshirt en op zijn hoofd balanceerde een zonnebril. Op de achtergrond hoorde ze uitgelaten gegil van jonge meisjes en het koortsige gebonk van popmuziek.

Zijn gezicht verried eerst verrassing, daarna woede. 'Jezus! Wat kom je doen?'

'Dit duurt maar tien minuten.'

'Dit is een vrije middag, verdomme. Mijn dochter is jarig.'

'Geloof me, ik wil net zo graag snel weg zijn als u. We kunnen het hier afhandelen, als u wilt.'

'Niet te geloven...!' Hij stormde terug, de gang in, wisselde een paar woorden met zijn vrouw, die aan het eind van de gang stond te gluren naar de rustverstoorster, en marcheerde terug naar de voordeur, die hij achter zich dichttrok. 'Zeg het maar.'

'Uw sectierapport over Danny Wills.'

'Wat is daarmee?'

'Ik heb aardig wat sectierapporten van u gelezen, de laatste paar weken, alle lof, maar dat van Danny is nog steeds een van de kortste – en dat is verbazingwekkend, gelet op de omstandigheden.'

'Er was niet veel te vermelden. Een lichamelijk gezond kind dat zichzelf had opgeknoopt.'

Drie meisjes van een jaar of zeven kwamen naar het erkerraam in de voorkamer en begonnen achter het glas gekke bekken te trekken. Een van de drie was gekleed in een Barbie-outfit en had chocoladevegen op haar gezicht. Jenny kon zien dat ze op haar vader leek.

Jenny opperde: 'Misschien kunnen we beter wat wandelen.'

Ze liepen de kleine, met grint verharde 'voortuin' uit en begonnen naar de Downs te lopen. Peterson ergerde zich aan elk moment dat het duurde.

Ze besloot de dingen opzettelijk vaag te houden, in het begin. 'Na uw getuigenis heb ik andere getuigen gehoord. Het ziet ernaar uit dat Danny een meningsverschil heeft gehad met een van de cipiers in Portshead – tamelijk gewelddadig zelfs.'

'Ik heb geen andere verwondingen kunnen ontdekken, als u daar heen wilt.'

'Ik ben bang dat die verklaring me niet bepaald vervult van vertrouwen, gelet op de kwaliteit van uw onderzoek van Katy Taylor.'

'Als jij een probleem hebt met mijn werk, waarom dien je dan geen klacht in? Ik heb echter zo'n idee dat het feit dat ik vrijwel in mijn eentje een van de drukste mortuaria in het land run sterk in mijn voordeel zal pleiten.'

'Dat geloof ik graag, maar ik doe een beroep op uw geweten.'

'Spáár me...'

Ze sloegen de hoek om en liepen de hoofdstraat langs de Downs in. Peterson beende voor haar uit. Jenny moest zich haasten om hem bij te houden. 'In beide gevallen is er bewijsmateriaal achtergehouden, dat staat nu wel vast. Marshall wist dat, en er is weinig voorstellingsvermogen voor nodig om op het idee te komen dat u dat ook deed.'

'Dit klinkt als het soort gesprek dat ik beter in tegenwoordigheid van een advocaat kan voeren.'

'Ik beschuldig u nergens van, dr. Peterson. Integendeel, ik ben bereid het met u op een akkoordje te gooien.'

'Jij bent me d'r een, werkelijk,' zei hij hoofdschuddend.

'Helaas kan ik Danny Wills' stoffelijk overschot niet laten opgraven om er nog eens naar te laten kijken. U bent de enige die het heeft gezien. De kwestie is deze: als dit bewijsmateriaal sterker wordt, zullen er waarschijnlijk meer vragen aan u worden gesteld dan u met een gerust hart kunt beantwoorden, zelfs met uw reputatie.'

'Dit is behoorlijk laag-bij-de-gronds, Jenny, om een vader weg te slepen van de verjaardag van zijn kind om hem te komen bedreigen.'

'Ik twijfel er niet aan dat u een fatsoenlijk man bent – vooral omdat u het geduld opbrengt om alle narigheid die de National Health Service over u uitstort te verduren. En volgens mij was Harry Marshall dat ook. Ik ben echter ook genoodzaakt tot de conclusie te komen dat iemand of iets u heeft overgehaald Danny niet zo grondig te onderzoeken als u had gekund. Dat betekent dat u zelf kunt kiezen: erop vertrouwen dat ik deze zaak niet tot op de bodem zal kunnen uitzoeken óf mij zeggen wat u weet, zodat we samen kunnen overleggen op welke manier u hier ongeschonden doorheen kunt komen.'

'Danny Wills heeft zichzelf opgehangen!' schreeuwde Nick Peterson zo onverwachts woest, dat Jenny terugdeinsde. 'Het was een overduidelijk geval. Alles van belang stond in mijn sectierapport. En als jou dat niet aanstaat, nou jammer dan. En daarmee uit.'

'U maakt zich nogal kwaad, dr. Peterson.'

'Lazer toch op.' Hij liep met grote stappen terug over het trottoir en riep achterom: 'En kom niet meer naar mijn huis, als je geen dagvaarding hebt.'

De avond was warm genoeg voor haar om aan de tuintafel op het gazon – dat snel genoeg groeide om weer een weilandje te kunnen worden – te zitten en te proberen althans een deel van de snel gegroeide stapel routinegevallen af te handelen. Sterfgevallen in het ziekenhuis, een verwarde oude dame die door een postauto was aangereden en een wegwerker die met zijn drilboor de hoofdkabel in de straat had geraakt. Op de foto's van de wegwerker was te zien dat elk zichtbaar plekje huid totaal was verkoold.

Ze naderde de bodem van de stapel en begon zich af te vragen of ze er zich met een half glas rode wijn doorheen kon slaan, toen de bries de geur van tabaksrook meevoerde. Ze keek om en zag Steve. Hij stond tegen de hoek van het huis geleund, aan de kant van het karrenspoor, een dikke zelfgerolde sigaret tussen de vingers. Jenny snoof de geur nog eens op – het was niet alleen tabak, er moest ook wat wiet tussen zitten.

'Druk?' vroeg Steve.

'Hangt ervan af wat je in gedachten hebt.'

Hij liep met die lome tred van hem naar haar toe en kwam tegenover haar zitten. Hij had zich kennelijk al een paar dagen niet meer geschoren. Zijn huid had bijna de kleur van koffie, een gevolg van langdurig werken in de zon. Hij grijnsde ondeugend. 'Drie keer raden wat ik aan het eind van mijn moestuin heb gevonden.'

'Ik ruik het. En een van Hare Majesteits vertegenwoordigers zou niet behoren te praten met een man die zoiets rookt.'

'Ik geloof niet in wetten. Die zijn gemaakt door mensen die niet genoeg zelfvertrouwen hebben om in vrijheid te leven.'

'Jij bent dertig jaar te laat geboren, beste vriend.'

'In tijd geloof ik evenmin. Of denk jij dat het die boom daar iets kan schelen in welk decennium we leven?'

'Hoeveel van dat spul heb je?'

'Bijna genoeg. Mijn beste oogst tot nu toe.' Hij bood haar de joint over de tafel aan, het dunne eind naar haar toe.

Jenny kwam in de verleiding, maar wist er weerstand aan te bieden en zei: 'Ik vroeg me af wat er toch met je was gebeurd?'

'Ik heb moeten wachten op mijn jaaroogst voordat ik genoeg lef had verzameld om hierheen te komen.'

'Ben ik zo angstaanjagend?'

'Niet jij – ikzelf. Ik ben het ontwend.'

'Het was me niet opgevallen, maar zo is het met mij ook.'

'Er zijn ergere zonden. Ooit dit spul geprobeerd?'

'Mijn zoon wel.'

'Beter voor hem dan drank. Geen alcohol, geen kater. Ook nog eens gekweekt in die goeie ouwe aarde van Wales.'

Ze keek toe terwijl hij een volgende trek nam, een serene trek op zijn gezicht, zijn ledematen losjes en ontspannen, precies zoals zij zich zou willen voelen. Het rook ook zo lekker; de geur voerde haar mee terug naar feestjes die ze als opgeschoten tiener had bezocht, dat gevoel van zorgeloosheid dat zo dicht bij extase lag.

Hij keek haar aan, uitdagend.

Ze boog zich naar voren en bracht haar lippen om de joint, maar toen ze met haar mond zijn vingers aanraakte, trok ze zich terug.

'Bang?'

'Ik heb een paar avonden terug wat sigaretten gerookt. Ik herinnerde me weer hoe mijn longen erna schrijnden.'

Steve keek haar aan om haar duidelijk te maken dat hij de smoes doorzag. 'Je vindt mij een slechte invloed.'

'Ik heb zo'n idee dat jij er een kick van krijgt een overheidsdienaar te corrumperen.'

'Daar zit wel wat in, geloof ik.'

Hij glimlachte en liet de joint in het gras vallen. 'Lukt het een beetje? Ik kan me jou nog steeds moeilijk voorstellen als rechter van instructie.'

'Ik geloof het zelf nauwelijks.'

'Ben je er nog achter gekomen wat er met dat arme meisje is gebeurd?'

'Daar wil ik nu niet over praten.' Ze maakte een nette stapel van haar paperassen en probeerde het beeld van Katy's lichaam op de snijtafel van professor Lloyd uit haar geest te bannen.

Steve stak zijn hand uit en streek het haar weg van haar ogen. Toen boog hij zich over de tafel naar haar toe en kuste haar teder op haar wang.

Later lagen ze naakt op haar bed te lachen als een stel tieners, euforisch om de opwinding van een ongewone ervaring.

Steve zei: 'Wist je dat je de meest besproken vrouw van het dal bent?'

'O ja?'

'Een mooie vrouw die alleen leeft, dat is het soort ding dat de fantasie van de mensen hier prikkelt.'

'Hopelijk zijn het smerige fantasieën.'

'Obsceen! Je zou eens moeten horen wat jij allemaal hebt uitgespookt met Rhodri Glendower.'

'Ik kan alleen maar dankbaar zijn voor zoveel aandacht.'

'Dat geeft mij het gevoel iets bijzonders te zijn.'

Ze rolde zich om en kwam op hem liggen, haar ellebogen aan weerszijden van zijn schouders. 'Waag het niet te veel van mij te verlangen, juist nu ik het zo naar mijn zin heb.'

Zijn hand begon het smalste deel van haar rug te strelen en hij keek haar recht in de ogen. 'Ik zou er niet van durven dromen.'

Ze bracht haar mond boven de zijne en kuste hem, zodat ze elk deel van hem met haar lichaam raakte.

Steve stond zich boven te douchen en zij zat in haar ochtendjas in de keuken haar pillen in te nemen toen er op de deur werd geklopt. Ze keek op de klok boven het fornuis: het was net zeven uur in de ochtend. De bezoeker klopte nog eens, luider nu, terwijl zij zich door de zitkamer naar de voordeur haastte. Ze trok de ochtendjas dicht om zich heen en deed de deur op een kier open.

Een gedrongen gebouwde man in een grijs pak en hush-puppyschoenen hield haar een politiepenning voor. 'Goedemorgen, mevrouw. Inspecteur Owen Williams van Chepstow. U bent mrs. Cooper?'

'Ja.' Ze zag twee jonge vrouwelijke agenten in uniform op het tuinpad achter hem staan. Twee politiewagens stonden voor het huis geparkeerd. Haar eerste gedachte was Ross.

'Er is bij u in huis een mr. Stephen Painter, nietwaar?'

'Waar komt u voor?'

Bijna verontschuldigend zei hij: 'Ik ben bang dat ik hem moet spreken en ook dit huis doorzoeken, mevrouw. Ik beschik over informatie die mij ertoe brengt te geloven dat zich hier dingen hebben voorgedaan die de wet niet toelaat.'

'Informatie? Van wie?'

'Ik vrees dat het mij niet vrijstaat op dit moment mijn bron te noemen. Weest u zo goed ons binnen te laten.'

'Hij staat zich te douchen.'

'Dan gaan we maar samen naar boven, nietwaar?'

21

Ze hielden Jenny en Steve apart terwijl ze het huis doorzochten: Jenny in de keuken, Steve in de zitkamer. Door de deur heen hoorde ze hem zeggen dat zij er geen van idee van had gehad dat hij wat zelfgekweekte wiet door zijn tabak had gedaan – zij had er niets mee te maken. Williams antwoordde dat hij daar niet over in hoefde te zitten; ze zouden het er later wel over hebben, op het politiebureau.

Ze vonden de peuken in de afvalemmer en Steve's pakje shag in de zak van zijn jeans. Terwijl de agenten de bewijzen labelden en hun formulieren invulden, kreeg Jenny toestemming zich aan te kleden en een telefoontje te plegen. Ze kreeg Alison te pakken voordat deze van huis zou gaan en wilde haar eigenlijk de waarheid zeggen, maar in plaats daarvan zei ze dat ze thuis vanwege een noodsituatie op de loodgieter moest wachten; het kon even duren voordat ze op kantoor was.

Op de achterbank van Williams' auto werd ze naar Chepstow gereden. Steve ging met de twee agentes mee, want Williams wilde hen beslist gescheiden houden voor ze werden verhoord. Blijkbaar wilde hij de agentes duidelijk maken hoe een echte politieman met verdachten omsprong: resoluut, maar met het vereiste respect. Terwijl ze de kronkelweg door het dal volgden, van Tintern naar St. Arvans, verbaasde Jenny zich erover hoe ontspannen ze zich voelde. Ze kon niet bepalen of het door de nieuwe pillen kwam of doordat deze situatie zo onwerkelijk was dat ze het niet echt serieus kon nemen. Williams luisterde naar een radiozender die uitzond in het Welsh: slechte popmuziek en zangerig klinkend gebabbel, met zo nu en dan een Engels woord erdoorheen. Hij vroeg Jenny of ze Welsh sprak. Nee, zei ze, haar familie kwam uit Somerset, aan de andere kant van het estuarium, maar na haar verhuizing overwoog ze avondles te gaan nemen. Williams zei dat ze dat beslist moest doen – het enige nadeel was dat, als je eenmaal een tijdlang Welsh had gesproken, je Engels even rauw ging klinken als Duits, zonder een spoor van muziek erin.

Jenny zei dat ze er nooit op die manier over had gedacht. Ze voelde dat het ijs tussen hen begon te dooien en vroeg: 'Wie heeft u verteld dat Steve bij mij thuis was?'

Williams zei: 'U weet best dat we de identiteit van onze informanten niet mogen prijsgeven, mrs. Cooper.'

'Het was zeker dat barmeisje in de Apple Tree, is het niet? Annie, geloof ik.'

Hij keek haar even via de achteruitkijkspiegel aan, een slim lachje achter zijn grijzende snor.

Ze werden in belendende verhoorkamers geposteerd, waarna Williams aan de moeizame verhoorprocedure begon. Hij werd fatsoenshalve geflankeerd door een agente. Steve werd als eerste opgehaald. Jenny hoorde alleen gedempte stemmen door de dunne muren, maar uit het feit dat hij praatte, leidde ze af dat hij alles wat hij thuis al had gezegd herhaalde. Toen zij zelf aan de beurt kwam, zei ze dat het als rechter van instructie zelfs niet bij haar op was gekomen dat iemand zo brutaal zou zijn in haar aanwezigheid drugs te gebruiken. Williams hoorde het beleefd aan, maar zijn ogen vertelden haar wat hij ervan dacht.

Het was al elf uur geweest toen hij terugkwam en zei dat hij voldoende bewijs had om verplicht te zijn hen in staat van beschuldiging te stellen. Op grond van de hoeveelheid wiet die Steve bij zich had gehad, werd hij verdacht van het in bezit hebben van drugs met de intentie die te verkopen, Jenny van 'gelegenheid geven'. Hij liet hen allebei gaan en gaf het dossier door aan de lokale officier van justitie. Over een week of twee zou er een dagvaarding in de bus liggen om voor de rechter te verschijnen.

Jenny zei: 'Hoe denkt u te bewijzen dat ik wíst of gelóófde dat hij marihuana rookte?'

'Dat is het probleem van de officier, mrs. Cooper.'

'Worden deze aanklachten openbaar gemaakt?'

'Geen idee.'

Ze ving zijn blik op terwijl hij de paperassen op zijn bureau ordende, nu het werk van deze ochtend erop zat. 'Mag ik u iets vragen? Wilde u dit mij zelf aandoen, of heeft iemand daar op aangedrongen?'

'Ik zou niet weten wat u bedoelt, mevrouw.'

'U leest de kranten. Ik werk hard aan twee onderzoeken die onze politie en ons gevangeniswezen niet bepaald overladen met roem en eer.'

Hij borg de processen-verbaal op in een ringmap. 'Dat is nieuw voor me.'

'Ik kan het aan u zien – u vindt dit even merkwaardig als ik, is het niet?'

Williams wendde zich tot de agente. 'Laat mrs. Cooper even uit, wil je?'

Ze ontmoetten elkaar op de trap van het bureau. Steve hief beide handen op: 'Dit spijt me erg...'

'Dit zou weleens de kostbaarste seks kunnen zijn geweest die ik ooit heb gehad.'

'Niet de beste?'

Ze keek hem nijdig aan, niet tot lachen in staat, en zei: 'Enig idee wie hun heeft getipt?'

'Dat zal Annie wel zijn geweest. Ik ben daar nog even langs geweest voor ik naar je toe kwam...' Hij voelde zich schuldig, dat kon ze zien.

'Wat heb je?'

'Een van de mannen daar, Ed, zei me dat er vorig weekeinde iemand was geweest om naar jou te vragen.'

'Wie?'

'Een of andere man. In de dertig. Hij dacht dat het iemand van de politie kon zijn, maar daar zag hij er te fit voor uit. Flink gespierd.'

'Wat wilde hij weten?'

'Of je weleens in de kroeg kwam en wie je vrienden waren. Ed dacht dat hij een ex-vriend van je was die hier rond kwam snuffelen.'

'En toen heeft hij jouw naam genoemd.'

'Ik heb niemand van ons verteld.'

'Als ik afga op wat je gisteravond zei, hoefde dat ook niet.'

Hij raakte haar hand aan en omvatte haar vingers. 'Het spijt me, Jenny.'

'Dat hoef je niet steeds te zeggen. Het is jouw schuld niet.'

'Wat ga je nu doen?'

'Een taxi nemen en zorgen dat ik iets te eten krijg.'

Het regende weer, het staartje van een hevig zomers onweer, dus zaten ze aan de kleine keukentafel. De kleine, huiselijke omgeving versterkte het gevoel van onwerkelijkheid nog, alsof ze toekeek hoe een vreemde dag in het leven van iemand anders zich afspeelde. Het enige beleg dat ze had voor een sandwich was kaas en wat sla. Ze verontschuldigde zich voor haar schamele groentevoorraad en zei gekscherend dat als hij een slanke vriendin wilde, hij niet van haar mocht verwachten dat ze een stevige eetster was.

Ze zei 'vriendin' zonder erbij na te denken en wachtte op zijn reactie, maar die bleef uit. Hij leek volkomen op zijn gemak te zijn terwijl hij hier een sandwich zat te verorberen. Probeerde hij soms het feit dat hij haar carrière in de grond had geboord goed te maken?

Ze vroeg hem opnieuw naar de man die vragen over haar was komen stellen. Steve zei dat hij er niet meer van wist – het was gewoon een man, niet oud en niet jong, die naar haar gewoonten had geïnformeerd.

'Wie kan hij zijn, volgens jou?' vroeg hij.

Ze keek hem aan terwijl ze een slok van haar koffie nam. 'Ik kan je toch vertrouwen, ja?'

'Ik denk dat dit de laatste keer is dat ik er de oorzaak van was dat jij werd gearresteerd.'

Ze zette de kop neer, zich ergerend aan zichzelf omdat ze aan hem had getwijfeld en zich bewust van de duistere, ongewenste gedachten die zich in de hoeken van haar geest schuilhielden en probeerden de chemische cocktail in haar hersenen te omzeilen. 'Er is niemand geweest die jou wilde uithoren over mij?'

'Nee. Waar houdt dit verband mee – je werk?'

'Waarom kwam je hierheen, die eerste dag?'

Hij hield op met eten, een verbaasde trek op zijn gezicht.

'De waarheid, Steve.'

Het duurde even voor hij de woorden vond. 'Goed dan... Op de dag dat jij hier je intrek nam – wanneer was dat, een maand geleden? – stond er een huurbusje voor de deur. Ik kwam net langsrijden en zag je over het tuinpad naar de voordeur sjouwen met die grote plastic wasmand vol spullen... Ik vond dat je er aantrekkelijk uitzag. Het was een van die ogenblikken...'

'Wat voor ogenblikken?'

'Dat je weet dat er iets gaat veranderen.'

'Je viel op me omdat ik met een wasmand sjouwde?'

'Als ik eerlijk mag zijn, het was meer dan dat... Ik wist dat ik jou moest hebben.'

'In seksueel opzicht?'

'In alle mogelijke opzichten.'

'Nou, kijk nu eens wat ons overkomt: straks allebei voor de rechter.'

Steve staarde naar de tafel. 'Ik weet niet wat ik zeggen moet... ik neem de verantwoordelijkheid op me, het was jouw schuld niet... Misschien kan ik maar beter gaan?'

'Zweer dat jij me er niet hebt ingeluisd.'

'Ik kan alleen raden wat er is gebeurd... Annie weet dat ik wiet heb... ik heb haar er wat van gegeven. Ze moet bovendien hebben geweten dat ik hierheen ging – ik ben onderweg een paar vaste klanten van haar tegengekomen. Die moeten haar hebben verteld waar ik was.'

'En je slaapt ook met haar?'

'De laatste tijd niet.'

'Ze heeft genoeg de smoor over jou in om de politie te bellen?'

'Zij was degene die me over die man heeft verteld... Hij had haar zelfs wat geld gegeven.'

'En je vond het niet nodig mij erover in te lichten?'

'Dat was ik van plan... maar ik werd afgeleid.'

Jenny liet een kort lachje horen en lachte daarna nog eens, luider nu, maar het huilen stond haar nader dan het lachen. Ze probeerde haar tranen in bedwang te houden, maar ze overvielen haar bij verrassing en maakten haar wangen nat. Steve kwam van zijn stoel, liep om de tafel heen en nam haar in zijn armen.

Later, toen ze zichzelf weer in de hand had, vertelde ze hem van Danny Wills en Katy Taylor, en van wat Harry Marshall en Tara Collins was overkomen. Ze legde uit dat ze met goede intenties was begonnen, maar dat ze nu bang was geworden. Steve vroeg wat hij kon doen om haar te helpen. Hij moest zichzelf maar niet kwalijk nemen wat er was gebeurd, zei ze. De UKAM zou hoe dan ook wel een manier hebben gevonden om haar klem te zetten.

Aan Alisons gezicht kon Jenny dadelijk zien dat ze op de hoogte was. Ze vertelde dat er journalisten hadden gebeld en dat het verhaal nu al op de website van de *Post* stond: ONDERZOEKSRECHTER VAN VALE BETROKKEN BIJ DRUGS. Simon Moreton van het ministerie van Justitie had een e-mail gestuurd met het 'verzoek' aan Jenny hem te bellen. De ambtenaar in Short Street die de rechtszalen toewees, had gebeld om te zeggen dat hij bericht had gekregen dat de rechtszaal maandag niet nodig zou zijn – was dat juist? De gebeurtenissen volgden elkaar snel op. Alison had bovendien vernomen dat het politieonderzoek naar de verdwijning van Katy Taylor voor een week was opgeschort omdat er personeel was overgeheveld naar een onderzoek naar een aanslag met een molotovcocktail op een moskee.

Jenny zei: 'Als er nu iemand kwam en me geld aanbood om me uit deze situatie terug te trekken, geloof ik dat er niet veel voor nodig zou zijn.'

Alison schoof een stapel overlijdensmeldingen en sectierapporten over het bureau naar haar toe. 'Wilt u deze nog bekijken?'

'Waarom ook niet.' Ze nam de stapel op en draaide zich om naar haar kantoor.

'Wilt u me vertellen wat er is gebeurd?' vroeg Alison zacht.

Jenny kon zich er niet meer druk om maken. 'Mijn nieuwe vriendje had in mijn tuin wiet zitten roken. Het een leidde tot het ander. Zijn ex heeft de politie gebeld, maar ik denk dat ze al was bewerkt door iemand van de UKAM. Ze is een alleenstaande moeder die als barmeisje werkt.'

'U leidt een opwindend leven.'

'Had je willen ruilen?'

Alison keek haar moederlijk aan. 'Wat moet ik zeggen als iemand me ernaar vraagt?'

'Jij was vroeger toch politievrouw? Bedenk maar wat.'

Ze zat achter haar bureau en wist dat er mensen waren die ze zou moeten bellen: Simone Wills en Andy en Claire Taylor. Wat kon ze hun echter vertellen? Sorry, maar mijn vriend rookte een joint en hij en ik hadden samen wat onschuldig plezier? Ze voelde zich vernederd en een idioot. Je kon geen betere manier bedenken om iemand af te branden: zorgen dat het slachtoffer het gevoel had dat ze het over zichzelf had afgeroepen.

Het eerste telefoontje kwam van Moreton. Hij liet blijken dat hij ernstig in verlegenheid was gebracht. 'Ik hoor dat je jezelf in een uitermate lastig parket hebt gebracht, Jenny.'

Ze zei: 'Ik zou je kunnen uitleggen hoe een onderneming die met het exploiteren van strafinrichtingen miljoenen verdient zich op bekwame manier van mijn voorganger heeft ontdaan en nu bezig is mij hetzelfde aan te doen, maar ik ben bang dat je me niet zou geloven.'

'Ik ben bang dat ik me met zaken van meer praktische aard zal moeten bezighouden, zoals wat ik met jou moet doen zolang deze beschuldigingen lopen.'

'Ik ben niet onschuldig tot het tegendeel bewezen is?'

'Natuurlijk wel, maar we weten allebei dat dienaren van het recht niet in functie kunnen blijven zolang er een aanklacht wegens een misdrijf tegen hen loopt.'

'Als je het aan de familie van Danny Wills en Katy Taylor zou vragen, geloof ik niet dat zij er moeite mee zouden hebben.'

'Het ministerie zou er een probleem mee hebben, Jenny, zelfs in deze verlichte tijd. Ik bel je om je te zeggen dat besloten is je te schorsen met behoud van volledig salaris, totdat de zaak tegen jou is opgelost.'

'Wat gebeurt er met de hoorzittingen?'

'Die worden verdaagd. Het spreekt wel vanzelf dat die te zijner tijd door een andere rechter van instructie zullen worden afgehandeld als jij schuldig mocht worden bevonden.'

'En als ik word vrijgesproken?'

'Wij hopen eigenlijk dat je de periode dat je niet aan het werk bent zult gebruiken om je nader te bezinnen op de vraag welke opties je hebt. Als je mocht besluiten dat dit ambt niet bepaald ideaal voor je is, zullen we je ongetwijfeld behoorlijke referenties kunnen geven.'

'Je stelt het voor alsof mij de zak geven een vriendelijke daad is.'

'Ik heb er alle begrip voor dat je een moeilijke tijd doormaakt.'

'Eerlijk gezegd voel ik me volkomen rustig, nu ik weet wie de slechteriken zijn.'

Het duurde even voordat Moreton antwoordde. 'Ik stuur je een e-mail ter bevestiging, gevolgd door een brief over de post. We zouden graag zien dat je vanavond om zes uur je bureau hebt ontruimd.'

Ze probeerde te vorderen met haar papierwerk; haar trots liet niet toe dat ze werk op haar bureau achterliet, waarmee ze de man of vrouw die haar zou opvolgen het genoegen zou gunnen te kunnen zeggen dat ze een chaos had achtergelaten. Aan de andere kant van de deur hoorde ze Alison telefoneren: ze sprak met zachte stem met geschokte en nieuwsgierige collega's in andere bureaus van rechters van instructie die het naadje van de sensationele kous wilden weten. Het strekte haar tot eer dat ze loyaal verklaarde dat het allemaal een smerig opzetje was: een vriend van haar had mogelijk iets gerookt, maar buiten haar medeweten. Nadat ze dat een paar keer had gehoord, begon Jenny het bijna zelf te geloven.

Ze werkte in een soort trance de rest van de stapel sectierapporten af en ondertekende negen overlijdensverklaringen die ze aan Alison overhandigde. Ze legde de vijf lopende zaken die mogelijk een hoorzitting vereisten (zij het geen van alle met een jury) op een stapeltje en ordende haar dossiers over de zaken van Danny Wills en Katy Taylor, waaraan ze een korte schriftelijke uitleg toevoegde. Het enige wat ze moest laten liggen, was de boekhouding. Alison zei dat ze zich daar geen zorgen over hoefde te maken: zij zou het wel oplossen, op een of andere manier.

Om zes uur nam Jenny haar aktetas en liep haar kantoor uit om afscheid te nemen, maar Alison was al vertrokken, haar stoel netjes onder haar bureau geschoven. Ze vertrok via de voordeur en trok die achter zich dicht. Ze draaide de sleutel om in het slot en liet die in de brievenbus vallen. Geen woord van afscheid, geen briefje, niet meer dan drukkende stilte en triestheid die als een mist in de lucht leken te hangen.

Davids telefoontje kwam toen ze voor de tol voor de Severn Bridge stond. Haar mobieltje was via Bluetooth verbonden met de stereoradio van de auto en blafte haar via de speakers toe. 'Deborah heeft me de krant laten zien. Geweldig gedaan. Ross is nog niet thuis, maar ik neem aan dat hij het goeie nieuws wel zal hebben gehoord. Je bent toch niet zijn dealer, mag ik hopen.'

'Word toch eens volwassen, David.'

'Ik méén het. Niets aan jou kan me nu nog verrassen.'

'Nou, wees gerust, ik ben jouw probleem niet meer.'

'Maar wel van mijn zoon.'

'Jóúw zoon.'

'Het is overduidelijk dat ik de enige van ons tweeën ben die in staat is de verantwoordelijkheid te dragen.'

'Die joint die hij heeft gerookt had niets met mij te maken.'

'O, mooi, dan hoef ik me alleen zorgen te maken over die hippie-vriend van je.'

'Hij is een verdomd stuk intelligenter dan die pin-up met garnalen-hersenen die in jouw keuken rondscharrelt.'

'Ik bel je niet om beledigingen uit te wisselen, Jenny – er zijn gewoon-weg geen woorden die jouw gedrag recht kunnen doen. Maar zolang hij aan mijn zorgen is toevertrouwd, wil ik jou niet meer in de buurt van mijn zoon hebben.'

'Is het werkelijk? Nou, het is je misschien ontgaan, maar Ross is geen onmondig kind meer. Hij is zestien en kan zijn eigen beslissingen nemen.'

'Dat heeft hij een tijd geleden al gedaan, of ben je te stoned om je dat te kunnen herinneren?'

Jenny keek uit over het water en zag een zuil van licht door een gat in de wolken in het westen doorbreken.

David bulderde: 'Wat ik het liefst van jou zou horen – ook al is dat te veel gevraagd, neem ik aan – is op zijn minst iets wat op een veront-schuldiging lijkt.'

Ze drukte de rode knop van de telefoon in om hem de mond te snoe-ren en zag de baan zonlicht versmallen tot een snipper die uiteindelijk verdween.

Ross nam haar telefoontje niet aan en ze kon het hem niet kwalijk nemen. Toch was ze geen slechte moeder voor hem geweest, wist ze. Ze had zo goed mogelijk haar best gedaan. Ze was in feite eenvoudigweg een vrouw die het niet in zich had om zo onzelfzuchtig te zijn als ieder-een haar graag zou willen hebben. Ze had alleen aan Davids eisen kun-nen voldoen door haar eigen carrière eraan te geven en thuis te blijven om zijn huis mooi te maken, voor hem te koken, hem seks te bieden wanneer hij maar wilde en als hobby een sport te kiezen die hem aan-stond, zoals paardrijden of tennissen. Hij had haar graag zien thuisko-men in haar rijbroek en dan onder de douche de liefde met haar willen bedrijven, voordat zij een gezonde maaltijd op tafel zette en Ross hielp met het huiswerk van zijn tirannieke particuliere school. Ze deed haar best zich voor te stellen hoe het geweest had kúnnen zijn: zij als koningin in een volmaakt huis. Verstikkend. Om wanhopig van te worden, of moordlustig. De woorden die in haar opkwamen, waren allesbehalve positief. Ze bewezen haar echter hoe ze eigenlijk was: ze had te veel eigen emoties om altijd die van anderen op de eerste plaats te kunnen stellen. Het onvergeeflijke was dat ze dit altijd al had geweten, al vóór haar huwelijk. Ze had destijds al aan de noodrem moeten trekken om van de trein te springen, maar ze was te belust geweest op romantiek en een huwelijk, met alles wat daarbij hoorde. Voor de rest had ze de ogen gesloten om haar leven te kunnen voortzetten. Zelfs op de huwelijksdag zelf was ze er niet met hart en ziel bij geweest. Altijd was ze bezig met 'hoe nu verder?' Hoe lang zal het duren voor ik zwanger word? Hoe gauw kan ik weer aan het werk?

Nu was ze zestien jaar verder en een ingestorte, van pillen afhankelijke mislukking van een moeder die op het punt stond het enige wat ze niet had willen opofferen te verliezen. Haar loopbaan was niet echt spectaculair, maar op je tweeënveertigste rechter van instructie zijn, was iets om trots op te wezen.

Ze had de auto geparkeerd op een parkeerhaventje midden in de bossen, een kilometer of twee voor Tintern. Rechts zag ze een voetpad dat omlaag liep naar de rivier de Wye. Je kon jezelf hier gemakkelijk verliezen. Je hoefde maar tussen de bomen door te lopen tot waar niemand je nog kon zien en wegkruipen in wat struikgewas van wilde roos en hulst. Of doorlopen naar het water, daar wachten tot het vloed werd, dan de pillen nemen en je overgeven aan de stroming naar zee. Met wat geluk zouden ze je nooit vinden. Je laatste spoor was een voetafdruk op een modderige oever, algauw weggespoeld door de regen.

Ze had drie Temazepam nodig gehad om dat wazige gevoel te krijgen, ver verwijderd van woede of paniek. Het beeld voor haar geestesoog was dat van een vlieger, in een straffe bries rukkend aan de lijn. Die gewaarwording had een onverwacht en vreemd soort vitaliteit, de opluchting dat er tenminste nog íéts was wat je kon doen. Haar hand vond zijn weg in haar tas en haar vingers sloten zich om de bètablokkers. Een buisje ervan zou genoeg zijn om haar hart en longen tot rust te brengen, zodat ze kon wegzweven.

Ze nam het buisje en drukte langzaam op het schroefdeksel om het met een kalme, draaiende beweging te openen. In het handschoenenvakje had ze een flesje sprankelend mineraalwater. Misschien was het beter ze er eerst in op te lossen en dan het water op te drinken – het koolzuur zou zorgen dat ze sneller werkten. Nee, ze kon beter de pillen in haar mond nemen en ze dan met water wegspoelen. Het was een frustrerende keuze: ze wilde een elegante oplossing. Eentje die geen moeite kostte.

Een Subaru verliet de weg en kwam voor haar staan. Een man en een vrouw, liefhebbers van buitenlucht, te oordelen naar hun wandelschoenen en de regenjacks om hun middel, stapten uit. Hij had het uiterlijk van een vrije beroepsbeoefenaar, een tandarts, vermoedde Jenny, op grond van de fraaie gebitten die het lachende stel ontblootte. Toen ze langs haar auto liepen, hand in hand, keek hij Jenny in de ogen en hield haar blik net even te lang vast, alsof hij het wist. Toen ze afsloegen naar het voetpad, keek hij nog eens achterom; kennelijk voelde hij iets.

Verdomme. Net het soort dat zich ermee zou bemoeien.

Ze lachte naar de vrouw en draaide de sleutel in het contactslot om. Terwijl ze het parkeerhaventje verliet en verder reed, richting Tintern en Melin Bach, dacht ze: er is geen haast bij – waarom niet eerst een lekker glaasje wijn?

22

Het hardnekkige telefoongejengel drong haar onsamenhangende dromen binnen en sleurde haar terug naar haar waakbewustzijn. Ze lag opgerold op de bank, met een gemene pijn in haar nek. Langs de gesloten gordijnen lekte zonlicht naar binnen. Op het tapijt over de plavuizen stonden twee lege wijnflessen en een glas met nog zeker een centimeter of drie rode wijn erin, naast twee nette rijen pillen, de leeggeschudde buisjes en een onaangeroerde karaf met water. Terwijl ze ernaar staarde en haar ogen zich langzaam weer focusten, herinnerde ze zich vaag het ritueel waarmee ze ze de vorige avond laat had klaargelegd en met welke gedachte ze dat had gedaan: ze had zich voorgesteld hoe ze als kind vaak snoepjes had uitgeteld. Daarna had ze zich op de bank genesteld om van haar laatste glas te genieten.

Ze had overal pijn toen ze haar voeten op de vloer plantte en zich bewust werd van een doffe gewaarwording die ongeveer te vergelijken was met huilend wakker worden in het besef voorgoed je geliefde te hebben verloren. Langzamerhand voegden de flarden van herinneringen aan de vorige dag zich aaneen: de arrestatie, haar schorsing, Davids telefoontje en de drang tot ontsnappen die haar ertoe had verleid haar woede de vrije loop te laten. Haar lichaam voelde loodzwaar aan, en haar geest nog zwaarder.

De telefoon hield aan: de beller scheen vastbesloten haar te wekken. Ze sleepte zich de kamer door, tilde het toestel op en streek haar verwarde haar weg uit haar gezicht.

'Hallo?'

'Mrs. Cooper?'

Ze schraapte haar keel. 'Ja.'

'Met professor Lloyd, Algemeen Ziekenhuis Newport. Ik heb geprobeerd mrs. Trent te bereiken, maar ze neemt niet op.'

Jenny keek op haar horloge en zag dat het nog geen acht uur was.

'O...?'

Lloyd wachtte even, alsof hij verlegen was. 'Ik heb gehoord wat er gisteren met u is gebeurd, maar ik wist niet wie ik anders kon bellen. Ik heb nog eens nagedacht over Katy Taylor, ziet u.'

Hij wachtte op Jenny's reactie alsof het haar beurt was. Ze probeerde na te denken, maar haar hoofd begon bij iedere hartslag te bonken nu de nog onafgebroken alcoholresten weer door haar lichaam begon te circuleren.

'Ik ben geschorst uit mijn ambt. Ik geloof niet dat het veel zin heeft er met mij over te praten.'

Weer die zwaarwegende stilte. Toen: 'Maar is dat wel gerechtvaardigd, mrs. Cooper?'

In Lloyds stem klonk een weten door. Het schokte haar als een klap in het gezicht en trok haar tegenstribbelende geest met een ruk terug in haar klagende lijf. Nu was het haar beurt haar woorden zorgvuldig te overwegen.

Ze zei: 'U bent als patholoog in dienst van Binnenlandse Zaken, professor. U kent het systeem beter dan ik.'

'Zo is het. Misschien kunnen we elkaar ergens ontmoeten om erover te praten, nu u toch tijd te over hebt?'

'Waarover?'

'Dat kan misschien beter wachten tot dan. Wat zegt u ervan?'

De herinnering aan haar droom over gitzwarte muurscheuren en spoken druppelde weer haar waakbewustzijn binnen tijdens de rit heuvelop naar Usk en vandaar verder over de tweebaans-autoweg naar Newport. Het waren beeldflarden – donkere, schimmige gedaanten met een sinistere uitstraling in een nog zwartere omgeving – maar ze waren even hardnekkig als een niet te verwijderen vlek. Ze voelde de bekleding van het stuurwiel onder haar handen en liet de ruitenwissers werken, telkens als de regen haar voorruit striemde, maar haar neusgaten waren gevuld met de geur van beschimmeld pleisterwerk en vochtig cement, en ondanks de pillen die ze bij het ontbijt had ingenomen werd haar polsslag toch weer sneller bij de gedachte aan een onzichtbare belager. De gekartelde toegang naar de geheime ruimte in haar steeds terugkerende nachtmerrie had zich wat verder geopend en was nu angstig dichtbij. Een deel van haar wilde aan alles een eind maken en zich aan een poging wagen het monster in het nauw te drijven en te overmeesteren, maar haar angst was nog te hevig en haar instinct om haar toevlucht te nemen tot de pillen en het allemaal weg te duwen, uit haar zicht, was groter dan haar behoefte aan inzicht.

Toen ze eenmaal de smalle landwegen met hun claustrofobie opwekkende hoge heggen achter zich had, stond ze zichzelf, veilig omringd door andere voertuigen, toe zich de gebeurtenissen van de vorige avond te herinneren. De herinnering eraan leek nog verder verwijderd dan haar storende dromen. Ze zag zichzelf op de parkeerplaats, een bleke gedaante in een onopvallende auto die met haar hand een buis vol pillen omklemde, aangelokt door het vooruitzicht van verlossing, maar toch merkwaardig ver verwijderd van de bron van haar pijn. Het onwerkelijke van die beelden zei haar dat dit was hoe het gebeurde – dit was de manier waarop iemand die suïcidaal was erin slaagde over de drempel te stappen. Ze had in kleermakerszit op het tapijt gezeten om de bètablokkers uit te tellen, de gedachte aan uitstappen even geruststellend als 's winters de geur van wierook in een door kaarsen verlichte kerk. Het woord 'dood' was niet eens in haar opgekomen, alleen maar 'rust' en 'vrede'.

Ze zat nog deels opgesloten in deze waakdroom toen ze haar bestemming bereikte. Ze stapte uit haar auto en wandelde naar Celtic Manor, een groot hotel annex vakantieoord op een weinig voor de hand liggende locatie bij de M4 aan de periferie van Newport. Ze voelde niet hoe haar voeten contact maakten met de grond, en haar stem was die van een vreemde toen ze aan de receptioniste de weg vroeg naar café Forum. Ze maakte zichzelf wijs dat het een combinatie was van haar medicamenten en een zware kater, maar toen ze een groepje vrolijke hotelgasten passeerde dat op weg was naar de golfbaan, bespeurde ze in hun glimlachjes iets onheilspellends en wist ze dat het meer was. Dr. Travis had haar vaak verteld dat de psychoot zijn verwrongen emoties op andere mensen zal projecteren: krankzinnigheid was alleen te vermijden door deze gevoelens onder ogen te zien voordat ze zich volledig losmaakten van het zelf en alle middelen om er bewust greep op te krijgen.

Terwijl ze zocht naar het café van het fitnesslokaal, neuriede ze gedachteloos mee met de muziek en legde zich erbij neer dat ze na al die jaren eindelijk aan de finale was begonnen en nu het ogenblik waartegen ze altijd huizenhoog had opgezien voor zich had. Ze had misschien nog een paar dagen om de moed op te brengen voor een bestorming van die zwarte spelonk in haar innerlijk. Als ze daar niet toe bij machte was... nou, dan had de vorige avond haar de weg gewezen die ze dán kon nemen – of die haar zou meenemen.

Professor Lloyd zat aan een tafeltje naast het glazen scherm dat uitzicht bood op het zwembad van het hotel. Hij lachte haar opgewekt toe toen ze hem naderde en stond op om haar de hand te drukken.

'Ik ben heel blij dat u hebt kunnen komen, mrs. Cooper.' Hij gebaarde naar de lage rieten tuinstoel met geruite kussens tegenover de zijne. Er stond een pot thee klaar, compleet met twee koppen. 'Ik heb helaas nooit iets kunnen vinden dat wat meer lijkt op een club dan dit, maar het kan ermee door. Op een regenachtige dag vlucht ik vaak hierheen.'

Jenny keek goedkeurend naar de rustgevende omgeving. 'Goed beke-ken,' zei ze.

Ze liet zich in de tuinstoel zakken, die haar dwong achterover te leu-nen. Professor Lloyd deed tegenover haar hetzelfde en zorgde dat hij zicht hield op de ingang van het café, het lichaam ontspannen maar de ogen alert. Ze glimlachte neutraal, tevreden dat hij het voortouw moest nemen. Per slot van rekening was ze niet in functie; ze was hier alleen omdat hij haar nieuwsgierig had gemaakt.

'Tja, mrs. Cooper, ik heb al die verhalen over u gelezen en het een en ander vernomen via de tamtam. Twee controversiële hoorzittingen ter-wijl u pas veertien dagen in functie bent...'

'Ik was er niet naar op zoek.'

'Daar ben ik van overtuigd,' zei hij hoofdschuddend. 'Ik ben er zelfs zeker van. Kop thee?'

'Graag.'

Hij boog zich naar voren en schonk een kop voor haar in en dacht na over hoe hij zijn onderwerp zou aansnijden terwijl hij melk door de thee roerde. Hij aarzelde even met de natte lepel en legde die neer op een papieren servet. 'Ik heb een hekel aan druppels op mijn schotel, u ook?'

'Ik kan het niet uitstaan.'

Jenny nam een teugje van het lauwe vocht. Hij monsterde haar alsof hij probeerde iets uit haar gelaatsuitdrukking op te maken. 'Ik heb begrepen dat beide hoorzittingen momenteel zijn verdaagd.'

'Ook dát was niet mijn keuze.'

'Nee, dat begrijp ik.' Hij nam een slok van zijn eigen thee om wat tijd te winnen voor hij iets zei dat hij niet kon terugnemen. 'Mijn gedachten over Katy, weet u, werden tot op zekere hoogte gestimuleerd door wat ik over dat sterfgeval van die jongen in de strafinrichting heb gelezen, Danny Mills?'

'Wills.'

'Juist. De arme knul zou zich hebben verhangen toen Katy Taylor nog in dezelfde strafinrichting zat.' Hij keek haar aan alsof hij naar iets onschuldigs informeerde. 'U denkt niet dat er ook maar enige reden is te denken dat er verband bestaat tussen de dood van die twee kinderen?'

Jenny werd zich bewust van het gevoel van de kop tussen haar han-den, de geur van chloor in de lucht en het terugkeren van haar afdwa-lende geest in haar lichaam toen de woorden van professor Lloyd haar aandacht focusten.

'Waarom denkt ú dat er een verband is?'

Hij bracht zijn handen naar elkaar en legde ze tegen zijn kin alsof hij bad. 'Voordat ik nu verder ga, mrs. Cooper, kunt u mij misschien zeggen wat u overkomen is, of wat u dénkt dat u is overkomen. Ik ben niet iemand die gauw in samenzweringen gelooft, maar ik ben niet ver van mijn pensioen en heb nog studerende kinderen die helaas nog van mij afhankelijk zijn.'

'Waarom zou ik u vertrouwen? Voor zover ik het kan zien, kunt u best betrokken zijn bij dit alles.'

'Betrokken zijn bij wat?'

'De reden waarom mijn vriend en ik werden gearresteerd, een dag nadat ik had ontdekt dát er een verband bestond.'

'U weet of er iemand is geweest die de politie heeft getipt?'

'Het was meer dan dat: het was een regelrechte valstrik. De onderneming die het gesloten heropvoedings- en detentiecentrum Portshead Farm exploiteert, vaart een vaste koers bij dit soort kwesties. Ze houden weliswaar mensen gevangen, maar krijgsgevangenen maken doen ze niet.'

Professor Lloyd bracht zijn handen omhoog om zijn neus en ogen te bedekken. Als hij geen steengoede acteur was, was hij nu druk bezig met een ernstige en pijnlijke berekening. Na een langdurig moment van overpeinzing, begon hij zacht te spreken, waarbij hij Jenny recht in de ogen keek. 'In dat geval zult u er begrip voor hebben dat wat ik u ga zeggen officieus is, in elk geval voorlopig. Dit gesprek heeft nooit plaatsgevonden.'

'Wat u maar wilt,' zei ze schouderophalend. 'Er is trouwens niets wat ik nog kan doen. Degene die ze na mij benoemen zal beide zaken zo diep gaan begraven dat ze het daglicht nooit meer zullen zien.' Ze nam nog een slok thee.

Lloyd knikte en nam een besluit. 'Wat ik te zeggen heb, is hoe dan ook speculatief, maar het kán voor u van belang zijn.' Hij keek even opzij naar de ingang, alsof hij zich ervan wilde overtuigen dat hij maar één toehoorder had. 'Ik heb het een en ander nagelezen. De literatuur over scheuringen van de glenohumerale gewrichtsbanden bevestigt dat zulke kwetsuren in de regel ontstaan doordat de arm met kracht omhoog wordt gewrongen achter de rug, met de toevoeging dat dit vooral kan gebeuren bij arrestaties die gepaard gaan met B&D-methoden.'

'Hoe bedoelt u?'

'Beheersing en dwang. Gevangenbewaarders en personeel in inrichtingen voor geesteszieken worden geschoold in methoden waarmee zij arrestanten of patiënten die niet willen meewerken onder controle kunnen krijgen. Vaak wordt daarbij de arm achter de rug omhoog gewrongen, wat zo pijnlijk is dat de man naar de grond kan worden gedwongen, zodat de bewaker een knie op zijn rug kan planten, terwijl de hand op de rug blijft. Als de gevangene met het gezicht omlaag op de vloer ligt, kan de bewaker hem of haar met één hand in bedwang houden, zodat de andere hand vrij blijft om hem of haar handboeien aan te doen, of zoiets.'

'Zoiets als een injectie geven?'

'Uiteraard. Een sedatief, meestal.'

'Denkt u dat Katy's moordenaar zich heeft bediend van B&D?'

'Volgens de statistieken is de kans daarop tachtig procent. Het afgebroken stukje tand zou dan te verklaren zijn doordat haar gezicht naar de grond werd gedrukt. Het feit dat het stukje nog in haar mond zat, doet vermoeden dat dit vlak voor haar dood moet zijn gebeurd, misschien zelfs tijdens de doodsstuipen.'

'Stel dat ze als passagiere in een auto heeft gezeten. Is het mogelijk dat de bestuurder de auto aan de kant heeft gezet en dit in de auto heeft gedaan?'

'Ze was klein van stuk. Ik zou niet weten waarom niet.'

'Wat te denken van die dikke pluk haar die uit haar achterhoofd is getrokken?'

Hij keek naar het plafond en stelde zich de situatie voor. 'Als haar belager niet genoeg ruimte had om zijn knie in haar rug te planten, kan hij haar pols genoeg omhoog hebben gewrongen om gebruik te maken van een handvol hoofdhaar om zijn greep te verankeren en haar met zijn linkerhand in bedwang te houden terwijl hij haar met zijn rechterhand injecteerde.'

'De politie zou dus op zoek moeten naar iemand die in dat soort methoden geschoold is?'

'Dat zou logisch zijn.'

Jenny zweeg enkele ogenblikken, proberend om de onwillige chronologie in haar geest te ordenen. Ze herinnerde zich dat Katy's lichaam op maandag 30 april was gevonden, de eerste dag van Marshalls hoorzitting over de dood van Danny Wills. De volgende dag, op 1 mei, had dr. Peterson sectie verricht; en de dag daarna had Marshall een overlijdensverklaring ondertekend zonder zelfs maar een sectierapport te hebben gezien.

Jenny vroeg: 'Wat is u bekend over dr. Peterson?'

'In welk opzicht?'

'U kunt niet geloven dat hij niets van dit alles heeft gezien, maar niettemin liet hij een overlijdensverklaring afgeven, twee dagen nadat het lichaam was gevonden.'

'Ik ken de man nauwelijks, mrs. Cooper, en ik voel er niets voor er een slag naar te slaan, maar ik heb geen reden te denken dat hij nonchalant te...'

'U probeert me iets duidelijk te maken. Waarom zégt u het niet gewoon?'

Hij zuchtte, verontrust door de implicaties van verraad ten opzichte van een vakgenoot, maar zijn gelaatsuitdrukking zei haar dat zijn geweten aan de winnende hand was. 'Zoals u vermoedelijk zult weten, dicteren patholoog-anatomen hun bevindingen terwijl zij hun onderzoek verrichten, maar altijd op ouderwetse apparatuur. Misschien zou het mogelijk zijn de bandopname te vinden van de oorspronkelijke sectie...'

'Gelooft u dat hij er meer dan een heeft gedaan?'

'Ik denk meer aan Danny Wills. Wat ik me ervan herinner, is dat dr. Petersons sectierapport in dit geval opmerkelijk beknopt was, die indruk kreeg ik althans van een artikel in de krant. Nu het stoffelijk overschot is gecremeerd, zou deze band bijna even goed kunnen zijn.'

Ze keek naar hem en zag de diepe rimpels in zijn voorhoofd.

Hij zei: 'U moet mij wel een onvergeeflijke lafaard vinden dat ik dit niet op een andere manier openbaar maak. Mijn verontschuldigingen.'

'Wat zou ik volgens u met deze "speculatie" kunnen beginnen?'

'Nu u er zo diep bij betrokken bent geraakt, nam ik aan -'

'Dat ik wel bereid zou zijn kopje onder te gaan?'

Professor Lloyd zei: 'U wekt de indruk een buitengewoon moedige vrouw te zijn, mrs. Cooper.'

Alison klonk alsof ze schrok toen ze haar stem via de intercom hoorde, en ze aarzelde even voordat ze de knop van het elektrische slot indrukte. Ze zei haar dat Moreton had gezegd dat zij niet meer mocht worden toegelaten tot het bureau. Jenny antwoordde dat Moreton niet bevoegd was haar uit het bureau te weren, omdat dat eigendom was van de Plaatselijke Autoriteit.

Toen ze de receptieruimte binnenstapte, stond Alison angstig voor haar bureau, waarop de inhoud van de map met de boekhouding lag uitgespreid.

'Je bent gisteravond vertrokken zonder iets te zeggen.'

Met een verontschuldigend gezicht zei Alison: 'Ik wist niet wat ik moest zeggen.'

'Als klopt wat ik nu weet, zou het weleens voorbarig kunnen zijn geweest om al afscheid te nemen.'

De verbazing op Alisons gezicht maakte direct plaats voor verontrusting. 'Wat is er gebeurd?'

'Professor Lloyd belde me. Ik heb hem gesproken. Volgens hem vertonen de kwetsuren van Katy alle aspecten van B&D-methoden. Ik neem aan dat je daar alles van weet.'

Ze knikte. 'Waarom komt hij daar nu pas mee?'

'Het is officieus, allemaal, maar hij vroeg zich af of er niet een verband kan zijn met de dood van Danny – hij heeft de berichten erover gevolgd.'

'Waar denkt hij precies aan?'

'Hij heeft het niet expliciet geformuleerd en hij weet niet dat Katy tegen Justin Bennett heeft gezegd dat Danny problemen heeft gehad met een van de personeelsleden. Wat hij volgens mij echter probeert duidelijk te maken, is dat dr. Peterson wel heel erg kort van stof is geweest in zijn sectierapporten over Danny en Katy. En dat hij, als er iets verborgen wordt gehouden, daar meer van moet weten.'

'Er is toch niets meer dat u nog kunt doen, mrs. -'

'Er is veel wat ik kan doen, maar daar heb ik wat hulp bij nodig. Ik wil de bandjes te pakken krijgen waarop dr. Peterson bij het verrichten van sectie zijn bevindingen heeft gedicteerd. Nu ik geschorst ben, is mijn legale status twijfelachtig, maar jij bent nog steeds de assistente van de rechter van instructie en kunt als zodanig de gedelegeerde bevoegdheid van de rechter van instructie zelf uitoefenen. Er is in dit district nog geen rechter van instructie behalve ikzelf, zodat er op goede gronden kan worden beweerd dat alles wat jij op mijn instructie doet volkomen legaal is.'

'Mij is gezegd dat ik niet met u mag praten, mrs. Cooper.'

'Waarom heb je mij dan binnengelaten?'

Alison keek haar aan zonder te antwoorden, voordat ze zich langzaam in haar stoel liet zakken, opzij van haar bureau. 'Moreton heeft gezegd dat alle nieuwe sterfgevallen tot nader order door Bristol Centrum moeten worden afgehandeld.'

'Wat heeft hij gezegd over de zaken van Danny en Katy?'

'Niets.'

'Heb je Simone Wills nog gesproken?'

'Wat had ik haar kunnen zeggen?' In Alisons stem klonk wanhoop door – een vrouw die innerlijk werd verscheurd tussen haar plichtsgevoel en haar geweten.

Jenny zei: 'Ik heb een besluit genomen: ik ga uitzoeken hoe ze allebei zijn gestorven. Ik zou het op prijs stellen als je mij kunt helpen die bandjes van dr. Peterson te pakken te krijgen, maar als je vindt dat je dat niet kunt doen...'

Gekweld zei Alison: 'Ik weet het niet, mrs. Cooper...'

'Zou je niet willen weten wat er met Harry is gebeurd?'

Ze zag hoe Alisons blik onwillekeurig naar links keek, naar een document boven op de stapel bonnen op het bureau – een afschrift van een creditcardrekening. De spieren van haar kaken spanden zich terwijl ze worstelde met haar antwoord.

Jenny griste het afschrift van de stapel en stapte achteruit, rekenend op Alisons 'Nee!' toen ze aanstalten maakte overeind te komen.

'Alstublieft, mrs. Cooper – dat zijn uw zaken niet.'

Jenny wendde zich af en liet haar blik langs de kolom van betalingen met Harry's persoonlijke creditcard glijden.

Alison probeerde langs haar heen te stappen en haar het afschrift af te nemen. 'Ik heb die per ongeluk geopend...'

Jenny wendde zich opnieuw af en ontdekte het toen, de op een na laatste boeking: *26 April, Novotel, Bristol.* Alison griste haar het papier uit handen – te laat.

Jenny keek haar in de ogen en zag hoe moeilijk ze het had. Ze had met haar te doen. 'Wat moest hij daar?'

Alison probeerde het verkreukte afschrift glad te strijken en de brok in haar keel weg te slikken. 'Met iemand naar bed, neem ik aan.'

'Heb je het hotel gebeld?'

Alison knikte. 'Ze gaven zich uit voor mr. en mrs. Marshall... Ik kan dat niet geloven. U wel?'

Bereid haar een beetje troost te schenken, zei Jenny: 'Zoiets heeft hij misschien gedaan vanwege zijn depressie. En als hij en jij niet met el...'

'Nee, het was al eerder gebeurd. Ik heb het altijd vermoed.' Ze legde het afschrift terug op de stapel. 'Ik heb zelfs voor hem moeten liegen, niet dat hij dat wist, maar zijn vrouw probeerde hem te betrappen. Hij maakte haar dan wijs dat hij voor een dag naar Londen moest en laat thuis zou komen, en dan belde zij hierheen om te controleren of ik met hem mee was.'

'Dacht Mary dat jullie een verhouding hadden?'

'Als ze eens had geprobeerd hém zijn zin te geven, in plaats van Jezus, zou hij zoiets misschien niet hebben gedaan.' Ze wiste stille tranen weg. 'Ik neem een kop koffie. Ook een kop?'

'Graag.'

Alison liep het keukentje in.

Jenny keek naar haar en vroeg: 'Heeft Harry geweten welke gevoelens je voor hem had?'

'Ja. Hij heeft me zelfs eens gekust, precies waar u nu staat. Twee jaar geleden en als een donderslag bij heldere hemel, op een woensdagmorgen.' En vervuld van spijt liet ze erop volgen: 'Alleen was hij niet op zoek naar liefde, nietwaar?'

Jenny stelde zich de situatie voor: Harry, speels, had haar er zomaar mee overvallen. Ze stapte naar het bureau en bekeek de chaos van facturen, bonnen en reçu's; ze vermoedde dat Alison op zoek was geweest naar meer bewijzen van zijn ontrouw.

Alison kwam het keukentje uit. 'En nee, ik weet niet wie zij was.'

'Zou je daar iets aan hebben?'

'Het zou me helpen een paar spoken te bezweren.'

Jenny pakte het dunne stapeltje paperassen voor de maanden april en mei en bladerde het door. 'Hij kocht geen cadeaus voor haar op kosten van het bureau?'

'Daar heb ik niets van kunnen vinden.' Ze draaide zich weer om naar het aanrecht en schepte poederkoffie in twee koppen.

Jenny legde de stapel voor april neer en nam die voor mei op – een maand waarvan Harry maar drie dagen had geleefd. Er waren drie betaalbewijzen: een ervan droeg de datum 1 mei en was voor een bedrag van tweehonderd pond aan kantoorspullen van een verzendhuis. De tweede was van 3 mei om halftwee voor een gewatteerde envelop, gekocht bij W.H. Smith; en de derde was van dezelfde datum om 10.52 uur voor een bedrag van vijf pond aan portokosten. Vastgeniet aan de bon zat de kopie van een label voor een aangetekende zending, voorzien van een stempel, maar de ruimte voor de details van de afzender was niet ingevuld.

'Aan wie heeft Harry een aangetekende zending verstuurd voordat hij stierf?'

Alison kwam met de koppen koffie terug. 'Geen idee. Hij heeft mij er niets over gezegd. In de regel verzorg ik alle post.'

'Dit reçu bevat een nummer voor het volgen van de zending. Waarom gaan we niet even online om dat uit te zoeken?'

Voordat Alison door had welke procedure ze voorstelde, was Jenny al in de weer met het toetsenbord om de website van de Royal Mail Service op de ouderwetse monitor te laten verschijnen. Ze linkte door naar het *Track&Trace*-scherm. 'Hier moeten we kunnen zien waar die zending naartoe is gegaan.'

Ze toetste de dertiencijferige verzendcode in en drukte op ENTER. Alison keek bewust een andere kant op toen er een nieuw scherm verscheen, zodat ze het aan Jenny overliet het resultaat te lezen.

Reagerend op haar verbaasde stilzwijgen, vroeg Alison: 'En?'

'Het is naar Frank Grantham gestuurd, aan zijn kantoor. Er is niet voor getekend. Het werd de volgende dag opnieuw afgeleverd en ging opnieuw ongetekend terug. Zo te zien is het nog steeds in het postdistributiecentrum.'

Alison leek opgelucht. 'Dan moest ik het maar eens gaan ophalen.'

'Later misschien. Eerst brengen we een bezoekje aan het Vale-ziekenhuis – als je tenminste nog meedoet.'

Alison keek omlaag naar haar koffiekop en dacht langdurig na voordat ze met een trek van filosofische berusting opkeek en zei: 'U hebt gelijk. Ik móet weten wat er met Harry is gebeurd.'

Jenny zei: 'Je wenst nu dat je het die woensdagmiddag met hem had gedaan, nietwaar?'

'Dat zou fijn zijn geweest. Een keertje maar.'

23

De volgende ochtend, donderdag, ontmoetten ze elkaar bij het ziekenhuis van Severn Vale. Alison wist dat Petersons gedeelde persoonlijk assistente Kathy Greenway heette. Ze werkte op de vijfde etage van het hoofdgebouw en die was alleen bereikbaar via het intoetsen van een veiligheidscode bij een van de deuren die vanuit de hal achter de hoofdingang toegang verleenden tot de lift. Afgesproken was dat Alison er doodgemoedereerd binnen zou stappen om, als betrof het een routinekwestie, te vragen om de dicteerbandjes van dr. Peterson over de vier weken vanaf de zestiende april. Jenny zou uit het zicht blijven en alleen ingrijpen als de situatie vervelend werd. Alison moest zeggen dat zij vóórdat de hoorzitting over Danny Wills was verdaagd opdracht had gekregen dit bewijsmateriaal op te halen en dat niemand haar had gezegd dat dit niet meer nodig was.

Voor een voormalige rechercheur leek ze hevig geagiteerd toen ze de grote ontvangsthal overstaken. Jenny voelde dat ze hoopte er nog onderuit te kunnen. Terwijl ze wachtten op de lift, zei Jenny dat het ergste wat er kon gebeuren was dat ze op de vingers zou worden getikt. Zolang zij vasthield aan dit verhaal kon niemand beweren dat ze iets anders had proberen te doen dan haar werk in een poging een onderzoek af te ronden.

Alison nam in haar eentje de lift terwijl Jenny in de kantine op de begane grond ging zitten wachten, de headset van haar mobieltje op haar hoofd. Een minuut later belde ze Alison om te zeggen dat ze de lijn open moest houden en haar toestel in haar zak kon laten zitten, zodat Jenny kon volgen wat er werd gezegd. Jenny kocht een kop slappe koffie en koos een plekje in de verste hoek.

De lijn bleef een poos stil, op de gedempte geluiden na van de bewegende telefoon in Alisons jaszak terwijl die bij de beveiligde deur rondhing en deed alsof ze haar open aktetas had laten vallen terwijl ze de code probeerde in te toetsen, in de hoop dat een barmhartige ziel bereid zou zijn dat voor haar te doen terwijl zij de inhoud van haar aktetas bij elkaar raapte.

Die gelegenheid deed zich pas na een minuut of twee voor. Jenny hoorde de aktetas op de grond vallen, gevolgd door Alisons uitroep 'Ojee!' en 'Vindt u het erg om...' Een aardige mannenstem bood hulp aan en de deur viel achter haar in het slot. Ze was binnen.

Zo te horen deelde Kathy Greenway een kantoorruimte met andere persoonlijk assistentes. Jenny hoorde diverse gelijktijdige telefoongesprekken en het ratelen van diverse toetsenborden. Toen hoorde ze Alison vragen: 'Miss Greenway?' Een opvallend jong klinkende stem antwoordde: 'Ja?'

'Alison Trent, assistent-rechter van instructie. Ik heb uw naam vaak onder een e-mail zien staan, maar heb me er nooit een gezicht bij kunnen denken.'

De assistente antwoordde voorzichtig met 'Ah...'

'Het stelt weinig voor,' zei Alison. 'De kwestie is dat mijn baas een bevel heeft uitgevaardigd tot vrijgave van de sectiedicteerbandjes van dr. Peterson over de periode van 16 april tot 7 mei van dit jaar. Die kunnen wat materiaal bevatten dat relevant is voor de hoorzitting die zij leidt. Ik had zo'n idee dat ik ze hier zou kunnen vinden.'

'O? Dr. Peterson heeft mij daar niets over gezegd.'

'Het is geen kwestie waarover hij kan beslissen. Hier is de lastgeving van de rechter van instructie -' Jenny hoorde hoe Alison haar aktetas openklikte en er het document uitnam dat zij had uitgetikt voordat ze het kantoor had verlaten. 'Als deze bandjes hier zijn, of als u weet waar ze zijn of ze nog onder u heeft, bent u wettelijk verplicht ze nu aan mij over te dragen.'

Het bleef even stil terwijl Kathy Greenway de lastgeving bestudeerde. Met een benauwd stemmetje zei ze: 'Ik kan er beter even mijn chef bij halen, mr. Hassan. Ik weet niets van dit soort dingen.'

Alison zei: 'Ook hij heeft er geen zeggenschap over. Deze lastgeving is gericht aan de persoon die de bandjes onder zich heeft.'

'Toch wil ik er mr. Hassan over inlichten.'

'Miss Greenway, voordat u belt, moet ik weten of u deze bandjes hier hebt.'

'Niet over die periode, nee.'

'Waar zijn ze dan wel?'

'Weet ik niet. Ze worden altijd gewist en opnieuw gebruikt.'

'Bedoelt u dat ze teruggaan naar dr. Peterson?'

'Dat niet per se. Ze belanden allemaal in die bak daar. Iemand komt ze dan ophalen om ze gebruiksklaar te maken.'

'Wie is die iemand?'

'Dat kan iedereen van de typistes hier zijn.'

Na opnieuw een kort hiaat, zei Alison: 'Tikt u alle sectierapporten uit die dr. Peterson stuurt?'

'Ja.'

'U hebt dus kopieën van alle sectierapporten op uw computer?'

'Ik beantwoord geen vragen meer. Ik ga nu mr. Hassan bellen.'

Kathy pakte haar telefoon en vertelde mr. Hassan dat er iemand van het bureau rechter van instructie was die transcripties van de ingesproken sectieverslagen van dr. Peterson wilde zien. Jenny hoorde hoe alle achtergrondgeluiden verstomden nu de aandacht van de andere persoonlijk assistentes was getrokken. Kathy legde haar telefoon neer en zei dat mr. Hassan dadelijk zou komen; ze legde uit dat het haar onder geen voorwaarde was toegestaan om iemands dicteertranscripties af te geven.

Alison probeerde het nog eens. 'Als u dit document goed leest, miss Greenway, heeft het ook betrekking op transcripties van dicteerbandjes. Dat betekent dat u, als u mij die kopieën nu niet geeft, een dagvaarding kunt verwachten om voor de rechter te verschijnen.'

'Als ik dat doe zonder toestemming van mijn baas, ben ik mijn baan kwijt, ja?'

Jenny voelde de spanning tussen de twee vrouwen terwijl ze wachtten op de komst van Hassan. De andere PA's hadden al hun gesprekken gestaakt en alleen wat vluchtig geklik van een paar toetsenborden verstoorde de stilte. Ze hadden afgesproken dat Alison zelf zou bellen als dat nodig was, maar Jenny was er te zeer op gebrand om in te kunnen grijpen: ze zag voor zich hoe Hassan zijn chef zou bellen, zodat het verhaal een steeds hogere sport op de hiërarchieladder zou bereiken totdat de directeur van het ziekenhuis zich er zelf mee zou bemoeien. Hier moest een scherp dreigement aan te pas komen. Ze drukte de rode knop van haar mobieltje in, wachtte even tot de verbinding definitief van beide zijden was verbroken en belde toen Alisons nummer. De telefoon ging slechts een keer over. Ze antwoordde met een abrupt 'Hallo?'

'Je zult harder moeten optreden. Zeg Hassan zodra hij er is dat hij die kopieën onmiddellijk moet vrijgeven, en dat anders hij en dat meisje zich maandagochtend voor de rechter moeten verantwoorden.'

Alison zei: 'Ja. Er wordt aan gewerkt. Goedemorgen.' Ze drukte een paar knoppen op haar mobieltje in – vermoedelijk om de verbinding open te houden – en liet het weer in haar zak verdwijnen.

Er waren op zijn minst nog eens vijf minuten verstreken voordat Jenny een voorzichtige, bureaucratische stem hoorde zeggen: 'Ali Hassan. U bent?'

'Alison Trent, bode van de rechter van instructie.'

'Juist. Dit is de heer Alan Yates van onze juridische afdeling. Hij zal zich bezighouden met uw verzoek.'

'Mrs. Trent.' Yates' stem klonk als die van een jonge maar zelfverzekerde jurist die zijn leven wijdde aan de taak om claims van patiënten die meenden het slachtoffer te zijn van een medische fout af te wimpelen. 'Zullen we even de gang op gaan, alstublieft?'

Alison zei: 'Ik ben hier om bewijsmateriaal op te halen dat door de rechter van instructie wordt verlangd. U begrijp zelf wat dat betekent, mr. Yates.'

'Als u het niet erg vindt, zou ik dit liever onder vier ogen afhandelen.'

Er waren geluiden van voetstappen te horen; Alison volgde hem naar de gang. De deur viel achter hen dicht en maakte definitief een eind aan het achtergrondlawaai.

Yates liet onmiddellijk alle beleefdheid varen en zei: 'Wat is hier gaande? Uw rechter van instructie is twee dagen geleden geschorst. Ze heeft dus geen legale bevoegdheden en ons personeel is niet verplicht u ook maar iets te overhandigen.'

'Deze lastgeving is uitgevaardigd voordat de hoorzitting over Danny Wills werd geschorst. Dat wil voor mij zeggen dat er gehoor aan moet worden gegeven. Als dat niet gebeurt, heeft dat gevolgen.'

'Die riskeren we dan maar.'

'U beseft dat u een gerechtelijk onderzoek belemmert?'

'Laat die onzin verder maar achterwege. Ik heb zojuist gebeld met het hoofd van de Plaatselijke Autoriteit en u hoort hier niet eens te zijn. U kunt kiezen: nu vertrekken, anders bel ik de beveiliging.'

'Mr. Grantham heeft geen enkele zeggenschap over het bureau van de rechter van instructie.'

Yates zei: 'Leuk geprobeerd. Kom maar terug met een arrestatiebevel – misschien dat we u dan serieus nemen.'

Het werd een ogenblik stil. Toen hoorde Jenny een klik – Alison had de verbinding verbroken.

Ze vond Jenny aan het tafeltje in de hoek waar ze bezig was haar pillen voor de lunchtijd te slikken. Ze deed geen pogingen meer ze te verbergen.

'Hoeveel hebt u ervan gehoord?'

'Zo ongeveer alles. Het ziet ernaar uit dat hij ons heeft afgetroefd.'

'Wat kon ik doen – liegen? Hij had Grantham gesproken en wist dat u me een poging liet doen. Zie het onder ogen, mrs. Cooper, we krijgen niets los van die lui.'

'Ik ben je baas niet meer, dus noem me maar Jenny.'

'Liever niet.'

Alison zat stijfjes op de rand van haar stoel. Ze meed Jenny's blik, duidelijk kwaad op zichzelf en beschaamd dat het haar niet was gelukt. Ze zei: 'Ik ben bang dat we niet verder zullen komen. Dit was het dus.'

'Alleen nu we het beleefd hebben gevraagd.'

'U hebt geen bevoegdheden meer, mrs. Cooper. Het zal moeten wachten tot u weer op uw post bent.'

'Ik waardeer je optimisme, maar ik denk dat we allebei wel weten wat er intussen met die dossiers gebeurt.'

Verontwaardigd zei Alison: 'U laat het klinken alsof het mijn schuld is. Ik zou niet weten wat ik anders had kunnen doen.'

'Je kon niet anders – ze hebben ons door. Nou, als ze ons dan niet via de voordeur binnenlaten, dan doen we het maar via de achterdeur.'

Jenny nam haar mobieltje en zocht in het adressenbestand het nummer van Tara Collins. 'Je hoeft je niet te laten betrekken bij wat ik nu ga doen, Alison. Eerlijk gezegd denk ik dat je niet eens in mijn buurt wilt zijn.'

'Wie gaat u bellen?'

'Tara Collins. Ze zegt dat ze bevriend is met een hacker.'

Alison zei: 'Ik kan beter naar kantoor gaan.' Ze liep weg van de tafel en zei: 'Ik bel wel een taxi.'

Jenny wachtte tot ze buiten gehoorsafstand was.

Tara nam op met een voorzichtig: 'Met wie?'

'Jenny Cooper.'

'Hi. Ik was van plan je te bellen – ik heb de *Post* gezien. Ga me niet vertellen dat ze jou er ook hebben ingeluisd.'

'Zoiets, ja.'

'Wegens gelegenheid geven!? Ik wil niet uit de hoogte doen, maar het had erger gekund.'

'Daar werk ik nog aan.'

'Simone belde me. Ze wilde weten wat er verdomme gaande was. Ik had het idee dat ze gehard genoeg was om dit door te komen, maar nu ben ik daar minder zeker van.'

'Ik weet niet hoe veilig het is om met jou hierover te praten...'

'Kan niet verdommen. Wie weet hebben ze me een zendertje ingespoten.'

Jenny overwoog haar voor te stellen dat ze elkaar ergens zouden treffen, maar het was bijna één uur. Als Petersons files nog intact waren voordat de middag om was, zou het haar verbazen.

'Ik heb wat informatie gekregen. Nu moet ik een paar files in handen krijgen die op de server van het Vale-ziekenhuis staan: transcripties van dr. Petersons gedicteerde verslagen tijdens de secties. Jij zei me laatst dat je een knaap kende...'

'Nog steeds.' Haar stem klonk opgewonden.

'Denk je dat hij kan helpen? Het is dringend.'

'Ik kan hem bellen, maar er is een probleempje...'

'Zeg het maar.'

'Als ik het me goed herinner, heeft het Vale een intranet. Je kunt er niet van buitenaf in en er is ook geen wifi. Hij zou een van de terminals in het gebouw zelf moeten gebruiken, of op zijn minst een aftakking van het systeem.'

'Ik ben er nu. Heb je ideeën?'

'Kijk vast wat rond, ik bel je zo gauw mogelijk terug.' Ze hing op. Jenny stak haar mobieltje weg en ging op zoek naar een computerterminal die niet in gebruik was. De administratieve etages waren niet toegankelijk, zodat ze zich moest beperken tot de klinische delen van het complex. Ze repte zich door ziekenhuisgangen en gluurde door openstaande deuren naar spreekkamers en de receptieruimten van Gynaecologie, Verloskunde, Pediatrie en Gastro-enterologie, maar elk deel van het gebouw leek twee keer zoveel mensen te bevatten dan waarop het was berekend. Ze deed alsof ze verdwaald was en zwierf door twee aangrenzende geriatrische afdelingen op de eerste verdieping; de weinige terminals daar bevonden zich allemaal achter glas in de ruimten voor verpleegkundigen, buiten het bereik van de patiënten en het publiek. Ze duwde de deuren van een gemeenschappelijke ruimte open, maar ook die was overvol. Rijen jonge artsen stonden voor een handvol smoezelige terminals op hun beurt te wachten. In een ziekenhuis met een laag budget was het altijd moeilijk terminaltijd te krijgen.

Ze daalde de trap af naar de ontvangsthal, zich afvragend door welke verborgen ruimten de intranetkabels liepen en of het mogelijk zou zijn om ze, zoals ze in een film had gezien, met behulp van naalden af te tappen. Op dat moment belde Tara Collins terug. Tony had gezegd dat hij zou helpen, maar pas als hij een honderdje kreeg voor het risico. Jenny zegde dat toe, maar ze moesten snel handelen. Hoe gauw kon hij er zijn?

'We zijn er over een halfuur. Al een terminal gevonden?'

'Dat zul je wel geestig bedoelen. Ik vroeg me af of we een kabel kunnen aftappen.'

'Geen schijn van kans. Die liggen allemaal in afgeschermde kabelgoten tussen vloer en plafond. Blijf zoeken.'

Jenny stond Tara en Tony op te wachten toen ze uit haar gehavende Fiat Panda stapten. Tony was een bleke, magere jongen met honkbalpet; hij droeg een fluorescerend jack met voor en achter het opschrift IT TEAM.

Hij had een laptoptas aan zijn schouder en kluwen draden en kabels in de zakken van zijn jack. Hij keek haar strak aan met zijn grijze ogen en zei met enigszins lijzige stem: 'Hi, ik ben Tony. Volgens Tara was je cool over het geld.'

'Zeker. Je krijgt het zodra ik bij een geldautomaat ben.'

Hij haalde zijn schouders op en nam genoegen met het antwoord.

Tara vroeg: 'Hoe staat het ermee? Heb je al een terminal ontdekt?'

'Geen schijn van kans. De terminals die ik zag, waren stuk voor stuk in gebruik of er staat een rij wachtenden voor. Ik hoopte dat jullie misschien een idee hadden.'

Tony zei: 'Meestal loop ik iemands kantoor in en zeg dat ik een storing kom verhelpen.'

Jenny en Tara keken elkaar aan. Tara zei: 'Hij heeft dat vaker gedaan.'

Jenny vroeg: 'Hoe lang heb je nodig?'

'We hebben het waarschijnlijk over een wachtwoord van zes digits, bestaande uit letters en cijfers. Met mijn software zal het waarschijnlijk een halfuur duren om dat te kraken, of sneller als ik een verbinding naar buiten tot stand kan brengen zodat ik er een paar computers op afstand op kan zetten.'

Tara zei: 'Voor het kraken van een wachtwoord heb je veel rekenkracht nodig. In principe ga je uit van een elektronische dictionaire die iedere mogelijke variant bevat – en dat zijn er vele miljoenen. Tony maakt deel uit van een netwerk dat gezamenlijk genoeg rekenkracht kan opbrengen – enkele honderden computers in alle delen van de wereld die eraan werken. Vraag me niet hoe het in zijn werk gaat.'

Tony, lichtelijk verveeld, krabde aan een vlekje op zijn huid. Jenny stelde zich voor hoe hij een poging deed in een van de spreekkamers of kantoren die ze was gepasseerd, maar ze kon het zich niet indenken. Het was meer dan waarschijnlijk dat mensen die van dezelfde computerterminal gebruikmaakten onraad zouden ruiken. Ze dacht aan de geriatrische afdelingen. Misschien konden ze een manier vinden om de aandacht van de kleine verpleegkundige staf af te leiden. Op dat moment besefte ze opeens dat ze op dertig meter afstand van het mortuarium van het ziekenhuis stonden. De beide keren dat zij daar was geweest, had ze alleen Peterson en een paar assistenten in het gebouw getroffen. Ze nam haar mobieltje en zocht in het adresboek naar zijn nummer.

Tara vroeg: 'Waar denk je aan?'

'Gun me even de tijd.'

Petersons telefoon ging vijf keer over voordat het antwoordapparaat in werking kwam. Ze keek op haar horloge – het was even over tweeën.

Ze verbrak de verbinding. 'Juist. Ik heb een idee. We gaan brutaalweg Petersons kantoor in – hij is daar momenteel niet en de kans is groot dat hij de rest van de middag in de snijzaal zit. Ik ga met Tony mee om op de uitkijk te staan. Als iemand me vragen stelt, zeg ik dat ik Peterson persoonlijk wil spreken.'

Tara vroeg: 'Zou het niet minder riskant zijn als hij alleen naar binnen gaat?'

Jenny zei: 'Ik neem de volle verantwoordelijkheid, oké? En trouwens, ik zou daar graag zelf even rondsnuffelen.'

Tara verplaatste haar auto naar een plek bij de ingang van het mortuarium en parkeerde hem zodanig dat zij de ingang kon zien terwijl Jenny en Tony naar binnen gingen. Tony drukte op de belknop, maar er werd niet gereageerd. Jenny vermoedde dat dit moest betekenen dat Peterson en zijn assistenten druk bezig waren. Ze wachtten een poosje voordat ze nog eens aanbelden, met hetzelfde resultaat. Tony zei: 'Zal ik een van de ramen aan de achterkant proberen?' Jenny zei: 'Nee, te riskant,' maar toen ze er tien minuten hadden gestaan, begon het idee haar aan te spreken. Tony zei dat hij over een dun plaatje beschikte waarmee hij de meeste raamsluitingen en Yale-sloten kon openen, maar op dat moment zag Jenny de schoonmaakster uit de Filipijnen lopen die ze bij haar eerste bezoek had ontmoet. Ze stak het parkeerterrein over en duwde een stalen karretje met allerlei schoonmaakspullen voor zich uit.

Jenny haastte zich naar haar toe en maakte haar met een mix van gebarentaal en steenkolen-Engels duidelijk dat ze naar binnen moest. Het duurde even voordat de vrouw haar herkende, maar toen knikte ze haar met een vermoeid glimlachje toe en liep om haar karretje heen. Ze trok een zware sleutelbos uit haar overall, ontsloot de deur en liet zich door Jenny hartelijk bedanken.

Jenny liep een paar passen voor Tony uit, nadat ze hem had gezegd dat hij moest doen alsof ze ieder een eigen doel hadden en niet bij elkaar hoorden, totdat ze Petersons kantoor bereikten. De kleine toegangshal was verlaten, net als de kleine foyer en de beide kantoren die eraan grensden. Jenny zag aan de bordjes erboven dat ze bestemd waren voor ASSISTENTEN en RECEPTIE. Ze gluurde door het veiligheidsglas en zag dat de receptieruimte werd gebruikt als een provisorische opslagruimte vol dozen met dossiers. De ruimte voor de assistenten zag er meer uit als een normaal kantoor; er was een computerterminal, maar de deur zat op slot.

Ze beduidde Tony haar te volgen naar de klapdeuren en waarschuwde hem dat hij misschien lijken zou zien.

Tony was niet onder de indruk. 'Kijk maar eens op Rotten.com.'

Ze duwde de klapdeuren open en stapte de hoofdgang in. De rij brancards met lijken langs de muur werd op een bepaald punt een dubbele rij: het gevolg van haar beleid om voortaan geen enkele overlijdensverklaring zonder sectierapport te ondertekenen. Uit de snijzaal kwam het schrille geluid van een kleine handcirkelzaag en om de hoek, buiten hun zicht, hoorde ze een brancard rammelen en een grote lade die uit de koelruimte werd getrokken. Vlug en geruisloos liep ze door naar Petersons kantoor, op de hielen gevolgd door Tony, waar ze de deurkruk omlaagduwde. Ze kon zo naar binnen lopen, klaar met haar verhaal voor het geval hij binnen mocht zijn, maar dat was hij niet. Ze beduidde Tony verder te komen en haalde diep adem. Haar hart bonkte, ondanks de extra bètablokker, en ze voelde haar blouse tegen haar rug plakken.

Tony ging meteen aan de slag. Hij controleerde of Peterson zijn terminal ingelogd aan had laten staan, maar zoveel geluk hadden ze niet. Hij begon stekkers los te halen en in zijn eigen laptop te steken. Hij zette een draadloos extern modem aan en stak een hele verzameling datasticks in zowel Petersons machine als zijn eigen goocheldoos. Hij trok een stoel bij en zei: 'Ooit gehoord van *Crack 5* of *Jack the Ripper*?'

'Nee. Zou dat moeten?'

'Programma's om wachtwoorden te kraken. Er wordt beweerd dat er geen betere zijn, maar ze zijn niet waard de schoenen te mogen poetsen van het programma dat ik gebruik.' Hij begon op het toetsenbord van zijn laptop te rammelen en zijn ogen flitsten heen en weer van het toetsenbord naar het computerscherm. 'Ziet dit er verdacht uit?'

'Ik vrees van wel, ondanks je jack.'

'Dan raad ik je aan iets met de deur te doen en het raam open te zetten.'

Jenny vocht tegen het paniekgevoel dat in haar opwelde, in weerwil van de beschermingsmuur van medicamenten. Ze deed haar best haar ademhaling gelijkmatig en ondiep te houden terwijl ze de stoel voor bezoekers naar de deur trok en de rugleuning strak onder de deurkruk klemde. Het venster was een groter probleem: het had een eenvoudige grendel en hing aan zijscharnieren, maar het raam wilde niet verder open dan een centimeter of tien.

Tony zei: 'Er zit een slot onderaan. Er zal wel ergens een sleutel liggen.'

Ze inspecteerde de vensterbanken en muurplanken maar kon geen sleutel ontdekken.

Tony zei: 'Dan ben ik bang dat er maar één uitweg is.'

Ze wapperde met het voorpand van haar blouse. 'Hoe lang gaat dit duren?'

'Het duurt even.'

Hij zat gebogen achter zijn laptop, de klep van zijn pet laag over zijn voorhoofd. Wat hij deed of hoe hij het deed kon Jenny niet bepalen, maar ze hoopte vurig dat het snel zou gaan, voordat haar zenuwen haar in de steek lieten.

Ze probeerde zichzelf af te leiden door wat door Petersons spullen te snuffelen. Ze kreeg de indruk dat hij weinig tijd in zijn kantoor doorbracht. Hij had vijf muurplanken vol naslagwerken en vakbladen, voor het merendeel bedekt met een dikke laag stof, net als de dozen vol kopieën van sectierapporten. De jongste leken van twee jaar terug te zijn: vermoedelijk was toen het intranet in het ziekenhuis in gebruik genomen. Zijn desktopprinter was een kleine inkjetprinter die maar een beperkt aantal vellen A4 aankon. Ze vermoedde dat het hele systeem bedoeld was om het papierverbruik te minimaliseren, in combinatie met centralisatie.

Aan de muur achter het bureau hing een mededelingenprikbord met de gebruikelijke bedrijfsberichten en een saaie kalender van een farmaceutisch bedrijf. Sinds haar laatste bezoek waren er een paar kiekjes van het verjaarsfeestje van zijn dochter aan toegevoegd. De manier waarop hij ze onder aan het bord had vastgeprikt leek onbehagen te verraden, alsof hij niet wist of de foto's van zijn kinderen wel een ruimte mochten delen met al die dode mensen. Ze herhaalde die gedachte in stilte: dode ménsen.

Tony keek op van zijn toetsenbord. 'Er werken nu zo'n vijfentachtig computers aan het wachtwoord. Ik had er graag wat meer gehad, maar in Amerika worden ze nu pas wakker.'

'Enig idee hoe lang dit nog duurt?'

Ze verstarden allebei bij het geluid van voetstappen op de vloertegels aan de andere kant van de deur. De deurkruk ging omlaag en begon te rammelen. Een stem, niet die van Peterson, zei: 'Hallo?'

Jenny keek Tony dringend aan. Hij bewoog heel even zijn schouders – dit was háár probleem. Ze liep op haar tenen over de vloerbedekking naar de deur en hield de stoel op zijn plaats toen er nog eens aan de deurkruk werd gerammeld. 'Dr. Peterson?' Het was een plaatselijk accent; misschien een van de assistenten. Jenny voelde zweet over haar rug omlaag glibberen. Het verzamelde zich boven haar ceintuur en sijpelde toen rond haar middel naar haar maagstreek. De bezoeker gromde iets, kennelijk verbaasd, voordat hij doorliep naar de snijzaal.

'Hoe lang nog?' zei Jenny.

'Vraag het de computer.'

Ze keek zoekend om zich heen, hoewel ze zelf niet wist waarnaar ze zocht. Ze doorzocht iedere la in de archiefkast, daarna de twee laden van

Petersons bureau en begon weer aan de dozen met sectierapporten die ze nog niet had bekeken. Ze stuitte op facturen van begrafenisondernemingen, contracten met toeleveranciers, ontvangstbewijzen, onderhoudscontracten voor technische apparatuur en bulletins van het Royal College of Pathologists. Veel mappen waren niet voorzien van ruiters en ze zagen eruit alsof Peterson de inhoud erin had gepropt zonder rekening te houden met de eventuele noodzaak ze terug te kunnen vinden. Een drukbezet man zonder een administratieve hulp die het sleurwerk voor hem kon doen.

De deurkruk rammelde opnieuw. Deze keer klonk de stem resoluter. 'Hallo? Is er iemand binnen?'

Jenny zelf stond doodstil, maar een dossier aan het eind van de rij koos juist dat moment uit om om te vallen en de inhoud uit te storten over de vloer.

'Open de deur! U bent niet bevoegd daar te zijn!'

Het rammelen werd resoluter. Jenny drukte de stoel hoger tegen de kruk. De man aan de andere kant zei: 'Best, dan bel ik nu de beveiliging.'

Jenny hoorde hoe hij zich door de gang naar de interne telefoon haastte en naar de snijzaal riep: 'Er is iemand binnen!'

'Kun je niet sneller?'

Tony drukte een paar toetsen in. 'Ah, ik denk dat we ergens beginnen te komen.'

Jenny trok nog twee andere dossiermappen omlaag en stortte de inhoud uit over de vloer. Nog meer facturen, en notulen van vergaderingen. Ze stak opnieuw haar hand omhoog en ontdekte in de laag stof een kleine platte sleutel. Ze pakte hem en liep ermee naar het raam. De sleutel paste in het slot en het raam zwaaide open.

'Yes! Hebbes!'

Jenny draaide zich met een ruk om. 'Wat?'

'*Angel Two*. Heel romantisch.'

'Ik heb alle documenten nodig die in april en mei van dit jaar zijn ingevoerd.'

Tony's handen vlogen over het toetsenbord en hij bekeek het scherm. 'Alles zit in één bestand.'

'Neem alles.'

Hij rukte een paar datasticks uit de terminal en stak er nog een in zijn laptop.

Nieuwe voetstappen naderden de deur; meerdere personen. Deze keer hoorden ze Petersons eigen stem. 'Wie is daar? Doe open!'

Tony zei: 'Ik heb het.' Hij begon draden los te trekken en in zijn zakken te proppen. 'Doe even mijn laptop in de tas.'

Peterson stond beurtelings op de deur te bonzen en aan de deurkruk te wringen. De stoelpoten begonnen door de trillingen weg te glijden.

Jenny stopte de laptop in de tas terwijl Tony de laatste kabel opborg.

'En nu?'

'Het raam uit.'

Peterson bulderde: 'Oké, nu trap ik de deur in.'

Jenny zette een voet op de vensterbank, juist toen het triplex van de deur scheurde onder het geweld van een hevige beuk. Tony stak zijn hand uit naar haar achterste en gaf haar een duw. Ze sprong op het asfalt en rende naar Tara's gereedstaande auto, gevolgd door Tony. Tara reed het parkeervak uit en duwde de passagiersdeur open. Jenny dook de auto in. Ze reden al toen Tony op de achterbank belandde. Tara reed in een rustig tempo weg om geen opzien te baren.

Jenny keek in de zijspiegel en zag Peterson voor het raam opduiken. Hij stak zijn hoofd naar buiten en keek van links naar rechts, tot hij een zwarte man ontdekte die bezig was diens auto tegenover het raam te openen.

Onderuitgezakt op de achterbank zei Tony: 'Het lijkt me beter dat we er honderdvijftig van maken.'

Ze zetten Jenny af om de hoek, waar ze haar Golf had staan, en spraken af in Patchway McDonald's – Tony's keuze. Ze stopte bij een benzine-station om wat contant geld te pinnen en reed door naar de afgesproken plaats, een restaurant dat deel uitmaakte van de gigantische cluster van in Amerikaanse stijl opgetrokken winkelcentra aan de noordwestelijke periferie van de stad.

Alison belde haar toen ze voor het restaurant stopte.

'Mrs. Cooper?' Haar stem klonk bezorgd.

'Hoe is het daar?'

'Niet best. We hebben bezoek gehad.'

'De politie?'

'Nee, de Plaatselijke Autoriteit. Iemand van de juridische afdeling die me opdroeg het pand te verlaten. Ze hebben twee man gestuurd om me naar buiten te escorteren en de sloten te vervangen. Ik heb kans gezien nog een paar dossiers in mijn auto te bergen, maar ze dwongen mij een document te tekenen dat ik geen ambtelijke stukken onder mij had. Ik heb zo'n idee dat ik zonder baan ben komen te zitten.'

In een poging haar op te beuren, zei Jenny: 'Het werd bijna mijn dood, maar we hebben Petersons sectierapporten.'

'Wat staat erin?'

'Dat gaan we zo dadelijk uitzoeken. Ik ben met Tara en die hacker in Patchway McDonald's. Waarom kom je niet naar ons toe?'

Alison dacht er even over na, en zei toen: 'Mij best. Volgens mij heb ik toch niets meer te verliezen.'

'Hoe zat het met die zending aan Grantham?'

'Ik heb het distributiecentrum gebeld. Omdat Harry geen adres van de afzender had ingevuld, is het daar nog steeds. Ik zal het onderweg even ophalen.'

Toen ze op de aan de vloer vastgeschroefde kunststofstoelen zaten, telde Tony het geld uit, alle honderdvijftig biljetten van een pond, en zei: 'Mooi.'

Tara, die aan een milkshake met een rietje lurkte, glimlachte naar Jenny: ze lieten hem geloven dat hij de jackpot had gewonnen.

Hij zette zijn laptop aan en stak de datastick met de files van Peterson in het apparaat. Ze waren allemaal opgeslagen in de standaardmap *My documents* en het oudste bestandje was twee jaar oud. Iedere bestandsnaam bevatte de afkorting NJP voor Petersen, dan de initialen van de dode, gevolgd door de dag, de maand en het jaar. Jenny nam de muis en scrolde door naar april.

Tara vroeg: 'Wat zoeken we precies?'

Jenny vond de file NJP/DW van de zestiende april en klikte de map open. 'Bewijzen van wat Peterson zag toen hij de lijken van Danny en Katy voor het eerst zag. Professor Lloyd denkt dat hij ons niet de hele waarheid heeft verteld.'

Ze had nu het oorspronkelijke sectierapport van Danny voor zich. Het was identiek aan het rapport in Marshalls dossier: de eenvoudige bevinding verstikking ten gevolge van verwurging, door zelfmoord. Ze sloot de map en zocht verder. Haar blik gleed langs de bestandsnamen totdat ze een map vond met de naam NJP/KT, gedateerd op 1 mei. Dit was Katy's sectierapport, maar ook dit was identiek aan het rapport dat ze in het dossier had: dood ten gevolge van een overdosis heroïne.

'Verdomme, dit is wat ik al heb gezien.'

Tony boog zich naar het scherm en hij wees naar een plek halverwege het scherm. 'Wat betekent NJP/DWamend?'

Jenny keek naar de datum: 23 april. Ze klikte de map open.

'Grote god...'

Tara vroeg: 'Wat staat er?'

Jenny leunde achterover en draaide het scherm naar haar toe, zodat ze het allebei konden lezen.

Heronderzoek Wills, D. (14 jaar)
Op instructie van de onderzoeksrechter voor Severn Vale onderzoek ik

*vandaag ten tweede male het lichaam van een veertienjarige jongen die
in zijn cel van het gesloten heropvoedings- en detentiecentrum Portshead Farm dood werd aangetroffen, hangend aan een afgescheurde reep
beddenlaken dat aan de tralie van zijn celraam was bevestigd. Bij de
sectie van de 16e van deze maand had ik als doodsoorzaak 'verstikking
tengevolge van verwurging door zelfmoord' vastgesteld. De onderzoeksrechter verzocht mij om dit nieuwe onderzoek om naar bewijzen van
geweld of een worsteling te zoeken.*

*Bij nader onderzoek van de torso van betrokkene ontdekte ik een klei-
ne kneuzing en wat oedeem ter hoogte van het borstbeen. Andere kleine
kneuzingen en schrammen bevinden zich op de linkerpols. In het superi-
eure lumbale segment van de rug bevindt zich nog een andere gelokali-
seerde kneuzing. Sectie van dit gebied wijst op het gebruik van grof
geweld. Een andere, mogelijk onbetekenende bevinding is een kleine kale
plek ongeveer een centimeter achter het linkeroor, waar het hoofdhaar
van de dode ontbreekt.*

*Hoewel deze bevindingen op zichzelf niet opmerkelijk zijn, doen deze
kwetsuren gezamenlijk vermoeden dat de dode kort voor zijn dood met
geweld tegen de grond is gewerkt. Eerder gerapporteerde gevallen (zoals
Reay et al. 1988; O' Halloran en Lewman 1993) wijzen uit dat deze
harde methode om iemand in bedwang te houden tot dood ten gevolge
van verstikking kan leiden als de houdgreep verscheidene minuten aan-
houdt. Naar mijn mening is de dood, afgaande op het patroon van
kneuzingen en oedeem in het gezicht en de hals van de dode, veroorzaakt door verwurging door verhanging. Bij afwezigheid van letsel ten
gevolge van schoppen of slaan – de schrammen in de hals wijzen op
pogingen om de strop los te trekken – is het klinisch mogelijk dat de
dode slechts voor een deel bij bewustzijn of zelfs buiten bewustzijn was
toen verstikking intrad.*

Jenny ging rechtop zitten en keek Tara aan. 'Hij had dezelfde verwondingen als Katy. We zoeken dus dezelfde moordenaar.'

'Jezus christus,' hijgde Tara.

Tony knikte naar de ingang. 'Wie is dat omaatje?'

Jenny keek om en zag Alison naderbij komen. Ze was lijkbleek.

Alison wilde Jenny de inhoud van het pakje niet laten zien waar Tony
en Tara bij waren, dus gingen ze naar de damestoiletten. Alison wendde
zich af van haar spiegelbeeld toen Jenny de gewatteerde envelop opende en er een stapeltje foto's in A5-formaat uitnam. Sommige foto's hadden wazige contouren, alsof het beeldkaders van een slechte videoband
betrof. Ze waren genomen via een camera in het plafond van wat eruit-

zag als een doorsneehotelkamer en waren voorzien van de datum: 25 april. De eerste foto toonde een corpulente man van middelbare leeftijd die ruggelings naakt op bed lag. Boven op hem, schrijlings, zat een mooie jonge blondine met kort haar en een opvallend smalle taille. Pas toen ze toe was aan de foto's waarop de partners van positie waren gewisseld, drong het tot Jenny door wat het was wat de foto's zo vreemd maakte: de engelachtige jonge partner die Harry Marshall in extase bracht, was een jongeman.

Aan de laatste foto was een van Harry's post-it-briefjes geplakt. Hij had erop geschreven: *Beste Frank, je vriend. H.'*

24

Jenny stak de foto's inclusief de *post-it* in de envelop en deed haar best de juiste woorden te vinden. Ze nam genoegen met: 'Ik neem aan dat je dit niet wist.'

Alison schudde het hoofd en draaide zich naar haar om, nu de foto's uit het zicht waren.

'Dit maakt een paar dingen duidelijker.'

'Hij had vier dochters!'

'Hij heeft zijn gezin opmerkelijk lang bijeengehouden... Of wist hij soms zelf niet of hij hetero of homo was?'

Alison zei: 'Daar wil ik het nu niet over hebben.' Ze stak haar hand uit naar de envelop.

'Kan ik die niet beter houden?'

'Waarvoor?'

'Omdat ik wel kan voorzien wat jij ermee gaat doen. Ze kunnen echter nuttig zijn.'

'Ik zou niet weten hoe.'

'Het zijn bewijzen.'

'Ik sta niet toe dat anderen deze foto's te zien krijgen.'

'Ze kunnen hem geen kwaad meer doen – hij is dood.'

'En zijn gezin dan? Waarom zou hij anders zelfmoord hebben gepleegd?'

'Misschien zouden ze hem liever in leven hebben gezien, al was hij homo? Zijn dochters in elk geval.'

Alisons gelaatsuitdrukking verhardde zich. 'Ik wil uw woord dat zijn gezin dit nooit zal ontdekken, mrs. Cooper.'

'Dat kan ik niet be...'

De oudere vrouw deed een stap naar haar toe. 'Geef ze aan mij.'

Jenny drukte de envelop stevig tegen haar borst. 'Je weet niet eens wat we hebben ontdekt... We hebben alle computerfiles van Peterson van de server van het ziekenhuis geplukt. Op 23 april heeft hij op instructie van Marshall het lichaam van Danny Wills nogmaals onderzocht. Hij vond toen kwetsuren die volgens hem door een hardhandige overmeesteringsmethode zijn veroorzaakt. Hij schrijft dat hij hoogstwaarschijnlijk zelfs al voor zijn dood opgehangen is. Marshall had al drie dagen eerder van Justin Bennett gehoord dat Katy tegen hem had gezegd dat Danny moeilijkheden had met een van de cipiers. Deze foto's verklaren wat er daarna is gebeurd...'

Alison werd stil en probeerde de logica te ontdekken.

'Harry had twee dagen – dinsdag de vierentwintigste en woensdag de vijfentwintigste – waarop hij op grond van die informatie heeft gehandeld. Ik neem aan dat hij de politie niet op de hoogte heeft gesteld, anders zou jij ervan geweten hebben. Ik vermoed dat hij zijn licht heeft opgestoken in Portshead Farm om te proberen te ontdekken wie van het personeel te maken had gehad met Danny. Misschien heeft hij Elaine Lewis zelfs verteld wat Nick Peterson had ontdekt. Wat zal zij toen hebben gedaan?'

Alisons blik ging omlaag naar de envelop in Jenny's handen.

'Precies. De UKAM gaat koortsachtig aan de slag. Van Harry's voorkeuren weten ze alles al af – ze hadden misschien zijn gangen nagegaan of zijn e-mailaccount gekraakt – en hebben hem er toen ingeluisd. Een jongen met wie hij al eerder samen is geweest belt hem op en zegt dat hij krap bij kas zit – ze kunnen elkaar ontmoeten in het Novotel of zoiets.'

Alison huiverde.

'De volgende datum die we hebben, is vrijdag de zevenentwintigste. Die dag gaat Harry naar zijn huisarts en laat zich wat pillen voorschrijven. Ik denk dat we er met een gerust hart van uit kunnen gaan dat hij toen net de foto's ontvangen had. De maandag daarop begint zijn hoorzitting: Peterson kwam getuigen en zweeg als het graf over dat tweede onderzoek.' Ze haalde diep adem. 'Hoe we dit ook aan willen pakken, Alison, deze foto's zijn hoe dan ook nodig.'

Alison keek op en keek Jenny aan met een mengeling van gekrenktheid en berusting. 'U kunt gelijk hebben, mrs. Cooper, maar verwacht niet van mij dat ik zeg: "Goed gedaan." Op dit moment wens ik alleen dat u nooit deze kant op was gekomen.' Ze draaide zich om.

'Ik zou liever zien dat jij betrokken bent bij wat er nu gaat gebeu...'

Alison zei: 'Ik geloof niet dat u en ik elkaar ooit zullen gaan begrijpen,' en verdween door de deur.

Toen Jenny terugkwam naar hun tafeltje, keek Tara haar met grote ogen aan en vroeg: 'Nou, wat is het grote geheim?'

'Het schijnt dat Marshall de voorkeur gaf aan jonge knapen. Hij heeft kans gezien zich te laten fotograferen, twee dagen na dat tweede sectierapport van Peterson.'

'Maak 'm! Je hebt foto's?'

Jenny knikte naar Tony. 'Nu niet.'

'Dat meen je niet,' zei Tara. 'Er is geen enkele seksuele daad die ervaren jongens als Tony niet al op internet hebben gezien.'

Tony lurkte aan zijn Pepsi en scheen niet in het minst geïnteresseerd te zijn.

Jenny zei: 'Niet terwijl hij zit te eten.'

Tara rolde met haar ogen en keek Tony even aan. Ze wendde zich tot Jenny. 'We hebben nu een achtergehouden sectierapport en een paar foute foto's met de onderzoeksrechter erop.' Glimlachend voegde ze eraan toe: 'Het enige wat je nu nog nodig hebt, is een goeie journaliste. Dit kan gigantisch worden. De enige vraag is: hoe gigantisch wil je het hebben?'

Jenny dacht na. Het hele verhaal op de middenpagina van aanstaande zondag leek aantrekkelijk, maar ze deelde Tara's vertrouwen in de pers niet. O, ongetwijfeld zouden ze haar wat echte onderzoekskopij laten schrijven, maar ze zouden het wegstoppen in een hoekje. Ze zouden inhaken op de foto's van Marshall en een verhaal maken over een rechter van instructie (die ze zouden aanduiden als 'rechter') die de waarheid verborgen had gehouden omdat hij betrapt was op seks met een schandknaap. Danny Wills zou nauwelijks worden genoemd, en Katy Taylor al helemaal niet, vanwege het lopende politieonderzoek. Bovendien zou mrs. Marshall, de arme ziel, haar gezicht nergens meer kunnen laten zien.

Jenny zei: 'Ik ga hier niet mee naar de pers.'

'Wát?'

Ze keek Tony aan. 'Kun je mij een kopie van die bestanden geven?'

Hij stopte een datastick in zijn laptop en drukte wat toetsen in.

'Heb je een andere keus? Je bent aangeklaagd in verband met drugs, ze hebben je geschorst en...'

'Ik moet er eerst goed over nadenken.'

Tara probeerde een redelijke toon aan te slaan. 'Zal ik straks naar jouw huis komen? Dan kunnen we samen overleggen wat we hebben.' Smekend voegde ze eraan toe: 'Ik heb hier vanaf het eerste begin aan gewerkt.'

Jenny zei: 'Ik bel je morgenochtend. Alvast bedankt voor je hulp.'

Ze nam de datastick en de envelop en verliet het restaurant. Achter haar hoorde ze Tara ongelovig uitroepen: 'Jenny...? Waar heb je problemen mee? Vertrouw je me niet? In godsnaam, ik ben degene die straks de bak indraait!'

Ze ervoer een soort afstomping van haar zintuigen die wel wat weg had van verdriet, hoewel ze Harry niet had gekend. Er was iets aan betaalde seks, zo vlak voor zijn dood, dat haar van streek maakte en dat ze voor zichzelf alleen maar kon omschrijven als een mentale misselijkheid. De manier waarop Tara haar met grote ogen had aangekeken toen ze hoorde van de foto's, bijna alsof ze er seksueel opgewonden van werd, had haar gedwongen haastig de benen te nemen en op zoek te gaan naar een schone plek, een ruimte die niet besmet was, zodat ze er kon ademen.

Toen ze de Engelse kant van de brug verliet en Wales binnenreed, draaide ze alle ramen open. De regen van die ochtend was overgewaaid. De middag was nu helder en de lucht die langs haar gezicht streek voelde warm aan. Ze spande zich in om wat ze voelde weg te laten blazen naar zee, maar het bleef hangen.

Toen ze de renbaan van Chepstow passeerde, trok de zon zich terug achter de wolken en werd ze steeds verder ingesloten door het dal. De bossen aan weerszijden van de weg waren dicht en onheilspellend. Ze riepen een gevoel van vrees op dat als een speldenknop in haar zonnevlecht begon, zich snel naar alle kanten uitbreidde en van haar borst en de rest van haar bovenlichaam bezit nam alsof de pillenmuur niet bestond. Ze probeerde de rustgevende ademtechniek toe te passen, in combinatie met 'mijn rechterarm is zwaar', maar dat hield haar slechts vast op het randje van een paniekaanval. Ergens hoorde ze de stem van dr. Allen die haar eraan herinnerde dat ze de auto aan de kant moest zetten als ze zich zo voelde, maar toen ze de krappe haarspeldbocht nam, anderhalve kilometer van St. Arvan's, realiseerde ze zich dat de enige mogelijkheid daartoe de parkeerplaats was waar ze ook de vorige dag was gestopt. Hij lag een kilometer verderop en werd nu het brandpunt van haar vrees, de intense angst die ze geprobeerd had voor haar van onbegrip vervulde ex-man te beschrijven als niet de angst voor een zekere dood, maar de vrees om op te lossen in het niets, een lege ruimte die geen mogelijkheid bood tot leven, hoop, vreugde of welke gewaarwording dan ook.

Haar vingernagels begroeven zich in het stuurwiel toen ze het op een andere manier probeerde: de confrontatie aangaan met de angst en de golf door zich heen laten stromen. Kom maar op, jij schoft, en laat me maar eens zien wat je kunt. Ze raakte het rempedaal aan, minderde vaart en liet het komen. De ring rond haar middenrif trok zich samen, haar blikveld vernauwde zich tot een wazige tunnel en haar oren werden vervuld van een gestaag gezoem toen de elektrische impulsen door haar ruggenmerg en schedel flitsten. Ze klampte zich vast aan de dunne draad van restbewustzijn – nou kom dan op, jij vuile schoft, en neem me maar mee – en voelde zich omlaag storten alsof ze van een klif viel.

De Golf schoot de weg over naar de andere weghelft. Ze schepte lucht in haar longen en rukte het stuurwiel naar links terwijl ze door de tunnel staarde en een waas van bomen zag. Een koude wind streek over haar kruin en daalde langs haar rug af toen ze de parkeerplaats naderde, vechtend tegen een onzichtbare hand die sterker was dan de hare en die probeerde de auto het bos in te trekken. Ze worstelde ermee, trapte het gaspedaal in en nam de volgende bocht...

... En toen was het gelukt; ze had alle adrenaline en cortisol die haar lichaam kon uitstorten verbruikt. Nu was ze uitgeput, totaal gesloopt, en haar hele lichaam beefde. Maar ze reed nog en ze leefde nog.

De bevrijding was van korte duur. Toen ze de bocht naar Melin Bach nam en het laantje begon te volgen, sloeg haar angst van wat er verborgen kon liggen in de bossen om in de angst om alleen in huis te zijn, met dat oude, ontstemde spook. Het was de angst van een kind, niet verschillend van de hevige angst voor een donkere kelder of boosaardige vreemde. En hoe haar rationele, volwassen geest ook op haar inpraatte, de angst liet zich door niets verdrijven. Toen ze voor het huis stond, te bang om de motor af te zetten, ging haar blik omhoog naar het slaapkamerraam, waar ze – daar was ze zeker van – een gegroefd en afkeurend gezicht had gezien dat zich haastig terugtrok.

Ze was te gefrustreerd over zichzelf om te kunnen huilen, te sterk verscheurd tussen walging van en medelijden met zichzelf om zo'n goedkope uitvlucht te kunnen benutten. Ze wist na al die kostbare uren op de divan dat angst iets was wat je onder ogen diende te zien en dat haar geest werd belaagd door een kettingreactie: een door de angsten van nu gevoed maar diep weggestopt, verborgen jeugdtrauma, dat haar zenuwgestel uitleverde aan neurotische krampaanvallen. Kon ze zichzelf maar dwingen naar binnen te gaan, zodat ze in iedere ruimte in huis kon kijken om zichzelf ervan te overtuigen dat er geen spook rondwaarde. Maar na gisteren, zo besefte ze, was ze al even bang voor zichzelf geworden. Een glas wijn om de scherpe kantjes weg te nemen zou genoeg kunnen zijn om te maken dat ze opnieuw de greep op zichzelf verloor en een tweede keer de Temazepam-pillen in slagorde zou opstellen.

In elk geval was ze nog verstandig genoeg om haar situatie te kunnen zien zoals die was: ze zat dicht aangedrukt tegen het dunne membraan tussen leven en dood en kon glimpen zien van gene zijde die, zo wist ze, aan haar trok.

Ze had vriendinnen, een paar maar, die wisten wat ze had doorgemaakt, maar niemand die ze kon vragen haar te hulp te snellen. Ze nam haar handtas van de passagiersstoel en stak haar hand erin, op zoek naar de buisjes vol pillen. Ze nam genoegen met een bètablokker. Toen ze de dop losschroefde, zat ze zich af te vragen waarom ze pillen nodig had om naar haar vriend te durven. Het antwoord kwam in haar op toen ze de pil doorslikte: ze was bang dat ze voor hem zou vallen – de volgende in haar leven die ze teleur zou stellen.

Ze zette de Golf stil naast de oude Landrover. Het zeil van de laadbak was verwijderd om er verse balen hooi in te vervoeren. Alfie lag te zonnen in het zand bij het hek om een oogje te houden op een rondscharrelende kip, gevolgd door een nieuwe groep kuikens. De collie herkende haar en sloeg blij met zijn staart op de grond, hoewel hij zijn kop nauwelijks optilde. In een van de schuren stond een gehavende Peugeot waarvan de motorkap openstond. Eromheen lag gereedschap.

Ze trok aan de koperen scheepsbel naast de half geopende voordeur. Ze hoorde geluiden, ergens in het huis. Ze stapte over de drempel de keuken in: oude graniettegels en keukenkastjes van licht eiken. Voorbij de keuken lag een open ruimte met daarin een ronde trap, overgaand in de zitkamer.

'Steve? Ik ben het, Jenny.'

De geluiden kwamen van boven – een boze vrouwenstem die een protest fluisterde, gevolgd door een schuldige stilte. Ze keek naar de tafel en zag twee bekers, een leeg pakje sigaretten tegenover zijn pakje shag, en autosleuteltjes aan een aantal plastic hangertjes.

'Krijg jij maar het heen en weer, Steve!' Haar woedende stem werd door de kale muren weerkaatst en stierf weg naar boven.

Ze smeet de tafel op zijn kant en stormde naar buiten.

Terwijl de wielen van haar Golf het grove gravel op lieten spatten, zag Jenny de gedaante achter het raam boven: Annie, die woedend haar beha stond om te doen.

Haar woede dreef haar naar binnen. Ze schreeuwde het spook toe naar de hel te lopen en opende een literfles goedkope Italiaanse rode wijn, waarna ze de eerste slok zo uit de fles nam. Goed zo. Nog een paar flinke slokken op een lege maag en ze was gereed voor de strijd, van niets bang. Steve kon doodvallen, met zijn smerige leugens en zijn zogenaamde ex-vriendin. Alles kon doodvallen. Van nu af aan kwam Jenny op de eerste én de laatste plaats. Ze zou de twee zaken afronden, een bom onder de UKAM laten exploderen en haar leven opeisen – en dat allemaal op háár voorwaarden.

Ze nam haar handtas, nam de bètablokkers en antidepressiva eruit en liet alle pillen de gootsteen in rollen. Toen liet ze de hete kraan lopen totdat ze klein genoeg waren om door de zeef weg te worden gespoeld.

Ze had geen pillen nodig: ze was door toedoen van anderen zo diep gezonken, en niet door eigen schuld. Wat zij moest doen, was terugvechten en de wereld eens even laten zien wie zij was. Een paar tranquillizers hield ze achter de hand, alleen om te zorgen dat haar woede niet doorsloeg op het gevaar af dat ze iemand zou vermoorden, maar dat was de enige reden. Ze was nu te wild, té dicht bij de waarheid om zich nog door andere mensen te laten manipuleren, want het was háár probleem. Alleen arme stakkers waren te angstig om de waarheid in het gezicht te zien.

Ze nam de wijn en een groot glas mee naar haar werkkamer. Het was nu duidelijk wat er moest gebeuren: ze zou een formeel en vakkundig rapport schrijven waarin ze tot in alle verwoestende details beschreef hoe er was geprobeerd de waarheid over de dood van Danny Wills onder het tapijt te vegen. Ook Marshalls zelfmoord zou er deel van uitmaken, maar ze had nu niet meer met hem te doen. Hij had de prijs voor zijn zwakheid betaald en zijn gezin moest er maar mee leren leven. Ze zou een kopie naar het ministerie van Justitie sturen, en ook naar de Plaatselijke Autoriteit, de Severn Vale Hospital Trust en Simone Wills. O ja, ze moest er ook een naar een notaris sturen. Als er geen nieuwe hoorzitting kwam waarin de volledige waarheid aan het licht werd gebracht, zou ze er persoonlijk mee naar de kranten stappen en ze een contract laten tekenen, zodat ze geen woord van haar kopij zouden kunnen veranderen.

Vier uur lang zat ze achter haar laptop zonder haar blik van het scherm af te wenden. Ze bleef aan haar rapport schaven totdat het document zich liet lezen als een oordeel van het Hogerhuis. Ze had zich door de wijn heen gewerkt en had nog een beetje extra nodig voordat ze de tekst voor het laatst ging doorlezen. Achter in een keukenkastje had ze een halve fles cognac staan die ze voor het koken had bestemd. Ze schonk een bekerglas half vol en proefde. Het gaf haar een heerlijk, verwarmend gevoel, helemaal tot in haar maag. Ze schonk het glas helemaal vol en nam het mee.

Ze moest met meer inspanning naar het scherm hebben gestaard dan ze dacht, want de woorden vermengden zich met elkaar toen ze probeerde de uitdraai te lezen. Ze ging op zoek naar de bril die ze nooit wilde dragen en probeerde het nog eens. Beter, maar niet goed genoeg. Ze moest moe zijn. Nog één keer doorlezen en dan naar bed; ze zette de wekker op vijf uur, om te zorgen dat haar onberispelijke rapport aan het begin van de nieuwe werkdag op alle relevante bureaus zou belanden. Daarna zou ze rustig wachten op de telefoontjes. Misschien kon ze nog wat in de tuin werken om de tijd door te komen.

Ze deed net haar laptop dicht toen haar vaste telefoon begon te jengelen. Het was bij elven. Ze zag Steve voor zich, opgesloten in een telefooncel, vervuld van bier en spijt – hij wilde natuurlijk komen om zijn hart uit te storten en haar te bezweren dat hij van haar hield. Ze liet het doorgaan en pas toen het toestel zweeg, nam ze het op om het nummer van de beller te bekijken. Het was Steve niet geweest; het was het mobiele nummer van Ross. Nu pas herinnerde ze zich dat het al donderdag was en dat ze zijn telefoontje van woensdagavond had gemist. Hoe had ze dat kunnen vergeten!? Ze toetste zijn nummer in.

'Ross?'

'Mam. Hoe is het?'

'Wel goed. En met jou?'

'De tentamens gaan beginnen. Het eerste is maandag: Engelse literatuur.'

'Natuurlijk. Hé, sorry voor gisteravond...'

'Geeft niks. Ik weet wat er is gebeurd.'

Jenny aarzelde, ze wist niet waar ze moest beginnen.

Ross zei: 'Gelegenheid geven voor het roken van een joint is géén misdrijf, of wel?'

'Het schijnt van wel. En zelfs tamelijk ernstig ook.'

'Ik wed dat je niet eens wist wat hij zat te roken.'

'Nee...' Ze kromp ineen bij haar leugen.

'Ik denk dat ze het erbij zullen laten. Per slot van rekening heb je geen strafblad.' Ze hoorde hem ironisch lachen. 'Je had paps moeten horen. Hij denkt dat jij een delinquent van mij hebt gemaakt.'

'Over een paar dagen zal ik je precies vertellen wat er is gebeurd. Ik heb hard aan een paar zaken moeten werken.'

'Gaat het wel goed met je, mam? Paps zei dat je...'

'Wat... Wat zei hij?'

'Het maakt niet uit.'

Jenny zuchtte en het oude schuldgevoel kwam weer boven. 'Het spijt me dat ik je dit laat doormaken. Het komt wel goed... Gun het een paar weken. Momenteel wil ik alleen dat jij goed door je tentamens komt zonder over mij in te zitten.'

'Komt goed... Wat doen we met het volgende trimester – wil je nog steeds dat ik kom logeren?'

'Allicht.'

Hij liet opnieuw een stilte vallen.

'Ross, wat is er toch...? Wat heeft je vader gezegd? Zeg het.'

'Met mij is er niets. Je weet hoe hij is.'

'Ik moet het weten. Ik beloof je dat ik geen ruzie met hem zal zoeken.'

'Hij denkt... hij gelooft dat je niet helemaal goed bent. Hij blijft maar zeggen dat jij hulp nodig hebt, maar dat je te koppig bent om...'

'O, werkelijk? Zegt hij ook waarvoor?' De woorden kwamen er scherper uit dan ze had bedoeld. 'Sorry.'

'Vergeet nou maar dat ik het heb gezegd. Ik zat erover in, dat is alles.'

'Dat hoeft niet, hoor. Met mij is alles goed.'

'... Zo klink je niet, mams.'

'Eerlijk -' Door de opening tussen de gordijnen zag ze een stel koplampen stoppen. Ze trok het gordijn opzij en zag de contouren van een prijzige sedan, niet het soort auto waar Steve in reed. Twee mannen stapten uit.

'Kan ik na de tentamens naar je toekomen en blijven? Ik kan je een beetje helpen met het huis.' Hij klonk bezorgd.

'Lijkt me geweldig...' Ze hoorde voetstappen op het tuinpad, gevolgd door twee stevige kloppen op de deur. 'Ross, kan ik je straks terugbellen? Er is iemand aan de deur.'

'Zo laat nog?'

'Ik denk dat het iets te maken heeft met mijn werk.'

'Ja, vast wel. Kijk deze keer eerst wat ie rookt.'

'Ross...' Hij hing op. Toen ze de kiestoon hoorde, had ze opeens de behoefte om te huilen.

De klopper werd opnieuw gebruikt, harder nu. Wie kon dat verdomme zijn, zo laat op de avond nog? Weer politie? Of iemand met een dagvaarding? Ze rukte de datastick uit haar laptop en keek vlug om zich heen, op zoek naar een plekje om hem te verstoppen. Opnieuw twee kloppen. Ze liep de gang in, tilde haar arm op en stopte de datastick in de smalle kier tussen het kozijn en het pleisterwerk, waar ze ook een reservesleutel bewaarde.

Ze riep door de afgesloten deur: 'Wie is daar?'

'Doe open, mrs. Cooper.' De stem klonk bars en bevelend, als die van een politieman.

'Zeg me wie u bent, dan zal ik er eens over denken.'

Uit de keuken kwam het gerinkel van brekend glas. Jenny draaide zich om haar as en trok de deur van de zitkamer dicht, maar er zat geen sleutel in de gangkant van het slot.

Opnieuw glasgerinkel, nu in haar werkkamer. Ze keek om en zag een gehandschoende hand de grendel op het raam terugschuiven. Ze nam een duik naar de trap, maar struikelde over de eerste tree en bezeerde haar knie. Hard. Verdomme. Ze omklemde de trapleuning toen er vlak achter haar twee mannen tegelijk opdoken. De kleinste was een veertiger met een gedrongen lichaamsbouw, gespierd onder zijn colbert, en met kortgeknipt grijs haar. Hij greep haar arm en rukte haar overeind op de gangvloer, zo hard dat ze bang was dat haar arm uit de kom was. De langste van het tweetal, donker en met een gegroefd gezicht, dreef zijn zware vuist in haar maagstreek zodat alle lucht uit haar longen werd gedreven. Ze zakte rochelend op haar knieën en de kleinste van het duo sloeg haar met de rug van zijn hand hard in het gezicht. Ze voelde haar hoofd tegen de tegels bonken en er stroomde bloed uit haar neus. Ze lag met haar benen gedraaid onder zich, maar had niet de kracht om zich de bewegen.

De kleinste, wiens gezicht beurtelings wazig en scherp werd, boog zich over haar heen, de handen op zijn dijen. 'Als jij wilt blijven leven, Jenny, weet je wat je te doen staat.'

Ze hapte naar adem, maar bloed verstopte haar luchtpijp. Hij richtte zich op en schopte haar venijnig tussen de benen – een pijn die haar bekken leek open te splijten.

'Laat de zaak verdomme rusten!'

De schoen tegen haar kin voelde ze niet eens, alleen haar nek die achterover klapte als een zweep, voordat het donker werd om haar heen.

Steve zei dat hij haar met haar gezicht omlaag op de vloer van de zitkamer had gevonden, een kussen onder haar hoofd. Hij was kort na middernacht bij het huis gearriveerd en had dadelijk gezien dat de keukenruit en de ruit van haar werkkamer waren verbrijzeld. De voortuin lag bezaaid met computerkabels en vellen papier. Hij was met de ambulance meegereden en had haar hand vastgehouden terwijl ze hem – door een onderkaak die ze nauwelijks kon bewegen – probeerde te zeggen wat er was gebeurd. Hij zei dat ze zich geen zorgen hoefde te maken: de politie was al in haar huis en had gezien dat ze beroofd was.

Ze brachten haar over naar het Algemeen Ziekenhuis van Newport en stopten haar vol met pijnstillers. Af en toe kwam ze wat bij en verloor meteen weer het bewustzijn, terwijl meerdere paren handen haar lichaam optilden en onder een röntgentoestel manipuleerden. Toen ze haar later door de gang terugreden, zag ze Steve met vermoeide ogen naar haar glimlachen. Hij zei dat het er gunstig uitzag: ze had niets gebroken en was alleen bont en blauw. Een arts vertelde hem dat hij niet kon blijven – op de zaal waar ze haar heen brachten lagen meerdere patiënten te slapen. Ze hoorde hem vragen waar hij in het gebouw de nacht door kon brengen. Een vrouwenstem antwoordde dat dit alleen kon in de wachtruimte van Spoedgevallen.

Jenny kneep in zijn hand. Ze kon alleen maar fluisteren. 'Ik wil inspecteur Williams spreken.'

25

De douche van het ziekenhuis rook sterk naar een desinfecterend middel, maar het water was warm en drong weldadig door in haar pijnlijke spieren. Iedere beweging veroorzaakte hevige pijn: haar benen, haar borstkas, haar linkerschouder en haar onderkaak. De rechterhelft van haar gezicht was opgezwollen als dat van een bokser en ze had een buil ter grootte van een halve sinaasappel op haar schaambeen. Ze probeerde haar polsen gekruist tegen de muur te leggen om haar hoofd ertegenaan te laten leunen, maar ze kon haar ene arm niet optillen. Het enige wat ze kon doen, was rechtop onder de douchekop staan en zich af en toe wat voor- of achteroverbuigen om de loop van het water te veranderen.

Om onverklaarbare redenen voelde ze zich dankbaar voor de fysieke pijn, want die leek haar geestelijke roerselen naar de oppervlakte te brengen, als een pan kokend water dat bruisend opkomt. De chemische stoffen die haar lijf anders produceerde om paniekgevoelens op te roepen, leken nu volledig nodig te zijn voor de strijd tegen haar recentere traumata. Ze had folterende fysieke pijn, maar haar psyche deed bijna vredig aan, blij met de rechtlijnige eenvoud van haar worsteling in het hier en nu.

Steve zat naast haar bed te wachten toen ze langzaam de zaal in hinkte. Hij keek naar haar alsof ze terminaal ziek was. 'Hoe is het?'

'Ik leef.'

'Ik heb Williams gesproken. Hij komt zo gauw mogelijk.'

'Bedankt. Misschien zal ik al voor die tijd weg zijn, zodat ik zelf naar hem toe moet.' Voorzichtig ging ze op het bed zitten. 'Ze verspillen hier geen medeleven – volgens hen kan ik naar huis.'

'Belachelijk.'

'Als je te lang in dit soort oorden rondhangt, loop je nog iets op ook – geloof me, ziekenhuizen zijn dodelijk.' Ze probeerde haar hand uit te steken naar haar kleren, netjes opgevouwen in het nachtkastje. 'Ze zullen me moeten helpen.'

Hij keek om zich heen, op zoek naar een verpleegster. 'Ik ga wel even iemand zoeken.'

'Trek het gordijn maar dicht. Niks dat je niet eerder hebt gezien.'

Hij probeerde niet te kijken toen hij haar hielp een schone slip aan te trekken, gevolgd door haar jeans. Daarna haakte hij haar beha dicht. Ze voelde zijn ongerustheid en schuldgevoel, maar vond het allang mooi hem een poosje in zijn sop te laten gaarkoken. Hij stelde geen vragen en zij evenmin, niet voor ze aangekleed was en met haar goede arm haar haar fatsoeneerde.

'Weet Annie dat je hier bent?'

'Wat gisteren is gebeurd, was een vergissing. Ze had pech met haar auto. Ik wist niet eens dat ze naar me toe kwam voor ze er was.'

'Het is jouw leven, Steve, en je kunt ermee doen wat je wilt. Verwacht alleen niet van mij dat ik in de rij ga staan.'

'Ik weet niet of het verschil maakt, maar ik heb haar niet...'

Haar blik legde hem het zwijgen op.

Hij zei: 'Ik ga dit rechtzetten met haar; ik zal haar zeggen dat het voorbij is, voorgoed Jenny.'

'Ik was gisteravond van plan je te vragen mee te gaan naar mijn huis.' Jezus, ze kon zelf niet geloven dat ze zo manipuleren kon. Waar was ze mee bézig?

Ze wilde alleen zien hoe hij zou reageren, dat was het. Ze zag hoe gekweld hij was. Schaamte en spijt streden om voorrang op zijn gezicht.

'Het spijt me.' Hij raakte haar hand aan. 'Ik meen het.'

Ze trok zich terug. 'Ik heb een telefoon nodig. Ik wil die inspecteur bellen.'

Ze reden in onbehaaglijke stilte in een taxi terug naar haar huis. Ze wisten geen van beiden hoe het nu verder moest, niet nu er geen seksuele lading was om het ijs te breken. Toen ze er waren, verwachtte ze dat hij zich zou excuseren en weggaan, maar hij verbaasde haar. Hij hielp haar de taxi uit, escorteerde haar naar binnen, zorgde dat ze gemakkelijk op de bank zat en maakte ontbijt voor haar klaar, terwijl ze op de komst van Williams wachtte. Ze moest erkennen dat hij zich wist te gedragen als dat nodig was. Er was nog hoop.

De inbrekers hadden haar computer en een paar dozen met paperassen meegenomen, al hield niets daarvan verband met de zaken van Katy en Danny. De datastick hadden ze echter niet gevonden. Steve haalde hem voor haar uit de bergplaats boven het deurkozijn. Ook hadden ze de foto's van Harry Marshall niet gevonden, die hadden nog op de passagiersstoel van haar naast het huis geparkeerde Golf gelegen.

Toen Williams arriveerde, vergezeld door een aankomende rechercheur, kon deze zijn zware stoeptegel van een politielaptop uit zijn auto halen en de bestanden van Peterson bekijken. Terwijl Steve zich in de keuken ophield, vertelde ze hem wat er de vorige avond was gebeurd. Ze zette hem haar theorie uiteen dat, toen Harry Marshall eenmaal dat tweede sectierapport van Peterson had ontvangen, de UKAM hem erin had geluisd, en misschien zelfs ook Peterson zelf. Het feit dat Peterson zelfs geen schriftelijk sectierapport had ingestuurd en dat pas weken na de sectie op haar lichaam alsnog had gedaan, deed vermoeden dat hij zich in een lastig parket had bevonden: hij had geen leugenachtig rapport op papier willen zetten. Als er nog verdere bewijzen nodig waren, hoefde Williams zich maar te realiseren dat de twee mensen die dicht bij de waarheid dreigden te komen, zijzelf en Tara Collins, door valse aanklachten in een onmogelijke positie waren gemanoeuvreerd. Oké, Steve had misschien wiet gerookt, maar een man wiens signalement overeenkwam met het uiterlijk van een van haar aanvallers was enkele dagen eerder in de plaatselijke kroeg geweest om informatie over haar in te winnen. Ze durfde erom te wedden dat hij degene was geweest die Williams had ingelicht.

De inspecteur uit Wales hoorde het allemaal onbewogen aan en maakte zorgvuldig notities. Af en toe stelde hij een vraag. Toen hij de foto's van Harry met de schandknaap te zien kreeg, sloeg hij zijn ogen neer en schudde het hoofd, duidelijk geschokt.

'Ik neem aan dat mrs. Marshall hiervan niet op de hoogte is?'

'Nee.'

'Dan zullen we ons best doen om dat zo te houden, ja?'

Jenny knikte onwillekeurig, aangestoken door zijn morele zekerheid.

Hij las zijn notities nog eens door om de volgorde van de gebeurtenissen in zijn hoofd te prenten. Toen draaide hij zich om en begon in het Welsh met zijn jongere collega te fluisteren. Ze bleven een poosje met elkaar overleggen, totdat hij zich weer tot haar wendde.

'Wat u ons zojuist hebt verteld, mrs. Cooper, kan uiteraard uitdraaien op een uiterst serieus en verregaand politieonderzoek. U hebt het in feite over een wijdvertakte samenzwering, een veelkoppige hydra, zogezegd.'

'Alles is te herleiden tot hetzelfde begin.'

Hij knikte en streek met zijn vinger over zijn recent getrimde snor. 'Waar ik vooral mee zit, ziet u, is de kwestie van jurisdictie. Het is duidelijk dat onze collega's in Engeland – om redenen die zij zelf het beste kennen – er de voorkeur aan hebben gegeven om niet met de vereiste grondigheid de dood van miss Taylor te onderzoe...'

'Ik heb zo'n idee dat daar eerder politieke redenen achter zitten dan een motief van de politie zelf. We hebben het hier over contracten met de overheid voor de bouw en exploitatie van een grote strafinrichting, waarmee miljoenen ponden zijn gemoeid.'

'Waarvan er maar heel weinig zullen achterblijven in Wales, ongetwijfeld.' Hij glimlachte en moedigde haar vertrouwen in hem aan. 'Waar ik aan denk, is dat u zich voor dit moment zou moeten beperken tot een verklaring die alleen betrekking heeft op de inbraak en de aanval waarvan u gisteravond het slachtoffer bent geworden. Dan kunnen we ons uitgebreidere onderzoek als het ware onder de radar uitvoeren, zo u wilt.'

'Ik geloof niet dat ik u kan volgen.'

Williams liet zijn hoofd wat zakken, geduldig. 'Het kan een heikele kwestie worden als het er straks op aankomt uit te maken welk politiekorps onderzoek naar deze misdrijven moet doen. Als wat u mij hebt verteld waar is, zullen we het er ongetwijfeld wel over eens zijn dat we een situatie moeten vermijden waarin de politie van Bristol zelf deze zaken gaat onderzoeken. Niet dat ik een chauvinist ben, maar ik zou die Engelse schoften niet verder vertrouwen dan ik kan pissen.'

'U wilt in uw eentje achter de UKAM aan.'

Zijn ogen glimlachten. 'Om u de waarheid te zeggen, is het hier de laatste tijd wat stilletjes geweest, mrs. Cooper. Ik kan wel een beetje opwinding gebruiken.'

'Mr. Williams, ik zou graag mijn baan terug hebben.'

De inspecteur knikte, alsof hij daar al over had nagedacht. 'Mijn contacten bij het Openbaar Ministerie zullen zich misschien wel laten overtuigen, denk ik.' Toen wendde hij zich naar Steve en zijn gezicht liep rood aan. 'Maar een ding kan ik je wel zeggen, mr. Painter – nog één vleugje van die rotzooi in mijn district en het kost je de kop!'

Steve ving Jenny's blik en zei: 'Ik knoop het in mijn oren.'

Nadat de twee politiemannen waren vertrokken, kwam Steve de kamer in en ging op de armleuning van de fauteuil tegenover de bank zitten, maar hij deed het voorzichtig, alsof hij niet zeker wist dat hij welkom was. Jenny, die zich concentreerde op een venijnige nieuwe pijn die vlijmscherp door haar schouder schoot, negeerde hem terwijl ze onbeholpen een nieuwe dosis pijnstillers uit de strip drukte die het ziekenhuis haar had meegegeven.

Steve probeerde een gesprek aan te knopen en zei: 'Zag je hoe kwaad hij opeens werd, in een halve seconde? Zoiets heb ik alleen Welshmen zien doen... en misschien ook een enkele Italiaan.'

Jenny zei: 'Daar komt het vermoedelijk ook vandaan. Het wemelt hier in Wales van de Italianen – die zijn in de negentiende eeuw hierheen gekomen, toen hier hoogconjunctuur heerste.'

'O ja? Dat wist ik niet.'

Hij keek toe hoe ze de pillen wegspoelde met het koude restje van haar thee.

Ze hoestte en wist, ondanks de folterende pijn van haar schokkende lichaam, uit te brengen: 'Je hoeft je niet verplicht te voelen om hier te blijven hangen, hoor. Ik kan me voldoende bewegen om zelf naar het toilet te gaan en zo.'

'Ik vind dat je niet alleen moet blijven.'

'Wilde je hier de hele dag blijven plakken?'

'Luister, ik meende wat ik zei over wat er gisteren is geb...'

'Waarom geef je niet gewoon toe dat je, toen ze jou kwam opzoeken, niet bij machte was nee te zeggen?'

'Dat gaat gebeuren, voortaan. Dat wil je ik verzekeren.'

'Mooi dan.' Ze tilde haar benen moeizaam op de bank, proberend het zich gemakkelijker te maken.

'Je wilt me geen kans geven?'

Ze keek naar hem, niet onder de indruk. 'Voor wat?'

'Wat je maar wilt...'

Schouderophalend zei ze: 'Ik wil helemaal niks.' Of ze het meende of niet, het gaf haar een goed gevoel het te zeggen. 'Ik zal eerlijk tegen je zijn. Ik heb geen belangstelling voor liefde, gebonden zijn of praten over de toekomst. Dat is toch allemaal geleuter.'

'Jij hebt mijn keuken op stelten gezet omdat ik een andere vrouw boven had.'

'Ik ben een neuroot. Ik loop al twee jaar bij een psychiater.'

'Je verhaal is goed.'

'Wat ik zeg, Steve, is dat ik geen belangstelling heb voor jouw problemen met zelfbeheersing of wat voor problemen dan ook – ik heb er zelf meer dan genoeg.'

Hij knikte, gekrenkt. 'Nou, hoe staat het ervoor, gaan we nog met elkaar naar bed?'

'Heb je niet gezien waar ik geschopt ben?'

Hij stond op uit de fauteuil en nam haar gebruikte theekop. 'Zou je niet eens proberen wat te rusten?'

Hij wekte haar uit haar halfslaap en hield haar de telefoon voor – Williams wilde haar spreken. Ze kreunde. Elk gewricht en iedere spier was tijdens haar slaap stijf geworden. Steve zei haar niet te bewegen en hielp haar de telefoon tegen haar oor te drukken.

Williams zei: 'Ik heb even gepraat met de officier van justitie hier, en hij heeft de situatie heroverwogen.'

'Wat houdt dat in?'

'Hij heeft besloten de aanklacht tegen u te seponeren, omdat die weinig kans maakt, maar ze verwachten wel dat mr. Painter schuld bekend wegens het in bezit hebben.'

Ze keek op naar Steve. 'Dat gaat vast wel lukken.'

'Voortreffelijk. Ik zal het doorgeven.'

'Kunt u hem vragen dit op schrift te zetten? Ik heb een kopie nodig die naar het ministerie van Justitie moet. Mijn hoorzitting moet maandagochtend worden heropend.'

'Zeker. En als ik iets kan doen om u te helpen...'

'We houden contact.'

Steve vroeg: 'Nou?'

Glimlachend gaf ze hem de telefoon terug. 'Nu heb je de kans mij te laten zien uit welk hout je werkelijk gesneden bent. Hoe laat is het?'

'Twee uur. Hoezo?'

'Dat zal ik je zeggen onderweg naar het station. Help me eerst even om wat behoorlijks aan te trekken.'

Ze belde in de auto Moretons kantoor en kreeg een assistente aan de lijn die zei dat hij tot het eind van de dag in vergadering zat; kon ze het maandag weer proberen? Jenny zei dat ze een dringende brief naar hem had gefaxt en dat ze daar vandaag nog met hem over moest praten. Het betrof een geruchtmakende zaak waarvan de hoorzitting maandag moest worden heropend. Toen de assistente zei dat ze betwijfelde of hij tijd zou hebben de brief te lezen, laat staan voor een ontmoeting zonder afspraak, zei Jenny: 'Als u zo vriendelijk wilt zijn hem te zeggen dat Jenny Cooper, de rechter van instructie voor het district Severn Vale vanmiddag om vijf uur in zijn kantoor zal zitten, zal hij wel een ogenblikje weten te vinden, daar ben ik zeker van.'

Selbourne House was een van de reeks identieke, zielloze kantoren van beton en glas langs het eind van Victoria Street dat uitkwam op Parliament Square. Het was het soort gebouw dat anders altijd haar claustrofobie opriep, maar de ene Temazepam die ze onderweg had genomen hield de paniek op afstand. Haar zenuwen waren weliswaar niet zo stabiel als ze waren geweest onder invloed van antidepressiva en bètablokkers, maar ze kon tenminste de emoties die ze voelde nu onderscheiden en herkennen. De assistente, een vrouw met samengeknepen lippen die tegen de zestig moest zijn, kwam haar afhalen in de receptie en liep met een minimum aan beleefdheden snel naar de lift, zonder enig commentaar op haar gekneusde gezicht of de hinkende manier waarop ze haar met een van pijn vertrokken gezicht volgde. Terwijl ze in ongeduldig zwijgen opstegen naar de vijfde etage bespeurde Jenny haar afkeuring: ze liet er geen twijfel over bestaan dat haar komst als bijzonder brutaal en eigenzinnig werd beschouwd.

Ze had bijna twintig minuten gewacht toen Moreton eindelijk verscheen, met een kopie van de brief van de hoofdofficier van justitie voor Newport. Hij zag er vermoeid uit aan het eind van een lange week en leek zowel verontrust over, als verlegen met haar komst. Net als zijn assistente zei hij geen woord over haar gehavende gezicht.

'Ik zie dat je goed nieuws hebt ontvangen, Jenny.' Hij twijfelde even over de plaats die hij aan de vergadertafel zou innemen en koos uiteindelijk voor de voorzittersstoel aan het hoofd. 'Heb je enig idee wat de aanleiding daartoe was?'

'Ik denk dat ze geloven dat ik de waarheid heb gezegd. Ik wist niet wat mijn gast in de sigaretten had gestopt die hij rookte.'

Moreton glimlachte geamuseerd. 'Zelfs ik weet hoe wiet ruikt.'

'Dat spul roken schijnt tegenwoordig een eerste vereiste te zijn voor hoge regeringsfunctionarissen – volgens de laatste berichten zeven leden van de ministerraad.'

'Politici komen en gaan, Jenny. Een rechter van instructie is een permanente ambtsdrager.'

Jenny stond er zelf versteld van dat ze zo kalm bleef. 'Zo is het maar net. Een rechter van instructie kan alleen uit zijn of haar ambt worden gezet wegens wangedrag tijdens de uitoefening van dat ambt. Ik ben niet aangeklaagd voor enigerlei misdrijf, noch heb ik mij in mijn functie misdragen.'

'Daar valt over te twisten.'

'Kun je wat specifieker zijn?'

'Je stond op het punt een commercieel gevoelige inschrijving openbaar te maken. Daarmee zou je het bouwprogramma voor nieuwe strafinrichtingen in gevaar hebben gebracht. Op zijn minst zou er een nieuwe inschrijving moeten worden gehouden, op kosten van de belastingbetaler.'

Jenny had zin hem te vertellen wat ze dacht van zijn bouwprogramma, maar ze hield haar woede voldoende in om te zeggen: 'Mijn oprechte excuses voor die beoordelingsfout, mr. Moreton, en ik zou je in overweging willen geven die te wijten aan wat te grote ijver in het begin van mijn ambtsperiode.'

'Ik zou je geruststelling graag accepteren, Jenny, maar als een rechter van instructie dit soort blunders maakt...'

'Ik heb me vijftien jaar in dienst van de provinciale Plaatselijke Autoriteit ingezet voor de belangen van kinderen, terwijl ik in een privé-praktijk drie keer mijn salaris had kunnen verdienen. Niemand kan mij ervan beschuldigen dat ik geen plichtsbesef zou hebben.'

'Natuurlijk niet.'

'Ik geef toe dat ik me wellicht wat liet meeslepen door mijn gevoel, maar als ik van deze ervaring één ding heb geleerd, is het wel dat een rechter van instructie een mate van afstandelijkheid moet betrachten waaraan ik moet wennen. Dat is precies wat ik in de toekomst zal doen.' Ze hield zijn blik vast, zich bewust hoe zijn blik afdaalde naar haar paar centimeter decolleté, en gaf hem het soort subtiele blik dat hem zei dat ze het niet erg vond.

'Wij zijn ons ervan bewust...' Hij hakkelde even en kreeg een kleur. 'Volgens jouw conduitestaat heb je tegen het einde van je vorige baan wat "persoonlijke" problemen gehad.'

'Ik had een notoir overspelige echtgenoot die mij voor het gerecht sleepte vanwege de voogdij over onze zoon. Het was een wonder dat ik überhaupt mijn werk heb kunnen doen.' Ze bleef hem aankijken.

'Juist...'

'Ik vraag niet alleen om ambtsherstel, maar zou je hulp en aanmoedigingen de komende maand graag verwelkomen. Een rechter van instructie kan zich heel alleen voelen zonder een collega die haar van nabij kan steunen.'

Moreton knikte langzaam. Jenny kon zien dat hij zich al een voorstelling maakte van dagtochtjes naar Bristol, declareerbare lunches en haar benen strelen onder de tafel . Hij zei: 'Wat is er met je gezicht gebeurd, als je het niet erg vindt dat ik ernaar vraag?'

'Ik had een aanvaring met inbrekers. En ik maar denken dat je in de provincie veiliger bent.'

'Afschuwelijk.'

'Niets gebroken. Het had erger kunnen zijn.'

'Ja...' Hij keek op zijn horloge. 'Je zult wel toe zijn aan een borrel. Ik hoef pas over een halfuur te vertrekken.'

'Eentje dan.'

Hij nam haar mee naar een bodega aan de overkant en liet een fles pouilly fumée aanrukken, in een ijsemmer. Buiten zijn werk was hij in feite geen saai gezelschap. Hij wees haar de verschillende klieken, ieder in hun eigen hoek van de bar-bodega: ambtenaren in goedkope kostuums, zonder stropdas, televisiemensen met dure designzonnebrillen en een geitensik die zich niet ouder mochten kleden dan een dag boven de dertig, hoe oud ze ook waren, en een handvol politici en hun glibberige adviseurs die eeuwig aan de telefoon hingen of steeds over de schouder van hun gesprekspartner rondkeken naar belangrijker oren voor hun influisteringen.

Het was niet wat zij had verwacht van hoge functionarissen, zoals deze gefrustreerde overheidsdienaar die ze met haar charmes moest lijmen, maar het werkte. Moreton belde naar het bureau van de minister van Justitie terwijl hij het laatste restje uit de fles schonk. Even later kreeg hij een telefoontje waarin hem werd gezegd dat er geen bezwaar was tegen ambtsherstel.

Terwijl ze hem over de rand van haar glas aankeek, zei Jenny: 'Je gaat me niet beletten maandag de hoorzitting over Danny Wills te heropenen? Het lijkt mij dat deze zaak afmaken het minste is wat we voor de moeder kunnen doen.'

'Ik ben er zeker van dat je dat heel bekwaam zult doen, Jenny.'

Ze voelde de warmte van zijn knie op niet meer dan een paar centimeter van de hare. Ze bewoog de hare iets opzij om hem de aanraking heel even toe te staan.

26

Alisons man nam de telefoon aan en zei dat ze zich niet lekker voelde; ze was zichzelf niet. Het verheugde hem te horen dat de situatie weer normaal werd, maar hij betwijfelde of ze al over een paar dagen kon komen – ze moesten eerst afwachten hoe ze zich voelde. Hij deed vriendelijk en verontschuldigend, maar Jenny bespeurde iets van verbittering en zijn ambivalente woordkeus verried haar het verhaal: Alison was ten prooi aan een depressie die hij niet begreep. Hij kon niet tot haar doordringen en ze zou hem alleen vragen haar met rust te laten als hij haar zijn jongste theorie over wat haar mankeerde wilde laten horen.

Zonder Alisons hulp zou ze het hele weekeinde nodig hebben om de hervatting van de hoorzitting op maandag te organiseren, maar als ze het uitstelde zou het verrassingselement verloren zijn en zouden de getuigen die ze opnieuw wilde oproepen de tijd krijgen hun verhalen aan te passen. Ze wilde dat de jury hen zou zien struikelen en dan bekennen als zij de waarheid uit hen wrong. Alleen zo kon ze de klus klaren voordat er iets anders kon gebeuren dat haar een spaak in de wielen zou steken.

Tijdens de treinreis terug naar Bristol probeerde ze iemand van Granthams bureau te pakken te krijgen die bevoegd was haar weer op kantoor toe te laten. Ze kreeg alleen het ene antwoordapparaat na het andere aan de lijn en belde uiteindelijk een van de architecten van het kantoor boven het hare thuis. Zelf verbaasd over het gemak waarmee ze kon liegen, legde ze uit dat haar tas door inbrekers was gestolen en dat ze het kantoor in moest om de sloten te laten vervangen voordat de dieven weer toesloegen. Het lukte. Ze haalde een kopie van de sleutel van de voordeur af bij zijn huis in het dorp Clifton en sprong weer in de taxi om de slotenmaker die ze had gebeld op te vangen bij haar kantoor. Om tien uur die avond was ze binnen en weer op haar post.

Het was al na twaalven toen ze met een boodschappentas vol dossiers haar huis in strompelde; ze had overal pijn en besefte opeens dat ze al acht uur lang geen pil meer had ingenomen. In de taxi naar huis had ze zichzelf erop betrapt dat ze hoopte dat Steve thuis op haar wachtte, maar ze trof alleen de geur van zijn sigaret aan met een briefje: *Hopelijk goed nieuws. Je weet waar je me kunt vinden. S x.* Ze bestudeerde de 'x', op zoek naar enigerlei aanwijzing die haar kon vertellen of hij die had geschreven zonder erbij na te denken, of dat het werkelijk iets zou betekenen. Ze kwam in de verleiding naar hem toe te rijden, maar ze wilde niet te gretig lijken en zijn ego strelen terwijl hij zich behoorde te schamen. Ze zou tot na de ochtend wachten en besloot om, als hij kwam, een nieuwe voorwaarde te stellen als hij ooit nog met haar het bed wilde delen: hij diende een telefoon te nemen.

Ze verorberde een laat ontbijt aan de tuintafel op het gazon en sprak een boodschap in voor Ross om hem het goede nieuws te laten weten. Op dat moment stopte een politiewagen op haar karrenspoor. Williams stapte uit aan de passagierskant. De agente die deel had uitgemaakt van het team dat haar huis de vorige week had doorzocht, wachtte achter het stuur. Williams bood haar zijn verontschuldigingen aan voor de storing, maar dacht dat zij wel zou willen weten dat hij een spoor had gevonden naar haar belagers: een zwarte Mercedes 320 was door een flitscamera verderop in het dal geregistreerd, een paar minuten na de tijd die zij voor de inbraak had genoemd. Er hadden twee mannen voor in de auto gezeten, en de auto zelf was gehuurd van een bedrijf in Bristol. Er was betaald met een creditcard op naam van een onderneming die TRK Ltd heette. Dat bedrijf was niet meer dan een lege huls, maar de enige directeur was een ex-werknemer van een particulier beveiligingsbedrijf dat volledig eigendom was van de UKAM. Williams had een paar man erop uitgestuurd om die man op te pakken.

Jenny zei: 'Je zou zo denken dat ze hun spoor wel moeilijker te traceren zouden hebben gemaakt.'

'Ze rekenden er natuurlijk op dat u zich wel koest zou willen houden, maar om aan de veilige kant te blijven zoudt u wellicht beter voor de volgende paar nachten een hotel kunnen nemen, op zijn minst totdat we ze bij de kladden hebben. Het zou verstandig kunnen zijn uw zoon ook te zeggen dat hij op zijn hoede moet zijn.'

Ze knikte en voelde een golf van angst opkomen nu ze zich realiseerde hoe verstrekkend de taak was die ze op zich nam. 'Ik ben van plan mijn hoorzitting aanstaande maandag te hervatten. Dat zal veel opzien baren. Ik ga de directeur van Portshead Farm opnieuw horen, en enkele personeelsleden en Frank Grantham, dr. Peterson...'

'Ik heb daarover nagedacht, mrs. Cooper. Ik vroeg me af of u misschien zou willen overwegen het over een andere boeg te gooien...'

'Ik weet niet eens precies welke koers ik nu vaar. Ik ben mijn rechtszaak tijdens mijn schorsing kwijtgeraakt.'

'Is het redelijk te zeggen dat u bij voorbaat rekent op een zeker gebrek aan medewerking?'

'Waar denkt u aan?'

'Laten we eens zeggen dat u de zitting hield aan deze kant van de rivier, bijvoorbeeld in Chepstow. Mijn jongens kunnen er dan voor zorgen dat uw getuigen opdraven – en als een van hen ertussenuit probeert te knijpen, geeft ons dat de kans hem of haar op te pakken. En als we eenmaal legaal in een pand aanwezig zijn...'

'Kunt u ze mooi allemaal in het oog houden.'

Williams glimlachte.

Ze pakte genoeg kleren voor verscheidene dagen in een koffer en laadde die met al haar naslagwerken en dossiers in de kofferruimte van haar Golf. Ze zette zich schrap voor een telefoontje naar David om hem de situatie zo rustig mogelijk uit te leggen. Hij zei ijzig dat hij zich nooit had gerealiseerd dat het ambt van rechter van instructie zo enerverend kon zijn, met als ondertoon dat alleen zij, de theatermaakster, iets had kunnen bedenken om het zo ver te laten komen. Ze had hem erop kunnen wijzen dat ze ook een ondertoon van jaloezie ontdekte: als zijn neuroot van een ex-vrouw zulke belangrijke en gevaarlijke zaken moest behandelen, kon dat alleen betekenen dat hij het risico liep dat ze zijn ster zou verduisteren. Wie van hen zou dán het respect van hun zoon genieten?

Steve was niet thuis toen ze langs zijn huis reed, zodat ze een briefje achterliet: *Succes. Werk het hele weekeinde en blijf in de stad. Bel me. J.* Na een korte aarzeling voegde ze er 'x' aan toe.

De rest van de ochtend bracht ze door in Chepstow om zich van een ruimte te verzekeren die geschikt was als rechtszaal. Op voorstel van Williams huurde ze de aula van een schoolgebouw opzij van de hoofdstraat en kreeg zelfs een gepensioneerde bode van het County Court te pakken. Hij heette Arwen Hughes en was een accurate ex-militair en steunpilaar van diverse plaatselijke comités die erin toestemde in te vallen als bode. De middag gebruikte ze om nieuwe dagvaardingen in het kantoor op te stellen. Ze moest in iedere envelop genoeg geld bijsluiten voor de reiskosten naar de rechtszaal. Op de lijst voor de eerste dag prijkten de namen van Justin Bennett, de cipiers Darren Hogg en Kevin Stewart, en verder Elaine Lewis, dr. Peterson en Frank Grantham.

Haar volgende opgave was het opduikelen van een deurwaarderskantoor dat bereid was voor minder dan een bedrag van vier cijfers op zaterdagavond dagvaardingen te bezorgen. Na bij het merendeel van de

deurwaardersfirma's in de Gouden Gids bot te hebben gevangen, slaagde ze uiteindelijk bij een eenmanszaak in St. Paul's die bereid was het
voor vijfhonderd pond te doen. Ze was een vertegenwoordigster van de
Kroon met evenveel bevoegdheden als een rechter van de Hoge Raad,
maar zag zich laat op de avond gedwongen briefjes van tien uit te tellen
voor de vetzak die voor haar kantoor stopte en haar claxonnerend ver-
wittigde van zijn komst, te beroerd om zijn auto uit te komen. Tijdens
haar eerste dagen bij de balie, toen ze vaak dronkaards en tot geweld
geneigde vaders had moeten dagvaarden, had ze meer respect onder-
vonden. Toen de dagvaardingen onderweg waren, moest ze elk jurylid
afzonderlijk bellen en uiterst precies uitleggen welke route hij of zij
moest volgen om de rechtszaal te vinden – en ja, er werd gezorgd voor
een lunch. Haar laatste telefoontje, dat ze steeds had uitgesteld, was naar
Simone Wills.

Er werd opgenomen door een joch van een jaar of tien die zei dat zijn
moeder boven was. Op de achtergrond hoorde ze blèrende kinderstem-
men die concurreerden met de televisie. Jenny vroeg of hij haar even
wilde gaan halen – het was belangrijk. De jongen zei dat hij dat niet kon
doen: ze was met Kenny.

'Ik wacht wel even.'

De jongen zei: 'Oké,' en legde de telefoon knalhard neer. Hij schreeuwde naar boven dat er iemand aan de telefoon was, maar kreeg geen antwoord. Ondanks de krijsende peuters en cartoons hoorde ze het
ritmische kreunen van een vrouw, vergezeld van bonkende geluiden. Ze
besloot het te laten zitten tot de volgende ochtend. Simone Wills had nu
andere dingen aan haar hoofd.

Ze had zich nog nooit zo eenzaam gevoeld als nu ze in het kantoor achter de aula zat, die gedecoreerd was met voorstellingen van Noach en
zijn ark. Ze had al twee nachten in dit stadje in Wales doorgebracht en
slechts één boodschap gekregen van Steve, waarin hij haar gelukwenste
met haar ambtsherstel. Hij zou wel naar haar toe zijn gekomen om haar
te zien, maar hij had voor een paar dagen houthakkerswerk aangenomen en had het geld nodig. De scherpte in zijn stem was haar niet ontgaan: zij mocht dan dingen te doen hebben, maar hij ook. De enige aan
wie ze aanspraak had was Williams, en over hem begon ze zich zorgen
te maken. Hij was er zo op gebrand de Engelsen een hak te zetten dat ze
hem moest manen zich in te tomen en het niet al te hard aan te pakken.
Haar eenzaamheid had haar echter de kans gegeven zich ook te bezinnen op haar persoonlijke motieven. Het ging nu niet meer alleen om
gerechtigheid voor Danny Wills of Katy Taylor; ze wilde het volgens de

regelen der kunst afhandelen als Jenny Cooper, succesvol en gerespecteerd rechter van instructie.

Ze had één enkele Temazepam genomen en had een buisje geprepareerde pepermuntjes in haar zak. Vanwege het gebrek aan slaap en de angst leek het medicament nauwelijks enig effect te hebben. Haar hart klopte gejaagd, haar handpalmen waren klam en haar tong voelde aan als te groot voor haar mond. Ze had in het weekeinde een arts moeten zoeken om de pillen die ze door de gootsteen had weggespoeld te vervangen, maar ze had zichzelf ervan weten te overtuigen dat ze zo energiek zou zijn dat ze die niet nodig had. Op de hotelkamer had het heel logisch geleken, maar nu ze op het punt stond een hoorzitting te gaan leiden zag ze zelf niet meer hoe ze er doorheen kon komen.

De begrafenisvoetstappen van Arwen kwamen naar haar deur. Hij klopte twee keer aan.

'Kom binnen.' De woorden stokten in haar keel.

De zeventigjarige ex-militair kwam binnen en nam meteen de houding aan. Hij droeg een regimentsjasje met bijpassende stropdas onder zijn toga en zijn schoenen blonken als spiegels. 'We zijn zover, mevrouw.'

Ze liep de aula in, een zaal met een hoog plafond die in de victoriaanse tijd was gebouwd en nog altijd grimmige doelgerichtheid uitstraalde. Haar tafel, waarover een groen laken was gelegd, stond op een meter of drie afstand van de rij tafels die de hele breedte van de zaal besloeg en die werd bemand door een rij agressieve en verontwaardigd ogende juristen. Hartley had de plaats in het midden opgeëist.

Rechts van haar zat de jury op twee rijen van vier stoelen elk. De rest van de zaal zat stampvol gretige journalisten. Simone Wills en twee van haar vriendinnen, vrouwen die Jenny herkende van de verdaagde zitting, hadden aan het eind van een rij wat stoelen veroverd en wierpen woedende blikken naar journalisten die hen dreigden te verdringen. Van de UKAM-directie was geen spoor te bekennen en de enige van de gedagvaarde getuigen die ze kon zien was Justin Bennett op de achterste rij, vlak bij de uitgang. Met een groeiend gevoel van onwerkelijkheid nam Jenny haar plaats in. Honderd ogenparen waren op haar gericht.

Ze hield haar inleiding kort om het beven van haar stem te camoufleren, bedankte iedereen voor hun geduld gedurende de verdaging en zei te hopen dat de zaak nu snel kon worden afgehandeld. Ze zag hoe Giles Hartley probeerde haar aandacht te trekken, erop gebrand de situatie te beheersen, maar ze liet hem wachten en wendde zich tot Arwen Hughes, die zich met een opnameapparaat achter een tafel links van haar had verschanst, tussen haar en de rij juristen.

'Mr. Hughes, hebben alle getuigen gehoor gegeven aan hun dagvaarding?'

Hij stond op en maakte een bestudeerd eerbiedig buiginkje. 'Nee, mevrouw.' Hij nam zijn leesbril en las van zijn klembord: 'Mr. Justin Bennett is aanwezig. De getuigen Elaine Lewis, dr. Nicholas Peterson, mr. Frank Grantham, Darren Hogg en Kevin Stewart hebben zich niet gemeld.'

'Dank u.' Jenny wendde zich tot de juristen. Ze telde twee advocaten naast Hartley, plus vier raadslieden. 'Ik ga ervan uit dat sommige van deze partijen zich hier vanmorgen laten vertegenwoordigen?'

Hartley, kennelijk tot hun leider gebombardeerd, stond op. 'Mevrouw, zoals u bekend is vertegenwoordig ik hier UKAM Secure Solutions, Ltd., en bijgevolg mrs. Elaine Lewis...'

'Niet de heren Hogg en Stewart?'

'Nee, mevrouw. Daar heb ik geen opdracht toe gehad. Ik had er zelfs geen idee van dat zij vanmorgen zouden getuigen. Het lijkt me redelijk te zeggen dat deze hervatte hoorzitting voor de meeste mensen hier een verrassing is.'

Jenny negeerde zijn poging om haar in verlegenheid te brengen en zei: 'Wilt u zo vriendelijk zijn uw raadslieden te instrueren om uit te zoeken waar hun cliënten zijn? Ik heb hier de certificaten van het deurwaarderskantoor die bevestigen dat de dagvaardingen mét het benodigde reisgeld op zaterdagavond aan hen op hun huisadressen zijn overhandigd. Uw cliënten, hun werkgevers, zijn verplicht hen vrij te geven om aan deze dagvaarding te voldoen, zelfs als zij daarvoor hun werk moeten verzuimen.'

'Ik kan u verzekeren dat mijn cliënten zich heel goed bewust zijn van hun verplichtingen...'

'Nou, waar is mrs. Lewis dan?' hoorde Jenny zichzelf snauwen, pinnig als een schooljuffrouw nu haar spanning veranderde in irritatie.

'Mrs. Lewis is voor zaken in Washington, D.C., mevrouw, en zal enkele weken wegblijven.'

'Zij heeft de dagvaarding zesendertig uur geleden persoonlijk in ontvangst genomen. Als u mij wilt zeggen dat zij daarna het land heeft verlaten, zal ik dat als minachting van het hof moeten aanmerken.'

Hartley zei: 'Allereerst wil ik zeggen dat mijn cliënte u haar oprechte verontschuldigingen aanbiedt voor het feit dat zij haar reis niet kon uitstellen; en ten tweede zou ik u willen vragen een minder drastische maatregel te nemen, namelijk door – voor zover nodig – haar via een videoverbinding te verhoren. Het gebruik van die technologie is door de opperrechter in recente richtlijnen voor de rechtspraktijk aangemoedigd.'

Verscheidene van de overige juristen glimlachten bij Hartleys subtiele steek onder water met betrekking tot de primitieve faciliteiten in deze provisorische rechtszaal.

Jenny beheerste zich. 'U dient mij exact te vertellen waar zij zich ophoudt, zodat ik de Hoge Raad om een arrestatiebevel kan vragen.'

Ze wist dat een Engelse onderzoeksrechter niet bevoegd was een arrestatiebevel uit te vaardigen dat ook buiten de grenzen van het Verenigd Koninkrijk geldigheid bezat – een feit waarop de advocaten van de UKAM hun angstige cliënten ongetwijfeld op de late zaterdagavond zouden hebben gewezen. Het repatriëren van Elaine Lewis zou een kostbare, langdurige procedure worden die een team duurbetaalde advocaten in Amerika tot in het oneindige kon rekken.

Zeker van de veiligheid van zijn cliënte zei Hartley: 'Ik zal uw bode graag de gegevens verstrekken.' Meteen ging hij weer zitten, zonder het gebruikelijke buiginkje.

De volgende die opstond, was een schaapachtige jonge jurist in een streepjesmaatpak die een poging deed Hartleys houding van lichte minachting te imiteren. Hij maakte zich bekend als Henry Golding en zei dat hij optrad namens dr. Peterson die, zoals hij zei, graag opheldering wilde over de dingen waarover hij precies moest komen getuigen. Aangezien hij al als getuige was gehoord, betoogde Golding dat zijn cliënt gerechtigd was om eerst precies te weten waarom hij opnieuw werd opgeroepen. Indien het antwoord daarop tot controverses mocht leiden, was hem opgedragen om te vragen om verdaging, omdat er onlangs was ingebroken in de computerbestanden van dr. Peterson, waardoor die in het ongerede waren geraakt. Daardoor was het hem niet mogelijk ze te kunnen raadplegen, verzekerde Golding haar, voordat hun integriteit zonder een zweem van twijfel was vastgesteld.

In de zekerheid dat ze vaste grond onder de voeten had, zei Jenny: 'Mr. Golding, u hebt geen wettig excuus gegeven voor het verzuim van uw cliënt om gehoor te geven aan zijn dagvaarding. En de vragen die ik hem wil stellen, gaan over een stoffelijk overschot dat hij pas enkele weken geleden heeft gezien.'

Met een glimlach die hijzelf inschatte als innemend, zei Golding – met alle respect – dat dr. Peterson een half dozijn secties per dag verrichtte. Er mocht niet van hem worden verwacht dat hij zich de details herinnerde van een geval dat hij bijna twee maanden geleden had onderzocht.

'Ik dank u, mr. Golding,' zei Jenny kort, 'ik heb kennis genomen van uw toelichting.'

Uit het veld geslagen door haar reactie bewoog hij enkele ogenblikken zijn mond, voordat hij theatraal zijn schouders ophaalde en zei: 'En uw beslissing is, mevrouw?'

'Laat me eerst de overige wettige vertegenwoordigers horen.'

Golding ging met een peinzend gezicht zitten en keek opzij naar Hartley, alsof hij van hem de bevestiging wilde dat hij er terecht niets meer van begreep. De oudere advocaat reageerde met een huichelachtig lachje, blij dat hij van deze jongeman niets te duchten had.

De derde advocate, Pamela Sharpe, een vrouw van ongeveer Jenny's eigen leeftijd die ze vaag herkende van zaken voor de kinderrechter, stond langzaam op en deed alsof ze verdiept was in veel belangrijker aangelegenheden in haar dossier. Ze maakte zich er met bestudeerde moeite van los en zei dat ze instructie had het hof te laten weten dat ook mr. Grantham behoefte had aan nadere toelichting en verdaging, ten eerste omdat van geen enkele hogere overheidsfunctionaris mocht worden verwacht dat hij zonder bericht vooraf aan een dagvaarding zou voldoen, en ten tweede omdat hij nooit iets te maken had gehad met Danny Wills of diens overlijden. Voordat Jenny kon reageren ging ze weer zitten, alsof ze zich niet kon voorstellen dat hier iets tegenin te brengen zou zijn.

'U wilt dat ik hierop reageer, mrs. Sharpe?'

Behoedzaam kwam de advocate overeind, met een blik naar de jury alsof ze zeggen wilde dat het Jenny geraden was te zorgen dat dit de moeite waard was.

'U en uw cliënt lijken dezelfde houding aan te nemen tegenover het gezag van dit hof,' snauwde Jenny. Een paar van de raadslieden grijnsden openlijk. 'Zelfs de meest vluchtige blik op de wet had u kunnen zeggen dat alleen ik bepaal welke getuigen nodig zijn en in het belang van het recht moeten worden opgeroepen – en dat de weigering aan een dagvaarding gevolg te geven voor de wet een misdrijf is.'

'Het is gebruikelijk om een getuige voor een hoorzitting van tevoren een toelichting te doen toekomen, mevrouw.'

Pamela Sharpe's volgehouden uitdagende houding deed weer angst in haar opkomen. Het was altijd zo geweest: mensen die weigerden emotioneel te communiceren terwijl ze een conflict uitlokten, wekten paniekgevoelens bij haar op.

'Mrs. Sharpe,' zei Jenny, terwijl haar hart tegen haar ribben bonkte, 'ik vaardig arrestatiebevelen uit voor uw cliënt, voor dr. Peterson, mr. Hogg en mr. Stewart.'

'Ongetwijfeld zou een korte verda...'

'Néé.'

Golding sprong op in protest. 'Mevrouw, ik ben er zeker van dat mijn cliënt ook zonder arrestatie wel wil komen.'

Jenny vloog op. 'Moet ik het voor u spellen, mr. Golding? Al uw cliënten hebben een dagvaarding genegeerd. Dat is een misdrijf.' Als laatste richtte ze zich tot Hartley: 'En zich onttrekken aan een jurisdictie is een zeer ernstig misdrijf. Mrs. Lewis zal op zeer zware consequenties moeten rekenen.'

Zonder blikken of blozen wisselde Hartley een minachtende blik met Pamela Sharpe, overtuigd van hun overwinning nu Jenny haar zelfbeheersing had verloren. Wacht maar af, zeiden hun gezichten, ze zal zelf ons werk wel voor ons doen.

Jenny knikte Arwen toe, die haar meteen een map met vooraf geschreven arrestatiebevelen kwam brengen. Ze ondertekende ze stuk voor stuk en vroeg hem Williams te vragen ze direct uit te voeren. Terwijl hij zich terugtrok in een zijkamer om te bellen, liet ze Justin Bennett naar voren komen.

Ze had even nodig om de transformatie van Bennetts uiterlijk tot zich te laten doordringen. Hij droeg zijn haar nog wel in een paardenstaart, maar de dreadlocks waren verdwenen, net als al zijn piercings en oorringen, op een na. Hij droeg een gloednieuw antracietkleurig pak met overhemd en stropdas. Hij las de eed op zachte, gehoorzame toon op om de indruk te wekken dat hij het hof graag zijn medewerking verleende. Jenny voelde haar angst wat wegebben.

De drie advocaten en hun raadslieden luisterden aandachtig en schreven Justins woorden op, toen hij vertelde dat hij Danny Wills talloze keren had begeleid voordat hij was afgeleverd bij Portshead Farm. Hij bevestigde dat hij een lastige jongen uit een disfunctioneel gezin was geweest en dat het hem niet in het minst had verbaasd toen de maatschappelijk werkster hem veertien dagen voordat de rechter vonnis had gewezen had gebeld om hem te zeggen dat de jongen in een kwetsbare geestestoestand verkeerde.

Jenny vroeg hem of hij op enigerlei wijze zelf had gereageerd op dat telefoontje van Ruth Turner. Met een schuldig gezicht keek hij naar Simone Wills en zei nee, behalve dan dat hij in het rapport dat hij voor vonniswijzing bij de rechter had ingediend erop had gewezen dat Danny hevig van slag was bij het vooruitzicht dat hij gevangen zou worden gezet.

'Mr. Bennett,' zei Jenny, 'zou u het anders hebben gedaan, achteraf bekeken?'

'Ik had om verwijzing naar een psychiater kunnen vragen. Ik kan echter niet beweren dat dit verzoek ook zou zijn ingewilligd, want iedere jongere die ik begeleid zou dat soort hulp kunnen gebruiken. Zo is het nu eenmaal.'

Simone's corpulente vriendin – de vrouw die de eerste keer het topje met het opschrift PORNOSTER IN OPLEIDING had gedragen – sloeg een arm om haar heen, toen Danny's moeder begon te snikken. Terwijl Jenny naar haar keek, was ze zich ervan bewust hoe onaangedaan ze was, bij de gedachte aan hoe luidruchtig Simone zaterdagavond in de weer was geweest met haar nieuwe vriend terwijl haar vijf kinderen beneden zaten.

'Hebt u na zijn opname in Portshead Farm nog contact met Danny Wills gehad?'

Justin schudde het hoofd. 'Nee.'

'Maar u hebt nog wel iets over hem gehoord?'

'Ja...' Onmiddellijk keken alle advocaten tegelijkertijd op. 'Ik begeleidde nog een andere cliënt, Katy Taylor, een vijftienjarig meisje wier tijd in Portshead Farm op de zeventiende april was geëindigd. Ik sprak haar de achttiende op mijn kantoor, en de vrijdag daarop, de twintigste, nogmaals. Op die dag vertelde ze mij van Danny.'

'Wat zei ze over hem?'

Justin richtte zijn antwoord naar de vloer en zijn stem was nauwelijks hoorbaar in de zaal. 'We hadden het erover of de tijd die ze in Portshead Farm had doorgebracht haar had veranderd. Ze zei dat ze dacht van wel, maar alleen omdat ze bang was er nog eens heen te moeten... Toen ik haar vroeg waarom, wilde ze het niet zeggen... Wij zijn erop getraind geen druk op kinderen uit te oefenen om ze te laten antwoorden, zodat ze zelf hun moment kunnen kiezen... Onze sessie was bijna teneinde en ze stond al op om weg te gaan, toen ze vroeg of ik me Danny herinnerde? Uiteraard, zei ik, ze wist dat ik dat deed. Ze werd even stil – voor haar doen uitzonderlijk – en vertelde toen dat ze zich in Portshead zorgen over hem had gemaakt. Ze was hem een paar keer in de eetzaal tegen het lijf gelopen voor hij zichzelf had verhangen. Hij was er slecht aan toe geweest, vond ze, stil en neerslachtig. De laatste keer dat ze hem zag, de avond voor zijn dood, was ze naar hem toe gestapt om hem te vragen wat eraan scheelde. Hij had haar toen verteld dat hij moeilijkheden had met een lid van het personeel – wie had hij niet gezegd. Ik meen dat ze hem toen vroeg waarom hij er niets tegen deed. Danny had haar verzekerd dat hij dat zou doen: hij zou zich meester maken van een mes om zich te kunnen verdedigen. Dat was alles wat ze tegen elkaar hebben gezegd.'

'Had ze nog iets anders over hem te vertellen?'

'Alleen dat het volgens haar vreemd was dat hij plannen had om zichzelf te kunnen verdedigen, vlak voor zijn zelfmoord.'

'Heeft ze ook gezegd of ze zelf problemen had gehad met iemand van het personeel?'

'Niet met zoveel woorden, maar...'

'Maar wat, mr. Bennett?'

'Ik kreeg de indruk dat er misschien iets voorgevallen was, maar zoals ik al zei: in zo'n geval dringen wij niet aan. Ik ging ervan uit dat ik haar over een paar dagen terug zou zien.'

Jenny wendde zich tot de jury. 'De reden dat mr. Bennett Katy Taylor niet meer heeft gezien, was dat zij twee dagen later werd vermist en pas zes dagen daarna dood werd aangetroffen aan de rand van de stad. U hebt misschien in de kranten over haar geval gelezen. De politie is nog bezig met het onderzoek naar haar dood.'

Ze zette zich schrap voor Hartleys protest, maar dat bleef uit. Hij wendde zich tot zijn raadsman en begon fluisterend met hem te overleggen. De gezichten van de juryleden stonden opeens doodernstig, alsof er een donkere wolk boven de zaal was komen hangen. Simone hield op met snikken, maar haar gezicht was asgrauw.

Jenny vroeg: 'Hoe goed kenden Danny en Katy elkaar?'

'Niet wat je dikke vrienden noemt,' antwoordde Bennett, 'maar ze hadden in december dezelfde voorlichtingscursus over drugs bezocht en ik meen zelfs dat ze tegelijk op de lagere school hebben gezeten.'

'Hoe reageerde u op deze informatie?'

'Ik werd er sterk door verontrust. Ik had Danny heel lang gekend. Het was voor mij een schok te horen dat hij dood was.'

'Hebt u nog tegen iemand verteld wat Katy had gezegd?'

'Ja. Ik had een paar dagen eerder al een telefoontje gekregen van de rechter van instructie, mr. Marshall; hij wilde toen weten of ik iets wist dat relevant kon zijn. Hij gaf me zijn nummer, zodat ik hem diezelfde avond nog heb gebeld om door te geven wat Katy me had verteld.'

'Wat zei hij daarop?'

'Hij bedankte me uitvoerig en zei dat hij graag zelf met haar wilde praten. Ik heb toen gezegd dat we haar misschien beter een paar dagen konden laten betijen en dat het beter zou zijn als ik eerst met haar sprak om te zien of ze nog meer los wilde laten. Ik had niet het idee dat Katy zich zomaar zou openstellen voor iemand als hij, die ze niet kende. Hij drong echter aan, zodat ik hem haar mobiele nummer heb gegeven.'

'Kortom, op de avond van vrijdag de twintigste april wist de toenmalige rechter van instructie, mr. Marshall, dat Danny aan Katy Taylor had verteld dat hij problemen had met een personeelslid van Portshead Farm en dat hij een mes wilde bemachtigen om zichzelf te kunnen verdedigen?'

'Dat klopt, mevrouw.'

'En hééft hij Katy gebeld?'

'Geen idee.'

'Dank u, mr. Bennett. Ik zou u willen vragen nog even hier te blijven, want misschien worden u nog meer vragen gesteld.'

Hartley overlegde haastig met zijn raadsman en stond op om hen allemaal te vertegenwoordigen. 'Mr. Bennett, miss Taylor heeft u geen informatie gegeven over de omstandigheden rond de dood van Danny Wills, of wel?'

'Nee.'

'Zij had een lang strafblad en was een notoir drugsgebruikster?'

'Ja.'

'En ze werd ondanks haar prille leeftijd ook verdacht van prostitutie.'

'Ja...' Iets van ergernis klonk door in Justins stem. 'Ze was echter veel meer dan dat.'

'O, daar ben ik zeker van, net als ik er zeker van ben dat wij allemaal hier te doen hebben met haar tragische dood.' Hij wachtte even, voor een weinig overtuigend moment van deelname. 'Zo, kunt u mij nu alstublieft vertellen of Danny Wills eerder was veroordeeld voor geweldpleging?'

'Dat is zo. Verscheidene keren.'

'Het zou dus billijk zijn te zeggen dat hij, als hij problemen had met een personeelslid – wat dat ook moge betekenen – het soort jongeman was dat geneigd was gewelddadig te reageren?'

Jenny lette op Justins gezicht. Zijn blik was op zijn voeten gericht en ze zag hem een paar keer met zijn ogen knipperen, alsof hij zich verzette tegen een voor hem uitzonderlijke impuls om zelf gewelddadig te worden. Toen keek hij op naar Hartley. 'Hij was het soort jongen dat wij proberen te helpen, hoewel we daar gewoonlijk niet in slagen. Ik weet evenmin als u wat hem is overkomen, maar ik weet wel dat hij nu niet dood zou zijn geweest als hij niet was opgesloten. Gevangenisstraf werkt niet: als dat wel zo was, zou ik werkeloos zijn, en u ook.'

'Uw gedrevenheid is bewonderenswaardig, mr. Bennett. Ik denk niet dat er iemand is in deze zaal die het niet betreurt dat zo'n jong leven verloren is gegaan. Door de jaren heen heb ik gemerkt dat het altijd nóg verbijsterender is als het zonder zichtbare reden gebeurt.'

Jenny stond op het punt de zitting te schorsen toen er achter in de zaal beroering ontstond. Journalisten die er eindelijk in slaagden iets te kunnen zien, werden opzij geduwd toen twee geüniformeerde agenten met Frank Grantham en dr. Peterson arriveerden. Grantham zag paars van woede; Petersons gezicht had de grauwe tint van een man die op weg is naar de galg. Inspecteur Williams liep met een trek van voldoening op zijn gezicht achter hen. Bennetts getuigenis had nauwelijks veertig minuten in beslag genomen, hetgeen alleen kon betekenen dat zijn agenten klaar hadden gestaan om toe te slaan op de plaatsen waar zij Grantham en Peterson vandaan hadden geplukt.

Williams knikte naar Arwen Hughes, en hij stond op. 'De getuigen mr. Frank Grantham en dr. Nicholas Peterson zijn nu aanwezig, mevrouw.'

Onder het publiek ontstond verwachtingsvol geroezemoes. Jenny hamerde om stilte en verzocht Grantham naar voren te komen. Ze bespeurde een ongezonde golf van adrenaline en nam, terwijl een van de agenten Frank Grantham helemaal tot aan de getuigenstoel escorteerde, een pepermuntje uit het buisje op haar bureau en zoog er de halve pil uit.

Ze bedankte de agent en liet hem gaan om Grantham op zijn minst genoeg in zijn waarde te laten om te getuigen zonder eruit te zien als een misdadiger. Desondanks staarde hij haar aan met een venijn dat ze alleen had meegemaakt in de meest verbitterde ruzies tussen man en vrouw om de voogdij. Ze vocht tegen het beklemmende gevoel om haar keel en zond in stilte een schietgebedje op. Zij had hier de leiding en diende zich ernaar te gedragen.

Ze imiteerde de indruk van gedeeltelijke interesse die Pamela Sharpe had gebruikt om haar te intimideren en bekeek rustig haar aantekeningen. 'U bent mr. Frank Grantham, woonachtig op Belvedere Park 16 in Bristol?'

'Ja,' zei hij nors, zonder moeite te doen zijn woede te verbergen.

'U hebt vanmorgen geen gehoor gegeven aan uw dagvaarding – waarom niet?'

'Ik mag veronderstellen dat mijn advocaat dat al kristalhelder uiteen heeft gezet.'

Pamela Sharpe kwam overeind. 'Mevrouw, misschien mag...'

'Niet nu, miss Sharpe. Het punt "minachting van het hof" zal ik later aan de orde stellen.' Ze wendde zich tot Arwen. 'Neemt u de getuige de eed af, alstublieft.'

Grantham keek naar Pamela Sharpe, maar ze kon alleen maar licht haar schouders ophalen, alsof ze wilde zeggen dat hij, als hij werkelijk niets wist, ook niets te vrezen had.

Terwijl Jenny naar zijn opgeblazen, verontwaardigde gezicht keek terwijl hij luidkeels de eedformule afraffelde, verbaasde ze zich erover hoeveel minachting ze voor deze man voelde. Ze riep zichzelf tot de orde. In de rust van haar hotelkamer had ze dit moment zorgvuldig gepland en ze had zich daarbij voorgenomen hem nuchter en bedaard aan te pakken. Ze wilde maar één ding van hem weten en wilde hem dat ontlokken zonder zich bloot te stellen aan ook maar een zweem van kritiek.

'Mr. Grantham, u bent hoofd van de afdeling Juridische Zaken van de Plaatselijke Overheid?'

'Ja. Al twaalf jaar.'

'Uw afdeling adviseert de raad over een compleet gamma van juridische aangelegenheden waarmee deze te maken krijgt?'

'Klopt.'

'Kunt u mij, zonder commercieel gevoelige informatie prijs te geven, bevestigen dat UKAM Secure Solutions, Ltd. ingeschreven heeft op een overheidscontract voor de bouw en exploitatie van een nieuw gesloten heropvoedings- en detentiecentrum in de jurisdictie van de Plaatselijke Overheid van Severn Vale – een contract ter waarde van vele miljoenen ponden?'

Grantham keek rechtstreeks naar de jury. 'Nee, daar heb ik geen weet van.'

'Uw afdeling is nooit gevraagd om advies inzake planningskwesties rond dit project? Ik heb begrepen dat het om een tamelijk uitgestrekt bouwterrein gaat, zodat u met allerlei bezwaarprocedures te maken kunt krijgen.'

'Nee. Mij is niets van zo'n inschrijving bekend.'

Jenny maakte een notitie, meer om zichzelf voor te bereiden op de volgende fase dan om zijn antwoord vast te leggen. Ze gooide het over een andere boeg. 'De vorige rechter van instructie, mr. Marshall, was een goede vriend en collega van u, nietwaar?'

'We hebben elkaar in elk geval lange tijd gekend.'

'Zowel privé als beroepsmatig?'

Grantham keek ongerust naar Pamela Sharpe. 'We trokken soms wel met elkaar op, ja. Formeel gesproken was ik echter zijn baas. Mijn afdeling betaalt het salaris van de rechter van instructie zoals u weet, mevrouw.'

In een reactie op wat verbaasde gezichten onder de juryleden zei Jenny: 'Een historische anomalie, leden van de jury: de kosten van de bureaus van de rechter van instructie worden betaald door de plaatselijke overheden, maar rechters van instructie zijn op geen enkele manier verantwoording schuldig aan dienaren van de plaatselijke overheden. Hij of zij rapporteert rechtstreeks aan de minister van Justitie...' ze kon er geen weerstand aan bieden eraan toe te voegen '... wat mr. Grantham daarover ook mag zeggen.'

De juryleden die het doorhadden, glimlachten, de anderen begonnen hun belangstelling te verliezen. Jenny knikte naar Arwen, in de zekerheid dat ze hun aandacht meteen weer terug zou hebben. 'Overhandigt u de envelop aan mr. Grantham, wilt u?'

Terwijl Arwen Hughes met de gewatteerde envelop naar de getuige liep, zei Jenny: 'U herinnert zich de datum waarop mr. Marshall zijn fatale hartaanval kreeg?'

De wending die haar ondervraging nam, stond Grantham niet in het minst aan. Hij trok aan zijn kraag, alsof die veel te strak zat. 'De exacte datum niet, nee.'

Jenny controleerde haar aantekeningen nog even. 'Hij stierf in de vroege uren van vrijdag 3 mei. Op donderdag 2 mei had hij een aangetekende zending aan u op de post gedaan. U kunt straks het reçu zien, als u dat wenst.'

Hij keek argwanend naar de envelop die hem werd gegeven.

'Herkent u het handschrift op het adreslabel als dat van mr. Marshall?'

Grantham tuurde naar het karakteristieke, krullende schrift. 'Het lijkt op dat van hem.'

'Deze envelop werd naar uw kantoor verzonden, maar u hebt er niet voor getekend. Hij werd de volgende dag opnieuw aangeboden, en opnieuw hebt u er niet voor getekend. Wat was de reden daarvan?'

'Alle post komt terecht in onze postkamer. Daar ben ik nooit om zelf voor iets te tekenen.'

Iets wat Marshall beslist moest hebben geweten. Jenny vroeg zich af of het eigenlijk wel zijn bedoeling was geweest dat de envelop in Granthams handen zou komen, of dat hij, gelet op de situatie waarin ze nu samen verkeerden, gewild had dat zijn eigen zonden én die van Grantham tegelijkertijd openbaar zouden worden.

Ze zei: 'Om redenen van vertrouwelijkheid ben ik niet van plan de inhoud van deze envelop openbaar te maken, maar wilt u zo vriendelijk zijn de inhoud te bekijken?'

Arwen posteerde zich voor Grantham, zodat hij niet door de rest van de mensen in de zaal kon worden gezien, terwijl de jury er alleen zijdelings een glimp van kon opvangen. Met trillende vingers nam hij de foto's met Harry's handgeschreven *post-it – Frank, je vriend. H. –* uit de envelop. Ze zag de trek van angst op zijn gezicht direct plaatsmaken voor onmiskenbare schrik toen hij vluchtig naar de eerste foto keek, en daarna de tweede en de derde.

'Geeft u alles maar terug aan de bode, als u genoeg hebt gezien.'

Hij frunnikte aan de envelop om de foto's er weer in te doen en Arwen liep ermee terug naar zijn bureau. Alle journalisten in de zaal zagen hoe hevig geschokt hij was. Williams, die tegen de achtermuur van de zaal geleund stond, keek Jenny goedkeurend aan – hij had bewondering voor de elegante manier waarop ze hem had aangepakt.

Zonder spoor van dreiging zei ze: 'Ik heb er alle begrip voor dat u als hoofd van uw afdeling letterlijk met honderden dingen tegelijk moet jongleren, maar toch zou ik u willen vragen u nog eens op mijn eerdere vraag te bezinnen. Weet u zeker dat u niets bekend is van een inschrijving?'

Pamela Sharpe en Hartley stonden tegelijkertijd op om te protesteren. Miss Sharpe was Hartley voor. 'Mevrouw, kan de getuige erop worden gewezen dat hij het recht heeft niets te verklaren dat belastend voor hemzelf kan zijn?'

'Natuurlijk. Mr. Grantham, u hoeft niets te zeggen dat voor uzelf belastend kan zijn.' Ze wendde zich tot de jury: 'Anders gezegd, de getuige behoeft geen vragen te beantwoorden als het antwoord daarop hem bloot zou stellen aan strafvervolging.'

De advocaten gingen weer zitten en lieten Grantham over aan de scherpe kantjes van zijn dilemma. Jenny zag hem naar de rijen gretige journalisten kijken. Ongetwijfeld berekende hij nu hoeveel informatie zij hoe dan ook zelf zouden opgraven, zodat hij dat kon afwegen tegen wat er van zijn zwijgen zou worden gemaakt als hij weigerde te antwoorden. Met bewonderenswaardige lef keek hij naar de jury en zei: 'Uiteraard hebben wij jaarlijks met duizenden bouwplannen te maken. Nu ik er over nadenk, meen ik me iets te herinneren over een plan om een soort jeugdgevangenis te bouwen.'

Jenny zei: 'Weet u ook of het de bedoeling was deze faciliteit op terrein te bouwen dat in bezit is van de overheid?'

De flits van verontrusting in zijn ogen zei haar genoeg, maar Pamela Sharpe's waarschuwende blik voorkwam dat hij er antwoord op gaf. Het liefst zou Jenny hem onder druk hebben gezet totdat hij het toegaf, zodat ze in overeenstemming met de wet door kon vragen naar de details over de hele corrupte deal tot ze de reden van de pogingen van de UKAM om het misdrijf te verdoezelen had blootgelegd, maar ze voelde dat ze daar niet verder mee zou komen. Zijn hele gezicht getuigde nu van onverzettelijke koppigheid. Hij had berekend dat hij zich van de foto's van Harry Marshall kon distantiëren, zodat hij nog maar één probleem hoefde op te lossen – en wel op een terrein waarop hij de lakens uitdeelde.

Ze deed een laatste poging. 'U moet hoe dan ook weten dat de Plaatselijke Overheid bezig was grond te verkopen aan UKAM Secure Solutions, Ltd. in het kader van een contract voor vele miljoenen ponden.'

Grantham doorzag haar bluf en zei: 'Daarover zal ik eerst navraag moeten doen bij de mensen die dergelijke transacties behandelen – dan pas kan ik u daar iets over zeggen.'

Waar ze zich zorgen over maakte, was het feit dat hij, als hij daar de tijd voor kreeg, alle sporen rustig kon uitwissen door een nachtje achter de papiervernietiger op zijn kantoor te staan, maar nog meer vragen zouden op dezelfde weerstand stuiten. Ze nam genoegen met een compromis. 'U kunt tijdelijk de rechtszaal verlaten terwijl ik de volgende getuige hoor – dan kunt u de informatie telefonisch opvragen. Het is u niet toegestaan u meer dan honderd meter van dit gebouw te verwijderen. Ik verwacht uw antwoord voor het eind van de ochtend.'

Hij haastte zich om op te staan en beende de zaal uit, op de hielen gevolgd door zijn nerveuze advocate. Achter in de zaal knikte Williams Jenny toe, alsof hij wilde zeggen dat ze gedaan had wat nodig was – genoeg om hem toegang te verschaffen tot het kantoor van Grantham.

Ze ging meteen verder en liet dr. Peterson naar voren komen. Ze had eigenlijk verwacht dat de drie advocaten als één man op zouden staan om aan te dringen op een privéaudiëntie in haar kamers; daar zouden ze erop staan te horen wat de inhoud van de envelop was en willen weten waarvan Grantham verdacht werd bij betrokken te zijn. Terwijl Peterson met lood in de schoenen naar voren liep, waren de drie advocaten echter druk met elkaar aan het fluisteren. Hartley en Golding leken het met elkaar eens, maar Pamela Sharpe, die alweer terug was, leek iets voor het eerst te horen – iets waarvan ze zichtbaar schrok.

Petersons gezicht verried uitputting; het zou haar niet hebben verbaasd te horen dat hij sinds het bezorgen van de dagvaarding niet meer had geslapen. Ze had geen greintje sympathie voor Grantham, maar iets in haar had met de overwerkte patholoog-anatoom te doen. Voor iemand in zijn positie was er geen weg terug als hij bewust bewijzen van moord had achtergehouden.

'Dr. Peterson, u hebt op maandag 16 april het lichaam van Danny Wills onderzocht en kwam toen tot de conclusie dat het een eenvoudig geval van zelfmoord betrof: verstikking door verwurging doordat hij zich met een reep beddenlaken aan de tralies van zijn celraam had opgehangen.'

'Zo is het.'

'En dat is ook wat u hebt getuigd op de hoorzitting van mr. Marshall op 1 mei, nietwaar?'

'Ja.'

Het had niet berouwvoller kunnen klinken, maar Jenny merkte op dat Golding niet het minste teken van verontrusting vertoonde. Eerder was de houding van de advocaat zelf verontrustend.

'Wilt u alstublieft bevestigen dat u op maandag 23 april een tweede maal het stoffelijk overschot hebt onderzocht?'

Er ontstond druk papiergeritsel toen de journalisten die het verhaal hadden gevolgd een onthulling bespeurden.

Peterson zei: 'Ja. Op die maandagochtend heeft mr. Marshall mij verzocht het lichaam nogmaals te onderzoeken.'

Alleen al het feit dat hij antwoord gaf, was verrassend. Ze had eigenlijk verwacht dat hij een beroep zou doen op zijn verschoningsrecht. Ze had echter geen tijd te overdenken wat dit kon betekenen. Ze moest doorploegen.

'Kunt u mij vertellen waarom u dit tweede onderzoek deed?'

'Mr. Marshall had mij die maandagochtend gebeld. Hij zei dat hij erover was geïnformeerd dat Danny kort voor zijn dood betrokken kon zijn geweest bij een handgemeen, en hij vroeg mij vooral op zoek te gaan naar tekenen van letsel.'

'Zei hij erbij dat die informatie afkomstig was van een andere gevangene in Portshead Farm, Katy Taylor?'

'Nee. Hij heeft me niet gezegd hoe hij eraan was gekomen.'

Jenny probeerde hem te doorgronden. Hij gedroeg zich flets en ernstig, maar niet geschokt, zoals Grantham. Hij leek eerder berustend. Ze keek naar Golding en het begon haar te dagen dat hij en Hartley al op de hoogte waren van het ergste, misschien zelfs inclusief de foto's van Harry Marshall, en dat ze op de een of andere manier een tactische tegenzet hadden voorbereid. Ze nam nog een pepermuntje uit haar buisje.

'Wat waren uw bevindingen toen u hem opnieuw bekeek?'

Dr. Peterson stak zijn hand in zijn zak en haalde er een opgevouwen vel papier uit. 'Wilt u dat ik mijn sectierapport even voorlees?'

Jenny zei ja, als hij er geen bezwaar tegen had. Terwijl ze zich inspande om te doorgronden wat er gaande was, las hij hardop zijn rapport, eindigend met de conclusie dat Danny kort voor zijn dood kwetsuren had opgelopen zoals die voorkwamen bij een gangbare fysieke overmeesteringsmethode, en dat hij geheel of gedeeltelijk buiten bewustzijn moest zijn geweest toen hij aan de tralies hing.

'Wil dat zeggen, dr. Peterson, dat het volgens u mogelijk is dat hij niet zichzelf heeft opgehangen, maar dat dit door iemand anders is gedaan?'

Simone Wills omklemde de hand van haar vriendin, te geschokt om te kunnen huilen.

'Het enige wat ik erover kan zeggen, is dat het mogelijk is. Ik krijg heel wat gevallen van ophanging te zien waarbij er tekenen zijn dat het slachtoffer heeft geprobeerd de strop losser te maken, maar meestal is dat niet zo. Ik kan het onmogelijk bepalen.'

'Hij had echter letsel dat wijst op overmeestering met geweld, zo hevig zelfs, dat hem een pluk haar uit het hoofd is getrokken.'

'Ja.'

'En u hebt mr. Marshall dit tweede sectierapport bezorgd?'

'Dat heb ik, ja.'

Juryleden keken elkaar aan; journalisten schreven verwoed of fluisterden met elkaar; de advocaten reageerden nauwelijks. De brok in Jenny's keel leek op te zwellen en gaf haar het gevoel alsof ze een steen in haar slokdarm had. Ze nam een grote slok water.

'Resteert de vraag waarom u op mr. Marshalls hoorzitting over de dood van Danny geen melding hebt gemaakt van deze tweede lijkschouwing.'

'Op de vrijdag ervóór, op 27 april, heeft hij mij gebeld om te zeggen dat hij er bewijzen van had dat Danny ten opzichte van het personeel van de strafinrichting weerspannig was geweest en dat dit zijn kwetsuren verklaarde. Hij verzocht mij er in de rechtszaal geen melding van te maken, omdat het bij de familie de indruk zou kunnen wekken dat hij was vermoord, hoewel dit duidelijk niet het geval was. Al het bewijsmateriaal, met inbegrip van de opnamen van het interne videocircuit, bewezen volgens hem dat Danny ten tijde van zijn dood alleen was geweest in zijn cel.'

'Hij verzocht u om bewíjzen achter te houden om te voorkomen dat de familie overijlde conclusies zou trekken?'

Dr. Peterson keek verontschuldigend naar Simone. 'Laat me dit in de juiste context plaatsen. Gedurende de veertien jaar dat ik hier werk, was Harry Marshall onderzoeksrechter. Zo nu en dan hadden we te maken met tragische sterfgevallen, in de regel zelfmoord, waarbij hij erop gebrand was de familie uitsluitsel te geven over de ware doodsoorzaak. Hij zei vaak dat, als mensen in het ongewisse blijven over hoe hun dierbare gestorven is, dit niet één, maar meerdere levens kon verwoesten. Ik was het niet altijd met hem eens en deze keer deinsde ik er niet voor terug hem te zeggen dat het verkeerd was om deze feiten niet openbaar te maken. Sinds die hoorzitting had ik me voorgenomen ze alsnog bekend te maken, en nu ben ik blij dat ik daar de kans toe heb. Ik wil hier echter aan toevoegen dat dit niets verandert aan mijn oorspronkelijke bevinding: zelfmoord. Ik ben er absoluut van overtuigd dat Danny Wills zelf zijn dood heeft veroorzaakt.'

27

Haar lunch lag onaangeroerd op het bureau, want haar maagkrampen waren zo hevig geworden dat ze nauwelijks haar eigen speeksel door kon slikken. Alle plannetjes die ze had gemaakt, waren verkeerd uitgepakt. Doordat ze had verzuimd Grantham te vragen in het openbaar een verklaring te geven voor de foto's en ze hem ook niet had gedwongen antwoord te geven op de vraag wat hij van de inschrijving wist, had ze hem door de vingers laten glippen. Hij was voor de schorsing voor de lunch teruggekomen naar de getuigenstoel met een vaag verhaal over de Plaatselijke Overheid die door de UKAM zou zijn benaderd over de mogelijke verkoop van een lap grond, maar was glashard iedere persoonlijke betrokkenheid blijven ontkennen. Ze had hem zwaarder onder druk kunnen zetten door hem te vragen of hij ontkende ooit contact te hebben gehad met de UKAM, maar was bezweken voor haar wens niet té opdringerig te worden. Ze had zichzelf toegestaan dat haar eigen zwakte een beletsel werd voor het blootleggen van het uiteindelijke motief van de UKAM om moord te verdoezelen. Ze hoopte dat Williams uiteindelijk toch bewijzen van corruptie zou vinden, maar dat zou te laat zijn om nog enige invloed te hebben op haar hoorzitting.

Ook de onthulling van dr. Petersons tweede lijkschouwing had haar doel gemist. Ze had verwacht dat hij het zou ontkennen of op zijn minst zou hebben geweigerd er antwoord op te geven, zodat er een waas van verdenking zou blijven hangen dat de jury ervan zou overtuigen dat er een reden moest zijn waarom hij er eerder over had gezwegen. Dat zou zijn neergekomen op misleiding van het hof. In plaats daarvan had hij heel handig alle schuld op Harry Marshall afgewenteld en tegelijk de bewijzen van Danny's kwetsuren geneutraliseerd. Hoe hij ooit de moed had kunnen opbrengen om zo'n stoutmoedig risico te nemen wist ze niet. Misschien wist hij wel zoveel slechts over allerlei artsen van het Vale-ziekenhuis dat hij zijn bazen ertoe had kunnen dwingen hem zijn baan te laten houden, in ruil voor zijn stilzwijgen over hun medische blunders en wangedrag. Hoe hij ertoe was gekomen was onduidelijk maar het was overduidelijk dat zijn advocaten ervan wisten. Hun gezichten tijdens het verhoor van Peterson hadden haar zonder een zweem van twijfel bevestigd dat zij een plan de campagne uitvoerden. En tot nu toe hadden ze de wind mee.

Ze tastte naar haar Temazepam en schudde een nieuwe pil uit het buisje. Het zou haar minder scherp maken, maar ze moest nu zelf een berekend risico nemen. Anders zou ze niet meer de kracht kunnen opbrengen om uit de twee resterende getuigen die de agenten van Williams hadden opgehaald en kort voor de lunch in de rechtszaal hadden afgeleverd belangrijke informatie te krijgen: Kevin Stewart en Darren Hogg. Als ze met geen van beiden verder kwam, zou de jury nog steeds geen andere keus hebben dan tot het oordeel 'zelfmoord' te komen. Die mislukking zou ze alleen aan zichzelf hebben te wijten.

Ze keek naar de ene pil in haar hand en vroeg zich af wat die over haar te zeggen had, én over de broosheid van het leven en het ongrijpbare karakter van de waarheid, nu haar enige hoop op gerechtigheid afhankelijk was van het slikken ervan.

Darren Hogg, de cipier van Portshead Farm die daar het interne gesloten videobewakingssysteem bediende, beweerde dat een dronken huisgenoot zaterdagavond open had gedaan toen de deurwaarder de dagvaarding kwam overhandigen en had vergeten hem die te geven. Hij kreeg er de jury mee aan het lachen. Jenny lachte echter niet, toen ze hem dwong te vertellen over eventuele incidenten die zich in de dagen voor Danny's dood konden hebben voorgedaan en waarbij hij met geweld overmeesterd had moeten worden. Hogg zei dat hij nooit zoiets had gezien en herinnerde haar eraan dat de bewakingscamera in de hoofdgang van het cellenblok voor jongens destijds kapot was geweest. Ze vroeg hem of hij eerder incidenten had gezien waarbij deze methode was toegepast om andere gevangenen in bedwang te houden, in de dagen die vooraf waren gegaan aan Danny's dood. Ook nu stuitte ze op ontkenning. Als er al geweld was gebruikt, zei hij, dan had hij daar niets van gezien.

Ze verloor haar geduld en zei: 'Vertel mij over een incident, het maakt niet uit wanneer, waarbij u hebt gezien dat collega's van u een gevangene met geweld hebben overmeesterd.'

Hogg, gekleed in zijn bruine uniform met de stropdas hoog tegen zijn kraag geschoven, was niet onder de indruk. 'Zoiets gebeurt zo nu en dan. Iemand begint om zich heen te slaan en moet fysiek worden bedwongen.'

'Vertelt u mij wat u dan precies te zien kreeg, tijdens een incident van dien aard.'

Hogg krabde aan zijn keel, ontsierd door acnelittekens en rood van een recente scheerbeurt. 'Ze drukken zo'n knaap eenvoudigweg tegen de muur of zo, en dan wachten ze totdat ie rustig wordt.'

'Hebt u ooit gezien dat een gevangene tegen de grond werd gewerkt doordat een bewaker een arm achter zijn rug omhoog wrong tot de arm niet verder kon?'

Hij schudde nonchalant het hoofd. 'Dat kan ik niet beweren, mevrouw.'

'Nooit?'

'Nee.'

Jenny, op het kookpunt nu, besloot een ogenblik te pauzeren om rustig te worden. 'Vooruit dan maar, mr. Hogg... ik kan best geloven dat een man die zijn leven lang niets anders doet dan naar monitors van interne televisiecircuits turen nog maar heel weinig dingen opmerkt, maar u kunt mij ongetwijfeld toch de naam noemen van ten minste één bewaker van wie u hebt gezien dat hij een gevangene met zulk geweld overmeesterde?'

'Sorry.'

'Hoe lang werkt u in Portshead Farm?'

'Drie jaar.'

'En toch kunt u mij geen enkele naam van een cipier noemen?'

'Niemand waarvan ik het met zekerheid kan zeggen.'

Haar geduld was op. 'U liegt tegen dit hof, is het niet?'

'Nee, mevrouw.'

'Wat u van ons verlangt te geloven is zo ongelooflijk, dat het onmogelijk waar kan zijn.'

'Nee.'

'En als u over het één liegt, kunnen we evenmin aan op alles wat u ons verder hebt verteld, nietwaar? Wij geloven uw verhaal dat de bewakingscamera in de hoofdgang van het cellenblok voor jongens kapot was niet in het minst.'

'Hij wás stuk.'

Giles Hartley kwam overeind. 'Mevrouw, ik zou, slechts in een geest van behulpzaamheid aan dit hof, u willen herinneren aan de plicht van rechters van instructie om iedere schijn van vooroordeel te vermijden.'

'Mr. Hartley, ik zou deze getuige eraan willen herinneren dat hij zojuist heeft gezworen de volledige waarheid te vertellen, en ik ben er volstrekt van overtuigd dat hij weigert dit te doen.'

Hartley keek verrast zijn raadsman aan en ging weer zitten om een volgend punt aan zijn groeiende lijst van redenen om in appel te gaan toe te voegen.

Jenny wendde zich weer tot de getuige. 'Ik heb verder geen belangstelling voor u, mr. Hogg, afgezien van u te veroordelen tot een boete van vijfhonderd pond wegens de weigering van vanmorgen om u hier te melden.'

'Víjfhónderd pond? Dat kan ik me niet veroorloven.'

'In dat geval zult u vijf dagen gevangenisstraf uitzitten.' Ze wendde zich tot de agent die hem had afgeleverd. 'U zorgt dat mr. Hogg nergens heen gaat? Aan het eind van de dag zal ik me met hem bezighouden.'

Nu vond Golding het zijn beurt om in de geest van behulpzaamheid aan het hof te interrumperen. 'Mevrouw, zou mr. Hogg niet op zijn minst de kans moeten krijgen zich van rechtskundige bijstand te verzekeren voordat hij tot gevangenisstraf wordt veroordeeld?'

'U biedt zich aan, mr. Golding?'

Hij keek naar de bewaker. 'Tja, ik...'

'Ik kan u verzekeren dat ik van plan ben alle getuigen op gelijke manier te behandelen. Getuigen die hebben verzuimd aan de dagvaarding te voldoen, krijgen dezelfde straf.' Ze wendde zich tot Hartley. 'Uitgezonderd mrs. Lewis, uiteraard.'

Golding ging zitten en overlegde met Pamela Sharpe, die een naslagwerk opende en verwoed naar de relevante wetsartikelen begon te zoeken. De advocaten van Grantham en Peterson repten zich naar achteren om hun cliënten te verzekeren dat zij niet naar de gevangenis zouden gaan. De agent liep naar voren en escorteerde de luidkeels klagende Hogg naar de zijkant van de zaal.

Jenny negeerde zijn protesten en beval, aangemoedigd door haar eigen spierballenvertoon, Kevin Stewart naar voren te komen.

De Schot was zo mogelijk nog onvermurwbaarder dan Hogg. Het feit dat hij de dagvaarding had genegeerd, verklaarde hij door te beweren dat hij had aangenomen dat er een vergissing in het spel moest zijn – hij had vorige week toch al alles gezegd wat hij wist? Hij ontkende betrokken te zijn geweest bij een gewelddadige overmeestering van Danny en zei niets te weten van ook maar één voorval waarbij de jongen fysiek tegen de grond was gewerkt.

'U wilt mij vertellen dat u zich, over de zes dagen dat Danny Wills in het cellenblok voor jongens zat, niet één keer kunt herinneren waarin hij moest worden overmeesterd?'

'Niet in mijn diensturen.'

'Zoiets zou dus overdag gebeurd kunnen zijn, als u er niet was?'

'Dat zou ik niet weten.'

'Er wordt niet schriftelijk bijgehouden of een gevangene met geweld in bedwang moet worden gehouden?'

'Alleen als het iets ernstigs betreft.'

'Danny had zware kneuzingen en hem was een pluk haar uit het hoofd getrokken.'

'Daar heeft niemand mij iets van gezegd. Mij heeft hij in elk geval nooit last bezorgd.'

'Mr. Stewart, van de patholoog-anatoom hebben we bewijzen dat Danny kort voor zijn dood verwikkeld is geweest in een heftige worsteling die op zijn lichaam alle tekenen van een gewelddadige overmeesteringsmethode heeft achtergelaten. U verwacht van mij te geloven dat u daar niets van weet?'

'Ja.'

'Er is in het cellenblok nooit over gesproken?'

'Niet waar ik bij was.'

'Uw collega's die vóór u dienst hadden, hebben u niet gezegd dat u een oogje op hem moest houden omdat zij moeilijkheden met hem hadden gehad?'

'Nee, mevrouw.'

Jenny keek even naar de jury en voelde dat ze op haar hand waren omdat Stewarts ontwijkende antwoorden argwaan wekten. Ze vroegen zich nu af wat hij verborgen probeerde te houden.

'Hoe vaak moet u gebruikmaken van fysieke dwang?'

'Ongeveer om de week. Niet echt vaak.'

'Zou u daarbij een trainee de arm op de rug wringen, hem vervolgens naar de grond werken en uw knie op zijn rug planten?'

'Heel zelden.'

'Het komt voor?'

'Als er geen andere manier is, moet je wel.'

'Als het werkelijk zo zelden voorkomt, verbaast het ons des te meer dat niemand er met u over heeft gesproken. Dit is toch juist het soort dingen waarover u met uw collega's zou praten?'

Stewart keek recht naar de jury en zei met hetzelfde gebrek aan emotie dat hij de vorige week in de getuigenbank had laten zien: 'Ik heb geen idee hoe Danny aan dat letsel is gekomen. Best mogelijk dat hij een aanvaring heeft gehad met een personeelslid waarvan ik niets weet, of misschien heeft hij met een van de andere jongens gevochten. Het enige wat ik weet, is dat er niets mis met hem was toen de lichten die avond uitgingen. Zover ik weet, is er ook daarna niets vreemds met hem gebeurd.'

Jenny zei: 'Dr. Peterson verklaarde dat het mogelijk is dat Danny geheel of gedeeltelijk buiten bewustzijn was toen dat laken om zijn nek werd geknoopt.'

'Dan vergist hij zich.'

'Wij hoeven niets verdachts te denken van het feit dat de bewakings-camera in de gang niet werkte?'

'U kunt ervan denken wat u wilt. Ik sta er helemaal buiten.'

'Sla geen brutale toon aan, mr. Stewart. Het gaat hier om de dood van een kínd.'

Hij liet zijn gevouwen handen op de tafel voor hem rusten, maar verontschuldigde zich niet.

Ze voelde nog meer afkeer van deze man dan voor de zwakbegaafde Hogg. Hij lag niet dwars uit stompzinnigheid, maar uit koel berekenend eigenbelang. Ze was in staat haar vuisten te ballen en hem hard in het gezicht te stompen tot hij bloedde; ja, ze had hem bewusteloos kunnen slaan en haar nagels in zijn ogen drukken totdat hij zijn smerige geheimen prijsgaf.

In plaats daarvan liet ze haar stem onbewogen klinken. 'U hebt niet de minste spijt om wat Danny Wills is overkomen?'

'Het spijt me dat hij zich heeft verhangen, uiteraard.'

'Waarom hebt u hier dan niet één woord gezegd dat ons had kunnen helpen? Waarom hebt u geen enkele suggestie gedaan over wie Danny dit letsel kan hebben toegebracht?'

'Omdat ik het niet weet.'

'Mr. Stewart, u wérkt in die strafinrichting. U kent alle leden van het personeel en u kende alle mannelijke trainees die ten tijde van Danny's dood in het gebouw waren. U hebt óf doelbewust besloten relevante informatie tijdens deze hoorzitting achter te houden óf u hebt van uw werkgever opdracht daartoe gekregen. Welke van de twee mogelijkheden is het?'

Hartley protesteerde. 'Mevrouw, ik neem aanstoot aan de implicaties van die vraag. Er is niet het minste bewijs naar voren gebracht dat suggereert dat mijn cliënten geprobeerd hebben relevante informatie achter te houden.'

'Welke andere conclusie kan ik trekken, mr. Hartley? Het is zonneklaar dat deze getuige niet geheel eerlijk is, zoals ook geldt voor mr. Hogg. En uw cliënt mrs. Lewis was er zo op gebrand deze hoorzitting te mijden dat zij het land heeft verlaten – ondanks de dagvaarding. Er hoeft geen briljant en door en door ervaren juridisch brein aan te pas te komen om duidelijk te zien dat uw cliënten doodsbang zijn voor de mogelijkheid dat er in deze rechtszaal iets wordt gezegd dat ook maar even in de buurt van de waarheid komt.'

'Weet u zeker, mevrouw, dat u zich bewust op deze manier wilt uitlaten?'

Kevin Stewart schoot in de lach, kort en honend, maar genoeg om haar laatste restje zelfbeheersing te vernietigen. Ze haalde uit naar Hartley. 'Ik ben uw snerende, sarcastische toon meer dan beu! Ik twijfel er niet aan dat u persoonlijk betrokken bent geweest bij het besluit mrs. Lewis zich te laten onttrekken aan de jurisdictie van dit hof en ik zal de recherche verzoeken hier onderzoek naar te laten doen. Bovendien zal ik verzoeken ook onderzoek te doen naar de vraag wie de heren Hogg en Stewart heeft geïnstrueerd niet mee te werken aan deze hoorzitting. Uw cliënten denken misschien dat zij de uitslag kunnen forceren die zij willen als ze maar genoeg geld aan het creëren van rookgordijnen besteden, maar ik zal dat níet laten gebeuren, onder geen enkele voorwaarde.'

Haar uitbarsting schalde door de aula. In de stilte die erop volgde, legde Hartley zijn vingertoppen tegen elkaar, voordat hij zijn notitieboek sloot en de dop op zijn vulpen schroefde. Met een treurige, gekwelde uitdrukking op zijn gezicht keek hij op.

'Ik ben bang, mevrouw, dat uw opmerkingen mij geen andere keus laten dan een beroep te doen op een hogere rechtbank, met het doel elk nadelig oordeel dat deze hoorzitting mocht opleveren te laten vernietigen áls het al zover komt. De grillige manier waarop u deze zaak afhandelt, in combinatie met uw onmiskenbare bevooroordeeldheid, om maar te zwijgen van de bizarre gebeurtenissen van de afgelopen week, laten mij geen andere keus.'

Hij nam zijn paperassen en liep, gevolgd door zijn raadsman, door het middenpad tussen het stomverbaasde publiek naar de deur. Golding en Pamela Sharpe wisselden een blik van verstandhouding. De laatste kwam weifelend overeind. 'Mr. Golding en ik delen de gevoelens van onze confrère, meester Hartley, maar wij hebben besloten te blijven in het belang van onze cliënten.'

Jenny keek uit over de zee van verbijsterde gezichten. Ze had zojuist de journalisten hun dramatische moment bezorgd en de vette koppen voor de avondedities waren al geschreven: ADVOCATEN VERLATEN RECHTSZAAK VAN RECHTER IN DRUGSSCHANDAAL. Moreton zou de eerste verhalen vanavond nog bij zijn e-mail vinden en de volgende ochtend een nieuwe verdraaiing lezen. Het telefoontje zou voor tienen komen, nog voor ze de zitting had heropend. Ze had haar kans gehad en hem grondig verknoeid. Ze wilde zich verontschuldigen bij Simone Wills, die met een verbijsterde trek op haar gezicht naar haar staarde: ze wilde haar zeggen dat ze haar best had gedaan, maar diep in haar binnenste wist ze dat het niet zo was.

Ze wendde zich tot de laatste getuige, Kevin Stewart, die ongeïnteresseerd aan zijn nagels zat te plukken, maar kreeg geen woord over haar lippen. De periferie van haar blikveld begon wazig te worden en de druk op haar slapen nam toe: het zachte geroezemoes in de zaal werd weggedrukt door het suizen van haar bloed in haar oren. Ze stak haastig haar hand in haar zak, op zoek naar het buisje, maar haar vingers weigerden het te vinden. Ze zag Arwen haastig links van haar opstaan en vermoedde dat hij van plan was haar op te vangen als ze mocht vallen, maar hij beende over het middenpad naar een vrouw, een blonde oudere vrouw, en begon dringend met haar te fluisteren. Het was Alison! Toen Arwen zich omdraaide, zag ze Tara naast haar staan, en achter hen een slanke blonde jongen met een engelengezicht. De schandknaap!

Arwen haastte zich terug naar haar tafel, bijna joggend. 'Ene mrs. Trent, uw medewerkster. Het schijnt dat ze een getuige voor u heeft, ene mr. Mark Clayton.'

Even snel als de paniekgolf was opgekomen ebde hij weer weg. Jenny voelde dadelijk weer vaste grond onder haar voeten en de stalen band om haar middenrif ontspande zich. Ze stak haar hand uit naar het glas water, dwong zich een flinke slok te nemen en hervond haar stem.

'U kunt opstaan, mr. Stewart. U mag de zaal niet verlaten.'

Hij schoof luidruchtig de stoel achteruit en beende naar achteren, terwijl hij minachtend het hoofd schudde.

'Ik roep mr. Mark Clayton op.'

De blonde jongen, niet ouder dan achttien, negentien jaar, keek om naar Alison, die hem beduidde naar voren te gaan, een hand tegen zijn onderrug, als een beschermende moeder. Tara stond achter het tweetal, haar gezicht dansend van opwinding.

Zenuwachtig kwam Mark Clayton naar voren. Arwen leidde hem naar de getuigenstoel en bleef bij hem staan terwijl hij haperend de eedformule oplas, met grote, angstige ogen.

Jenny zei: 'U bent Mark Clayton?'

'Dat ben ik.'

Met een zacht accent, eerder Somersets dan Bristols, noemde hij haar zijn leeftijd – achttien – en zijn adres in het zuiden van de stad. Ze kon zien dat hij nooit eerder als getuige was gehoord: hij had niets van het uitdagende van een door de wol geverfde delinquent.

Ze beschikte niet over notities als leidraad om hem vragen te stellen, geen vooraf bedacht plan en geen idee van wat hij haar te zeggen had. Het enige waarop ze kon afgaan, was de stoïcijnse frons van Alison, die haar geruststelde dat het niet uitmaakte – het zou allemaal goed komen.

'Kunt u ons alstublieft zeggen welke relatie – voor zover daar sprake van was – u had met Danny Wills?'

Clayton keek naar Alison alsof hij hoopte een tip van haar te krijgen, maar wendde zich toen heel verlegen tot de jury. 'Ik was... ik was bevriend met de rechter van instructie, mr. Marshall.'

Jenny zei: 'Bevríend, zegt u?'

'Ja... Eigenlijk was het meer dan dat, weet u.... Ik heb hem een maand of drie geleden leren kennen en hem daarna om de paar weken ontmoet.'

Er golfde nieuwe energie door de zaal. De journalisten keken als één man op, zelfs de meest cynische ogen werden opengesperd.

Ze ging behoedzaam verder. 'Het was een romantisch soort vriendschap?'

'Min of meer... De kennismaking verliep via internet.' Een nieuwe blik naar Alison. 'Hij betaalde me.'

'Harry Marshall, de rechter van instructie die op zoek was naar de eigenlijke doodsoorzaak van Danny Wills, betaalde u eens per veertien dagen voor seks met hem?'

'Ja.'

Ze zag hoe Williams het hoofd liet zakken, bedroefd om wat Mary Marshall en haar dochters te wachten stond, maar er was geen weg terug. Ze verzocht Arwen de envelop naar de getuige te brengen en moedigde Clayton aan die te openen. Hij nam de foto's eruit.

'Kunt u ons zeggen wat u ziet?'

Clayton leek verbaasd, hij scheen zelfs walging te voelen bij wat hij zag. 'Foto's van mij en Harry in een hotelkamer.'

'Staat er een datum op?'

'25 april.'

'Waar was u die dag met hem?'

'Het Novotel, in Bristol. Daar gingen we altijd heen.'

'Wist u dat er foto's werden gemaakt?'

'Nee. Harry evenmin.'

'Er is een briefje aan een van de foto's geplakt. Kunt u lezen wat daar staat?'

Jenny keek naar de plaats waar Grantham had gezeten, maar die was er niet meer.

'Er staat: "*Beste Frank, je vriend. H.*"'

'Staat er een datum bij?'

'3 mei.'

Jenny wendde zich tot de jury. 'U zult zich herinneren dat Harry Marshall deze foto's op de ochtend van de derde mei naar mr. Frank Grantham heeft gestuurd en later die dag is overleden.' Ze richtte zich weer tot Clayton. 'Wat weet u hierover?'

'Harry belde mij mobiel, ik meen de vrijdag ervoor. Hij zei dat het hem speet, maar dat er kans was dat er foto's van hem en mij in de pers zouden verschijnen. Hij zei dat deze of gene hem afdrukken had gestuurd, naar zijn kantoor. Hoe het was gebeurd, wist hij niet.'

'Hoe klonk hij?'

'Ontsteld... heel erg ontsteld.'

'Heeft hij u iets over zijn werk verteld?'

'Die keer niet. Het was maar een kort telefoontje. Ik was kwaad.'

'Vanwege de foto's?'

'Waarover anders? Ja!'

'U zei zo-even, "die keer niet"?'

'Ja. Hij heeft me nog een keer gebeld, de week daarop, op donderdag. Eerlijk gezegd wilde ik het niet weten, maar hij bleef maar bellen en wilde het niet laten rusten, zodat ik aannam...'

'Hoe laat?'

'Dat weet ik niet precies. 's Avonds laat – het kan zelfs al na middernacht zijn geweest.'

Jenny keek naar Alison, denkend aan het telefoontje van Harry dat ze niet had aangenomen, het telefoontje dat hem tegen had kunnen houden als ze op tijd had opgenomen of de moed had opgebracht hem terug te bellen.

'Wat zei hij toen?'

'Zijn stem klonk rustig, niet boos, alleen wat verdrietig. Hij zei dat hij zich niet goed voelde. Als hem iets overkwam, zei hij, moest ik naar zijn kantoor bellen om te zeggen dat de man die hij had gezocht Sean Loughlin heette en verpleegkundige was in Portshead Farm. Hij zei: "Sean Loughlin heeft Danny Wills vermoord en ik ben niet moedig genoeg geweest om dat te bewijzen." Meer niet.'

'Waarom hebt u niet naar zijn kantoor gebeld, mr. Clayton?'

'Omdat ik niets meer met hem te maken wilde hebben. Voor mij was het alleen zakelijk, ziet u. En toen zijn vrouw me ook nog begon te bellen, was dat de druppel die de emmer deed overlopen.'

Williams had haar een briefje laten brengen waarin hij haar voorstelde de zitting kort te schorsen als ze klaar was met Clayton, maar hij noemde er geen reden voor. Later, in het halfuur dat de cameraploegen voor het gebouw elkaar verwoed begonnen te verdringen, zou hij haar vertellen hoe het eigenlijke verhaal zich had afgespeeld in de steeg achter de aula, waar hij Stewart en Hogg door zijn agenten heen had laten brengen. Met dezelfde blik in zijn ogen die ze erin had gelezen toen hij haar vertelde dat hij de Engelsen graag eens een hak zou zetten, vertelde hij haar hoe hij een deal had voorgesteld aan de eerste die zijn mond open-deed. Hogg bleek sneller te denken dan hij eruitzag, want hij had met-een zijn hand opgestoken, als een schooljongen. Stewart had hem een rechtse directe verkocht en toen geprobeerd ervandoor te gaan, maar even later zat hij geboeid in het politiebusje dat Williams aan het ande-re eind van de steeg had laten parkeren, waar hij Frank Grantham gezel-schap mocht gaan houden. Williams zei dat Grantham de ergste was van allemaal en dat hij was blijven zeggen: 'Weet je wel wie ik ben?' Wil-liams had hem van repliek gediend, maar zijn antwoord was minder geschikt voor beschaafd gezelschap.

De provinciale inspecteur uit Wales, wiens werk voornamelijk bestond uit inbraken in schuren en, als hij geluk had, soms ook in een woning, genoot zichtbaar.

Hartley en zijn raadslieden van het UKAM-team waren weer in de zaal toen Jenny halverwege de middag de zitting heropende, maar ze ston-den bij elkaar in een hoek achter in de zaal, gevangen tussen de nood-zaak erbij te blijven, maar te trots om gezichtsverlies te lijden door weer hun plaatsen achter de juristentafel in te nemen.

Enkele rijen voor hen zaten Alison en Tara Collins, naast Simone Wills en haar vriendinnen, alleen zat Tara nu op de plaats van de pornoster-in-opleiding om Simone's hand vast te houden.

Jenny liet Hogg opnieuw naar voren komen en herinnerde hem eraan dat hij nog onder ede stond. Niets in zijn houding getuigde van schaam-te of verlegenheid. Hij had het arrogante zelfvertrouwen van een man die dacht dat hij er ongestraft zou afkomen.

'Mr. Hogg, ik heb de indruk dat u, nadat u eerder vanmiddag hier hebt getuigd, er nog eens over hebt nagedacht en nu bepaalde zaken wenst op te helderen.'

Hogg keek opzij naar Williams, om zich ervan te overtuigen dat hem niets kon gebeuren. Williams knikte kort. 'Ja, mevrouw,' zei Hogg.

'Mr. Hogg, kunt u ons vertellen wat u in de nacht van 13 april, de nacht waarin Danny Wills de dood vond, hebt gezien?'

'Ik zag iemand, een lid van het personeel, zijn cel ingaan.'

'Waar zag u dat?'

'Op een van mijn monitors.'

'U wilt het hof zeggen dat de camera in de hoofdgang van het cellen-blok voor jongens wel degelijk werkte?'

'Ja, mevrouw, hij werkte.'

Jenny bood weerstand aan de verleiding naar de jury te kijken. Ze hoorde een paar mensen even hijgen van verbazing, maar wilde niet op hun emoties reageren: haar hart bonkte al hard genoeg. Ook keek ze niet naar Hartley en zijn team. Ze moest nu geconcentreerd blijven; het enige wat ertoe deed, was Hogg de onverdunde waarheid ontlokken.

'De bewakingscamera was niet kapot?'

'Nee.' Nog altijd geen spoor van spijt. De man kende geen schaamte.

'Waarom hebt u dan het tegendeel beweerd?'

'Ik had opdracht dat te zeggen en de volgende ochtend vroeg te melden dat de camera stuk was, voor het eind van mijn dienst.'

'Wie gaf u daartoe opdracht?'

'De directeur, mrs. Lewis.'

Jenny hoorde de UKAM-advocaten weer druk fluisteren; ze wist dat ze hun tactiek uitstippelden om Darren Hogg zwart te maken en hem in diskrediet te brengen.

'U hebt dus pas gerapporteerd dat de camera niet werkte op de ochtend van de veertiende april, toen Danny al dood was?'

'Klopt.'

Ze haalde diep adem. 'Vertel me exact wat u op uw monitor hebt gezien, mr. Hogg.'

'Ik heb die avond mr. Stewart zijn rondes zien doen, maar hij kwam verscheidene keren naar de deur van een van de cellen – die van Danny. Wat er in de cel gaande was, kon ik niet zien, maar ik kreeg de indruk dat mr. Stewart stond te schreeuwen. Het zag eruit alsof de gevangene amok maakte. Ik had dat ook al op eerdere avonden gezien.'

'Wat had u gezien?'

'Mr. Stewart had moeilijkheden met Danny. Hij weigerde zich koest te houden. Hij moest telkens terug naar zijn celdeur, tot hij uiteindelijk Loughlin belde.'

'Wie is Loughlin?'

'Een verpleegkundige van het intaketeam.'

Jenny vroeg: 'Waarom heb ik zijn naam op geen enkele personeelslijst gezien?'

'Ik heb hem na die veertiende april niet meer gezien...' Voor het eerst liet Hogg het hoofd zakken. 'Er werd ons gezegd dat wij niet meer wisten dan dat hij de laatste twee weken vrij had gehad.... dat moesten we zeggen als de rechter van instructie of de politie ons vragen ging stellen.'

'Mrs. Lewis droeg u dat op?'

Hij knikte.

'En als u weigerde?'

'Dan waren we onze baan kwijt en zou zij ervoor zorgen dat we nergens meer terechtkonden... Trouwens, niemand wilde last met Sean Loughlin. De kinderen noemden hem *The Butcher*.'

'Waarom noemden ze hem "De Slager"?'

'Ik weet niet of het waar is of niet...' Hogg begon te zweten. Hij haalde zijn manchet langs zijn wasachtige voorhoofd. 'Het was niet meer dan een gerucht dat ik had gehoord – hij verkocht ze drugs, maar behandelde ze als een homp vlees.'

'Dat betekent?'

Hogg greep naar zijn stropdas en trok hem wat losser. 'Ze betaalden hem ervoor met seks, vermoed ik. Hoewel ik dat zelf nooit heb zien gebeuren. Het enige wat ik weet, is dat hij 's nachts vaak op de been was. Als iemand tot rust moest worden gebracht, werd de dienstdoende verpleegkundige erbij gehaald. Meestal was hij dat.'

'Hoe laat kwam Loughlin naar Danny's cel?'

'Een uur of twee.'

'Ging mr. Stewart met hem mee naar binnen?'

'Nee, hij ging alleen. Hij bleef toen een minuut of tien, vijftien in de cel. Uiteraard kon ik niet zien wat er binnen gebeurde, maar toen hij naar buiten kwam, zo herinner ik me, keek hij even op naar de camera – zo'n korte blik, u weet wel...'

'Wat gebeurde er daarna?'

'Alles was rustig... Mr. Stewart heeft geen rondes meer gedaan tot aan een uur of zes. Toen pas zag hij Danny...' Voordat Jenny iets kon zeggen, liet hij erop volgen: 'Dat was zo zijn gewoonte. Als de kinderen eenmaal sliepen, deed hij geen moeite meer.'

Jenny vroeg: 'Mr. Hogg, vertel ons hoe vaak u er getuige van bent geweest dat trainees door personeelsleden van Portshead Farm met geweld werden overmeesterd?'

'Dagelijks. Ze moeten wel. Sommigen zijn net wilde dieren. Hoe moet je ze anders onder de duim houden?'

Ze leunde terug in haar stoel en gunde zich een ogenblik om haar blik door de aula te laten dwalen: ze zag Alison die tissues uit haar mouw trok en ze aan Simone gaf; Hartley en consorten die nog altijd wanhopig aan het fluisteren waren; Williams die het glimlachend stond aan te zien; Peterson die wezenloos voor zich uit staarde; Pamela Sharpe en Golding die hun cliënten even waren vergeten en al even gefascineerd en verbijsterd waren door wat ze hoorden als de jury.

Jenny vuurde een laatste vraag af op Hogg: 'Vertelt u mij eens, in wat voor auto reed Sean Loughlin?'

Hoggs kin ging met een vreemde spiertrekking omhoog toen hij het zich voor de geest probeerde te halen. 'Ja... ik geloof dat het een Vectra was – een blauwe Vectra.'

Tijdens het korte reces dat Jenny had afgekondigd om zichzelf en de jury de gelegenheid te geven de volle implicaties van de getuigenverklaringen van die middag op zich in te laten werken, klopte Alison bij haar aan en kwam het kantoor binnen met het nieuws dat zij Williams' dienstlaptop had gebruikt om online te gaan en de lijst van telefoontjes van het bureau over de maanden april en mei op te vragen. Ze overhandigde haar een vlekkerige uitdraai die uitwees dat Marshall op de ochtend van de twaalfde april vanuit zijn kantoor talloze telefoongesprekken had gevoerd met Portshead Farm en diverse andere telefoonnummers, die voorkwamen op de personeelslijst die hij had doorgenomen. Het viel Jenny op dat de naam Sean Loughlin ook niet op dit document voorkwam. Tussen al die telefoontjes had Harry vergeefs Katy's mobieltje gebeld, maar om 12.52 uur had hij toch verbinding gekregen en haar drieënhalve minuut aan de lijn gehad. Wat er toen was gezegd, zouden ze nooit weten en het was de jury niet toegestaan ernaar te raden, maar áls ze al de naam Loughlin had genoemd, had Marshall die in geen van zijn paperassen vermeld. Dit detail had Harry met zich meegenomen, maar Jenny kon zich voorstellen hoe hij na de ontvangst van de foto's verwoed Danny's dossier had zitten napluizen, op zoek naar iets wat hem later kon belasten. Toen de wanhoop bezit van hem nam, was hij gezwicht voor zijn knagende geweten en had hij Katy's dossier in zijn bureaulade weggesloten, in een laatste wanhopige poging zich postuum te rehabiliteren. Aan het strakke maar gekwelde gezicht van Alison kon ze zien dat haar rechercheursgeest met een overeenkomstig scenario speelde, maar dit was niet het goeie moment om ernaar te gissen: ze had al genoeg te stellen met haar verdriet. Ze zou nog tijd genoeg hebben om in het reine te komen met Harry's schande.

Het was al over vijven toen Jenny de getuigenverklaringen voor de jury samenvatte en daarna zorgvuldig uiteenzette uit welke oordelen de jury kon kiezen. Om tot het oordeel 'doodslag' of 'moord' te komen, moesten zij het eens worden over de geijkte bewijsstandaard: zonder redelijke twijfel. Voor alle overige potentiële oordelen – 'dood door ongeval', 'onopzettelijke doodslag', 'grove nalatigheid' of een 'open oordeel' (de civiele norm) was de balans van waarschijnlijkheden doorslaggevend. Hoewel ze niet beschikten over een ooggetuigenverslag van wat er op het exacte moment van Danny's dood was gebeurd, waren zij gerechtigd zich een oordeel te vormen aan de hand van de lappendeken van bijkomstig bewijsmateriaal. Hoe geloofwaardig zij de verschillende getuigen vonden en hoeveel gewicht zij aan hun getuigenissen wilden toekennen – dat waren aangelegenheden waarop zij hun nuchtere verstand moesten loslaten. Tot slot spoorde zij hen aan hun bevindingen zo precies mogelijk te formuleren: een hoorzittingsjury moest zo gedetailleerd als het bewijsmateriaal rechtvaardigde de exacte doodsoorzaak en de omstandigheden rondom het overlijden vaststellen.

De jury trok zich terug in de enige beschikbare ruimte: Jenny's kantoor. Noodgedwongen moest ze in haar eentje hun terugkomst afwachten in de enige andere besloten ruimte: een kleine, vensterloze keuken die naar stokoud linoleum rook. Arwen had eraan gedacht een kleine vouwtafel en een stoel voor haar neer te zetten, maar het was iets geheel anders dan wat zij zich van de kamers van een rechter van instructie had voorgesteld. Toch leek de knusse huiselijkheid ervan op de een of andere manier te passen bij het intieme karakter van haar taak. Ze was hier niet om over misdadigers te oordelen en vonnis te wijzen, maar om – voor zover dat mogelijk was – aan het licht te brengen wat ertoe had geleid dat een jonge, kwetsbare en verwarde ziel op zo'n trieste en voortijdige manier zijn stoffelijk lichaam had verlaten.

De jury had nog geen veertig minuten nodig om tot haar oordeel te komen. Er heerste respectvolle stilte toen de juryleden een voor een terugkwamen in de zaal en hun plaatsen weer innamen.

Jenny zei: 'Wil de voorzitter opstaan, alstublieft?'

Een zelfverzekerde jonge vrouw op de achterste rij stond op en hield het ingevulde onderzoeksformulier omhoog.

'Mevrouw de voorzitter, is de jury ten aanzien van alle vragen op het onderzoeksformulier tot een eensluidend oordeel gekomen en hebt u ervoor getekend?'

'Ja, mevrouw.'

'Wilt u alstublieft – en luid genoeg om uw antwoorden verstaanbaar te maken – de volgende vragen beantwoorden? Naam van de overledene?'

'Daniel Wills.'

'Letsel of ziekte leidend tot de dood?'

'Verstikking door verwurging.'

'Tijd en plaats waar dit letsel is opgedaan?'

'Daniel Wills is op 14 april jongstleden kort na twee uur 's nachts overleden in zijn cel van het gesloten heropvoedings- en detentiecentrum Portshead Farm.'

'Conclusie van de jury aangaande de doodsoorzaak?'

'Daniel Wills is gedood door Sean Loughlin, verpleegkundige in Portshead Farm. Loughlin heeft hem fysiek overmeesterd, waarbij hij letsel veroorzaakte dat maakte dat Daniel het bewustzijn verloor. In de

overtuiging dat hij dood was, heeft Loughlin zijn lichaam aan een afgescheurde reep beddenlaken aan de tralies van zijn celraam opgehangen,
om het eruit te laten zien als zelfmoord.'

Met het snikken van Simone Wills op de achtergrond bedankte Jenny
de jury voor haar inspanningen en legde uit dat zij haar dossier onmiddellijk zou overdragen aan de politie, met de aanbeveling een onderzoek
wegens moord in te stellen tegen Sean Loughlin. Zonder pauze beval ze
dr. Nick Peterson en Frank Grantham naar voren te komen en veroor-
deelde het tweetal tot vijf dagen gevangenisstraf wegens minachting van
het hof. Hun advocaten zouden in vliegende vaart beroep aantekenen,
maar ze zouden op zijn minst één nacht ervaren wat het was om gevangen te zitten. Williams had haar beloofd dat hij een auto gereed zou
houden om het duo over te brengen naar Swansea, een huis van bewa-
ring dat nooit haast maakte met het vrijlaten van een Engelsman.

Te midden van het oorverdovende kabaal dat daarna ontstond ont-
moette ze de kalme blik van Alison en mimede haar een van harte
gemeend 'Dank je' toe.

28

De middag liep ten einde. Ze reed het pas gemaaide karrenspoor op en liep naar de achtertuin, waar ze Steve aantrof in sandalen en een spijkerbroek met afgeknipte pijpen, zijn shirt doordrenkt van zweet. Hij keek bewonderend naar het ruitpatroon dat hij met een oude ijzeren grasmaaier in het gazon had gecreëerd. Alfie lag languit op zijn zij in de schaduw bij de achterdeur.

Jenny zei: 'Wat heb je gedaan? Het lijkt wel een tuin in een voorstad.'

'Het bevredigt mijn gevoel voor orde.'

'Sinds wanneer heb jij dat soort gevoelens?'

'Zes jaar architectuur laat zijn sporen na.'

Ze liet haar aktetas op de ruwhouten tuintafel vallen en trok het jasje van haar mantelpak uit. Na de regenachtige junimaand bracht juli eindelijk zon.

'Je hebt me nooit gezegd waarom je daarmee opgehouden bent, afgezien van die losgeslagen vriendin.'

'De angst om een man in een net pak te worden, denk ik. Vrouw, kinderen, hypotheek en noem maar op.'

'Er zijn ergere dingen.'

Hij draaide zich om en keek naar haar. Zijn blik dwaalde af naar haar blouse, waarvan ze twee knopen open had gelaten. 'Ik weet het.' Hij begon de grasmaaier terug te duwen naar de oude molenschuur. 'Er was een poosje terug een telefoontje van Alison. Ze zei dat ze al twee uur had geprobeerd je te bereiken.'

'Ik had het druk. Wat wilde ze?'

'Ze hebben de DNA-uitslag. Het haar dat in Loughlins auto is gevonden, was dat van Katy Taylor. Ik meen dat ze heeft gezegd dat ze hem in staat van beschuldiging gaan stellen wegens moord.' Hij verdween in de aftandse molenschuur. Jenny hoorde hem bezig met het verplaatsen van gegolfd plaatijzer en houten balken.

'Da's alles wat je erover te zeggen hebt...? Wat dacht je van: "Goed gedaan, die dubbele moordenaar in je eentje in de kladden grijpen"?'

'In je eentje, zei je?'

Ze achtervolgde hem en haar hakken zonken weg in het gras. 'Wat wilde je daarmee zeggen?'

'Het waren toch Alison en die journaliste die deze Clayton-knaap hebben opgespoord?'

'Die zou ik hoe dan ook hebben gevonden. Ik was degene die de foto's op heeft gedoken.'

'En wie vond de dossiers van de patholoog?'

Ze bereikten de opengebroken muur, waar de deuropening had gezeten. 'Daar was ik bij.'

'Met die computer-Einstein.'

Hij duwde de grasmaaier onder een provisorisch afdakje dat hij tegen de zijmuur had opgezet.

'Waar ben jij mee bezig? Een poging mij te kleineren omdat ik status heb en jij niet?'

Steve keek naar zijn vuile handen, onder de roest, en liep naar haar toe. 'Weet je wat jouw probleem is, Jenny? Je lijkt er vooral op uit alleen te zijn.'

'Dat is níét waar.'

'Behalve als je er zo goed in slaagt dat je er zelf bang van wordt.'

'Je ként me niet eens.'

'Soms zien vreemden de dingen scherper.'

'Werkelijk.'

'Kijk even naar jezelf, Jenny. Je bent een mooie vrouw, maar gekleed als een begrafenisondernemer.' Hij plantte zijn handen om haar middel.

'Wat doe je nou, verdomme!'

'Het is warm. Je hebt een huis aan een beek gekocht. Ga je er ooit nog in zwemmen?'

'Blíjf van me áf!'

Hij liet haar los. 'Wat jij wil. Hij ontdeed zich van zijn shirt en waadde naar een plek waar het water tot aan zijn heupen reikte en dook naar voren. Hij kwam lachend boven, schudde het hoofd, rolde zich op zijn rug en trappelde met zijn blote voeten in de lucht. 'Dit zou jij kunnen zijn, Jenny... dit zou jij kunnen zijn.'

Ze staarde een ogenblik naar hem, als verlamd in het besef dat ze altijd doodsbang was geweest voor water. Toen trok ze langzaam haar schoenen uit en maakte de gesp van haar ceintuur los. Misschien was het tijd om die angst te overwinnen.

'Luister er opnieuw naar. Zeg me dan wat voor geluid het precies is.'

'Het is de deur... vuisten op de deur. Gebonk. Heftig...'

'En dan?'

'... Een stem, een woedende stem. Geschreeuw... harder dan luid roepen.'

'Ja?'

'Ik weet het niet... ik kan het n...'

'Probeer het, Jenny. Blijf erbij. De stem van je vader...'

'Nee, hij is het niet... O god...'

'Wiens stem... Het is goed, Jenny, laat de tranen maar komen... maar blijf erbij.'

'... Mijn grootvader... Hij schreeuwt... Nee, ik kan het niet, ik kan het niet.'

Te midden van de tranenvloed opende ze haar ogen en nam een nieuwe tissue uit het pakje dat dr. Allen haar voorhield. 'Het spijt me, ik kan niet verder.'

'Je hebt weer een grote stap gezet, de stem van je grootvader. Heb je enig idee waarom hij zo schreeuwde?'

Ze schudde het hoofd. 'Nee.'

'Misschien komt het nog in je op. Ik denk wel dat we binnenkort kunnen doorbreken.' Hij maakte een notitie. 'Vertel me wat voor gevoel je had toen je je grootvader zo hoorde.'

Een nieuwe stroom zilte tranen droop over haar gezicht. 'Ik heb geen idee waar dit vandaan komt...'

'Probeer er een woord voor te vinden, een gevoel.'

'Kan ik niet.'

'Probeer het. Het eerste wat in je opkomt.'

'... Dood.'

'Mooi.' Hij schreef het op. 'Is er omstreeks die tijd iemand gestorven die je kende?'

'Nee.'

'Probeer wat oude foto's, brieven of wat dan ook te bekijken. Ik voel dat we er nu dichtbij zijn.' Hij keek op van zijn notities. 'Vertel me eens, hoe sla je je erdoorheen in die nieuwe stressvolle baan van je?'

Ze droogde haar tranen. 'Die nieuwe pillen helpen me erdoorheen.'

'Afgaande op de kranten heb je heel wat meer gepresteerd dan dat.'

'Ik heb ook een massa fouten gemaakt.'

'Geen zelfdestructieve gedachten meer?'

'Niet echt... Ze zijn er altijd, loerend in de schaduw, maar zolang ze daar blijven vind ik het best.'

'Paniekaanvallen?'

'De afgelopen week of daaromtrent niet meer. Ik voel me tamelijk stabiel.'

'Dat klinkt bijna teleurgesteld.'

'Ik heb niet het gevoel veel medicamenten te nemen... Ik beklaag me niet.'

'Je bent aan de beterende hand. Beschouw die medicamenten maar als een soort pleister. Je hebt ze alleen nodig zolang de wond eronder bezig is te genezen.'

'Ik neem aan van wel...' Ze kwam overeind zitten en wiste het laatste traantje weg.

'Vertel eens, hoe staat het met je zoon?'

'Prima. Hij komt volgende week en blijft de zomer logeren. Misschien zelfs langer.'

'Zijn jointprobleem?'

'Ik hoop dat hij zijn aandacht verplaatst naar de meisjes.'

'Daar heb jij geen problemen mee?'

'Natuurlijk wel, ik ben zijn moeder, maar gelukkig kan ik degenen die niet goed voor hem zijn wegjagen.'

Dr. Allen glimlachte. 'Weet je, wat er tussen jou en hem is gebeurd valt niet weg te poetsen, maar als je het heden in orde krijgt, kun je je op zijn minst met het verleden verzoenen.'

Jenny zei: 'Ik ben rechter van instructie. Ik wijd mijn leven aan het tot rust brengen van zaken.'

EPILOOG

Inspecteur Williams en zijn team slaagden erin Sean Loughlin voor de rechter te brengen. In het Strafgerechtshof van Newport verklaarde hij zich schuldig aan de doodslag op Danny Wills, maar hield stug vol onschuldig te zijn aan de moord van Katy Taylor. Tijdens het latere proces werd er bewijs overlegd dat hij op de dag van Katy's verdwijning legaal een luchtdrukpistool had gekocht dat sprekend leek op een Glock-handvuurwapen; hij werd ervan verdacht haar daarmee te hebben gedwongen in zijn auto te stappen. Loughlin weigerde zelf in de getuigenbank plaats te nemen en werd veroordeeld. Hij kreeg levenslang, met de aanbeveling dat hij er op zijn minst vijfentwintig jaar van zou uitzitten.

Kevin Stewart werd vervolgd wegens meineed en verklaarde zich, nadat Jan Smirski uit Polen via een videoverbinding tegen hem had getuigd, alleen schuldig voor de aanklacht dat hij de rechtsgang had belemmerd. Hij kreeg vier jaar. Williams deed pogingen om overeenkomstige aanklachten tegen diverse andere personeelsleden van Portshead Farm in te dienen, maar het Openbaar Ministerie besloot af te zien van strafvervolging wegens gebrek aan bewijs. Darren Hogg werkt nog altijd als bewaker van het videocircuit, hoewel hij door zijn werkgever naar een strafgevangenis voor volwassen delinquenten werd overgeplaatst. Elaine Lewis verblijft nog steeds in de Verenigde Staten en alle pogingen om haar uitgeleverd te krijgen naar het Verenigd Koninkrijk waren tot nu toe vergeefs. Tegen Giles Hartley en zijn raadslieden werd strafvervolging ingesteld, maar dat leidde niet tot aanklachten.

Ondanks uitvoerig onderzoek konden er geen concrete bewijzen worden gevonden waaruit bleek dat Frank Grantham betrokken was geweest bij een corrupte verkoop van terrein van de Plaatselijke Overheid aan UKAM Secure Solutions, Ltd. Deze onderneming heeft die transactie inmiddels voltooid en bouwt momenteel een gesloten heropvoedings- en detentiecentrum met een capaciteit voor vijfhonderd trainees. De identiteit van de klokkenluider die het inschrijvingsdocument Harry Marshall in handen heeft gespeeld, is nooit achterhaald.

Andy en Claire Taylor hebben een officiële klacht ingediend voor de nonchalante manier waarop het onderzoek naar de dood van hun dochter was aangepakt. Hoewel de afdeling Interne Zaken van de politie op diverse tekortkomingen in de aanpak van de Criminele Recherche heeft gewezen, werden deze aan gebrek aan middelen toegeschreven. Sommige aspecten van het onderzoek werden als betreurenswaardig aangemerkt, maar er kon van geen enkele politiefunctionaris worden beweerd dat hij of zij in gebreke was gebleven.

Tara Collins zag zich genoodzaakt een tweede hypotheek op haar huis te nemen om een firma op het gebied van forensische data-opsporing in de arm te kunnen nemen. Deze experts herleidden algauw de vermeende frauduleuze transacties op haar laptop naar een wificonnectie in een coffeeshop van Starbucks in Burtonsville, Maryland. Er kon geen connectie worden bewezen met de UKAM of daaraan gelieerde bedrijven, maar de rechter die haar zaak in het Strafgerechtshof van Bristol behandelde, oordeelde dat de aanklachten tegen haar geen steek hielden en beval de jury een niet-schuldig uit te spreken.

Nick Peterson nam ontslag bij het ziekenhuis van Severn Vale om in een gemeentelijk ziekenhuis in Zuid-Afrika te gaan werken.

Een hoorzitting over de dood van Harry Marshall, onder de jurisdictie van de onderzoeksrechter van Bristol Centrum leidde tot een open oordeel. Noch mrs. Marshall, noch haar dochters woonden de zitting bij. Tijdens een korte rouwdienst bij de begrafenis van Katy Taylor las mrs. Marshall echter de favoriete passage van wijlen haar echtgenoot voor uit Jesaja 61.

De geest van God, de HEER, *rust op mij, want de* HEER *heeft mij gezalfd. Om aan armen het goede nieuws te brengen heeft hij mij gezonden, om aan verslagen harten hoop te bieden, om aan gevangenen hun vrijlating bekend te maken en aan geketenden hun bevrijding.*